増補改訂版 社会的企業が拓く
市民的公共性の新次元

持続可能な経済・社会システムへの
「もう一つの構造改革」

粕谷信次 著

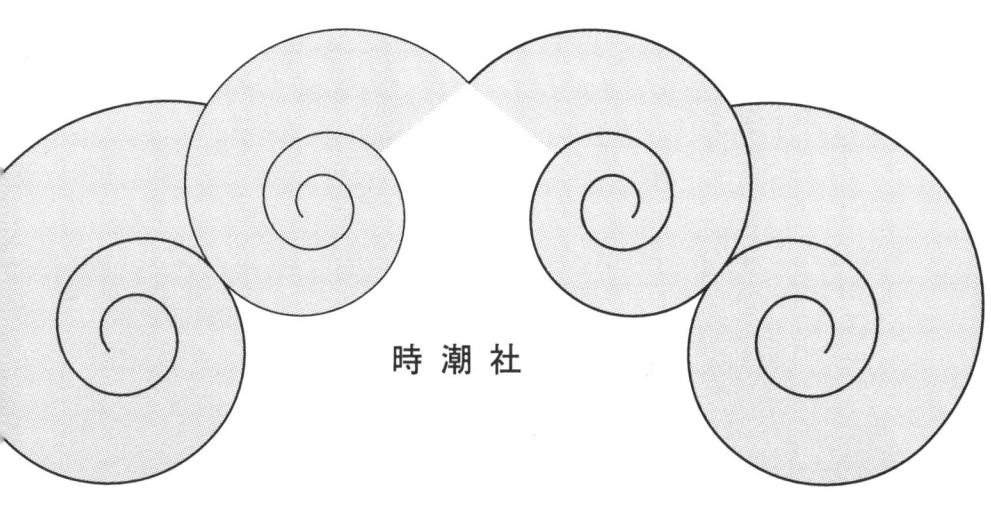

時潮社

増補改訂版へのはしがき

　本書の初版第1刷は，2006年の11月であったが，幸い，多くの方々から好意的な書評を頂き，非常に勇気づけられた。また，いくつかの研究会，集会，そして，社会主義理論学会での報告の機会にも恵まれた。とくに，法政大学経済学部学会は，拙著を巡って座談会を催し（2007年7月），学部の内外から多くの方々の参加を得て，多面的に検討する機会を与えてくださった。

　これらの機会を通じて，はっきりさせるべき諸点や考察を深めねばならない多くの課題を触発された。そのなかでも，私にとってもっとも大きな，差し迫った課題として意識されてきたのは，つぎのことである。すなわち，志をもったNPOや新しい協同組合などの社会的・連帯経済諸事業が生まれてくるというのはわかるが，それがオルタナティブな社会経済システムをつくりあげる力を現実にもち得るのか。また，変革してつくりだすオルタナティブな社会システムの全体像がなかなか見えてこない，といった批評に答えることである。

　この件については，増補して序章に据えた「社会的・連帯経済体制の可能性」の〈はじめに〉で述べるように，拙著を巡っての「座談会」の中で，もっとも端的な指摘を頂いた。そこで，まずは，それに答えていかねばらないと思うようになっていった。「連帯経済の可能性」というテーマで社会主義理論学会（2008年4月）で報告したときも，その感を深くした。

　ところで，昨年の初夏の頃，時潮社の相良景行社長から，第1刷の在庫状況からして，そろそろ重刷を考えたいが，章を1つ加えて増補改訂版としたらどうかとお誘いを受けた。『経済志林』（伊藤陽一先生退職記念号，年度末発行）に何かジェンダーの問題にも関わる寄稿をと考えていたこともあって，渡りに船と一石二鳥を図るべく増補章の構想を巡らせ始めた（また，10月末頃，『季報・唯物論研究』誌から特集号（ハーバーマスの挑戦と射程）への寄稿依頼を受け，Ⅲ節の執筆のモチベーションをさらに高めさせて頂いた）。

　折からサブプライム・ローンの破綻が広がり，投資銀行・リーマンブラザーズの破綻辺りから，「100年に1度の金融・経済危機」が急激な拡大・深化を見

せ始めた。つい最近まで，市場至上主義を欧歌してきたアメリカの最大手金融機関が実質国有化に近づき，アメリカの代名詞だったビッグ・スリーの破綻・国有化が広がりかねなくなった。IT立国，金融立国をリードしたアメリカは，世界中からマネーを取り入れ，バブルを膨らませて，グローバル資本主義の機関車となっていったが，そのバブルが破裂したのだ。2007年10月（ピーク時）から2008年11月の間に，世界の金融商品のキャピタル・ロスは，40兆ドル（4000兆円），世界のGDPの1年分にあたるという（エコノミスト編集部「金融機関の損失だけで1000兆円，財政出動も『焼け石に水』」『エコノミスト』2008/12/17臨時増刊号）。この巨額の損失をいかに処理するか。やはりバブルの再来に頼るしかないのか？　あるいは，国有化，国家管理をさらに進めるか？　本編2章で，主流派経済学者が提起する平成大不況からの諸脱却策（通常の資本主義からすれば，「禁じ手」ともいえるラディカルな諸提起）を紹介したが，それらに類する議論が，いま，アメリカでも，ほぼそのまま再生産されているように見える。

　われわれは，そのオルタナティブとして，〈「社会的経済」の促進による「循環型地域社会」づくり〉を提起した。増補編は，これを世界的な「100年に1度の金融・経済危機」脱却に，アメリカのバブルに頼れた日本の場合よりも，さらに他の道がなく，かくて，さらにラディカルに適用する他ないことを論じたものである。但し，オルタナティブなマクロ像をできるだけ明確にし，変革への道筋も，市場と国家の両セクターに〈市民的公共性を浸透させる〉という抽象性を脱して，いまや，「多文化・市民的公共性」（今回，視野を広げ，理論的に掘り下げを試みた成果のキーワード）を求めて，熟議に限らず，政治的，経済的，社会的，文化的ヘゲモニーを争うラディカル・デモクラシー（ナンシー・フレーザー）の遂行というように，戦線を広げ，少しでも具体化することを目指した。それが成功しているか否かは，読者の判断に委ねる他ない。

　ところで，増補編は，むしろ，執筆の経過にしたがって，本編の後にその結論的提起として置いた方がよかったかもしれないが，逆に，言いたいことを先にいって，本書全体の道標となることを願って，前に配して序章とした（いくつかの点で，本編でより立ち入った議論を行なっているところは参照を求めた。ま

た，序章の図のいくつかは，本編をいちいち参照する読者の煩わしを勘案して本編の図を再掲した）。本編については，誤った字句の訂正のみは行なったが，内容にはふれず，単なる重刷とした。序章と本編の関係で言及しておいた方がよい場合も出てきたが，それは，序章のなかで言及した。

　しかし，序章のなかで触れられず，ここで言及しておかねばならないと思われるのは，本編2章の最後に付け加えたポスト・小泉政権のその後についてである。本編を擱筆したのは，自民党総裁選で，ポスト・小泉の座を安倍晋三，麻生太郎，谷垣禎一の三候補が争っているときであった。小泉純一郎は争点を郵政民営化1点に絞り，……ワンフレーズ・劇場型選挙で大勝を博したものの，しかし，格差の拡大，地方・農業の疲弊など「小泉・構造改革」の歪みが誰の目にも明らかになりつつあった。そこで，次のように論じた。「三候補とも，基本的に『小泉構造改革』を評価し，これを引き継ぐとしながら（とくに2007年の参院選を意識して），……「脱小泉」色を打ち出そうとしている……。首相の座を獲得した安倍晋三の政権構想を伺うと，その自己矛盾のきわめて大きいことに驚かざるを得ない。」まさに，小泉構造改革の歪みがますます大きくなるなかで，この，二本足の自己矛盾は大きくなるばかりで，安倍晋三も，つづく福田康夫も何もできないうちに内閣を投げ出さざるを得なくなり，そして，その後を，またしても盥まわしで引き継いだ麻生太郎もにっちもさっちも行かなくなっている。そうこうしている内に，市場至上主義への止めの一発ともいうべき「100年に1度の金融・経済危機」に落ち込んで，野垂れ死にするほかなくなっている。

　まさに，「小泉構造改革」路線（市場至上主義とそれを支える経済学）を根本から見直し，そのオルタナティブを提起することが緊急に迫られているのである。われわれは，「社会的・連帯経済体制」の構築こそ，そのような時代の要請に応えるオルタナティブだと自負するが，どうであろうか。

　本増補改訂版の出版には，うえに記したようにさまざまなかたちでコミュニケートを賜った多くの方々，また，もちろん，重刷を可能にしていただいた初版の読者諸氏，そして，再びお世話になった時潮社社長の相良景行，編集長の西村祐紘の両氏に深く感謝申し上げたい。

2009年3月9日　粕谷信次

はしがき

　日本経済は，バブル景気に酔い痴れた挙句平成大不況に落込み，一時はデフレ・スパイラルに嵌って日本発の世界恐慌の引き金を引き兼ねなかったが，いま，ようやく景気回復に向かったように見える。しかし，それは累卵の危うさのうえにある。覇権国アメリカの「双子の赤字」――（史上空前の大規模な経常収支，財政収支の赤字）――は，ドル不信の危険をますます大きく孕ませながら世界に過剰流動性を供給しているが，その過剰流動性がグローバル化した経済の何処かに順繰りにバブルを起こすことによってのみ，つかの間の景気の回復を享受しているに過ぎないように見える。しかもこのバブルと不況の交替の間に各国内における社会経済的格差，社会的排除の拡大，市場倫理，職業倫理の崩壊，総じて社会の解体と生活の安心・安全の危機が確実に進行している。グローバルなスケールではその何十倍，何百倍ものオーダーでの諸格差の拡大，……等々の進行，それに由来するテロ－反テロ戦争のさらなる拡大。そしてかかる社会的持続性の危機進行の舞台となっている地球環境の破壊は歯止めなく加速的に進行する。この生命の星・地球の上での人類の文明は21世紀の半ばまでさえ持続可能なのだろうか。

　馬場宏二は「過剰富裕社会化」による「社会の摩滅」という「悲しき唯物史観」の音色をニヒルに奏でる（補遺〔3〕）。いまや，若者は今日よりは明日がよくなるという希望をもてない。不透明な不安のなかで，寄る辺なく，刹那的に生きるしかない。「強い個」はもちろん，「弱い個」さえ危うい。マネーゲームの英雄に憧れ，劇場型政治に鬱憤を晴らす。もはや，〈貨幣システム〉，〈国家権力システム〉，そして〈ブランドなどの評判システム〉に支配され，いまや歯止めを外され暴走するシステムの狂乱に翻弄されるしかないのか。

　E. マンデルは，かつて，「後期資本主義の時代に生産諸力の一層の発展と結びついている潜在的な浪費と破壊の力学が非常に強く作用するため，より高次の社会形態による資本主義の解消がなければ，体制ないし人間文明全体の自己破壊しかない」。「『社会主義か文明破壊か』の選択が……完全な意義を獲得する」といった（2章参照）。

しかし，社会主義は，日高普「マルクス主義の可能性」がいうように，「現代社会主義には労働者階級の主体性のほかは何でもあるという『プロレタリアートに対する独裁』しか生み出さなかった（補遺〔1〕参照）。そして，それが暴露されるや人類史上多くの人びとをひきつけ大きな力を発揮した一つの理念が，わずか20年あまりで完全に崩壊してしまった」のである。シニカルになった思想界では，主体的契機の評判は悪い。社会主義の歴史的失敗の責任は限りなく大きい。かくて，このまま，「悲しき唯物史観」に身を委ねる他ないのか。

われわれは，特に社会科学は，この危機から脱することが出来るのか。われわれが対象とする「現状（現実・歴史）分析」は客観的真理とイデオロギーの境に位置する。しかし，客観的真理とは何か。議論に限りなく開かれたイデオロギーと何処が違うのか。いまや，村上泰亮のいうように「近代のもっていた約束事を，一度はすべて疑うだけの気力をもつことである」（補遺〔3〕参照）。かくて以上の危機を脱するべく，21世紀が持続可能となることに価値を置いた場合，われわれの「現状（現実・歴史）分析」はどのようになり得るのか。主体的契機というものはないのか。あるとすればどのようにあり得るのか。しかしもちろん，大文字の〈主体〉の大失敗の歴史的経験から学ばねばなるまい。学んで過去の失敗を繰り返さずにどのような仕方があり得るのか。

II部の補遺の諸稿で述べているように，この20年来，このような問題意識を持ちつつ，この問題に対する答えを求め，その鍵として「新しい社会運動」諸主体に注目してきた。

その結果，何を主張することができるか，その内容については，本文を読んで頂くしかないが，巻末に，執筆した時間的順序にしたがってそれぞれの論文の簡単な解題を掲げた。順にそれぞれの解題に目を通して頂ければ，私の思考枠組みの展開を辿って頂けるのではないかと思う。それにしても，はじめに，ごく概括的に本書の問題意識を述べれば次のようになる。

（α）まずは，マルクス主義が（そして私も）捕らえられていたヘーゲル・マルクスの呪縛からの自己批判的な解放である。その際，ヘーゲル・マルクスこそ「〈主－客〉対抗の二分法」という近代の思考のパラダイムの権化である

と，ヘーゲル・マルクスと近代のパラダイムを串刺しに批判するポスト・モダンに学びながらも，これをも批判的に検討し，ヘーゲル・マルクスとポスト・モダンの両者をともに相対化する地平を探る。

（β）うえの（α）のパラダイム（ポストモダンも含めて）から解放されると見えてくるものがある。
 ① 「生活世界」（ハーバーマスのそれを受け継ぎながら，その改釈を試みる）
 ② 「生活世界」のなかから様々に立ち上がる，「活き活きと生きたい」という様々な主体的動きとしての諸々の「新しい社会運動」。それらに基づく③。
 ③ ネットワーキングする，新しい「社会変革（歴史）主体」というコンセプト。この新しい主体と従来の近代的主体との相違を一言でいえば，（主客対抗を越えて）他者へ開かれているということであろう。

補遺〔1〕と〔2〕は（α），（β）を直接の問題意識として書かれている。

（γ）〈あいだ〉パラダイムの提起
〈システム vs. 生活世界〉，あるいは〈システム vs. 主体〉の対抗軸で社会をみることをハーバーマスに学びながらも，ハーバーマスもまた近代人に留まっていることを批判し，われわれの考えを進めるためには，〈システムと生活世界・主体〉の〈あいだ〉に立ち入っていかねばならない。〈あいだ〉の境位の重要性を主張する。

システム（内部）──────────────────────環境（外部）
　制度　　やわらかいシステム────────ネットワーク・連帯　　主体的要素

両極がグラデートする重層的入れ子

系論として次のようなことがいえよう。
・硬いシステムだと，重層的入れ子において，上図のより右に位置する諸要素を見ないばかりか抑圧・排除する。
・二分法によって抑圧・排除（外部化）されていたものの解放→それがシス

テム革新のエネルギーとなる。
　・外部があって，はじめてシステムも相対的に形成され，また革新され得る。

　補遺〔1〕と〔2〕も事実上この地平に立っていたが，自覚的に提起するのは補遺〔3〕の論稿からである。しかし，以上のようなかたちで明確化するのはⅠ部のシリーズ論文になってからである。

　このような問題意識をもちつつ，機会に恵まれていくつか現状分析を行う際には，つねに以上の視角を隅の主石として配してきたが，その見通しをより確信するようになったのは，（γ）でいう「新しい社会変革主体」のありようを既に体現しているかのような人びとの営みとの邂逅であった。すなわち，（アメリカの「社会的労働運動」といういい方に倣えば）「社会運動的協同組合主義」を実践しているともいってよい「生活クラブ生協グループ」との邂逅であった。そして，Ⅰ部の1章－4章での諸主張を纏める直接の契機となったのは，市民セクター政策機構，参加型システム研究所，市民がつくる政策調査会の3団体が設置した「社会的経済促進プロジェクト」への参加であった。そのプロジェクトで様々な人びとから学びながら，いろいろな新しい社会運動の中でも社会的経済，そのニュー・バージョンとしての社会的企業の台頭が年来の問いに対する答えに基本的な見通しを可能にさせてくれるように思えてきた。そして最初に論じたのが，そのプロジェクトでおこなった報告をもとにして執筆した1章の論文，「グローバリゼーションと『社会的経済』―グローカルな，新たな『公共性』を求めて，あるいはハーバーマスとの批判的対話―」であった。その後これを総論として，より現実に迫りつつ，年来の問に対する答えの基本的見通しをいろいろな視角から追求していったのが続く3本の論文である。その最後の「日本における『社会的経済』促進戦略―さまざまな二項対立を超えて『新しい歴史主体』の形成を―」）も「社会的経済促進プロジェクト」への参加と無関係ではない。というのは，このプロジェクトへの参加が縁で社会的経済の最初の世界会議（モンブラン会議）に出席する機会を得，世界の潮流に直に接してその息吹を実感した。そして，モンブラン会議からの「社会的経済の業態を超えた，分野を超えた，そして国境を越えた連携を！」という呼びかけを

契機に，未だ国境は越えるまでにはなっていないが，その最初の手掛かりとして，NPO，協同組合，共済等の各種シンクタンクの他，連合など労働組合や労働者自主福祉事業等々のシンクタンクと市民からなる研究会「社会的企業研究会」（2005年3月）が組織され，昨年11月，モンブラン会議の発起人の一人であるT.Jeantet氏を招いて国際市民フォーラムを開催した。同論文はそのフォーラムのバックグラウンド・ペーパーとして用意したものに加筆したものであるからである（『勃興する社会的企業と社会的経済・フォーラム記録』同時代社，2006年7月参照）。それぞれの論文で何を主張しようとしたかのねらいと要点については巻末の解題を見て頂きたい。

さて，Ⅱ部の補遺〔1〕を執筆してから，先に触れたように既に20年のときが経つ。遅々たる歩みで忸怩たるものがあるが，この間，極めて多くの人びとと出会い，極めて多くのことを学び，励ましを受けた。とても，それらに言及しきれず，その多くを省く失礼をお許し頂きたい。

それにしても，共著『社会観の選択－マルクスと現代思想』（社会評論社，1987年）出版後も共著者たちは，そこで打ち出したテーマをさらに展開すべく現在に至るまで引き続き研究会（「土曜会」）をもっているが，そのメンバーは殆ど私の思考の展開過程の同伴者で，常にコメントと励ましを与え続けて下さった。私のひとりよがりでいえば，本書の隠れた共著者達といってよい。前掲共著以来の，川上忠雄，佐藤浩一，成島道官，共著出版後まもなく加わった柏井宏之，高井晃，阿部健の各氏がその面々である。とくに川上忠雄氏は「君には締め切りというものはないのか」と何年も前から早く纏めて出版し世に問えと背中を押され通しであった。また，今回も貴重なコメントを頂いた。

ところで，どんな場合でも言及を逸し得ないのは，うえで触れたように，「生活クラブ生協グループ」の人びととの邂逅であるが，そこに直接導いて下さったのは市民セクター政策機構の柏井宏之氏である。補遺〔2〕に収録したエッセイは彼の求めに応じて書いたものであるし，「社会的経済促進プロジェクト」への参加も，モンブラン会議への参加も彼の強い推しによるものである。国際市民フォーラム，さらには地域創造ネットワーク・ジャパンに至るまでその傍らに居合わせて，氏には様々な異なる実践の現場と交歓・連絡させるネッ

はしがき　11

トワーカーの重要な役割にあらためて気づかされた。

　また，戸塚秀夫，兵藤釗，喜安朗の各氏は川上忠雄氏とともに「階級的労働運動研究者集団」以来の大先達方であるが，同集団の「いま，変革主体を問い直す」合宿シンポジュウム（1987年）で『社会観の選択』に載せる文章のもとになった試論を報告し，「共感的批判」というか，「批判的共感」をもって励ましてくださった。喜安朗氏はこのような問い直し問題の提起者の急先鋒であり，また，私のアソシエーションと現代思想入門の導き手でもあった。戸塚秀夫氏は早くからアメリカやイギリスの労働運動と地域の草の根の人びとの様々な運動との連携の重要性に誘ってくださったが，本書では，未だ十分にその示唆を受け切れていない。

　さらに逸し得ないのは「すべてはそこから始まっていた」（『大内ゼミナールたにし会の半世紀』への拙寄稿エッセイのタイトル）ゼミナールの恩師，大内力先生である。社会的経済に狭く限定しても，労働金庫や労働者自主福祉の地域的展開の問題にタックルする機会を最初に得たのは大内先生からのお誘いであったが，昨年，先生の米寿のお祝いの引き出物として頂いた先生の最新著作が『協同組合社会主義論』（こぶし書房，「社会的経済」への言及もある）であり，一貫して先生には励まされ続けてきた。

　最後になったが，経済学とは離れたこのようなテーマに取り組み，遅々とした歩みしかできない私の研究を寛容に見守ってくださった法政大学経済学部の極めて自由な研究と教育の伝統を築いてこられた物故者も含む先輩諸氏，そしてそれを今実践している頼もしい若手を含む同僚諸氏である。とくに今年3月定年退職された村串仁三郎氏は時潮社社長の相良景行氏に引き合わせくださり，相良氏は厳しい出版事情にもかかわらず本書の出版を引き受けてくださった。もちろん，とんだ曲解をしてご迷惑をおかけすることになっているかもしれないが，本書で勝手に引用したり，参照したり，さらには私の議論のために引っ張り出して勝手に胸をお借りした方々も含めて，これらの総ての方々に深く感謝申し上げたい。

［増補改訂版］
社会的企業が拓く市民的公共性の新次元

目　次

増補改訂版へのはしがき 3
はしがき 7

〔増補編〕
序章　社会的・連帯経済体制の可能性 ……………………… 21
　Ⅰ　はじめに──オルタナティブ像の明確化の緊急性── 21
　Ⅱ　社会的・連帯経済体制とは何か（その1）26
　Ⅲ　ハーバーマス読解の掘り下げ 30
　　（1）ハーバーマスの挑戦（肯定的な評価）30
　　（2）ハーバーマスへの挑戦（掘り下げるべき点）32
　　（3）〈あいだ〉パラダイムの適用──社会的・連帯経済体制の基礎づけのために── 38
　Ⅳ　社会的・連帯経済体制とは何か（その2）46
　　（1）システムの暴走の果てのカタストロフィーからの再生──「バブル退治」── 46
　　（2）持続可能な経済づくり 48
　　　1．社会的統合 49
　　　2．大地と命の共生 54
　　（3）マクロ体制輪郭素描 68
　　（4）社会的・連帯経済体制のグローバル像 70
　Ⅴ　おわりに 77

〔本　編〕

> **Ⅰ部　社会的企業の促進に向けて「もう一つの構造改革」**
> 持続可能な21世紀社会経済システムと新しい歴史主体像を求めて

1章　グローバリゼーションと「社会的経済」……………83
　　　グローカルな，新たな「公共性」を求めて，あるいは，
　　　ハーバマスとの批判的対話

　はじめに　83
　Ⅰ　なぜ，いま，「社会的経済」が注目され，「社会的経済」
　　セクターが促進されなければならないか　83
　（1）「サード・セクター」，NPO，「社会的経済」　83
　（2）なぜ，いま，社会的経済が注目され，拡大が促進されなければならないか　99
　Ⅱ　〈個－アソシエーション－公共性〉による新たな公共性の追求　105
　（1）新しい公共性を求めて―再びNPOの社会的使命と協同組合の共益について―　105
　（2）ハーバーマス理論の展開過程　107
　（3）ハーバーマス理論との批判的対話　114
　（4）〈個－アソシエーション－公共性〉による新たな公共性の追求　125
　Ⅲ　「新しい公共性」のグローカル性　130

2章　「平成長期不況」とは何であったか……………………150
　　　　小泉・構造改革と「ポスト・小泉」改革へのオルタナティブ
　はじめに　150
　Ⅰ　「平成長期不況」をめぐって　150
　（1）「小泉・骨太構造改革」　150
　（2）新古典派およびケインジアンの流れのなかからの諸批判　155
　Ⅱ　「平成長期不況」のメカニズム―「大型バブル」と長期不況―　161
　Ⅲ　長期波動をどう理解するか　167
　（1）長期波動と「三段階論」―システムと社会的ないし歴史的主体―　167
　（2）長期波動論三学派の検討　172

Ⅳ 「平成長期不況脱却」を「社会的経済」の促進による
　　　「循環型地域社会」づくりの好機に　186

3章　「複合的地域活性化戦略」……………………………196
　　　「内発的発展論」と「地域構造論」に学ぶ
　はじめに　196
　　Ⅰ 「内発的発展」論　196
　　Ⅱ 「地域構造論」　199
　　Ⅲ 内発的発展論のうちからの対応的発展　203
　　Ⅳ 「地域構造論」の潜在的可能性　205
　　Ⅴ 小考―「地域構造論」のその後の展開　208
　　Ⅵ 「内発的発展論」と「地域構造論」との真の統合を目指して
　　　「新しい歴史主体」の形成　222

4章　日本における「社会的経済」の促進戦略……………235
　　　さまざまな二項対立を超えて「新しい歴史主体」の形成を
　はじめに　235
　　Ⅰ 日本における「サードセクター」革新の胎動　236
　（1）「新しい社会的経済」への胎動―ボランティアとNPOの台頭　237
　（2）「新しい社会的経済」(「第三世代/第四世代の協同組合」)の胎動　244
　　Ⅱ 「『サードセクター』から『社会的企業』へ」の革新の前に
　　　立ちはだかる諸困難　253
　（1）NPO法見直し―公益法人改革　253
　（2）ワーカーズ・コープ(コレクティブ)法はできたか?　263
　　Ⅲ 社会的企業促進戦略,われわれの課題は何か
　　　新しい歴史主体の具体像を求めて　267
　（1）「市民的公共性」を求めての連携　269
　（2）「社会的経済企業」の起業,連携,親(プロ)社会的企業的政策環境の創出　277

（3）ジェンダー平等化要求と社会的企業の勃興
　　――社会革新の潜在的駆動力・ワーカーズ・コレクティブの可能性―― 287
（4）必要条件―労働運動との連携・労働運動の革新 298
おわりに 314

II部　補遺　社会科学の揺らぎと近代西欧パラダイムの転換
主体とシステムの二項対立を超えて

補遺〔1〕　経済学の危機はいかにして克服しうるか ……… 323
「宇野理論」の可能性あるいは社会運動論への道行き

補遺〔2〕　新しい主体の芽 ……………………………………… 333
他者と互いに交響し得る自律的協働体を

補遺〔3〕　社会科学の揺らぎ …………………………………… 343
「段階論」の見直しと保守的解釈学の検討

序　社会科学のパラダイム転換
　　「西欧近代」の黄昏と日本・東アジアの興隆の衝撃 343
I 「会社主義段階」の提起―馬場宏二の試み― 347
（1）宇野段階論の見直し 347
（2）会社主義とは何か 352
（3）「会社主義」論評 355
（4）「宇野体系の見直し」の見直し 355
II 「多相的自由主義」の提起―村上泰亮の試み 364
（1）「多相的自由主義」と解釈学的思考 364
　1．古典的観念 364
　2．古典的観念の黄昏 366
　3．21世紀システムへの展望 367

（2）村上泰亮論評　374
　1．評価すべき諸点　374
　2．批判的考察　377

あとがき－解題－　384
●参照文献　395

増補編

序章　社会的・連帯経済体制の可能性

Ⅰ　はじめに——オルタナティブ像の明確化の緊急性——

　今回のサブプライム・ローン破綻に端を発する「100年に１度の金融・経済危機」に見舞われるまで，市場至上主義を掲げる新自由主義は勝利を誇り，グローバルに広がった。しかし，いまや，新自由主義の本山のアメリカが，今の今まで掲げていた市場至上主義を180度転換して，国家が前面に出て，金融機関の，そしてさらに産業企業の不良債権を買い取り，その資本に公的資金を注入（国有化）した。さらに，財政の破綻や基軸通貨・ドルの暴落の危険も顧みず，アメリカが，そして世界各国が一斉に財政支出の大盤振る舞いに走り出した。しかし，次々にバブルを起こして辛くも成長を維持してきたバブル資本主義が，バブルに頼らずにどのように成長軌道に復帰しえるのか。新自由主義の命脈は尽きたという他ない。

　しかし，新自由主義の命脈が尽きたのはよいが，地球上の人々の命と暮しはどうなるのか。新自由主義は，先進諸国の内部でも，途上国の内部でも，そして先進諸国と途上国の間ではさらに大きく，資産，所得をはじめあらゆる面で格差を広げ，コミュニティの解体を進め，社会的統合に亀裂を生じさせ，人々の命と暮しそのものを支える大地との共生の危機も，いまや危険な臨界点を超えつつある。われわれは，まさに，人類史上未曾有の危機の中にあるといわねばならない。

　持続可能な社会を21世紀以降も期待しえる社会変革があるとすれば，それはいかなる社会変革か。サブプライム破綻に先立って，D・ハーヴェイは『新自由主義』を著わし，新自由主義とは，じつは，窮地に追い込まれた支配階級権力の用意周到な戦略に基づく支配の奪還だ，と階級政治の言辞を復活させた。ドイツで『資本論』が売れ出し，日本でも『蟹工船』を読む若者が増えているという。スラヴォイ・ジジェックは『迫りくる革命—レーニンを繰り返す』で第二のレーニンの出現に期待する。しかし，国家社会主義（中央集権的計画経済）はすでに失敗している。では，再びケインズやブレトンウッズの修正資本

主義・混合経済に戻るのか？　EU諸国はそれを期待しているようである。しかし，これもすでに来た道であり，スタグフレーションを帰結し，新自由主義の跋扈を準備することになってしまった道である。

　われわれは，本書第1版（2006）『社会的企業拓く市民的公共性の新次元』時潮社（以下，本編と略記する）において，そのような社会変革論として，社会的・連帯経済体制（後述）の全貌とそこへいたる道筋を提起した積りである。しかし，われわれがその積りでも，十分には伝わりにくかったようである。例えば，『経済志林』誌上の本編を巡っての座談会では，川上忠雄と増田寿男から次のような問題が提起された（下線は引用者）。

　川上「バブルというのは……大きな破たんとしては100年か200年に1回，……ところがそれが立て続けに世界的にところを変えて起こるというような事態になってきている。……その中で，……<u>社会的経済とかアソシエーションというのをできるだけ広げていくというのは，それはそのとおり……けれども，果たしてそれでいま市場・国家システムが作り出している枠，しかも重大なところで破たんをきたしている枠に取って代われるのかというと，……代われないのではないか</u>ということまで含んで，このオルターナティヴというものを考えないと，ほんとうの現実的なオルターナティヴになりきれない」(p.269)「システムのほうのカタストロフィーというか，破局というのは，1930年代を見れば一つイメージがわく……そういうことに対処することができるというのは……国家システム（で）……そういうことについての一定の考慮がないと，ほんとうの現実味に欠ける。いま直面しているカタストロフィーに，一撃の下につぶされてしまう。」(p.273-274)「いま現実に直面している問題からいったら，アメリカがリーダーになって全体を抑えているから，何とかまだ動いているわけです。ところがそれがいったん崩れると，それは国際機関などと言っても簡単にできるものではない。そうではなくて，むしろ優位の国家が話し合うしかない。……今リージョナリズムとか何とかということで多少問題になっていますけれど，それがもっと非常にクリティカルに問題になる。……そういうことについてある程度現実味を持って予想しながら，考えないといけないのではないか。」(p.276)

　増田「それは……権力獲得の革命運動ではないが，社会変革の運動と書いて

あるでしょう。だからここと関係するのだと思います。国家を粕谷さんの場合はかなり甘く見ている。」(「座談会」, p.275-276, 以下も同じ)

　市場システムについても，竹田茂夫からその強力性について提起された。
　竹田「いま国家が一つ問題になっていますけれど，もう一つは市場ですよね。……イギリスの生活協同組合を少し勉強したことがあります。その会長さんの方針で，スーパーマーケットチェーンに対抗するためには，こちらも市場化しないといけない，つまり，生協生き残りのために市場化は仕方ないのだというわけです。市場原理というのはそういう意味でも極めて強力なものでして，……株式会社というのは，……非常に強い強力な原理を持っていて，自分を維持するし，自分の原理を広げていくことができる。それに対して社会的経済が最終的に依拠するものは何だろうか。ミッション，あるいはソリダリティーと言いますけれども，それをどうやって具体的に我々は調達していったらいいのだろうか……。」(p.278-279)「……私は社会防衛というポランニーの言葉を使っていますけれど，市場原理で押され尽くした挙句の，しかし最後は譲れませんという運動として理解すべきではないか。それはぎりぎり社会防衛であって，そこから打って出るということは，今のところ方法論としてそんなに強力な原理があり得るかという疑問です。」(p.281)

　問題は，2点ありそうである。一つ目は，やや弁解めくが，本編は二部構成で，いわば補論としてのⅡ部で，現代の「社会変革主体」を「新しい社会運動主体」に見出す私の考え方の形成過程を振り返り，本編のⅠ部では，それを「社会的経済」のグローバルな台頭のうちにみたのである。それゆえ，Ⅰ部の話の中心が社会的経済，社会的企業，あるいは非営利組織(NPO)や連帯経済といったミクロ的な事業組織についてか，あるいはそれらからなる「第三(社会)セクター」(国家セクターでもなく，営利企業セクターでもない)の展開についてとなっている。たしかに，それらが企業セクターや国家セクターへ働きかけて，「経済の社会的経済化」，「民主主義の民主主義化」をすすめ，持続可能な政治経済体制を構築することを展望した。しかし，その部分は図を掲げただけで，説明が希薄であった。それゆえ，「新しい社会変革主体」がアソシエー

ショナルな「社会的経済」を形成して，市場システムや国家システムに取って代わるということを主張しているように受け取られたのかもしれない。

　二つ目は，まさに，そのことの自己反省だが，市場と国家システムのカタストロフィーのなかで，権力統治の国家システムに「一撃の下につぶされてしまわ」ないように，国家システムへの働きかけによる国家システムの変容が具体的にどうあり得るのか，緊張感をもって探ることが未だなされていなかったことは確かである。市場システムが強固だという点も，まさにその通りである。しかし，社会的・連帯経済が，そして後述するラディカル・デモクラシーが国家システムの性格を変容させることは出来ないのか，市場システムの性格を変容させていくことは出来ないのか。

　サブプライム破綻に発するカタストロフィーのなかで，オルタナティブな社会像が切実に求められているとき，座談会は緊張ある刺激をわれわれに与えてくれた。第三セクターと市場，国家両セクターの関連を強調し，一つの全体的体制像を少しでも明確にしていくことが，われわれの緊急の課題だと思われる。

　ところで，西川潤は，西川潤・生活経済研究所編著『連帯経済』の序章で，社会的経済の古典ともいうべきシャルル・ジードの『社会的経済』を読解して，「ジード自身は（また，今日でも広く－カッコ内は引用者），社会的経済と連帯経済はほぼ同義のものとして使っているが，その内容を検討すると，「社会的経済」から「連帯経済」へ，という道筋が描かれていると考えられる。」「『社会的経済』とは，具体的な非営利事業を指すが，『連帯経済』とはマクロ・レベルで，より社会的連帯を重視する組織を意味する，より抽象性の高いレベルのものとして使われている」という。同書の第2章の北島健一「連帯経済論の展開方向」は，「リピエッツが二つの概念の違いとして，社会的経済は『いかにして，すなわちどのような法人格，組織内のルールの下で，それを行なうのか』という問いかけへの解答によって定義され，一方，連帯経済は『どのような名の下に，それを行なうのか』という問いかけへの解答によって定義されると，表現した」ということを紹介する。そして，連帯経済論者は，「どのような名で行なう」のか，そのプロジェクトを分析して，「プロジェクトを共有する人々同士の関係は，インタレストに基づいた契約関係でもなく，また支配者／被

支配者という権力的な関係でもなく，互酬性原理の基礎にある社会関係，共生的な関係に特徴付けられると見た」という（下線は引用者の強調を表す。以下も同じ）。すなわち，法的にもインフォーマルで，必ずしも市場で貨幣的に表現されない人と人との互酬的関係を組み込んだ経済活動を連帯経済といっているようである。西川潤の社会的経済と連帯経済の分別と全く同じではないにしても，西川潤の解釈にも整合的と見てよかろう。

　西川潤も，「連帯経済」をもっぱらマクロ的な体制概念として提唱しているのではなく，「マクロ，メゾ，ミクロの三レベルで存在し，資本蓄積を動因とする資本主義を『連帯』という外部性によって変容させるとともに，非営利セクターの活動をその一因として，営利・非営利・権力各セクターの相互依存関係を重視する……。連帯経済は，三つのレベルが相互に関連している」と，むしろ，その多様性，重層性をも強調している。しかし，「連帯経済」を，そのような特徴をもたせながらも，マクロの体制概念として提起をしているのだと思う。それは，まさに，われわれのオルタナティブ像をマクロな体制概念として明確にすることが必要だと考えるわれわれには格好の提案である。積極的に同意を表したい（但し，西川潤の用いる「連帯経済」という用語はじつに多義的で，マクロ体制を意味することもあり，ミクロ事業を意味することもあり，また，ラテン・アメリカでは社会的経済に代わり一般的につかわれたり，フランスでは社会的経済が大きくなって営利企業と同型化するのを批判する小さなアソシエーションとして登場している。それゆえ本稿では，とくに体制を意味する場合は，社会的経済の多様性を包摂する用語としての「社会的・連帯経済」に「体制」をつけて，社会的・連帯経済体制とした）。本稿では，われわれなりにそれを概念的に彫琢し，含意を拡げていきたい。

　さて，連帯経済，あるいは，社会的・連帯経済体制とは何かということは，本稿の全体をもって答える課題であるが，最初に，社会的・連帯経済体制とは何か，その核と考えられるものだけにでも触れておいた方が叙述とその理解に便宜があろう〔Ⅱ〕。つづいて，本編におけるハーバーマスの批判的読解の不十分さを補い，連帯経済理解の便宜に資する〔Ⅲ〕。そのうえで，〔Ⅱ〕で暫定的に提示した抽象的な社会的・連帯経済体制像の彫琢に向かう〔Ⅳ〕。（なお，

NPO，社会的経済，社会的企業概念については，本編および増補編の双方にまたがる前提ないし導入として，本編1章Ⅰ，Ⅱ（1）および4章Ⅰに，まず目を通して頂きたい）。

Ⅱ 社会的・連帯経済体制とはなにか（その1）

　自然という大地の上で，人間という社会的動物が営む社会生活のありようをできるだけ包括的に，かつ，簡素に表現しようとして，いろいろな人がいろいろな観点からいろいろな図解を試みている。われわれも本編で，ペストフ（福祉社会の三角形）とハーバーマスの議論（システムによる生活世界の植民地化，コミュニケイション的行為→公共性など）を背景に，その史的展開を継続的な4つの図式（A商品経済化と近代化　B福祉国家化　C新自由主義化　D民主主義の民主主義化と社会的経済促進／社会的企業化と市民的公共圏の拡張）として表現した。叙述の便宜上，ここで，AとDの図式だけでも再掲を許されたい。

図1（再掲　図1-5A）　商品経済化と近代化

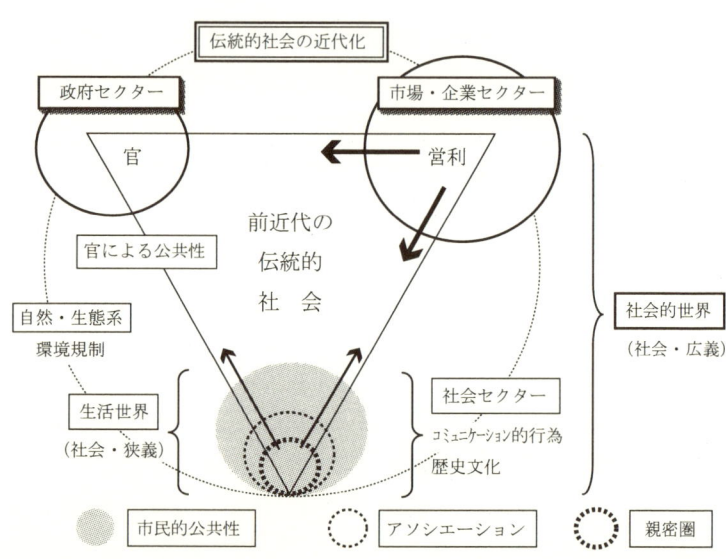

出所：本編，p.102

まず，図1。三角形全体は広義の社会全体を示し，それを囲む円はその社会全体が自然生態系の中に存在していることを示す。前近代の伝統的社会においては，社会的再生産の諸契機は前近代的〈個－共同〉の社会連関の下に埋もれていた（三角形の大半の部分がその下に埋もれていた）。商品経済（市場経済）の進展はそれらの諸契機をそのような相互連関から切り離して商品化し，自己増殖を機能とする貨幣メディアによって結び直す（図1の貨幣メディアが媒介する市場経済セクターが矢印の方向に広がってくる）。それは，一方で，前近代的支配・従属関係からの諸個人の自立（律）と解放を促す。他方で，近代国民国家が形成され，私的所有権を主要な内容とする法秩序を確立する。かくて，自己増殖する貨幣，すなわち資本が社会の基幹的生産過程を包摂する資本主義的生産様式が確立した。

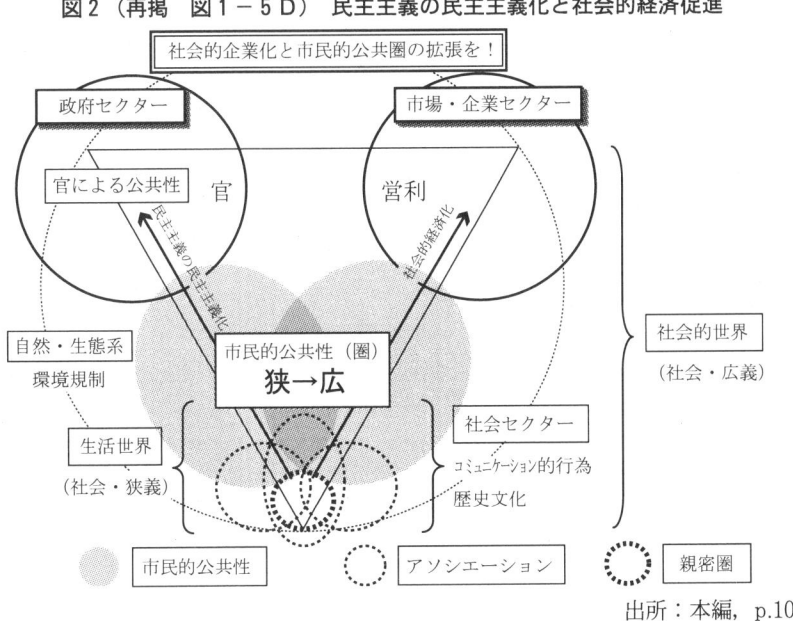

図2（再掲　図1－5D）　民主主義の民主主義化と社会的経済促進

出所：本編，p.103

図3 健全なエコロジーが支える経済

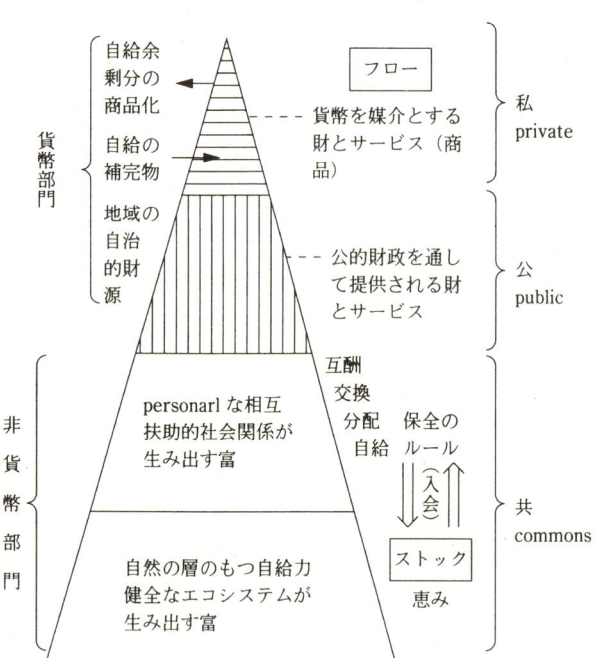

出所：多辺田政弘（1990），p.52

　多辺田政弘『コモンズの経済学』の図解はこれを別様に表現したものであろう。しかし，多辺田正弘の場合，とくにその図3は，近代化の，あるいは，開発の初期段階を想定して，私が円で表した社会の土台である〈自然・生態系〉との共生関係と，人と人とのインフォーマルで直接的な社会関係である〈狭義の社会・生活世界〉の比重を大きく表し，その内容もより詳しく表現している（非貨幣部門，共commons）。図4はその後，市場経済の突出，そして近代国家の肥大とともに，〈非貨幣部門，コモンズ〉の崩壊（ハーバーマスにいわせれば，システムによる「生活世界の植民地化」）が進行した様子を大胆に，そして簡素に表現するものであろう。

　社会的・連帯経済のコア中のコアをなすものは，先取りしていえば，図3の〈自然の層のもつ自給力・健全なエコシステムが生み出す富〉と〈personalな相互扶

図4 非貨幣部門の破壊による経済成長（市場経済の社会からの突出とコモンズの崩壊）

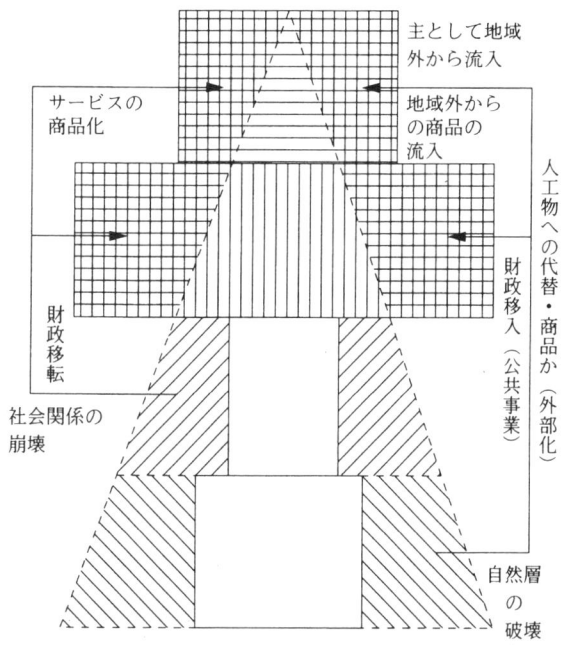

出所：多辺田政弘 (1990)，p.56

助的社会関係が生み出す富〉を社会的連帯によって，社会的再生産に再び組み込むということである。

ところで，いま，いとも簡単に，連帯経済のコアを上のように言ってしまったが，少しでも具体的に，それはどういうことかと問うと，途端に難しくなってしまう。そもそも連帯とは何か。西川潤は，連帯を（「連帯」という）「外部性」（おそらく，市場システムの外部性？　われわれとしては国家システムの外部性も，当然のことながらシステムの外部性のうちに含まれると考える。－引用者）というし，北島健一は，ホネットにしたがって，「（ある価値の枠組みを前提とした人々の）『お互いの間での対称的な敬意の関係』に基づく人々の相互行為の関係」という。本編では，システムの外部性という否定的表現は西川潤に同じくし，また，北島健一のポジティブな表現には，概括的にいえば，ハーバーマスにし

たがった「コミュニケイション的行為」が相当している。しかし，われわれは，それを外部に開かれるにしたがって，〈親密圏－アソシエーション／コミュニティ－市民的公共性〉（その先に国家的公共性）へと展開するとし，具体的には，図2のD図を掲げた。

しかし，それも，〈市民的公共性の拡延！，経済システムの社会的経済化，民主主義の民主主義化〉といっただけでは，また，システムに抗して，（システムが優勢な）社会的再生産に再び組み込むといっても，どのように抗して，どう組み込むのか，そうじて，『経済志林』誌上の「座談会」でなされたような問題提起はこれを免れなかったのである。もちろん，いまでも，「座談会」で私が応答した論旨の方向は基本的に正しかったと思っているが，さまざまに不十分な点があることも否めない。そこで，社会的・連帯経済体制についての考察を少しでも前進させるべく，まずは，本編でおこなったハーバーマス読解（本編1章（2）ハーバーマス理論の展開過程）をもう少し掘り下げておきたい。

Ⅲ　ハーバーマス読解の掘り下げ[3]

（1）ハーバーマスの挑戦（肯定的な評価）

ハーバーマスは，現代社会の問題性を「生活世界」のシステムによる植民地化にみて，これを打開する方途を，理想的に開かれたコミュニケイション的討議（以下，熟議とも表現する）による生活世界のコミュニケイション的理性の合理化に求める。それは，立憲的法治国家における市民主権の実現と裏表になった市民のあいだの政治的公共圏における，フォーマル，インフォーマルな熟議民主主義の活性化によるとする。かれは，いまや，途上国の民主化，東欧の民主化，そして先進諸国の民主主義の民主主義化を鼓吹するリベラル・デモクラットとして，時代の寵児となった。その理論的基礎は，乱暴を承知でいえば，大著『コミュニケイション的行為の理論』(1981)とともに確立したといえよう。要点を指摘すれば，次のようにいえよう。

近代の啓蒙は，デカルトの「我思う，故に我在り」の主客二分法に始まる。その啓蒙が進めば進むほど，他者を客体化する（神に代わった）自我の視線を

支配するのは，もっぱら道具的な・目的合理性となる。社会的再生産全体がマックス・ウェーバーにしたがえば，意味を喪失して道具的合理性の「鉄の檻」となり，ヘーゲルを継ぐマルクスにしたがっても，それはもっぱら価値増殖を追求するシステムという物象化した相で現れる。この両者の思考を引き継ぐフランクフルト学派第一世代には，この「鉄の檻」，効率追求システムのくびきからの解放は，「プロレタリアート」という「大文字の主体」の出現に期待する他ない。しかし，スターリン支配下のロシア，そしてナチスの全体主義は，この期待を微塵に打ち砕いた。彼らには深い絶望しか残らなかった。フランクフルト学派第二世代のハーバーマスにとっての課題は，第一世代が陥った「啓蒙の弁証法」の絶望から逃れることであった。

ハーバーマスは，早くから認識の関心には，道具的理性ばかりでなく，解放への関心があるとしていた。しかし，後に自己反省しているように，彼の最初の大きな時代診断である『公共性の構造転換』の初版（1962）当時は，社会について，「ひとつの大きな結社，『大文字の主体』としてのイメージを保持していた。」（その裏側としてであろう，「大衆化した公衆のコミュニケイション能力を評価していなかった」という）（同書，第2版序文，1990）

これらの弱点を克服すべく，理論枠組みの転換を完遂したのが，『コミュニケイション的行為の理論』である。すなわち，カント，ヘーゲルの超越的意識論（意識哲学，現象学）の破棄と相互行為による間主観的世界論への転換であるが，これを言語論的転回によって果たしたのである。言語論的転回といわれるのは，理論的枠組みのこの間主観的世界への転換を，互いに了解しあうことを前提とする日常言語共同体の間主観性に求めるからである。

ところで，この言語論的転回によって現れる間主体的世界は，フッサールの「生活世界」の現象学を払拭した〈システムと生活世界〉という経験科学や日常言語分析の対象となる世界として現れる。ここで，システムとは，貨幣・市場システムや国家・行政システムなどのメディアが媒介し，複雑化した社会での，理想的に開かれた熟議を縮減するもの，つまり，コミュニケイション的行為をショートカットするものである。それは経験科学も動員できる（「事実」の）領域である。しかし，ハーバーマスにとってより重要なのは，システム化されていない狭義の社会領域（生活世界）での行為の規範的「妥当性」をめぐ

る道徳的・実践的討議，価値基準の評価的討議など，熟議して達成するコンセンサスの追求である。そのコンセンサスこそ，間主観的真理であり，価値であり，規範であり，公共性なのである。

そして，これは『事実と妥当性』でさらに明確化されるが，事実性と規範的妥当性をともに追求する法制化によって，その規範・妥当性・公共性をシステムに及ぼす社会変革を追求し，システムによって植民地化された生活世界を解放する。この間に，「新しい社会運動」にも理解を示すようになったということを勘案すれば，以上の諸点がリベラル・デモクラシーの旗手としての，ハーバーマスの時代への挑戦の逸し得ないポイントであろう。

(2) ハーバーマスへの挑戦 （掘り下げるべき点）

1. 本編での批判点

まず，本編でなした批判の諸点を挙げておこう。中心的論点の第一は，熟議，すなわち，仮想的に，理想的に開かれた討議によるコンセンサスこそ，ハーバーマス理論のアルファであり，オメガであると思われるが，それは現実に可能なのか。ロールズ理論における「無知のヴェール」と同じく，方法的仮定の世界なのではないか。現実の世界では，熟議をこらしても，外部に開き切れるものではない。社会的に排除されているもの，未来世代，「声なき声」はその存在すら参加者に気付かれないか，現在の参加者に都合よくディスカウントされる。優越した位置を占める文化，コミュニティの成員は，足を踏まれている者の痛みは本当には分からない。したがって，熟議共同体成員が，自分たちの熟議は理想的に開かれ，リベラルだと思うかれらの市民的公共性でさえ，かれらの熟議共同体のコミュニタリアン的性格を払拭し切れることはない。もちろん，〈家族／コミュニティ→アソシエーション→公共圏〉と外へ開かれるにしたがって理想の普遍的価値・公正に近づくであろうが，それはいよいよ抽象的な価値・公正性となっていくであろう。しかし，現実の身体をもった人間たちの討議共同体は，いつもその中間段階でコミュニタリアン・リベラルのデモクラシーに留まる。この現実世界にあっては，したがって，権力的な，文化的な，民族的なヘゲモニー闘争の場たるを免れないのではないだろうか。ハーバーマスは，それらを一挙に捨て去り，言語共同体の発話分析で片付けてしまう。そう

すると，人類は言葉を獲得して以来，古代ギリシャ・ローマのそれから余り変わらぬ，人類の理性の普遍性にいとも簡単に近づいてしまう。かくて，それは，西欧近代合理性，カントの天空の星空のごとき普遍的な「わが内なる道徳律」との差別化が困難になるになるのではなかろうか，という点である。

第二点は，社会的経済の現実の単純な問題が疑問の出発となる。社会的経済における労働はまさにコミュニケーション的行為以外の何ものでもないのではないか。被介護者の安心した表情に確認する，きつい介護労働の成果，抱きしめられることで子供は愛をもって自分が受け入れられていることを確認する。カネだけを支給する生活保護の福祉国家システムがいくら完備されても，また，福祉就労施設が整っても，一緒に働く人たちや生活する人たちとの労働上での，生活上での，受け入れられているという，言葉を超える多様なコミュニケイションの結果としての，雰囲気的実感なくしては，その人の潜在的可能性をエンパワーしていくことは難しい。

たしかに，言語はコミュニケイションのメディアとして，人と人との複雑な関係にも立ち入れる強力なメディアである。しかし，万能ではなく，労働における，生活実践における多様で，さらに広範な〈言語を超えるコミュニケイション的行為〉を切り落としてしまうと，言語共同体は身体，生命を失い，とてもシステムに働きかけてこれをコントロールするという力を持ちえなくなってしまうのではないだろうか。そこで，われわれとしては，言語はもちろんのこと，身体，労働，生活実践，歴史と文化等々を含めての，独我論から間主観性への転回を期待したのである（後述するようにホネットがすでにこの期待に応えているようにもみえる）。そして，熟議によって獲得した市民的公共性を法制化するだけでなく，さらに，それを超える広範なコミュニケイションを通じて，ヘゲモニー獲得闘争の「陣地戦」をもってする社会変革を事実上，展望したのであった（本稿ほど明示的ではなかったが）。

第三点は，本編の辿りついた境地，〈あいだ〉パラダイムの適用である。ハーバーマスの思考を特徴付けるものとして，二分法が目につく。〈目的合理的関心〉と〈解放関心〉の二分法に始まるが，「言語論的転回」後，そこに現れる世界についての，〈システム〉と〈生活世界〉の二分法，〈（「労働」を前項のシステムに包含させた）社会の〈物質的再生産〉における目的合理性〉と〈生

活世界におけるコミュニケイション的合理性〉の二分法などがハーバーマス理論の中軸を貫く。このハーバーマスの二分法の〈あいだ〉に隠されてしまうものを探ることによって、社会変革の契機を、(本稿の場合は社会的・連帯経済体制構築の契機)を見つけていこうとしたのである。しかし、この点について叙述を進める前に、本編ではほとんど触れなかったか、ごく限られた言及しかしえなかったハーバーマス批判について少し言及して、かつての読解を補っておきたい。

2．批判の掘り下げ

　それは、ロールズの正義の倫理（したがってハーバーマスに対しても妥当するであろう）に対する、フェミニズム、とくに差異派フェミニズムやカルチュラル・スタディーズの多文化主義からの批判である。

平等派フェミニズム―リベラル・デモクラシー（L）[4]

　ギリシャの公民にしても、近代の共和国の市民にしても、パブリックな世界で義務を負い、権利をもったのは家族の長である成年男子に限られ、女性やその他の家族は義務を果たす能力を欠いているとみなされ、プライヴェトな世界に押し込められ、パブリックな世界での権利を奪われていた。福祉国家もその労働市場も、男性稼得者モデルを踏襲した。フェミニズムは、出発当初から、この公民としての権利の獲得、平等化を求めて闘ってきたが、女性の労働市場への進出が進んだ1960年代以降、本格的な高揚期を迎えた。この平等派フェミニズムはリベラル・フェミニズムといってよく、ハーバーマスとは響き合う。

差異派フェミニズム―「ケアの倫理」―ラディカル・デモクラシー（Rd1）

　しかし、1970年代後半、それは、新しい、差異派フェミニズムの台頭によって鋭い挑戦を受けることになった。差異派がいうには、平等派は、男性だけが真に人間的であり、女性の活動を軽視する男性至上主義を受け入れる（せいぜい中性化した上での）同化主義で、むしろ、それを再生産している。したがって、ジェンダーの差異を、むしろ承認し、女性らしさを再評価し、女性の価値の切り下げに対抗するフェミニズムが必要とされる、と。

差異派のうち，ここでは，ロールズの正義の倫理に真っ向から挑戦した「ケアの倫理」の主張を樋口明彦にしたがって垣間見てみよう。[5]

　キャロル・ギリガンは，フロイト以来の発達心理学は，人間のアイデンティティの形成を，母親への強い絆を切り離して，自己と社会との葛藤を経ながら徐々に固定的な自我を確立していく，少年から青年へと成長していく男性の経験が下敷きになっている。言い換えれば，分離から固定化へという自我形成のはっきりした段階的特徴を表さず，他者への共感に強く捉われ曖昧な過程しかたどることのない女性は，未完成なもの，従属的なもの，場合によっては逸脱的なものとして認知されてきた。／男性が道徳的ディレンマを演繹的に，権利の問題へ収斂させるのに対して，女性は抽象的な思考法ではなく，文脈依存的で物語的な思考法をとる。／前者は権利やルールに基づく「正義の倫理」に，後者は，責任や関係性に基づく「ケアの倫理」に結びつく。

　「ケアの倫理」の特徴をヴァージニア・ヘルドは次のように，分かりやすくいう。①子ども・高齢者・障害者など自らが責任を負う他者のニーズに注意を払って，それを満たすことを重視し，自立した個人を前提とした道徳理論とは一線を画す，②思いやり・共感・感受性敏感さなどの感情の果たす役割を評価して，理性や合理的推論に偏った道徳観を再考する，③われわれが実際に関係を結んでいる他者の要求を尊重して，普遍的なルールを適用することの限界を指摘する，④成人男性同士の契約からなる公的領域と女性や子どもが所属する私的領域（世帯）を截然と分かつような公私区分を疑問視する，⑤人々を理性を備え自立した諸個人としてではなく，むしろ関係に巻き込まれ互いに依存しあった存在として理解する。

　こうしてみると，カント，ロールズ，そしてハーバーマスなどリベラル・デモクラシーの旗手たちの世界の抽象性，普遍性がもつ問題性，切り捨てるものがかなりはっきりしてくる。

差異派フェミニズム－「女性間の差異」から「多様で交差する差異」へ－（Rd 2）
　さらに，ナンシー・フレーザーにしたがえば[6]，〈ジェンダーの差異の平等か，承認か〉，をめぐる議論は，女性らしさの女性として暗黙の内に白系アングロ人女性が想定されていることへの黒人女性の抗議，すなわち，「女性の間の差

異」の問題を経由して，いまや，ジェンダーのみならず，「人種」，エスニシティ，セクシュアリティ，階級の差異等々，「多様で交差する差異」の問題へと爆発的に広がってきた。

「多様で交差する差異」の，「<u>すべてのアイデンティティを承認に値するものとし，あらゆる差異を肯定しようとする</u>」(Rd2)（p.336）のは，多文化主義者たちである（下線は引用者，Rd2などの記号は，われわれが照応すると思われる図5のデモクラシー類型。以下も同じ）。

「多文化主義は，新しい社会運動が持っていた潜在的な同盟力を再び結集させようとするかけ声となっている。その運動のそれぞれは，差異の承認をめぐって闘っているようだ。だが，この同盟は潜在的には，フェミニスト，ゲイ，レズビアン，人種化された集団や不利益を被っているエスニック集団の構成員たちを，共通の敵と対立させることで統合している。その共通の敵とは，<u>公的生活の文化的な帝国主義である。そこでは，ストレートな，白系アングロ人で，中流階級の男性が人間として扱われている</u>（L）ために，かれらと比べられることで，その他のすべてが逸脱者と見えてしまう。よって，戦闘の目的は，<u>多文化的な公的形態を創造する</u>（Rd2）ことであり，そこでは差異の多元性は，人間であることの等しく価値をもった在り方として承認される。そうした社会では，今日支配的な，差異を逸脱とする理解は，<u>人間の多様性の積極的評価</u>(Rd2)へと道を譲る。すべての市民は，彼らが，<u>等しく人類であることによって同じ形式的な法的権利を享受する</u>（L）。だが，さらにまた，何によってかれらは互いに異なっているのか，つまり，<u>彼らの文化の固有性が承認される</u>（Rd2）であろう。」(p.338)

他方，フレイザーが，「脱構築的な反−本質主義」と呼ぶ流れは，「アイデンティティと差異に対して懐疑的で……アイデンティティを本来的に抑圧的だと考え，差異を本来的排他的だと考える。」(p.334) それとともに，「アイデンティティと差異は，本質的なものでなく，相関的に構築されたものであり，……脱構築されえるものだ」と考え（Rd2'）。

ラディカル・デモクラシー（Rp）—

フレイザーは，「ジェンダーの差異」から「女性間の差異」へ，さらに「多

様な交差する差異」へという展開，そして，「多様な交差する差異」における，アイデンティティと差異は相関的に構築されたものであるとする反－本質主義的見解（Rd2'）も，文化的形態の多様性を主張する多文化的な見解も手放すことができない収穫だという。しかし，もっぱら脱構築していけばいいというものではないし，差異を無批判に賞賛する多文化主義の多元主義的ヴァージョンも支持しないという。彼女は，脱構築も，多文化主義も差異を文化にのみ関するものとして扱い，平等と正義の追求から切り離していることを問題だとしている。<u>アイデンティティと差異からなる文化的な政治と正義と平等からなる社会的政治を連関させることが必要</u>だという。そして，そのような政治をラディカル・デモクラシー（Rp）と呼んでいる。

　彼女の言うとおり，リベラル・デモクラシーをラディカル・デモクラシーに脱構築することが必要である。それには，抽象的で，形式的な正義と平等，手続き的な熟議民主主義には欠けている，以上に見てきた「ジェンダーの差異」「多様で交差する差異」の差異あるすべてのアイデンティティを承認に値するものとして，相互にポジティブに評価することが必要であろう。それが連帯であり，連帯することによって，「交差」し，それぞれがより内容豊富な多文化的アイデンティティへと脱構築し，やがて，多文化的な公的形態（われわれは，多文化市民的公共性と呼びたい）を創造することも出来るようになる。そのような，具体的な脈絡の関係性の絡みの中でしか，実質的な，正義と平等を達成することはできまい。そのときは，ロールズやハーバーマスのリベラル・デモクラシーも脱構築を遂げ，もとの抽象的な，形式的な平等と正義には留まっていないだろう。フレイザーのやや性急な正義と平等の追求と多文化主義の多元主義ヴァージョンの拒否は，われわれには若干気になる。しかし，みずからのラディカル・デモクラシーを説明して，「今日，ラディカル・デモクラシーとは，『多様で交差する差異』をめぐるさまざまな闘争を調停するために，それゆえ，さまざまな社会運動をつなげるための合言葉として提案されつつある」（p.333）というところは，心強い。

　かくて，図５の民主主義をめぐって争い合う思潮の配置図に，リベラル・デモクラシーを特徴づけるキーワードを書き込んでみたが，どうであろうか。また，それに対応するように，差異派フェミニズム，多文化共生派，そしてラデ

ィカル・デモクラシーも位置づけてみた。

ハーバーマスは，配置図のなかでは，(Rd1)(Rd2)，そして，(Rp)に対置すると，(L)のリベラル・デモクラシーとしか理解できなくなる。

図5　民主主義をめぐって争い合う諸思潮

(L)　リベラル・デモクラシー（平等派フェミニズム）
　　（カント，ロールズ）：〈普遍性，西欧近代合理性，白人成年男性，平等な諸権利の体系，（手続的）正義，立憲議会制民主主義国家の政治システム〉

(Rd)　ラディカル・デモクラシー（差異派フェミニズム）
　　（ギリガン，キッティ）：「ケアの倫理」，自立的個人概念批判／「自由で，平等で，独立した」諸個人の合意にもとづく契約主義的な社会像批判。(Rd1)
　　（ヤング）：「多様で交差する差異」と「多文化共生」(Rd2)

(Rp)　ラディカル・デモクラシー
　　（ムフ，ラクラウ，フレイザー）：〈ポスト「ポストモダン」のヘゲモニー闘争〉
　理想的に開かれた議論といっても、開かれきれないものがある。だからそれはヘゲモニーを争う政治の場となるし、現実に立法・行政過程でそれが問題になってくる。
(Barbara Hobson, et al.eds.2002；有賀誠他編 2007；D・トレンド編 1996を参照)

（3）〈あいだ〉パラダイムの適用
―社会的・連帯経済体制の基礎づけのために―

さて，この辺で，〈あいだ〉パラダイムの適用の問題に戻ろう。図6は，左半分にハーバーマスの〈生活世界とシステム〉の二分法の〈あいだ〉を探る図解を，右半分にいまつくった争い合う民主主義の配置図を配して接合を図ったものである。この接合図に，本編，および，その後のハーバーマス読解の成果を集約し，これをもってハーバーマスの二分法に対する，〈あいだ〉パラダイムの挑戦を試みたい―その，試みが，連帯経済の基礎づけになることを念じつつ―。

まず，左側の二分法の〈あいだ〉を探る図解を見て欲しい。すでに本編で，

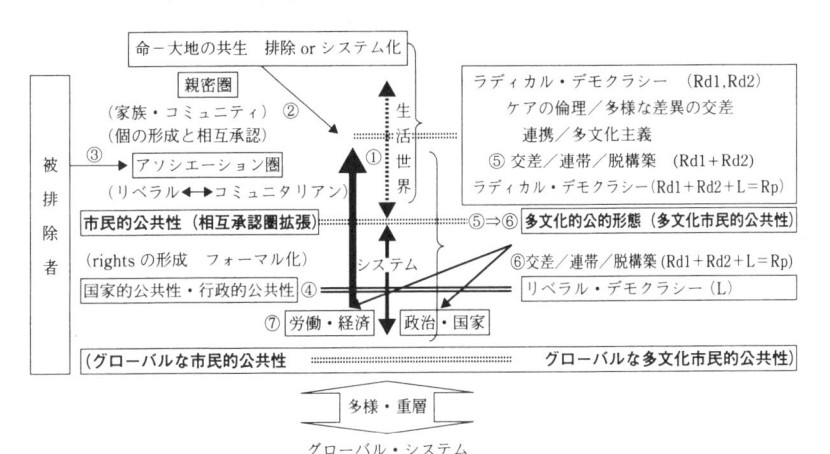

図6　生活世界／システムとデモクラシー類型の接合

```
                    命－大地の共生  排除 or システム化
                      親密圏                              ラディカル・デモクラシー　（Rd1,Rd2）
                   （家族・コミュニティ）②                   ケアの倫理／多様な差異の交差
被  　              （個の形成と相互承認）        生            連携／多文化主義
排     ③    アソシエーション圏               ①活              ⑤ 交差／連帯／脱構築（Rd1＋Rd2）
除               （リベラル←→コミュニタリアン）    世            ラディカル・デモクラシー（Rd1＋Rd2＋L＝Rp）
者   市民的公共性（相互承認圏拡張）             界     ⑤⇒⑥ 多文化的公的形態（多文化市民的公共性）
         （rights の形成　フォーマル化）   システム            ⑥交差／連帯／脱構築（Rd1＋Rd2＋L＝Rp）
         国家的公共性・行政的公共性 ④                     リベラル・デモクラシー（L）
                       ⑦ 労働・経済    政治・国家
     （グローバルな市民的公共性）                  グローバルな多文化市民的公共性
                              多様・重層
                            グローバル・システム
```

生活世界とシステムの単なる対抗ではなく、〈親密圏→アソシエーション→市民的公共（性）圏〉、そして、それが法制化されてシステムに転化するという、いわば生成過程を分節しておいた。このことが、〈あいだ〉を探るのに便宜を提供してくれる。すなわち、左上の、生活世界の親密圏から左下の労働・経済／政治・国家システムまでの、分節化されたコミュニケイション的行為（熟議）を右側のデモクラシー類型に対応させることによって〈あいだ〉が架橋（連帯）されつつ、変革のエネルギー増大の契機とその様態がはっきりしてくることが期待されるのである。

1．その前に、コミュニケイション的行為がなされる生活世界の中でまず気づくことは、労働（また経済・国家・行政）は見当たらないということである。本編でのハーバーマスの批判的検討は、ここから始まった。しかし、いま、反省してみると、むしろ因果は逆であって、「労働」をシステムに包含させたゆえに、生活世界、あるいはコミュニケーション的行為から排除されてしまったのではないか、と思われる。そして、それは、すでに触れたように、フランクフルト学派第一世代の負の遺産を第二世代のハーバーマスも、なお引き継いだままでいるということであろう。フランクフルト学派第三世代といわれるA・

ホネット「ハーバーマスの社会理論－『啓蒙の弁証法』のコミュニケイション理論的転換－」A・ホネット（1990）のつぎのような議論がそれを支えてくれるように思われる。

「……ハーバーマスは，批判的社会理論を方法的に『自己反省』と規定しようとしていた限り，統一的な人類主体という十分に考慮されていない前提を用いた。……ハーバーマスは，自分の理論を彫琢していく中で，70年代初頭以降，自分の学問的命題の解釈学的自己理解にはもはや満足しなくなる。……コミュニケーションの出来事という経験を解釈学的に解明することに代わって，実践的な了解過程の可能性の普遍的条件を再構成する超越論的分析が登場する。……相互主観性＝相互主体性の基礎研究は，言語分析へと一面化され，その結果，社会的行為の身体的－肉体的次元はこれ以降もはや視野に入ってこなくなる。」(p.353-355)「資本主義が，システムと生活世界とが自律化した領域として対峙しあっている社会秩序と考えられるならば，二つの相補的フィクションが生じる。（一）規範から自由な行為組織の存在，および，（二）権力から自由なコミュニケイションの領域の存在。こうした二つのフィクションは，システム概念が行為理論に結びつけられて生み出されるものなのだが，そこには，われわれがすでにハーバーマスのテクノクラシー・テーゼ批判で物象化と確認した理論的誤謬が繰り返されている。／（一）目的的に組織された行為システムという観念は，二重の仮象を生み出す。①経済と国家行政という組織形態はただ目的合理的な行為規則が具体化されたものとしてのみ把握できるという仮象。②組織内部の行為作用は規範的な合意形成過程とは独立に遂行可能であるという仮象。（二）コミュニケイションによって統合された行為領域という観念からは，逆に，生活世界が支配の手法や権力構造から独立しているという印象を受ける。……システムと生活世界が歴史上互いに分断されるのは，『社会的なもの』が，一方では目的合理的に組織された行為領域へ，他方ではコミュニケイションを通じて再生産される領域へと分解されることによってである。」(p.376-377)「（そのことで）ハーバーマスは，……物質的再生産のコミュニケイション的な組織への規範的志向を放棄した。」(p.382)

したがって，ハーバーマスの〈システム〉と〈生活世界〉の二分法によって隠されてしまった労働を〈あいだ〉に見い出すことは，ハーバーマス理論体系に激震を引き起こすことになろう。しかし，「プロレタリアート」という，労働と正義の倫理の双方をともに備えた「大きな主体」の出現を期待してはいけない。その虚構は悲惨と絶望しかもたらさなかったゆえに，もとの木阿弥になってしまう。そこで期待できるのは，まさに草の根の，身の丈の社会的・連帯経済のコミュニケイション的労働である。これが，〈あいだ〉パラダイムのもっとも根源的な適用である（コミュニケイション的労働をシステムと生活世界の双方に帰属させる太い矢印①参照）

いきなり，中軸的論点に行って，抽象的になってしまったが，ここで，生活世界の熟議とデモクラシーの類型を関連させることによって，若干でも具体化しよう。

2．右上の「ケアの倫理」や「多様な差異の交差」から「多文化的公的形態」（＝多文化市民的公共性）の脱構築を提起する，ラディカル・デモクラシー（Rd1, Rd2）と左上の生活世界の熟議とを関連させてみよう。まず，ラディカル・デモクラシー（Rd1, Rd2）は，理性を備えた自律的市民からなるコミュニケイション的行為の世界から見えなくなってる人々，また，彼らにかかわる多様な労働・活動，ケア・育みの様態，自然との共生的活動を生活世界のコミュニケイション的行為として参画させることを促す（矢印②, ③参照）。そして，そのうえで，あらゆる差異を互いに肯定的に承認し合い，交差する。その交差の中で，人間の多様性を積極的に評価する多文化的公的形態を脱構築しようとする。そうすると，生活世界の熟議が生み出す**市民的公共性は，いまや，多文化的公的形態（＝多文化市民的公共性）という大地と身体と文化，そしてダイナミズムを備えた市民的公共性に転回する**（二重点線⑤⇒⑥参照，但し⑥は未だ潜在的）。

ここで注意して置くべきことは，①②③を加えた生活世界のコミュニケイション的行為は，〈個の形成と相互承認〉という契機も，アソシエーションの性格にしても，自立した諸権利主体間という，リベラル・デモクラシーが想定する近代西欧型のそれに限られない，ということになることである。個性あるコ

ミュニタリアンも〈相互承認という連帯の原則〉さえあれば，リベラル・コミュニタリアンといえ，また，リベラルも，いまや①②③の大地に根づくゆえ，コミュニタリアン・リベラルといえよう。また，〈親密圏→アソシエーション→市民的公共性→法制化・国家的公共性〉というコミュニケーション的行為のダイナミズムも，いまや，近代西欧型のみならず，多様な形態をとるようになる。市民的公共性は，かくて，このような多文化的公的形態（＝多文化市民的公共性）となる（二重線⑤⇒⑥参照，但し⑥は未だ潜在的）。

したがって，一方では，多文化的公的形態には，西欧近代型の法（近代法）に限られず，ハビトゥス，慣習，タブー，一揆，相互理解など多様な形態が在り得る。連帯経済のグローバルな（非西欧世界での）展開を捉えるときには，この視角が重要なものとなろう。また，他方では，現代の立憲議会制民主主義国家下の政策形成過程（その結晶形態は市民立法）はいうまでもないが，例え行政過程でも，近代官僚の法に基づく一律ルールによる行政に限らず，さまざまな形態の市民たち（相互主体）と行政府との多様で，重層的なパートナーシップ（市民参加型行政）による執行が在り得る。

かくて，相互主体間の相互の承認の，換言すれば，連帯行為の質，レベル，そして広がりは多様で，重層的である。したがって，それらのあいだでの脱構築の重ね合わせの果てに創出される多文化的公的形態（＝多文化市民的公共性）もまた，必然的に，そのうちに質，レベル，広がりの多様，重層性を含蓄している。そして，それは，とりもなおさず，社会的・連帯経済体制の多様で，重層的な性格を物語る。

3．ところで，このことは，もちろん，リベラル・デモクラシーの熟議（L）やラディカル・デモクラシーの権力関係のヘゲモニーを争うデモクラシーが重要でない，ということを意味しない。まさに，差異あるデモクラシーの差異を承認し，交差―脱構築をはかり，それぞれのケイパビリティを相乗的に増進しつつ，三つの（むしろ多様な）デモクラシーを連帯させてこそ，もっとも個性豊で強力なデモクラシーに転化できるということになろう。その点で，ナンシー・フレイザーの〈連帯を媒介する〉ラディカル・デモクラシー（Rp＝Rd1＋Rd2＋L）に深く共感する。そして，この段階で，市民的公共性は，さらに，

図7 （再掲 図1－10）市民的公共性（圏）拡延の多様なルート

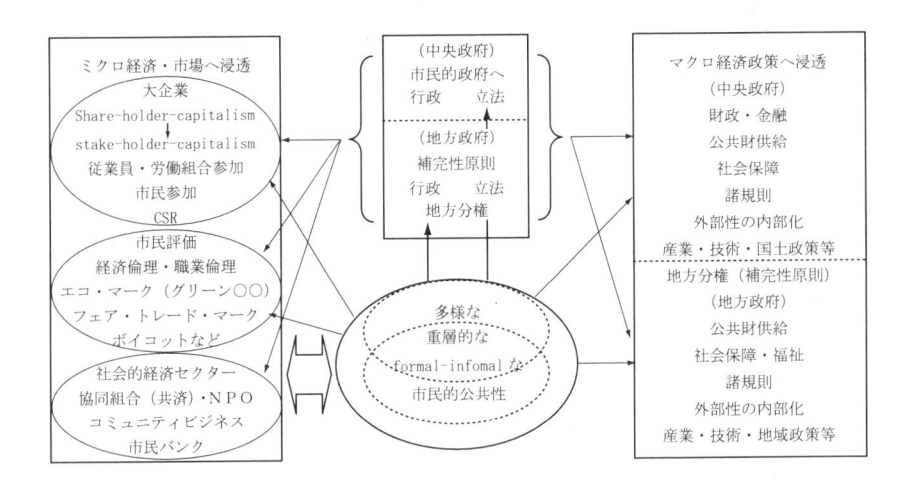

```
┌─────────────────────┐      ┌─────────────────┐      ┌─────────────────────┐
│ ミクロ経済・市場へ浸透 │      │ （中央政府）     │      │ マクロ経済政策へ浸透 │
│     大企業           │      │ 市民的政府へ    │      │   （中央政府）       │
│ Share-holder-capitalism│     │ 行政　立法      │      │    財政・金融        │
│ stake-holder-capitalism│     │─ ─ ─ ─ ─ ─ ─ ─│      │    公共財供給        │
│ 従業員・労働組合参加  │      │ （地方政府）    │      │    社会保障          │
│     市民参加         │      │ 補完性原則      │      │    諸規則            │
│      CSR             │      │ 行政　立法      │      │    外部性の内部化    │
│─ ─ ─ ─ ─ ─ ─ ─ ─ │      │   地方分権      │      │  産業・技術・国土政策等│
│    市民評価          │      └─────────────────┘      │─ ─ ─ ─ ─ ─ ─ ─ ─│
│ 経済倫理・職業倫理   │                               │ 地方分権（補完性原則）│
│ エコ・マーク（グリーン○○）│   ┌─ ─ ─ ─ ─ ─ ┐        │   （地方政府）       │
│ フェア・トレード・マーク│    │   多様な     │        │    公共財供給        │
│   ボイコットなど     │      │   重層的な   │        │    社会保障・福祉    │
│─ ─ ─ ─ ─ ─ ─ ─ ─ │     │formal-infomalな│        │    諸規則            │
│  社会的経済セクター  │      │  市民的公共性  │        │    外部性の内部化    │
│ 協同組合（共済）・NPO │     └─ ─ ─ ─ ─ ─ ┘        │  産業・技術・地域政策等│
│ コミュニティビジネス  │                               │                     │
│    市民バンク        │                               │                     │
└─────────────────────┘                              └─────────────────────┘
```

出所：本編p.130

分厚く，重厚な身体をもった多文化的公的形態（＝多文化市民的公共性）となるとともに，脱構築を繰り返す動態的なものとなるであろう（⑤⇒⑥参照，⑥が顕在化）。

このように，多様化し，強力に，そしてダイナミックになった市民的公共性（多文化市民的公共性）は，いまや，よりダイナミックに，強力に経済を連帯経済化し，民主主義をさらに民主主義化するであろう（⑥⇒⑦労働・経済システム／国家システム）。そして，それは，ローカル，ナショナル，そして，グローバルな，市場と国家システムを大きく変容させ，持続可能な政治，経済，社会に変革していくことが出来るようになるのではなかろうか。

われわれは，すでに本編において，図7によって，〈多様な，重層的な，フォーマル－インフォーマルな市民的公共性〉（中央下方）が，一方で，システム化された経済セクターに（左側），他方で，立法・行政システム（中央上方）に働きかけ，市民的公共性をそれらシステムに浸透させていくという道筋を描いた。その際，右側に，市民的公共性の立法・行政システムへの働きかけ，ないし浸透のルートをいくらかでも具体的に示す積りで，中央政府と地方政府へ

の補完原則に基づく分権化と,また,諸政策ルートを例示した。また,左側の経済セクターについては,コミュニケイション的労働を〈システム〉と〈生活世界〉の二分法の〈あいだ〉に見い出すことによって,コミュニケイション的経済が,つまり,社会的経済セクターが,明示的にその存在を獲得するということを示しつつ,市民的公共性の多様,多層的な働きかけによって,市場倫理に,また,企業ガバナンス・企業倫理に変容を迫り,経済システム全体の在り方を変革する道筋をも,すでに示した積りである。

しかし,市民的公共性が多方面に働きかけ,浸透する(直線の矢印→で示す)といっても,(社会的経済セクターはまさに両者が重なり〈双方向の帯⇔〉直接的で分かりやすいが)たんなる矢印で示した働きかけなり浸透がどういうことを意味するのか,(熟議の成果としての市民的公共性を法制化によってシステムに繋ぐというハーバーマスに対しては,新しい社会運動などからのもっと多次元の働きかけを必要とすると,異議を挟んでいたが。)なお,抽象的で,曖昧であったことは免れない。

しかし,ハーバーマス批判の掘り下げによって,いますぐ上でたどり着いた結論,すなわち,市民的公共性に代えて,多文化市民的公共性(身体と大地に根付き,〈あいだ〉を多様に重層化して広げ,⑤⇒⑥⇒⑦へダイナミックに展開する)を置くとき,その働きかけ・浸透として示した直線の矢印→は,より強力で,ダイナミックな,フレイザーのいう連帯(多様,多層の連帯)を繋ぐ**ラディカル・デモクラシーによるヘゲモニーの獲得**の一通路へと変じる。

デイヴィッド・ハーヴェイは,その著書『新自由主義』において,新自由主義が今の今まで広がり続けたのは,政治,経済,文化,研究・教育のあらゆる戦線での入念なヘゲモニー獲得戦略が成功し,ポスト・モダン派を含む大方の承認を受けたからだいう。かくて,いますぐ上の⑥⇒⑦に総括した,**多文化市民的公共性の創出(→社会的・連帯経済体制の構築)**に向けて,経済,政治,文化,社会のあらゆる戦線での連帯の追求によるヘゲモニーの奪還が切に望まれるのである。

〈Ⅰ.はじめに〉で言及したように,カタストロフィーを迎えたとき,秩序構築のアクターとして,もっとも強力なのは権力装置としての国家だと,また,

平時においては市場原理だといわれるとき，それを直ちに否定はできない。しかし，その国家権力装置は，また，市場は，うえの⑥のような多文化市民的公共性の大地と身体に支えられない限り，きわめて脆弱なのではないか。言い換えれば，いかなる国家装置も，市場も，それぞれの多文化市民的公共性という身体と大地の上にのみ存在し得，裸の，あるいは頭だけの国家も，市場も，いまや，危うくなった支配的経済学の教科書の中にのみ存在する代物ではないのか。したがって，大地と身体が変われば，国家の性格も，市場の性格も変わり得る。現に，市場と一口に言っても，近代以前は別にしても，アダム・スミスの自由放任の市場，続いて，「自由放任の終焉」（ケインズ）を迎えての混合経済の市場，そして，現今の，われわれの〈命と暮し〉から遊離し，これを解体し，ついにバブル資本主義への転化の果てに崩壊した「新・自由放任」の市場もある。はじめに述べたように，いまや人類は，とてつもない危険社会に逢着してしまった。そうであればこそ，21世紀以降の人類史にも，生き甲斐のある，生き生きとした生を，むしろ希願する意志（ミッション，使命にかけようとする意思）は，ますます増大し，恒常化することになろう。このとき，図6の多文化市民的公共性とラディカル・デモクラシーの脈動は高まりこそすれ，退潮していくとは考えにくい。そうとすれば，それは，ローカル・レベルの社会的・連帯経済の叢生を基盤としつつ，連帯を繋ぐラディカル・デモクラシーの広がりと高まりによって，市場と国家システムを脱構築・変革していく。このようにして，われわれは一個のマクロな社会経済体制としての社会的・連帯経済体制への変革を期待することができるのである。

　かくて，Ⅱにおいては，社会的・連帯経済体制を表現すべく，われわれは，図2（本編図1－5Ｄ）をもちいて，〈経済システムの社会的経済化，民主主義の民主主義化〉といった。また，多辺田政弘の図解をつかって，〈自然の層のもつ自給力・健全なエコシステムが生み出す富〉と〈personalな相互扶助的社会関係が生み出す富〉を社会的連帯によって，社会的再生産に再び組み込むということであるといった。しかし，それは，いまや，〈生活世界／システムとデモクラシー類型の接合図〉を踏まえ，図2に陰影をつけることによって，その像は多少なりとも彫りを深くし，ダイナミズムを獲得したように思う。

　しかし，なお，社会的・連帯経済体制像は定かではない，というコメントを

免れまい。社会的・連帯経済体制なるものの内容が，なお，ポジティブに浮かび上がってきていないからであろう。もちろん，この小論で，ポジティブなイメージを一通りにでも展開しきることは難しい。必要不可欠な柱となると思われるものだけをいくつか指摘することで，いまは満足しなければならない。

Ⅳ　社会的・連帯経済体制とは何か（その2）

（1）システムの暴走の果てのカタストロフィーからの再生—「バブル退治」—

　ここに至っても，なお，抽象的なことを言うことになって恐縮だが，最初に一つ，歴史的・巨視的な視角から社会的・連帯経済体制の性格規定をおこなっておきたい。

　それを考えさせる含蓄のある文章がある。「生産者・産業・企業セクターへの傾斜的な資源配分は，ある発展段階までは一国経済の急速な成長，先進諸国への効率的なキャッチアップを可能にする。そのことがもう一方の生活者・消費者セクターの生活水準向上につながる。すなわち『生産条件』をよくすればその社会に生きる人々の『生存条件』も良くなる，という循環が働いた。だが，国民経済の発展，成長が一定の段階に達したとき，両条件における上位概念が入れ替わる。過去のように生産条件が生存条件を規定するのではなく，逆に生存条件が生産条件を規定する時代が到来する」（内橋克人1994，p.19-20）

　これは，日本経済の平成バブルが弾けて陥った平成大不況のなかで，『破綻か，再生か』をテーマに提起されたものであるが，かつて，われわれは，この文章を引きつつ，「この指摘はわれわれには興味深い。『生存条件』というのを消費のみならず，もう少し広い意味での人間的・社会的『生存条件』と考え，それが『生産条件』を規定するような時代が到来する，というように大きく拡張して考えれば，きわめて注目すべき指摘だといえる。この際注意すべきことは，『生存条件』というのは，時代規定的であるということである。D.ドーアが指摘したように，歴史の長期的傾向として，ますます多くの人々が社会的平等を，あるいは生存権を要求するようになってきている。また人類の生産力が自然の大地を破壊しかねないほどの展開をみているゆえに，生態系も含めて考

えなければならなくなってきている。さて，社会的公正をどれだけ貫徹し，共生の大地がどれだけ広がるか，こういう問題が『生産条件』を規定する契機として，客観的にも主体的にも人類史上はじめて現れつつある，そのような時代とはいつか。それは他でもなく，現代——これもいつからかというのは難しいが，社会的公正，あるいは人権といったものを国際的に無視できなくなりつつある段階，さらには地球との共生を無視できなくなりつつある段階，すなわち，20世紀末から21世紀にかけて——ということになるのではないだろうか」拙編著（1997，p.240）と論じたことある。

　この言い方にならえば，社会的・連帯経済体制とは，「生存条件」が規定する「生産条件」を構築するということでないかと思う。しかも，「生産条件」→「生存条件」を，「生存条件」→「生産条件」に逆転しなければ，再生はない，ということを，新自由主義が帰結したバブル資本主義の大破綻ほど明確に示すものはない。市場至上主義の果てに次々にひき起こされるバブルのみが経済を推進する機関車となってしまったバブル資本主義こそは，「生産条件」（＝資本蓄積システム）が暴走し，人類の生存条件を豊にする生産条件の発展という今までの経済発展の軌道から決定的に外れてしまったという他ない。多辺田政弘の図4でいえば，実体経済を示す四つの層からなる三角形の，上方二つの層の，下方二つの層の商品化（ハーバーマスがいえば，システムによる植民地化）による肥大化という点に資本主義経済の発展を見ていたが，いまや，頭でっかちになった三角形（実体経済）の，頭のさらに外側に金融バブルが膨らみ，それがシステムの牽引車となってしまったのだから。

　したがって，社会的・連帯経済体制の形成には，かかる事態にまで至っている「生産条件」（＝資本主義経済システム）を「生存条件」に規定するべく，まずは，「バブル退治」が緊急の課題となろう。もっとも，利潤追求・資本蓄積は，したがって投機活動も資本主義経済を廃棄しない限り根本的に退治することは出来ない。したがって，「バブル退治」の根幹は，投機活動に対する社会的規制ということだが，これには多様な，多層的な形態があり得る。レバレッジ（自己資金を超える投機）制限，陰の銀行システム（投資銀行など金融当局のキャッチを逃れた金融システム）の情報公開や規制などの対処的措置から次に垣間見るようなより基本的な改革まで，多様で，多層的な形態が在り得る。新自

由主義的グローバリゼーションの要諦は,金融の自由化(証券化)にあり,それまではそれぞれ多少なりとも,国籍や実体経済の性格を反映していた通貨を含む各種金融・投資(さらに図の非貨幣的部門まで知的所有権などによって徹底的に商品化・投資対象化される)がグローバルなヴォラタイルな短期金融市場に還元され,森羅万象が投機の対象となるというところにある。そこで,G20のグローバル・ガバナンス協議から,各種リージョナルな協同・協力協定,国家主権強化,さらにEU諸国は,包括的に,近年の金融自由化の進行過程を逆に巻き返して,ブレトン・ウッズⅡとして,新たなグローバル・ガバナンスの枠組みの構築を提唱している。

それぞれ一応は理解し得る。しかし,対処的措置をプラグマティックに繰り返していってももぐら叩きの域を出ず,ブレトン・ウッズⅡの仕切り直しでも,それはいつか来た道を戻るだけに終わらない保証はない。混合経済体制はやがてスタグフレーションに陥り,新自由主義,そしてバブル資本主義への道を掃き清めた。集権的社会主義の失敗も,もはや明らかである。

ということは,よりラディカルな「バブル退治」を必要としている。そして,ラディカルというのは,国家システムや市場システムを支えるものを,多様で,多層的な多文化市民的公共性に求めて,システムと人々のコミュニケイション的行為のあいだを掘り下げ,かつ拡げて,そうして獲得した多文化市民的公共性に基づいて実体経済づくりをおこなうということである。その実体経済こそが社会的・連帯経済体制に他ならないが,それは,もはや,バブルの機関車を必要としないだろう。

したがって,次いで論じなければならないのは,「バブル退治」のための必要十分条件である持続可能な(実体)経済づくりということになる。

(2) 持続可能な経済づくり

新自由主義の命脈が尽きたのはよいが,地球上の人々の命と暮しはどうなるのか。目の前の日本とその背景にある世界の現状を見てみよう。

「小泉構造改革」によって吹き荒れた市場原理主義の負の遺産が眼前に堆積している。それに,いま,米国発のサブプライム・ローン・バブルの破綻に始まる,「100年に1度の金融・経済危機」が重なった。持続可能な社会が満たすべ

き二大「生存条件」1．社会的統合（命と暮しの保障，ケアと正義による社会的包摂，単純化して言えば就労と福祉），2．大地と命との共生（食・農－資源・環境）に注意を集中してみよう。

　1．公的社会保障の危機と「格差の拡大」〔都市（それも首都圏1極集中）と農村，勝ち組の富裕層と負け組のワーキング・プア（年所得200万円以下が1千万人を超える），そして，そのようなプアな職にも就けないで，公的支援をカットされ，「自立」を強要される社会的被排除者等とのあいだの「格差の拡大」〕による「社会解体」の危機が進行中の，まさにその時に，今回の底知れぬウルトラ大不況が襲い，非正規労働者はもちろん，正規労働者にも及ぶ大量解雇の嵐が吹きまくる。

　2．世界中からもっとも安い食（したがって水），森林資源，エネルギー資源を輸入し（輸出国のコミュニティと自然を破壊しつつ）まさに崩壊の淵に立つ，日本の食・農業・農村（林業と山村も同じ），そして都市市民をも含めた自然との共生の破壊の極度の進行もまた，誰の目にも明らかになってきているが，今回の「100年に1度のバブルとその破綻」は，一方で投機資金の跋扈による食料・資源・エネルギーの狂乱的高騰，その結果食料を確保できない途上国の一部での食糧暴動など，その安定供給を危機に陥れるとともに，他方で，世界同時大不況に陥る中で，今度はそれらの輸入をまかなう日本得意の輸出が大打撃を蒙っている。これらの問題にいかに対処していくか。

1．社会的統合

　まず，前者の問題からみていこう。
1.1　今，アメリカも世界も，そして日本も再び，金融破綻による文字通りの世界大恐慌に陥るのを阻止すべく市場至上主義を180度くつがえして，形振り構わない金融システムの救済（公的資金による不良債権の買取，資本注入），ゼロ金利，さらに量的緩和に向かいつつある。しかし，金融をいくら緩めても実体経済の悪化は止まらない。財政危機，基軸通貨・ドル危機を省みない財政資金の大盤振る舞いが進行している。日本も大同小異である。かくて，「生存条件」1．は未曾有の危機にある。如何にしてこれを確保するか。これが最大の喫緊の課題となる。政府も，民間エコノミストも，アカデミック・エコノミス

ト も 大 方 は, 緊 急 避 難 的 に 上 述 の 弥 縫 策 を 継 続 す る 以 上 の 策 を 出 せ な い で い る。 む し ろ, 未 だ に 市 場 へ 信 頼 を 繋 い で い る の か, 楽 観 的 な 人 は 半 年 か ら 1 年, 少 し 悲 観 的 な 人 は, 平 成 不 況 と 同 じ く ら い の 10 年 も 経 て ば, 再 び 均 衡 を 回 復 す る と 思 っ て い る よ う で あ る。も う 少 し ダ イ ナ ミ ッ ク に 考 え る 人 は, や が て シ ュ ン ペ ー タ ー の い う 技 術 革 新 の 新 た な 波 が 起 こ り, 再 び 資 本 主 義 は 成 長 軌 道 に 戻 る と 考 え て い る よ う で あ る。こ こ で も 楽 観 的 な 人 の「や が て」は, 短 い 期 間 の う ち に, 悲 観 的 な 人 は, よ り 長 い 期 間 を 想 定 す る。し か し, こ れ も, 言 っ て み れ ば, 超 長 期 的 な 市 場 均 衡 を 想 定 し て い る の か, シ ュ ン ペ ー タ ー 的 技 術 革 新 の 新 た な 波 へ の 神 頼 み な の か, よ く 分 か ら な い。

1.2　そ こ へ い く と, か つ て の「ニ ュ ー・デ ィ ー ル」の 現 代 版 と し て の, オ バ マ 新 政 権 の「グ リ ー ン・ニ ュ ー デ ィ ー ル」は 注 目 さ れ る。い わ ば, い ま, わ れ わ れ が 直 ち に 応 え な け れ ば な ら な い, 生 存 条 件 の 1. ば か り で な く, 2. を も 視 野 に 入 れ て, 主 体 的 に, 政 策 的 に 働 き か け て, こ の シ ュ ン ペ ー タ ー 的 技 術 革 新 の 新 た な 津 波 を 引 き 起 こ そ う と し て い る 限 り, わ れ わ れ の 社 会 的・連 帯 経 済 体 制 の 構 築 に 重 な る。

し か し, も ち ろ ん, 懸 念 も あ る。社 会 的・連 帯 経 済 体 制 の 構 築 と の 重 な り が ど の 程 度 あ る の か, 注 意 深 く 見 守 っ て い く 必 要 が あ る。と く に, も し, そ れ が 成 功 し た と し て も, 成 長 に 対 す る 環 境 か ら の 制 約 が ま す ま す 強 ま る な か で, 大 規 模 な 財 政, 金 融, さ ら に は 産 業 政 策 が, グ リ ー ン と い う 名 を 冠 し た, ソ フ ト, ハ ー ド の イ ン フ ラ 整 備 に よ る 従 来 型 の 景 気 回 復 策, 経 済 成 長 促 進 に 陥 ら な い か, ど う か。ま た, い ま ま で の よ う に バ ブ ル に 牽 引 さ れ る の は 論 外 だ が, も し, 低 成 長 を 余 儀 な く さ れ る な ら ば, そ の 制 約 の 中 で,「グ リ ー ン・ニ ュ ー デ ィ ー ル」が 1. 社 会 的 統 合 (命 と 暮 し の 保 障, ケ ア と 正 義 に よ る 社 会 的 包 摂, 単 純 化 し て 言 え ば 就 労 と 福 祉) を ど の 程 度 推 し 進 め ら れ る の か, 注 意 深 く 見 守 り, 可 能 な 限 り, わ れ わ れ の 社 会 的・連 帯 経 済 体 制 に 近 づ け る 多 様 で, 多 層 的 な 連 帯 を 模 索 す る 必 要 が あ る。け だ し, 1. と 2. の 双 方 を「生 存 条 件」と し て, そ の 二 大 基 盤 と し て 組 み 込 ん だ 経 済 こ そ, 社 会 的・連 帯 経 済 体 制 と い う も の な の だ か ら。

1.3　こ の こ と, つ ま り, 連 帯 経 済 の 政 策 が ど の 点 で 従 来 の 政 策 と 異 な っ て く る の か を は っ き り さ せ る た め に, 何 故 福 祉 国 家 の 政 策 が 行 き 詰 ま っ た の か, 反 省 し て お こ う。も ち ろ ん, す で に 何 度 も 繰 り 返 し て 言 及 し た よ う に, ケ イ ン

ズ的福祉国家にスタグフレーションを帰結した社会，経済的要因が重要であるが，国家の政策という側面から見て一言でいえば，ハーバーマスの「公共性の構造転換」ということになるだろう。市民のあいだで作り出された「市民的公共性」が，市民の生活世界を植民地化する，自分たちとってよそよそしい，国家システムの官僚的公共性に転換してしまったのである。社会保障を享受する市民は，たんなる顧客（client）化し，みずからの公共性という意識を失う（市民に対する正当性の喪失）。外的なものとなり，それが課する税も負担感のみが大きくなる。すべての国家施策の倫理性，正当性と効率性が失われ，そのことによってコスト，したがって財政負担が大きくなる。かくて，それは，新自由主義の「小さな政府」に口実を与える。さらに，一律の官僚的形式的側面が強くなると，福祉国家は，もはや，当事者間のコミュニケイション的行為に介入できない，市民たちの連帯感を生み出せない，もちろん，ジェンダーの差異（ケアの倫理），多様な差異の交差に立ち入れない。ということは社会的排除を再包摂できない。国家的公共性を，市民的公共性，否，いまや，多文化市民的公共性に代替するのが，社会的・連帯経済体制である。

かくて，それは，オバマ政権の「グリーン・ニューディール」政策が，何度も繰り返したように，分権化され，多様，多層の市民のコミュニケイション的行為のレベルまで掘り下げられ，それらが結晶した多文化市民的公共性に接触・連帯するときである。逆に，市民のコミュニケイション的行為の帰結としての多文化市民的公共性の力を増大させるためには，それは，経済セクターを社会的経済化し，民主主義を民主主義化するべく，経済システムと国家システムに働きかけなければならないのである。

1.4　ここで，社会的・連帯経済体制の理解のために，その具体的在りようの一断面にでも触れておこう。

図8は本編からの再掲であるが，大きな政府の典型であるスウェーデン福祉国家の架橋的労働市場のモデルである。図の下方，左側には，国家の政策項目（I〜V）が挙がっている。Iは，個人の関心や産業社会の変化に応じて労働市場と教育の間を行き来するための教育手当，リカレント教育など。IIは，女性（あるいは男性）を家庭における無償労働に拘束することなく労働市場へつなげていく育児休暇や介護支援。IIIは，労働市場内部でのワークシェアリング

図8 (再掲 図1-11) 架橋的な労働市場モデル

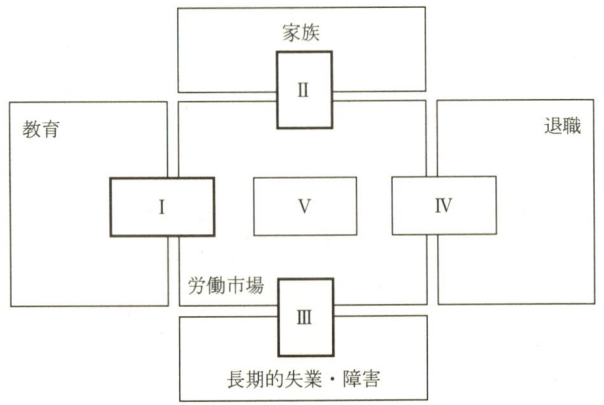

G.shimidt のモデルをもとに作成。cf. G.shimidt and B.Gazier, The Dynamics of Full Employment, Edward Elger, 2002

	福祉国家における政策領域	社会的経済における担い手
I	高等教育、リカレント教育	フリースクール等
II	自治体育児・介護政策	育児・介護サービス組織（ワーカーズコレクティブ等）
III	障害者政策・長期失業対策	媒介的労働市場組織、自助運動組織
IV	高齢者雇用促進政策	高齢者協同組合等
V	積極的労働市場政策	企業支援組織、就労支援組織

出所：宮本太郎（2003：30）

出所：本編, p.133, 原典：宮本太郎（2003, p.30）

を可能にする政策領域。IVは, 高齢者の雇用促進策や早期退職制度など。そして, Vは積極的労働市場政策領域を表す。そして, その右に, 各政策領域に相当する社会的経済ないし連帯経済事業が例示されている。宮本太郎は, 国家の政策と社会的経済との相乗効果を期待するといっているが, われわれもそれに基本的に同意する。ただ, われわれが強調するのは, 福祉国家が〈われらの国家〉としてアイデンティティを獲得し, その政策が有効性を発揮するためには, それがコミュニケイション的労働のネット・ワークにまで連携し, 国家的公共性を多文化市民的公共性に転換し, 市民の積極的参加を獲得することが必要であるということである。そして, 逆に, 社会的経済, 連帯経済は, ボランティア, 寄付など社会的関係資源だけでは, その広がりと雇用創出は十分たり得ない。地方分権化されたさまざまな公的支援, 公的セクターとのパートナーシップを通じてのみ, その領域を大きく拡大できるのである。そして, その相乗効

果によって,福祉国家の政策領域の外縁と分厚さを著しく拡大するとともに,命と暮しの保障,ケアと正義による社会的包摂等々の福祉増進による就労を大量に創出し,まさに,経済構造・就労構造を大きく変革していく(つまり,「生存条件」が規定する「生産条件」づくりの)第一の柱となり得るのである。いわば,**「福祉・就労ニューディール」**と言えようか。

福祉国家と社会的連帯経済の相乗作用による「就労・福祉ニューディール」の基本的構成要素のキー・ワードをあえて挙げれば,自治体と社会的・連帯経済との間の**「ソーシャル・コンパクト」**(フェアー・トレードの福祉サービス市場版とも言えよう),**市民報酬・生活賃金**,そして,その先に展望される**ベーシック・インカム**政策ということになろう。また,「福祉・就労ニューディール」遂行のアクターとしてこれからとくに期待される**「社会的企業」(とくにそのヨーロッパ型)**も欠かせない。これらは,ともに,福祉サービス市場の市場的性格をコミュニケイション的市場に変革していく諸要素である。しかし,これらの展開の脈絡については,「社会的企業促進戦略,われわれの課題は何か」(本編第4章の第Ⅲ項)で概説してあるので,その参照を願い,ここでは省略したい。ただ,本編では本書のタイトルともなっているのに,必ずしもイメージが具体化されなかった「社会的企業」について,その後,ごく簡単にでも説明を加える機会があったので,それを紹介しておきたい。(拙稿中のコラム「社会的企業」吾郷健二・佐野誠・柴田徳太郎編著(2008)『岩波テキストブック 現代経済学』第10章,p.225)。

「社会的企業」

「ヨーロッパの社会的企業は,営利企業も政府も対処するのが難しい,現代ヨーロッパの抱える社会的排除の問題に挑戦する制度と組織のイノベーションだと言ってよい。課題の難しさに応えるためには,①複数目的(Multi-Goal),すなわち,コミュニティのためという社会的目的,事業を継続的に可能にする経済的目的,そして,社会制度の変革という目的。②難しい仕事を遂行するに足る複数の資源(Multi-Resource),すなわち,会費や出資金,寄付やボランティア,政府・自治体の補助金や財政支出,民間からの対価収入などの獲得。③そして,これらのマルチ目的を調整し,マルチ資源を獲得するためには,出

資者や雇用者，ボランティア，寄付者はもとより，サービス利用者，政府・自治体，市民組織などコミュニティのさまざまなステイクホルダー（Multi-Stake-Holders）がさまざまな形態で参加する必要がある。もちろん，現実の社会的企業は，それらのうちの一部の契機が揃うに過ぎないが，地域ごとにつくられる社会的企業の連合支援組織がそれを補完している。

〔アメリカ型の社会的企業は，経営者個人のミッション志向，あるいは，それに結びつく（bond）アソシエーションといわれるのに対して，ヨーロッパ型の社会的企業は，多様性を結びつける架け橋（bridges）といわれ，制度，組織インフラがより注目される。〕

協同組合から発展した社会的企業の典型である，イタリアの社会協同組合，とくにそのＢ型（Ａ型はサービスの提供が主で，雇用創出まではしない）の例として，「バザーリア合同労働者」社会協同組合を紹介し，イメージを得る一助にしたい。この社会協同組合は，バザーリア病院長の「健康のためには病院を出て，町で暮らすこと」という精神病院解体運動の精神を受け継ぐ。現在，組合員は約280人，そのうち障害者は110人。仕事の内容は，ビル掃除，配食サービス，荷物運搬，建築修繕，衣服クリーニング。年間総事業高は，8億4千万円。労働奨励訓練生は30人（一定期間後，就労可能となれば，組合員になって働くことができる）。賃金は「社会的協同組合従業員全国団体労働協約」による同一労働，同一賃金が適用される。社会保険料免除，州・地方レベルの優遇策や補助，直接契約に基づく公共事業請負を享受し，理事は組合員による選挙で選ばれる（2003年には，障害当事者理事2名）。【佐藤紘毅・伊藤由理子（2006），池田敦子稿より抜粋】」

2．大地と命の共生

次に，〈大地と命の共生〉の危機への対処の問題についてみてみよう。先程，課題の（2）として上に述べたような危機的事態に対して，日本でも，食料自給率の引き上げ，温暖化ガスの排出を削減すべく化石エネルギーから自然・再生可能エネルギーへの転換推進がすでに，一応は，政府の政策となっている。しかし，アメリカのオバマ新政権は，"Change"の一環として，先に触れたように100年に1度の大不況，大量失業の発生に対処する大規模な雇用創出と

ともに，新エネルギー革命を目指し，シュンペータ的技術革新の大津波の引き起こしを狙っているが，日本の麻生政権は，風前の灯で，政局に明け暮れ，とてもそのような大胆さはなく，姑息な対処療法で済ますかのごとくである。ここでは，そのような危機への姑息な対処の仕方を凝縮して示していると思われる日本農業の危機とその再生の問題に絞り，社会的・連帯経済体制の一断面をデッサンしてみたい。

2．1　上述のような危機的事態に如何に対処するかを考えるとき，まずは，日本内外の農業（林業，漁業も含めて考える）がおかれているシステム（フード・システム）が，どのようなものか，一瞥しておく必要があろう。農産物の流通はもとより，消費も，そして生産も，ますます広く，深く市場化――その市場化も多国籍流通資本や巨大アグリ・ビジネスが牛耳るグローバル市場化――している。しかも，その市場は，いまや，バブル資本主義の投機の格好のターゲットとなってしまったのである。

　GATT体制は，工業製品の貿易に関して，主として関税率を多角的なラウンド交渉によって徐々に引き下げ合うことで，貿易自由化を進めようとしたもので，各国の事情による非関税障壁もかなりの範囲で許容する緩い協定であった。食糧主権論や各国の政治経済，社会事情，さらには風土・文化にも強く規定されている農産物貿易は基本的にはGATTの枠外におかれた。しかし，新自由主義が台頭する中での，GATTウルグアイ・ラウンド交渉（1986－1995）の結果，1995年，WTO体制に移行した。「WTOはその包括性で際立っている。工業製品だけでなく，農産物をも含み，財だけでなく，各種サービスに関する貿易をも規制しようとし，さらには，知的所有権から，政府調達や外国直接投資や競争政策に関する規定までをも包含し，関税や輸入制限だけでなく，非関税障壁や補助金規定，貿易手続きや原産地規制，衛生植物検疫措置に至るまで，ありとあらゆる貿易関連規定を一元的な自由貿易原理で律しようとしているのである。」（吾郷健二2008, p.157）その律しようは，各国の国内法は，もとより，社会・労働条件についてのILO条項や多国間環境協定などよりWTO規定を優位に置き，それらの「生産工程・方法」を区別せず，産品の「同種の産品の無差別原則」のもとにあらゆる規制をWTO違反とする。かくて，「食

糧主権や国家主権(地域主権),食の安全性と栄養性,地域社会(共同体)の存立と自律自存,中小零細企業や地場産業の存立,生態系の豊かさ(多様性)と保存,先住民の自律と権利,景観や文化的伝統の保持,基本的人権や社会権や労働権といったものと(矛盾するにいたる)。」(吾郷健二.2008, p.159)ここでは,"Race to the Bottom"「底辺への競争」が支配する。

　新自由主義のグローバル市場のこのような問題性を凝縮して示しているのが,現今の農産物市場である。世界の農業を見渡すと,そこでは,差異ある自然・風土,政治・経済・社会・文化的条件を基盤(われわれの二大社会基盤)とした差異ある工程・方法で差異ある農業が営まれている(営まれていた,といった方が適当かもしれない)。

　差異ある農業(農法)へのアプローチには,いろいろあるだろうが,世界的にどこでも家族の小農経営が支配的であるのに,経営面積規模は地域によって文字通り桁違いの懸隔がある。エンクロージャー・ムーブメントの洗礼をもったイギリスほどでないが,中世からの農村を引き継ぎながらも西欧は,化学化(肥料・農薬・除草剤などの投入)と農作業の機械化を進め,経営規模を拡大させてきた。それでも,1経営当たりの経営規模は,イギリス,フランス,ドイツは70～30ha.それに対して,アメリカ,カナダ,オーストラリアなどの新開国は,一桁上がって,アメリカ180ha., カナダ210ha., オーストラリアではじつに3000ha.を超えるという。ところが,東アジアでは,日本1.3ha., 中国0.6ha., 韓国1.5ha.と,逆に一桁下がる。野田公夫は,西欧の,科学技術の適用による経営規模拡大－零細経営の淘汰を進めて,市場競争力を高める政策を構造政策と呼び,数十ha.にまで規模拡大したのはその成果だという。ところが,新開国は広大な土地に人口寡少で,中世からの歴史の制約がないので初めから大規模経営で競争力抜群,構造政策不要地域という。それに対して東アジア地域はもともと構造政策不能地域だという。そして,その主な根拠を差異ある気候・風土に基づく農法の差異に求める。

　野田は,飯沼二郎の世界農業類型と田中耕司の環境適応農業と環境形成農業の二類型論を巧みに組み合わせて論じる(野田公夫「現代農業革命と日本・アジア―人・土地(自然)関係の再構築に向けて―」)。

　飯沼によって,まず,農業をおこなう夏季(農業期)の降雨量の多寡によっ

て，「除草農業地域」（夏季の農業期の降雨に恵まれ，除草が必須となるほど植物の生育が活発な地域）と「保水農業地域」（夏季の農業期の降雨を欠き，人工的な水供給を必要とする地域）に分ける。さらに，寒暖・乾湿の度合いで，除草農業を「休閑除草農業」（冷涼・乾燥しているので，雑草繁茂・病虫害が軽微で，深根性，宿根性の雑草はあるが，休閑期に掘り返し，寒地にさらし枯死させればよく，管理が容易なため，農業機械の大型化・経営規模の外延的拡大が可能）と「中耕除草農業」（温暖・湿潤で，多肥化により作物の生育がさらによくなるが，同時に雑草の繁茂，病虫害もひどくなる。そこで，綿密な肥培管理――丹念に雑草を除去し害虫を除去し病気にならないように管理すること――が生産力発展のキーポイントとなる）に分ける。さらに，田中耕司によって，中耕除草農業地域を環境適応型と環境形成型に区分する。環境適応とは，自然の威力が巨大で人為を施す余地が乏しく，ただ自然に対して受動的に「適応」することによって営む農業（東南アジア大河川下流部における浮稲地帯など）。環境形成とは，逆に，人為的余地が大きく，水利条件・農地条件の改善など自然に対する能動的な働きかけがみられる地域。日本はこの後者であり，中耕除草農業の論理（綿密な肥培管理）は，環境形成型技術においてもっとも典型的に体現されるという。

　ついでに，われわれにもいわせてもらえば，「休閑除草農業」が西欧農業の基本類型といってよかろうが，その亜種として，新開国では人口に対する面積の広大さから，西欧農業に懸隔する大規模機械化農業が展開するが，さらに，灌漑技術によって保水が必要な環境でもこれを克服する環境形成型といえないだろうか。

　かくて，このように，差異ある自然・風土，政治・経済・社会・文化的条件を基盤とした差異ある農業が営まれているにも拘らず，「同種の農産物」として，先程のグローバルな単一市場に投げ込まれ，「底辺への競争」を強いられる。ここでは，新開地農業が圧倒的な競争力を誇る。西欧型といえども耕種農業では太刀打ちかなわず，酪農へ逃げる。しかし，WTOのもと，なんらの規制もなしの裸で競争すれば西欧農業はほぼ壊滅する。そこでEUが考え出したのは，農業の担い手の所得を直接保障することによるEU農業の――まさに差異ある自然・風土，政治・経済・社会・文化的条件を基盤とした差異ある農業の――維持・発展である。ところで，農産物の世界市場で圧倒的な競争力を誇るアメ

リカ農業も，じつは，その世界市場価格では農業の担い手は十分な所得を確保できない。かくて，アメリカ農業の担い手も財政によって所得を保証してもらっているのである。何のことはない。輸出補助金を受けて世界市場に過度に輸出し，世界市場価格を引き下げているのである。かかる市場価格との競争では，環境形成型の東アジアの農民でもたまったものではない。まして，環境にとにかくも適応するしかない，地球人口の圧倒的多数を占める世界の広大な低開発地域の農民の被る打撃は推して量るべし。自然・風土，政治・経済・社会・文化的条件を基盤とした農業，そして農村コミュニティは解体し，自然・大地との共生を断ち切られ，放逐される（「現代のエンクロージャー」といえよう）。農民は，多国籍フードシステムの手足としての現地流通企業やアグリ・ビジネスに囲い込まれ（農薬・化学肥料多投で環境破壊的な，輸出換金作物の単一栽培を強制され）恣に収奪されるか（「現代のプランテーション」），大都市のスラムに流れいくかしかない。しかし，バブルとその崩壊を繰り返すグローバル資本主義の下では，多国籍フード・システムの「現代のプランテーション」も展望はない。大都市のスラムに流れても，もはや，雇用労働者になれる見込みはない。東アジア，そして，さらに広大なその他の低開発諸国は食糧輸入国（食糧被援助国）に転落し，食糧価格の投機的な乱高下のもとに，食の確保が難しくなる。そのなかで，圧倒的競争力を誇った新開地のウルトラ大規模の環境形成型農業も，農薬・化学肥料多投，灌漑による水多消費，地下水位低下，陥没，表土塩害，また，表土流出によって，自然・生態系破壊的な農業の持続可能性が危くなりつつある。

　因みに，エネルギーについても，以上とほぼ同様のことが言える。もはや，詳述する余裕はないが，資本主義社会の駆動力は，農業革命，産業革命，そして，エネルギー革命であった。古い話を端折って（石炭があいだに介在したが，端折る），第二次世界大戦後の資本主義の不死鳥のごとき再生と世界的な高度経済成長を可能にしたのは何か。もちろん，それだけではないが，石油への原料・燃料転換，石油文明の到来，石油化学・自動車等の耐久消費財産業の拡大を梃子にする雇用の爆発的拡大は決して欠かすことはできない，最重要の契機の一つである。石油への原・燃料転換こそ，従来，薪炭等植物，排泄物等動物に由来する有機物（バイオ）や風力，水力エネルギーなど，自然・大地との共

生・循環を前提にしたエネルギー供給の縛りから経済活動を解き放ったのである。その衝撃は，タイムラグと格差をもちながらもアメリカからヨーロッパ，そして，東アジアからさらに広大な低開発国にも及んだ。しかし，やがて，石油資源の枯渇，そして，CO_2排出による気候変動など環境制約が顕在化した。かくて，再生可能な新エネルギーへの転換が21世紀を持続可能な社会に出来るかどうかのカギの一つになってきた。原発が現に進んでいるエネルギー転換の経路の一つであるが，これが答えにならないことは明白である。いまだ，完成していない技術であり，事故によって一挙に，また，溜め込むほかない未処理の放射性廃棄物が漏れ出すことによって地球全体に計り知れない危険をもたらしつつあるのである。そこで，グリーン・ニューディールが登場した。しかし，それが，大規模な財政支出によるハード・ソフトのインフラ投資や従来型先端科学技術の振興に偏り，先進地域と低開発地域との新エネルギー格差（いわば，「グリーン」デバイド）を拡げるようなものであってはならないだろう。また，再生可能な新エネルギーとして，バイオ・エネルギーに頼るにしても，食用でないからと一層むやみに化学肥料や農薬を多投したり，GMO種子開発にしのぎを削ったり，あるいは，低開発地域を一層広くバイオ・エネルギー・プランテーション化するようなことがあってはならないだろう。近代農業が犯した過ちを拡大して引き起こすことになるだろうから。

　かくて，もはや明らかだろう，持続可能な食料・農業・農村コミュニティの確保も，はたまた，持続可能なエネルギーの確保も「大地と命の共生」を取り込んだ農業生産システム（フード・システム），エネルギー生産システムの構築にカギがあり，わが社会的・連帯経済体制こそが，それを担うべく登場しなければなるまい，ということは。

　ヨーロッパはその統合の初発のEECから，統合規模で農業を確保することを基本的課題としてきた。そして，新自由主義の波のうねりとほぼ同時に逸早く，農産物価格は市場に委ねる代わりに，直接所得保障をおこない，EUの差異ある文化，伝統，コミュニティ，そして環境とともに農業を確保していく決断をおこなったのである。

　ところが，乱暴を承知でいえば，日本は差異ある農業発展の道を放棄し（農

法としては欧米の道を模倣し規模拡大を願いながらも），工業立国，輸出立国へ，さらに，アメリカの後を追って金融・技術立国を目指し，世界市場から安価な食料を獲得するのが最も効率のよい賢明な道だと確信していたのだった。東アジア諸国が，こともあろうに十数億人の人口を抱える中国までも，日本の後を追っていたのである。その挙句が，昨今の穀物価格の投機的な乱高下，食糧暴動，そして，日本について言えば，農業崩壊に近い今日の状況である。その延長上の中国の近未来は，そしてそれが世界に与える影響は，想像するだに空恐ろしい。

　こうした中で，2007年度からようやく，日本でもEUにヒントを得，「担い手」に限定して，つまり，選別して階層分解を促し，直接支払い政策を始めた。「担い手」認定の基準は，都道府県4ha.以上（北海道10ha.以上）集落で取り組む場合は20ha.以上（但し，経理の一元化，法人化の計画を持つ，主たる従業者の農業所得の目標を定めることを要件とする）。しかし，2015年の達成目標にしてから，経営体数，約40万，自給率を現状の40％から45％まで上げるというのだから，きわめて控えめである。2008年度の「担い手」経営体数は，当初の条件をいろいろ緩めても僅か8万ほどにしかならない（これに先立って2000年度から，中山間の条件不利地に対して直接支払いが始められたが，都道府県平均で，1集落当たり143万円，1戸当たり7.3万円では，自給率向上はもちろん，耕作放棄の進行を食い止めるにもきわめて不十分というしかない。もともと，集落が消え行くまでの気休め以上のものを期待していないのか？）。それには，何か根本的な問題がありそうである。

　先程紹介した野田公夫は，農法類型論によって，「『綿密な肥培管理（中耕除草）』と『環境の適切な制御（環境形成）』に支えられた農業は，個別農家の努力のみならず，何らかの集団による対処を必要とするが，日本の場合はムラがその役割を果たした。」「……科学技術の発展によりたしかに個別経営の自立性は強化されるが，土地集積のためにも，その団地化のためにも，水路や畦畔の管理という点でも，今後とも地縁組織との協力は不可欠であり，この点において西欧農業とはその性格を大いに異にするのである。」（野田公夫2007，p.227）そして，「ごく一部のエリート経営創出をめざす構造政策を『西欧起源の西欧農業のための政策』として批判し」，「（西欧型とは異なる）日本型構造政策」を

提唱する。「『所有権の重層化（上土は自分のもの，中土はムラのもの，底土は天のもの，という逸話にちなんだ表現）』とムラの調整に媒介された土地利用」「旺盛な植生に対応した綿密で総合的な土地・水管理」「小経営の存続」（さらにいえば『ふるさととしてのムラ』の継承）などは，個別上向型大規模経営体（構造政策が期待するのはこれである）とともに種々のレベルのムラ協同およびそれを構成する多様な農村諸階層の存在を必要としている。……このようなムラに支えられてこそ大経営体も成長可能なのである。しばしば日本農村の混住性・兼業性が『農業近代化の遅れ』と嘆かれるが，むしろ日本農業の発展論理は混住・兼業農村というあり方を前提としているといわねばならない。」（野田公夫2007，p.232）

　田代洋一も，「日本の水田農業は，個々の所持地は分散錯綜しているが，『むら』単位では面的にまとまっている。農政は今さらのように『面的集積』を強調しているが，『むら』は初めから面的集積体である。……農業効率を追求する一つのかたちとして積極的に位置づけることができよう」と，集落営農の効率的生産組織という面をいうが，「集落営農の多面的機能」として，もう少し別の視角からも集落営農の機能を評価する。「効率的・収益的営農が目的かといえば，そうともいえない。『むら』のど真ん中の田んぼにぺんぺん草が生えだすと，『もうここには住めないな』ということになる。生まれ在所の定住条件を守ろうとしたら，田んぼを守らねばならない。ひとりで守れないならみんなで守ろう。これが……集落営農の出発点である。……農業の多面的機能が強調されている。……その伝で言えば，集落営農の多面的機能は計り知れない。定住条件の維持，高齢者や女性の活性化，生き甲斐作り，医療・福祉コストの削減，都市・農村交流等々。そっちが本命で農業はその手段とも言える。それは集落営農がたんなる生産だけではなく生活をメインテーマとしているからであり，そもそも生活は多面的だからである。」（田代洋一2007，p.136-137）

　そして，集落営農について，われわれにはきわめて興味深い規定（引用文中の下線部）に言及する。「何らかの地域の面的な広がりを土台としたものでなければ集落営農とはいえない。ではどんな地域か。」と問うて，一般的には，中世を起源として連綿と今日に至る『むら』（自然村・農業集落，14万集落）を基盤にすると言ってよいが，「しかしそれにこだわる必要はない」という。す

なわち,「要は自分たちが,『これが農業としてまとまりのあるおらが〈ふるさと〉だ』と思う範囲を土台とすればよい。……加えて,リーダーやオペレーターの確保,農地の連担性,機械の性能から範囲を考えればよい。範囲が小さいとしがらみが強すぎてまとまらないこともあるし,範囲が大きすぎると『ばらける』こともある。小さければ他と一緒になればよいし,大きすぎれば内をグループ分けすればよい。そういう『開かれたむら』であることが大切である。地域のみんなが議論に参加して共通目的に向かっていくことを『公共性』というが,集落営農はそういう地域公共性の追求であり,そのためには地域が『開かれている』ことが必要である」という。(田代洋一2007, p.138-139)

さらに,「まず話し合いだが,世帯主だけが集まったのでは駄目だという。……女性や後継者を巻き込んで真に地域ぐるみで話し合う必要がある。あるいは女性,青年といったグループ別に集まってもらって意向をまとめてもらう。……そういう風に様々な人が集まった場合に,初めから農業の話,集落営農の話にもっていってはダメ。人びとの関心から入っていき,女性や高齢者,若い層も取り込める多様なテーマを話し合う。具体的には米や転作だけでなく,野菜,特産物,園芸,直売所,農産加工,祭りや交流会。……そのなかで5年,10年先のそれぞれのお宅の農地を誰がどのように耕作するのか(自作,作業委託,貸付,耕作放棄)をできれば具体的に目に見えるように圃場図に書き込むようにして集落農業の将来像を描いてみる。……話を性急にまとめようと思ってはいけない。必ず反対が出る。日頃からうるさい人,規模が大きく自分でできると思う人,役職経験者,機械を更新したばかりの人。もっともな理由もあれば反対のための反対もある。それを言いたいだけ言わせる。ただし,女性も含めたみんなの前で言ってもらい,意見は記録に残してもらう。……実は最大の問題はリーダーがいない,経理のできる人がいない,という点である。リーダーについては筆者の経験では農協OBが最も多い。筆者はこの点で日本の農協も捨てたものではないと思っている。普及センター,学校の先生など組織・企業の経験者も多い。要するに『むら』と外の世界の両方に生きて,両方の論理の分かる人が多い。」(同書, p.140-141)

われわれが田代洋一に,さらに注目するのは,集落営農を開かれたものにする契機として,「いえ」制度をはじめ,従来の男性支配の農村制度・秩序の内

部変革を推進する女性パワーの台頭を挙げていることである（同書，p.148以下）。そして，逆にうえに見た生活の全体の協業・連帯にまで広げて幅や厚みを増した集落営農の遂行こそがさらに女性パワーの増進を促すという連関にも注意を促していることである。

　もちろん，内部から変革するばかりでなく，文字通り外へ開いて連帯を求め，集落営農の地域支援組織・ネットワークをつくっていくことが重要である。

　田代は，女性パワーにつづいて，第二に，集落営農による集落営農の仲間作り（先発のリーダーの語り部派遣，視察し合い，そして，集落営農の地域協議会づくり），第三に，集落営農間の協力や統合。大型機械の導入・利用，リーダーやオペレーターの確保，商品ロットと販路の拡大などは，農村コミュニティの多様性・重層性を踏まえつつ，連携をソフト・ハードの両面で模索していく。そして，第四に，不在地主地の管理（同書p.147）。そして，さらに，地域農業支援システムの再構築を挙げる（同書p.154以下）。地域振興は本来自治体や農協の仕事であるが，広域統合やスリム化で厳しい状況にある。そこで市町村の地域振興公社が注目されるという（ちなみに，「国土施策創発調査」の一報告書は，その延長上に，自治体と農協の他に，NPO，大学，企業が加わり，また，対価収入を得ながら市民的公益を追求するものとして，すでに欧米で展開している社会的企業という企業形態があることを示唆している）。関東農政局（2007，p.168.）

　また，農協については，「農的地域協同組合」への改革を提起している（同書，p.169以下）。「ほんらい零細な家族農業経営は家計と経営，生活と生産が一体化しており，そこで農協が総合農協の姿をとることは自然であり，……総合農協の事業展開自体が農業プロパー以外の面では農家のみに限定されない拡がりをもっている。とすればその構成員を農家に限定するいわれはない。総合農協としてのあり方は，このような地域のみんなに開かれた公共性を担いうる潜在的可能性を有している。」という。しかし，農的という形容詞がつくのは，「地域の農業・経済の活性化，自給率の向上，地産地消，食育教育，多面的機能の発揮，地域資源管理といった地域公共性にかかわるテーマを担ううえでは，生活協同組合一般に解消することはできず，農的な要素が本質的に組み込まれていなければならない」からだ，という。

図9　産消提携の4つのタイプ

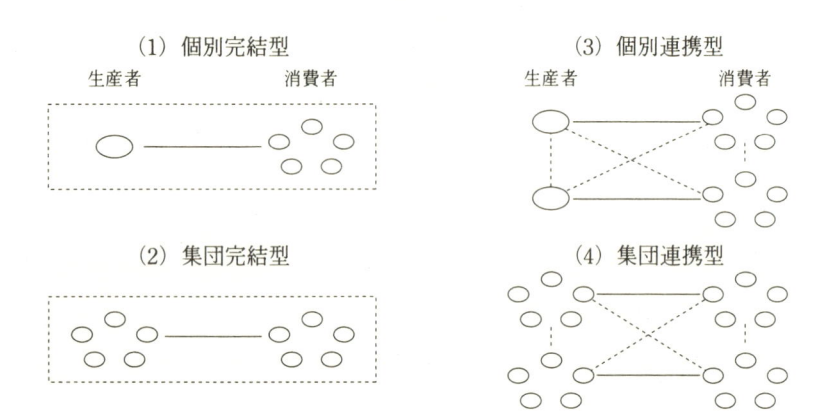

(1) 個別完結型

(2) 集団完結型

(3) 個別連携型

(4) 集団連携型

出所：保田茂（1986, p.153）

　さて，ここまでの田代洋一の議論には深く共鳴し，それをもってわれわれの議論を展開してきたが，農協改革論については半分は深く共鳴しながらも，半分は不満を感じる。それは，田代洋一が集落を地域に開くというばあい，地域とは農村地域に限定されすぎていないか，地産地消，販売所や道の駅での販売も販売する場所は農村地域である。しかし，開かれる範囲は，そして地域公共性の範囲はいま急速に都市市民にまで広がる潜在可能性が出現してきている。

　従来から，生産者と消費者の提携は，様々な仕方で追求されてきた。例えば，保田茂は有機農業の産消提携を次の図9を掲げて類型化している。

　また，河野直践『産消混合型協同組合－消費者と農業の新しい関係－』は，産消混合型協同組合組織について事例を挙げつつ次のように類型化している。

第1類型：同一生協内・産消連携型：〈愛媛有機農産生活協同組合〉〈生協・熊本命と土を考える会〉

第2類型：産消混合型の協同組合的会社（＝社会的企業）
　〈(株) 大地〉グループ　任意組織「大地を守る会」の監督の下に置く。別会社による事業多角化，有機農産物流通の拡大と会員の顧客化，他組織との連携，地場流通の模索。
　〈(株) 安全農産供給センター（京都）〉任意組織「使い捨て時代を考え

る会」の二枚看板。
  〈(株)熊本有機農産流通センター〉
第3類型：同人的会社（メンバーの消費よりも組織外に販売する事業協同組合，都市住民の出資と運営参加）
  〈みどりの風協同組合グループ〉，〈静岡県藤枝市の(株)水車むら紅茶〉
第4類型：労働者協同組合，ワーカーズ・コレクティブ
  〈島根中高年事業団による農作業の受託〉，〈福岡県粕屋郡中高年事業団の菜園作りと老人給食〉，〈長野県高齢者協同組合の「食と農」事業〉，〈愛媛県の有機農業に取り組むワーカーズ・コープ「無茶々園」〉

そして，その草創期から「生産する消費者運動」として生協運動を続けてきた（加藤好一「あしたを作りつづける『生産する消費者』運動」『社会運動No.322』2007年1月）生活クラブグループは，このたび，「生産への労働参画プロジェクト最終答申」をまとめた（生活クラブ事業連合生協連合会理事会，2008）。それは，まず，1）消費者と生産者との交流会や産地見学から始まり，2）国産鶏の育種・普及，NON-GM飼料原料確保などのため共同事業協議会・プロジェクトを立ち上げたり，3）共同開発米などの開発リスクに備えた基金設立，4）牛乳の加工処理場などのため新会社設立への資本・経営参加などとして進められてきた。そして，「計画的労働参加」が1995年の共同購入第2次中期計画のなかで提案されたのである。それは，「通常の『援農』を超えて，定植・収穫等の繁忙期に組合員・家族が支援した労働の経費（労賃・宿泊費等）を該当の消費材（消費財ではなく，消費材とする使用価値重視の生活クラブ用語）価格に上乗せし，利用する組合員が負担する仕組み」で，長野県飯綱町，愛知県豊橋市の加工用トマトの収穫や長野県安曇野村の「はちみつ」採集などの連合会の取り組みの他，単協でもさまざまに取り組まれてきた。それが，第4次連合事業中期計画（2005～2009年度）で，「食の再生産構造の保障に努力し，生産構造への参画を計画する」となり，今回の最終答申において，新たな（第2）ステージとして，「『生産する消費者』による自給運動」を提起したのである。そして，次のように言う。

「私たちが生産への労働参画を通して実現したいのは以下の事柄です。

① 消費者・生産者の違い，都市と田舎の違いを乗り越え，新たな農業生産現場の『担い手』をつくる事例を示して日本農業を再生したい。
② 第1次産業のみならず原料加工も含めた『1.5次産業』を，消費者と生産者，田舎と都市の連帯によって再生したい。
③ 食料自給力回復の実践を社会に示し，共感の輪を広げ，共同購入運動・事業の参加者を広げ，問題の解決力を強めたい。」

さらに，先に述べた現今の世界経済，世界農産物市場の狂奔によって，「安全で安い食品が安定的に手に入って当たり前」という日本の常識は根底から覆えされ，翻って内をみれば，日本農業・農村はまさに崩壊寸前の危機にある。かくて，「食料・農業政策は，5％の第1次産業生産者のための政策ではなく，95％を占める消費する側にとってこそ切実な『基本的生存を脅かす国民的課題』だ。……それは国内はもとより世界における『奪わない，奪われない』関係はいかにして可能かを考え，実践していくことにつながる」（米倉克良「解題」）として，生活クラブ生協連合会は自らの「『食料安全保障』確立のための『自給力向上』に向けた実践的政策（8項目の具体的提案に表現）」（『社会運動』No. 344，2008年11月）を各政党に提案し，「将来ビジョン」およびその実現のためのロード・マップ等をマニフェスト（政権公約）として示すよう，要求したのである。

これは，都市市民のあいだから生まれた生協運動が（1）の社会統合の危機への対応ばかりでなく，（2）の大地と命の共生の危機へも対応すべく，田代洋一のいう，農村の地域的公共性をも自らの公共性としても担いつつ，新たなナショナルな多文化市民的公共性づくりを始めたこと，そして，それをもって国政を転換すべく，ヘゲモニー争いを開始したということであろう。かくて，田代洋一の農村地域の地域的公共性がこれに応じない手はないだろうと思う。しかし，もちろん，それは農村地域の農的総合農協は都市生協と均一になるべきことを意味しない。それぞれの地域や構成員の差異を互いに承認し合い，差異ある独自の総合生協となればよいのである。それゆえ，農的総合生協も在り得る，というよりも，都市生協と連携することによってその特色をよりダイナ

ミックに展開できるのではないだろうか。それには，生協規制を取り払い，つくりやすい，つかいやすい協同組合法制定にも取り組まねばならない。あるいは，さらに，社会的経済の革新形態である社会的企業法の制定運動にも取り組まねばなるまい。

　以上述べてきたように，「バブル退治」にしろ，（1）の「就労・福祉ニューディール」による社会的統合にしろ，（2）の大地と命の共生（エネルギー，環境問題についても食料・農業・農村の危機への対応を応用することができよう）にしろ，①（システム側に立って）問題を少しでも持続的に，ラディカル（根源的）に克服しようとするなら，社会的・連帯経済と連帯できる，あるいはそれを組み込めるところまで政策やシステムを柔軟化し，多様化し，重層化させねばならない。②逆に，（社会的・連帯経済の側からいえば）社会・連帯経済が（1）や（2）の危機に対応して澎湃として興っても，システムに働きかけ，システムを柔軟化し，多様・多層化し，自らをシステムに組み込まねば，持続的なダイナミズムを失うことになろう。いずれにしても，（1），（2）の危機克服のために，社会的・連帯経済を組み込んだシステムの変容・変革が必要であり，変容・変革なった経済体制が，社会的・連帯経済体制というものなのである。
　ここで，注意すべきことは，一度できたからといっても，社会的・連帯経済体制はけっして静態的で，安定した体制ではなく，システムと社会的・連帯経済とはいつでも浸透し合ったり，対抗し合ったりしているということである。竹田茂夫がいうように，市場システムは強力である。川上忠雄と増田寿男がいうように，国家システムもまた強力である。したがって，社会的・連帯経済の問題として，「同型化問題」が提起されている。すなわち，竹田茂夫のいう営利企業への同型化，そして，自治体のアウトソーシングを受ける社会的企業の自治体行政（官僚化）への同型化問題が提起されている。しかし，先にも言ったように，現今の危機の恒常化の時代への突入は，社会・人間防衛としての社会的・連帯経済の生成は決してそのダイナミズムを失うことはないのでないか，と思う。
　ところで，この危機の進行が社会的・連帯経済生成の，さらには社会的・連帯経済体制構築の引き金になるということは，たしかに，本編でも，新自由主

義的グローバリゼーションによる生活世界の植民地化のきわまった危機などとは表現していた。しかし，日本農業の崩壊の危機とサブプライム・ローン破綻に始まるような市場システム暴走の果てのカタストロフィーがもつ衝撃力の認識はやや希薄であったと反省せざるを得ない。それゆえ，本編第3章の複合的地域活性化戦略において，システムと主体（社会的・連帯経済）の対抗と浸透を問題にしながらも，農村部における主体（社会的・連帯経済）の生成を十分に析出できなかった。そこで主体形成が澎湃とダイナミックに進んでいる都市部の社会的・連帯経済生成・発展の問題へすぐに移行してしまった。

しかし，ハーバーマス読解を掘り下げ，西欧近代の臭いの強いアソシエーションや市民的公共性を多文化性のなかで相対化し，かつ，日本農業の崩壊の危機に瀕したところでのサバイバル・バネの在りようを目の当たりにするなかで，日本における社会的・連帯経済体制構築へむけて，もう一つの主体（社会的・連帯経済）が蠢動しつつあることを再認識させられたのである。そして，いつもながらであるが，日本の食料・農業・農村の崩壊の危機を自らの問題として再認識し，決然と国政を転換させるべく，自給運動に立ち上がった都市市民の登場も農村への注目を助けてくれた。

(3) マクロ体制輪郭素描

さて，以上で，マクロ的な社会的・連帯経済体制形成のダイナミズムは，これをある程度伝えられたと思うが，なお，全体の輪郭は定かでないかもしれない。そこで，箇条書きにでもして，構造的特徴と思われるものをいくつか追加しておきたい。

① まず，社会的・連帯経済体制は，いまや，社会的・連帯経済をシステムに組み込むことによって（1）社会的統合と（2）大地と命の共生を確保するべく，両者を重合したものを基盤とする経済体制だ，といえよう。内橋克人はこれら二つを合わせたものをFEC自給圏（Food, Energy, Care）という。

② しかし，(1)，(2)の条件の確保の仕方は，すなわち，【経済システム（⇔社会的・連帯経済）】のあり方は，農法でみたように，自然，社会，文化，歴史，そして生産力段階によって多様であろう。つまり，FECを基盤に据えたそれ以外の第二次産業，第三次産業の厚みも，様態も，生産力（＝潜在

能力 Capability）段階も多様であろう。先に見たように，生産力（＝潜在能力）の増大が（1），（2）の条件を豊かに確保するという軌道から外れ，システムの暴走が始まり，相対的に，あるいは，絶対的に（1），（2）の条件を危機に追い込む事態が現れ得る。このような事態が進展しないように，また，逆に生産力（＝潜在能力）の増大が（1），（2）の条件の満たし方を豊かにするようにコントロールするのが（直接にシステムに浸透して，あるいは，国家システムに働きかけることによって），システムに組み込まれた社会的・連帯経済の機能である。それゆえ，経済構造，産業構造，そして雇用・就労の全体に占める（1），（2）関連の経済，産業，雇用・就労構造のウェイトは（1.5次産業，6次産業の創出も加わって），現在のそれよりかなり大きくなるだろう。

③　しかし，それは，必ずしもゼロ成長ということにはならない。けだし，物的生産・消費，エネルギー生産・消費の削減やより厳しい環境制約が加わったとしても，知的，情緒的活動，ケア，癒し活動，スポーツ，旅等の余暇活動，学習，教育，研究活動，芸術などの創造的活動，その他もろもろの各種対人サービス（とくに，従来のアンペイド・ワークを計算に入れるようになれば）による付加価値は増大し得，それらは一般に労働集約的であるから雇用・就労も増大するからである。

④　金融は，市場経済では期待利回りに基づいて資金を配分する。しかし，社会的・連帯経済体制では，規制によって，あるいは，トービン税のようなものを工夫して投機，そして，バブルの発生を抑制するとともに，まさに社会的・連帯経済的に，すなわち，多文化公共性の特殊形態としての社会的評価によって資金を配分する。

⑤　財政・社会保障は，現今のようなカタストロフィーから抜け出すために，まずは，社会として持続可能な生存条件を確保するよう全力を挙げねばなるまい。そして，じつは，そのための近道，あるいは効率的な道は，（1），（2）にかかわる社会的・連帯経済の大々的な創出，そして，そのためのハード，ソフトのインフラ整備を行なうべく積極果敢な財政支出を行なうことであろう。そしてそのことによって〈公共性の再構造転換（おらが政府に転換すること）〉を行なって，人びとの公共性への信頼を回復することである。

社会的・連帯経済をパートナーとする〈就労・福祉ニューディール〉,〈グリーン・ニューディール〉, これが社会的・連帯経済体制のトレード・マークということになろう。

大分荒っぽくなってしまったが, 本稿では, この辺りで切り上げ, 最後に, さらに荒っぽくなるが, グローバルな次元での社会的・連帯経済体制のイメージについても若干でも触れておくべきだろう。

(4) 社会的・連帯経済体制のグローバル像

①グローバルなディメンジョンの世界

　グローバルなディメンジョンで社会的・連帯経済体制のイメージを捉えることはかなり難しい。まず, 人と人との相互主観性の形成, そしてコミュニケイション的行為は, ローカルなディメンジョンでもっとも濃密に行なわれえる。グローバルなディメンジョンでは著しく限定され, グローバルなディメンジョンでの市民的, あるいは, 多文化的公共性を獲得するのはかなり限定され, いきおい抽象的なディメンジョンに留まりやすい。したがって, 世界的な法秩序もきわめて抽象的である。第一, ここには, 世界的な法秩序があったとしても, いまだそれを担保する国家, すなわち世界国家システムは存在しない。

　かくて, アクターとして有力なのは各国家群であり, とりわけ覇権国家であり, 覇権獲得のため合従連衡する国家群である。うえに指摘した世界的な法秩序も, 傍若無人に振舞う覇権国家をはじめとする国家群にはあっては無きが如しである。それらと並んで近年とくに支配的になってきたのが, いうまでもなく, グローバルに展開する世界市場の論理 (？) である。市場世界での有力なアクターは多国籍企業をはじめとする営利企業群であるが, 彼らとて制御し切れないのが, バブルで高々と持ち上げたかと思うとドシンと落とす, 暴走する市場の論理 (？) である。図10の上部に見えるような国際機関群はあることはあるが, 覇権国家や国家群の合従連衡, そしてグローバル市場の論理 (？) を制御できないか, IMFや世界銀行のように, ワシントンと一緒になって, むしろ新自由主義を世界的に強制する道具となってきた。このように, 国家にしろ, 市場にしろ, システムの論理 (？) が闊歩するのがグローバルな世界である。

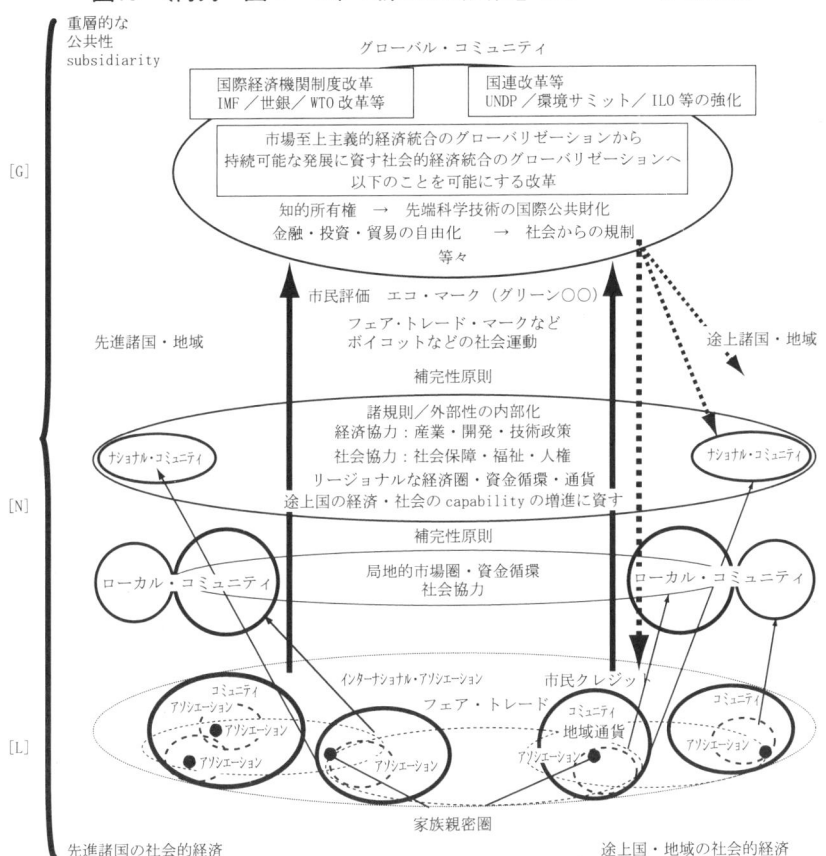

図10 （再掲 図1-13）「新たな公共性」のグローバルな性格

重層的な
公共性
subsidiarity

[G] グローバル・コミュニティ

国際経済機関制度改革
IMF／世銀／WTO改革等

国連改革等
UNDP／環境サミット／ILO等の強化

市場至上主義的経済統合のグローバリゼーションから
持続可能な発展に資す社会的経済統合のグローバリゼーションへ
以下のことを可能にする改革

知的所有権　→　先端科学技術の国際公共財化
金融・投資・貿易の自由化　→　社会からの規制
等々

先進諸国・地域

市民評価　エコ・マーク（グリーン○○）
フェア・トレード・マークなど
ボイコットなどの社会運動

途上諸国・地域

補完性原則

諸規則／外部性の内部化
経済協力：産業・開発・技術政策
社会協力：社会保障・福祉・人権
リージョナルな経済圏・資金循環・通貨
途上国の経済・社会のcapabilityの増進に資す

[N] ナショナル・コミュニティ　　　　　　　　　　　　　　　　　ナショナル・コミュニティ

補完性原則

ローカル・コミュニティ　　局地的市場圏・資金循環　　ローカル・コミュニティ
　　　　　　　　　　　　　　社会協力

[L]
インターナショナル・アソシエーション　市民クレジット
コミュニティ　フェア・トレード　コミュニティ
アソシエーション　　　　　　　地域通貨　　　アソシエーション
アソシエーション　アソシエーション　アソシエーション

家族親密圏

先進諸国の社会的経済　　　　　　　　　　　　　　　　途上国・地域の社会的経済

多様な／グローカルな公共性

出所：本編, p.144

　しかし，このシステムの論理，とくに新自由主義的グローバリゼーションによる市場システムの闊歩の甚だしさにも拘らず，否，むしろ，闊歩の甚だしさが人びとの命と暮しを危機的状況に追い込み，いわばその防衛として社会的・連帯経済が世界的に台頭してきている．そして，それがグローバルなディメンジョンでも，図9の矢印の示すように，彼らが達成した市民的公共性をもってシステムに働きかけ，その市民的公共性をシステムに浸透させていくことを展

望するというのが本編のモティーフであった。

　しかし，これだけではいかにも心もとない，というコメントへの反論が本稿の出発点であった。そこで，ここまで展開してきた叙述によって，われわれがどれだけ説得力を増すことができたか否か，が問題となる。

②まず，前提的事実として，社会的・連帯経済がグローバルな規模でどのように台頭してきているか，本編では，もっぱら社会的経済，そして社会的企業として展開してきているEU諸国，NPOとして展開してきているアメリカを中心にした叙述になっていた。その後，先にも言及したが，ごく簡単にでも，東西南北の世界の社会的・連帯経済が，さまざまなネーミングをもって台頭しつつある状況を，テキストブックの一つの章のなかにすぎないが，概観する機会があった（吾郷・佐野・柴田編，2008）。同時に，上に述べたように，ハーバーマス読解を若干掘り下げた。その成果は，西欧近代の市民，アソシエーション，市民的公共性の相対化で，一方では，日本の農村の集落組織のようなさまざまな共同・協同組織の再評価となり，他方で，ラテンアメリカの連帯経済，そして世界社会フォーラムへの注目度の増大である。イスラム世界には未だわれわれの手が届いていないが，おそらく，非西欧世界での社会的・連帯経済のウェイトは高まるであろう。しかし，ここでは，このような事実的世界に立ち入る余裕はない。うえで展開した論理にのみ頼る他はない。

③　社会的・連帯経済体制の論理

　しかし，幸いなことに，うえで展開した社会的・連帯経済体制構築の論理は，グローバルな，この難しい土壌でも，ほぼそのまま適用できそうである。

1　とにかく基本原理は，生存条件に規定された生産条件の創出ということである。そして，そのためには，人々の命と暮らしのシステム化がもっとも進行した欧米社会でもコミュニケイション的行為（労働）を基盤とする社会的・連帯経済をシステムに組み込むことを必要とする。途上国ならば，なおさらさまざまな形態の社会的・連帯経済の組み込みが重要になる。これは，社会の持続性を確保しようとするなら，いつでも，どこでも通用する普遍的原理である。ただ，それは，すでに強調したように，自然・風土，社会，文化，歴史，そして生産力（＝capability）によって多文化・多様，多層の相貌をもつ。したがって，非西欧社会の社会的・連帯経済のありようをみるときは，

このことに多大の注意を払わねばならない。

2 うえの1）を多少腑分けすれば，（1）社会的統合条件と（2）命と大地の共生条件の創出となる。換言すれば内橋克人のいう「FEC自給圏」の創出である。ここで注意を要するのは，このことは，グローバル世界においては，ことに市場至上主義の新自由主義的グローバリゼーションが跋扈する世界においては驚天動地の衝撃的なインパクトをもつ。しかし，市場至上主義とそれを覇権をもって支え，IMF，世銀とともにワシントンコンセンサスのローラーを世界中に引き回した帝国アメリカの暴走の果ての，現今の「100年に1度の危機」・カタスロロフィーを前にして，やっと正気に戻って考えれば，しごく当然の普遍的真理に見えてこないだろうか。人々の暮しをジャスト・イン・タイムでグローバルに拡げられたロジスティックスで賄おうとする自由貿易による国際分業は，狂気のあいだの悪夢だったのではないだろうか。理論的に考えても，「自由貿易論の理論的根拠とされているリカード比較優位論がきわめて特殊な理論的仮定のうえでしか成立せず，一般理論的性格を欠いている」（吾郷健二「自由貿易論批判」吾郷・佐野・柴田編『岩波テキストブック　現代経済学』第7章第1節）。

　しかし，そういったからといって，アウタルキーが望ましいといっているのではない。田代洋一の「開かれた集落」とのアナロジーでいえば，〈集落営農による集落営農の仲間作り（先発のリーダーの語り部派遣，視察し合い，そして，集落営農の地域協議会づくり）〉，〈集落営農間の協力や統合。大型機械の導入・利用，リーダーやオペレーターの確保，商品ロットと販路の拡大など，農村コミュニティの多様性・重層性を踏まえつつ，連携をソフト・ハードの両面で模索〉ということは，グローバルな世界では〈集落営農〉というのを各国，各地域と置き換えれば，各国の〈社会的・連帯経済〉間の，そして〈各国〉間の〈仲間づくり，地域協議会づくり〉，〈各国の社会的・連帯経済や国レベルの協力や統合，機械設備，技術・経営協力，販路提供協力，各国間の多様性，重層性を踏まえたソフト・ハード両面の提携〉ということになろう。さらに地域的公共性は，サブ・ナショナル，ナショナル，スーパーナショナルな地域的公共性と読み替え，さらに，都市から生まれた生活クラブ生協の〈生産する消費者〉の「計画的労働参加」や「食の再生産構造」

構築への参加との連携とは南北間も含めたスーパー・ナショナルな範囲でのコミュニケイション行為に基づいた地域的公共性を体現するFEC自給圏の構築ということになろう。

ところで，田代洋一の「開かれた集落」は，多少，プラグマティックな面を強調し過ぎかなと思われるところもある（プラグマティックであることは，実際にはきわめて重要なのだが）。われわれの原則的理解では，相互の差異を承認しあい，自己のアイデンティティを豊富にするということ，それに基づく多様で，重層的な広い範囲の多文化市民的公共性を獲得するということである。平たく言えば，ユニーク性を強めながら，相互に補完しあって，単独でできないことを達成し合うということである。

さらに，先に一国的な社会的・連帯経済体制のマクロ経済像の②として，「経済構造，産業構造，そして雇用・就労の全体に占める（1），（2）関連の経済，産業，雇用・就労のウェイトは（1.5次産業，6次産業の創出も加わって），現在のそれよりかなり大きくなるだろう」と論じたが，これは，日本を念頭においていっているのであって，途上国の場合は異なる。というのは，途上国の場合，いままで，自由貿易の強制によって先進諸国の工業製品に押され，第2次産業の発展による「生産力（＝潜在能力）」の増進を阻まれていた。したがって，（1），（2）の条件の満たし方をより豊にするためには，工業化を進める必要がある。ここでいう地域協力はこのような途上国の「生産力」（＝潜在能力）を増進することも含まれる。

3　さらに，金融や財政について1国マクロ像としていったことは，ここでも通じるが，しかし，途上国の比重が大きいグローバルな，あるいは，リージョナルな世界では，ここにおいてこそ，直接に，途上国の（1），（2）の条件を確保するために，そして間接的に生産力（＝潜在能力）を高めるために，金融，財政による国際協力は本格化しなければなるまい。そして，前に言及したように，グローバルな世界において，その生存条件は時代規定的であり，中長期では一般に高まりつつある。これに応えていくためには，グローバルな規模でも，一国のマクロ像で言ったのと同じように，グローバルな規模で，（1），（2）にかかわる社会的・連帯経済の大々的な創出，そして，そのためのハード，ソフトのインフラ整備を行なうべく積極果敢な国際協力を必要

とする。グローバルな規模での〈就労・福祉ニューディール〉,〈グリーン・ニューディール〉を必要とするのである。しかし,それはまさに至難の業である。

　そこで,本編からの再掲図10をもう一度見られたい。ここでは,図が複雑になりすぎるので,スーパー・ナショナルなリージョンが省かれているが,それを想像して重ねていただきたい。下方には,ローカルな世界（L),中ごろに国民国家の世界（N),そして上方にグローバル世界というように,重層的になっている。下方左に先進諸国の社会的・連帯経済,右側に途上国の社会的・連帯経済が描かれている。そして,（1),（2)の条件確保を求めて,草の根のローカルから市民的公共性を担う社会的・連帯経済が立ち興る（経済システムへの市民的公共性の浸透)。また,それは,政治的ディメンジョンでも公共政治の民主主義化を要求する。この市民的公共性は,上方の国民経済と国家システムに働きかけ,その市民的公共性を国民経済と国民国家に浸透させる。さらに,その市民的公共性は国家を通じて,あるいは直接,国際機関・組織・制度に働きかけ,左上の国際機関・制度を改廃し,右上の国際機関・組織・制度を強化して,市場至上主義的なグローバリゼーションから社会的統合,命と大地との共生を促すためのグローバリゼーションに改革する。

　本編では,以上のように,社会的・連帯経済体制のローカル・ナショナル・グローバルに重層する体制像を描いたのであるが,本稿のいままでの検討によって追加したり,強調すべき諸点は大きくまとめると次のようにいえよう。

i 　まずは,市民的公共性を多文化市民的公共性と置き換えることである。それによって,その多文化市民的公共性の形成過程,そして,それがさらにシステムに働きかけるとき,つまり,矢印→の意味は,いまや,熟議に限らず,政治的,経済的,社会的,文化的,歴史的ヘゲモニーを争い,それによって新たな多文化市民的公共性を体現する政治,経済,社会,文化,そして歴史を創出するダイナミズムを増強することになる。

ii 　100年に1度のシステム危機に陥ったシステム側も無原則に,プラグマティックに,あらゆる手立てをつかってシステムの維持を図ろうとしている。

しかし，それらは，はじめから有効性もたないか，持続不可能であったり，すでに失敗が実証済みのものばかりである。しかし，システムの維持のためであるとしても，とにかく社会を維持するためには，（1）と（2）の生存条件を確保しなければならない。そこで，システム側も，従来と，とくに新自由主義政策と180度違う政策さえ提起せざるを得なくなっている。しかし，その改革的な新たな政策が成功するためには，社会的・連帯経済を組み込むまでの政策のラディカル化を必要とする。したがって社会的・連帯経済体制派からすれば，まさに，危機をチャンスに変える絶好の時を迎えたのである。

iii　グローバルな世界のアクターとして有力なのは国民国家群だといったが，そうならば，社会的・連帯経済体制派は，i．で指摘したようなヘゲモニー争いに勝利して親社会的・連帯経済政権の創出，あるいはそこまでいかなくとも，社会的・連帯経済の大々的な創出，そして，そのためのハード，ソフトのインフラ整備を行なう積極果敢な政策を採択させるくらいのヘゲモニーは，これを獲得すべきであろう。その国民国家を通じて，あるいは，国民国家をパートナーにして，地域協力や国際機関・組織・制度改革のベクトルを太く，強くすることができよう。少なくとも，食糧主権，資源主権，環境主権などは，国家のためにその確保に協力することができよう。ブッシュのアメリカを change させたもっとも有力なファクターはアメリカ国内からの change の声である。国家を社会的・連帯経済に少しでも近づけたとき，世界社会フォーラムに集う社会的・連帯経済の連帯もその力を一層増すことになろう。そして，野田公夫がいうように，農業の構造改革不能地域は，日本ばかりでなく，東アジア・モンスーン地域に広がり，また，広大なアフリカもまた構造改革未達成地域である。これらの広大な地域，膨大な人口の差異ある農法に基づいた提案は，WTOの農業交渉で，未だ誰も代表していないという。日本がそのインシャティブをとるのは夢のまた夢であろうか。（グローバルなディメンジョンの議論については，本編1章Ⅲ「新しい公共性のグローバル性，補遺〔3〕「多相的自由主義の提起―村上泰亮の試み」を参照）。

V　おわりに

　さて，社会的・連帯経済体制のグローバルな像をこのような原則的なことから，さらに，一歩でも立ち入って具体化するには，まさに，各国内はもちろん，各地域的な，そして，世界的な政治，経済，社会，文化のヘゲモニー争いに立ち入る現状分析を必要とする。地域を東アジアに限定するにしても，他日を期する他ない。ひとまず，ここで筆を擱きたい。

注

（1）粕谷信次・川上忠雄・山岡義典・佐藤慶幸・富沢賢治・柏井宏之・菅富美江・竹田茂夫・増田寿男・原信子（司会）「座談会『社会的経済の可能性』―粕谷信次著『社会的企業が拓く市民的公共性の新次元』を巡って―」『経済志林』（法政大学経済学部学会）vol.75 No.3，2007年12月

（2）西川潤・生活経済政策研究所編著（2007）「連帯経済」明石書店，序章．紹介はかなり大胆なわれわれなりの抄約，要約による。以下の場合も凡そ同じ。

（3）本節Ⅲは，拙稿「ハーバーマスの挑戦とハーバーマスへの挑戦」季報『唯物論研究』107号（「ハーバーマスの挑戦と射程」特集号），2009年2月，に基づく。そこで用いた「連帯経済」体制という用語を本稿では社会的・連帯経済体制という用語に言い換えた。

（4）デモクラシー類型につけた（L），（Rd1）など略号はわれわれによる。

（5）樋口明彦「『ケアの倫理』と『正義の倫理』をめぐる対立の諸相」ナカニシヤ出版，有賀誠・伊藤恭彦・松井暁編（2007）

（6）ナンシー・フレーザー「平等，差異，ラディカル・デモクラシー」D・トレンド編（1996），以下の出所の頁は，同書。

（7）各国の規模面積は，森田清秀（2008）を参考。

本 編

> I部　社会的企業の促進に向けて
> 「もう一つの構造改革」
> 　持続可能な21世紀社会経済システムと
> 　新しい歴史主体像を求めて

1章　グローバリゼーションと「社会的経済」
グローカルな，新たな「公共性」をもとめて，あるいは，ハーバーマスとの批判的対話＊

はじめに

　本稿は欲張ったことを試みようとしている。すなわち，二つのことを一度に試みようというのである。一つは，いま，先進諸国，途上国を問わず，政府セクター（第一セクター）でも，企業セクター（第二セクター）でもない「第三セクター」の台頭が注目されているが，それは何故か，そしてその歴史的意義は何かを明らかにすることである。もう一つは，その課題を果たすうえで，ハーバーマス──ポスト・マルクス，ポスト・モダン思潮を踏まえつつも，なお，自らを「最後のマルクス主義者」と規定しつつ，「未完のモダン」を完遂しようとするリベラル・デモクラッツの社会・政治哲学者であるハーバーマス──の議論を参照することが，一方でかなり助けになるとともに，他方でそれを首尾よく遂行するためには，ハーバーマスの議論に対して，逆にかなり反省を迫らねばならなくなるという事情を明らかにすること，すなわち，ハーバーマスに関する一つの読解を試みることである。
　まず，前者のNPO，ないし「社会的経済」についての議論から始めよう。

I　なぜ，いま，「社会的経済」が注目され，「社会的経済」セクターが促進されなければならないか

（1）「サード・セクター」，NPO，「社会的経済」

NPO

　アメリカの著名な経営学者，P.F.ドラッカーはかつての著書，『断絶の時代』(1968) での先見の明を誇りつつ，『新しい現実』(1989) において，病院，学校，各種慈善団体，社会福祉団体，保険団体，美術館や博物館などの多様な各種文化団体，それに教会など政府組織（第一セクター）でも，営利組織（第二セクタ

ー）でもない，すなわち非営利・非政府組織（NPOs・NGOs）からなる「第三セクター」が，アメリカでは古くから多く存在してきたが，最近，それがさらに急拡大していることを指摘する。そして，この現象を1776年～1820年から200年ほど続いてきた資本主義の歴史が1970年前後から2010～2020年を転換期とするポスト資本主義の「新しい次の世紀」，すなわち，「知識社会／組織社会」——（そこでは「現実に支配力をもつ資源，最終決定を下しうる『生産要素』は，資本でも土地でも，労働でもなく，知識である」という）——への移行の不可欠の随伴現象で，「新しい次の社会」がすでに始まっていることを示す「新しい現実」の一つであるとした。

　彼はいう，「知識社会は，社会的な移動性があまりに高いために，根のない社会になるおそれがある。……農村や小さな町の社会的な絆もなくなってきている。そして知識労働者の視野は狭い。したがって知識社会には，あくまでも自由な選択のもとに形づくられ，しかも人と人との絆となる地域社会が不可欠である。知識社会には個人が奉仕を通じて主人の役割を果たすことのできる場が必要である。……個人が社会に積極的に参加し，それぞれ責任をもつことのできる場が必要である」(2)と。

　つづく『ポスト資本主義社会』(1993)ではつぎのようにいう，「今日，個人は，投票と税以外には世の中に影響を与えることも，行動を起こすこともできない。市民性のない国家は空虚である。……社会に市民性がなければ、市民を生み出すうえで必要とされるコミットメント、つまるところ国民を統合するための責任あるコミットメントなどありえようはずがない。世の中をよくすることから生ずる満足や誇りもまたありえようはずがない。……ポスト資本主義社会という急激な変化と危険の時代において、政治が機能するためには、市民性の回復が不可欠である」(3)と（下線は引用者，後述参照）。

　ところで，ドラッカーはこのような非営利・非政府組織の発展はアメリカ以外でもみられるが，あらゆる分野にみられ，しかも広範に存在しているのはアメリカ独特であるという。しかし，L.M.サラモンとその協力者は，非営利・非政府組織の台頭，急成長とそれが果たす役割への注目は，アメリカのみなら

ずヨーロッパ，さらには途上国を含めてグローバルな現象であると視野を広げる。

「最近，政府の役割に関して不満が生じてきており，社会を二つのセクター（市場と国家，民間セクターと公的セクター）で概念化し，把握しようとする伝統的方法は，かなり根本的に見直しを迫られている。すなわち，形態は民間であるが目的においては公的色彩のある第三番目の組織集合は，世界中で人間の様々な問題をなくすために長い間大きな貢献をなしてきたにもかかわらず，学術的調査や市民の間での討論の対象としても殆ど無視されてきた。しかし，そのような組織の見直しが迫られているのである。
　この第三の組織は，アメリカやイギリスでは政府の社会福祉支出にとって代わるものとしての機能を求められたり，フランスでは貧困層が社会から排除される問題の解決を求められたり，スウェーデンにおける多元主義を推進するために求められたり，ロシアや中央ヨーロッパにおける「市民社会」を育成する手助けをするために求められたりしてきている。発展途上国においては，そのような非政府であるが非営利でもある組織は，草の根レベルの活動と「自立のための援助」を重視する新しい開発問題へのアプローチのための重要な触媒とみられてきている。……『サードセクター』は，現代社会及び経済社会において日増しに重要な役割を果たすものとして見られるようになってきている。」(4)（下線は引用者，後述参照）

ところが，かれらは，そのセクターの特徴やそのセクターに何ができるか，定義可能な「サードセクター」の正確な輪郭はもちろんのこと，そのセクターの存在についてのきちんとした合意さえも殆どなく，概念の混乱が甚だしいと嘆く。そして，それぞれの国のサードセクターの特徴や文化的背景にも迫ろうとする極めて妥当な比較論的視角を持ちながらも，しかしその国際比較の際には同一の対象を比較すべきだとして，アメリカの非営利，非政府組織概念による「サードセクター」の定義を基本にして，つぎのような定義を一律に適用する。(5)

　①法的にではないにしても，実質的に制度化されている組織（Organized）。

1章　グローバリゼーションと「社会的経済」　　85

②制度的に政府から独立している組織（Private）。③利益配分をしないこと（Non-profit-distributing）——その組織の所有者あるいは理事に組織の活動の結果生まれた利益を還元しないこと——。その組織はある程度の「公共」目的を有しており，その活動と目的において本来営利的なものではない。④自己統治組織（Self-governing）。⑤有意味な程度の自発的参加（Voluntary）。そのほか，⑥宗教組織が関係する各種NPOは含まれるが，宗教組織（Religious worship organization）そのものは除く。⑦非政治的であること。

すぐ後の議論と関連して注意すべきことは，営利と非営利について協同組合，共済，自助グループ組織（Cooperatives, mutuals, self-help groups）など灰色領域があることを認めるが，そしてコミュニティへの貢献を主な目的とし利潤動機が二次的な場合はこれを含むとしているが，事実上それらの大部分は③の条件によって除いている。サラモンたちの非営利セクターに関する，各国の研究者や関係者を動員する大規模な国際比較研究（The Johns Hopkins Comparative Nonprofit Sector Project）[6]を契機にこの定義は一挙にグローバル化した。

図1-1　雇用労働者にしめる非営利組織の雇用労働者の占めるシェア（1995）

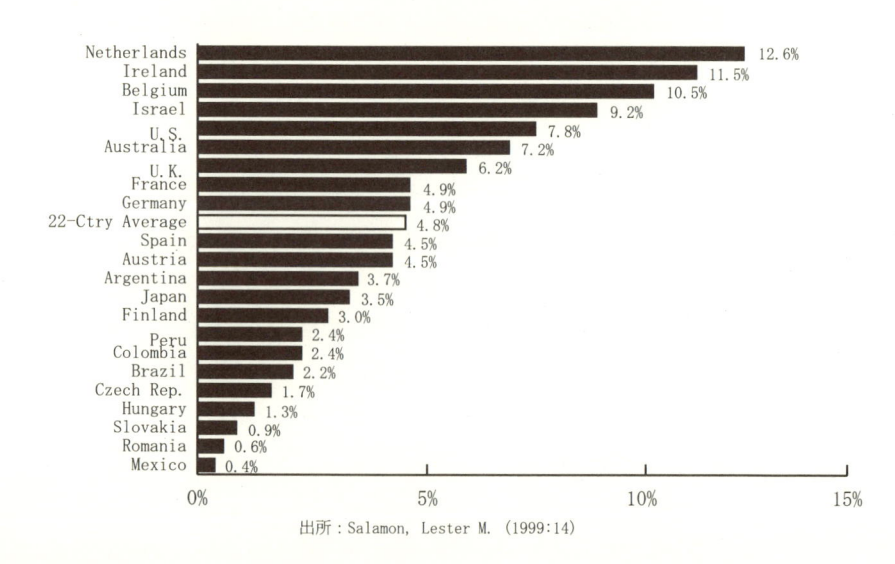

国	シェア
Netherlands	12.6%
Ireland	11.5%
Belgium	10.5%
Israel	9.2%
U.S.	7.8%
Australia	7.2%
U.K.	6.2%
France	4.9%
Germany	4.9%
22-Ctry Average	4.8%
Spain	4.5%
Austria	4.5%
Argentina	3.7%
Japan	3.5%
Finland	3.0%
Peru	2.4%
Colombia	2.4%
Brazil	2.2%
Czech Rep.	1.7%
Hungary	1.3%
Slovakia	0.9%
Romania	0.6%
Mexico	0.4%

出所：Salamon, Lester M.（1999:14）

ちなみに，NPO の雇用に占めるウエイトをこれらについてみたものを掲げておこう（図1-1）。
　日本でも，1995年の阪神・淡路大震災の際に忽然として顕在化したボランティア活動を契機に市民事業活動の重要性に対する認識が高まり，特定非営利活動促進法（NPO法）の制定をみたが，それも，上記のアメリカ社会出自の NPO 概念を基本にしている。

「社会的経済」セクター

　しかし，他方で，19世紀中頃から協同組合が比較的広範に存在してきたヨーロッパでは，19世紀後半から20世紀初頭にかけてジードらによって主張された「社会的経済」という概念──〔①公権力や②企業経営者や宗教家などの慈善家に頼らず，③アソシアシオン（人びとの自発的な集まり）がイニシャティブをとって自分たちの境遇を改善していく，という概念〕──が，1970年代に入ってまずジードの祖国・フランスで再生した。すなわち，まずフランスで協同組合の全国組織と共済の全国組織が互いに連携を図り始め，1976年，それにアソシエーションの全国組織も加わって3つの全国組織のあいだで連絡委員会クラムカ（CNLAMCA）がつくられた。クラムカは，1980年，「社会的経済憲章」を採択したが，それは次のように謳う。[7]

　　「フランスは今，他の先進国と同様，技術変化と経済のグローバル化に由来する激動の時代を経過しつつある。
　　この激動は仕事の変容や生活様式と集団的願望の大きな変化を引き起こし，さらには社会保障の機構の不安定化、地域的不均衡の拡大、長期的失業者の社会からの排除という現象をもたらしている。……
　　社会的経済事業体は連帯という価値観の復活の道具でありたいと願っている。協同組合，非営利市民団体，共済組合は，粗野な自由主義が勝ち誇った19世紀までその起源を遡ることができ，21世紀初頭にわれわれの社会が抱えるいくつかの重大問題の解決に効果的に貢献したいと思っている。」（ただし，1995年のものであり，若干異なるが，基本的スタンスは変わらない）[8]

1章　グローバリゼーションと「社会的経済」　　87

このような社会的目的をもった「社会的経済」セクターは，1980年代前半，フランス政府に公認され実定法にも書き込まれ，諸支援措置も講じられていった。そしてEU統合の進展によって，EUレベルにも広がっていく。1989年には，EC委員会が第23総局内に「社会的経済」という部局をつくるまでにEUにおいて市民権を獲得した[9]。もっとも，2000年，委員会の改組にともない，クラフトや中小企業とともに企業局（DG Enterprise）のB3課（クラフト・小企業・協同組合・共済課）〔Unit B3 (Crafts, Small Enterprises, Co-operatives and Mutuals)〕に統合された。ちなみに，現在，EU委員会が「社会的経済」企業をどう位置づけているかウェブの同委員会HPから窺うと次のようになっている。

「社会的経済」企業（The Social Economy Enterprises）の重要性

　ヨーロッパの経済と社会にとって協同組合，共済，非営利組織，財団と社会的企業——（同委員会はこれらを総称して「社会的経済」企業という。社会的企業もそのなかの一つ。われわれも，差し当たり，ここではこの整理を踏襲しておく。社会的企業の革新性については，この後すぐ触れる）——は，現在，EU加盟諸国でもEUレベルでも，ますますその役割の重要性を認められつつある。それらは重要な経済的アクターであるばかりでなく，自分たちのメンバーとさらにヨーロッパ市民たちをより十分に社会に統合することでも鍵となる役割を果たしている。とくに社会的企業（Social Enterprises）は，変化しつつあるヨーロッパの必要・需要への対応を助ける役割を果たしている。社会的企業は利益を求める投資家に主導される伝統的な企業が必ずしもよくなし得ない領域における企業家精神と仕事の重要な供給源泉となっている。社会的経済企業はメンバーたちの経済的にして社会的なニーズから設立される。

　社会的経済企業の共通の特徴
- 資本への利益を主目的としない。したがって，性格としては，共通のニーズをもつ人びとが自分たちのために，そして貢献しようとすることのために，自分たちで設立するステイクホルダー経済の一部といえる。
- 一般的には，その運営は1メンバー1票の原則にしたがってなされる。
- 社会的経済諸企業はフレキシブルでかつ革新的である——それらは変化する社会と経済状況に適合するために創出されている。

表1-1 各国の社会的経済の雇用者数(人)

	社会的経済計		%	協同組合		共済		アソシエーション		基金	
	1990	1998	1998	1990	1998	1990	1998	1990	1998	1990	1998
デンマーク	72,995	210,424	9.8	58,920	63,894	200	c	13,845	62,538	n.a.	83,993
スペイン	181,543	350,102	3.9	181,543	210,263	n.a.	21,550	4,272	73,495	n.a.	44,794
フランス	1046,559	1575,781	9.7	403,973	163,203	135,586	131,547	507,000	1241,082	n.a.	39,949
イタリー	246,007	531,926	n.a.	245,802	121,894	c	c	n.a.	218,976	n.a.	50,674
ポルトガル	69,536	145,515	4.1	35,480	33,133	1,246	n.a.	32,810	104,178	n.a.	8,204
フィンランド	n.a.	94,703	7.8	n.a.	21,602	n.a.	6,120	n.a.	47,991	n.a.	18,990
スウェーデン	n.a.	169,564	4.8	n.a.	61,590	n.a.	10,267	n.a.	75,690	n.a.	22,017
スイス	n.a.	365,618	10.5	n.a.	124,139	n.a.	c	n.a.	142,704	n.a.	98,775
ベルギー	254,688	n.a.	n.a.	34,113	n.a.	11,475	n.a.	209,100	n.a.	n.a.	n.a.
ドイツ	533,038	n.a.	n.a.	483,038	n.a.	50,000	n.a.	n.a.	n.a.	n.a.	n.a.
ギリシャ	13,567	n.a.	n.a.	13,474	n.a.	7	n.a.	86	n.a.	n.a.	n.a.
アイルランド	21,843	n.a.	n.a.	19,645	n.a.	n.a.	n.a.	2,198	n.a.	n.a.	n.a.
ルクセンブルグ	1,530	n.a.	n.a.	1,500	n.a.	30	n.a.	n.a.	n.a.	n.a.	n.a.
オランダ	100,525	n.a.	n.a.	84,169	n.a.	n.a.	n.a.	16,356	n.a.	n.a.	n.a.
イギリス	314,707	n.a.	n.a.	181,357	n.a.	27,550	n.a.	105,800	n.a.	n.a.	n.a.

n.a.：統計なし。c：秘密。 出所：(1990年は石塚秀雄「EU統合と社会的経済」富沢賢治・川口清史編(1997;109-110) 1998年はhttp://europa.eu.int/comm/enterprise/entrepreneurship/coop/social-cmaf_agenda/doc/pilot-study-cmaf-eurostat.pdf)

- 殆んどの社会的経済企業は自発的な参加・メンバーシップ・コミットメントに基づく。

　いま，かかる社会的経済の規模についてEU委員会の統計局EUROSTATの統計を掲げれば表１−１のごとくである。

　また，社会的経済セクターの主要な構成要素をなす協同組合について，ICAは以下のような数字をウェブのHPで公表している（http://www.ica.coop/coop/statistics.html）。

数字で見る協同組合運動

　世界中で8億人の人びとが協同組合運動に参加している。国連の推計(1994)によると，約30億人，すなわち世界人口の半分にあたる人びとの暮らしが協同組合によって保たれている。協同組合は彼らのコミュニティのなかで重要な経済的役割を果たし続けている。以下はこの運動が経済と社会の発展に対してもつその妥当性と貢献を物語るいくつかの事実である。

　人口の大きな部分が協同組合のメンバーとなっている。

- アルゼンチンでは17,941の協同組合と910万人のメンバーがいる。
- ベルギーでは2001年，29,933の協同組合があった。
- カナダでは3人のうち1人が協同組合のメンバーである（33％）。ケベックのThe Desjardins協同組合運動には500万人以上のメンバーが参加している。
- コロンビアとコスタリカではそれぞれの人口の10％が協同組合のメンバーになっている。
- フィンランドでは国の全世帯の62％に相当する1,468,572世帯がS-Groupに参加している。
- 日本では3家族のうち1家族が協同組合のメンバーとなっている。
- ケニアでは590万人，すなわち5人に1人が協同組合のメンバーとなっており，2000万人のケニア人が直接，あるいは間接に協同組合運動によって暮らしを確保している。
- インドでは2億3900万人の人びとが協同組合のメンバーになっている。
- マレーシアでは540万人が人びとが協同組合のメンバーとなっている。

- シンガポールでは人口の32％が協同組合のメンバーである。
- アメリカ合衆国では10人のうち4人が協同組合のメンバーになっている（25％）。

　もっとも，これらの協同組合が皆，いま，うえに見た条件を満たしているわけではない。20年程前，A.F.レイドローは，国際協同組合同盟（ICA）の第27回大会の一般報告，「西暦2000年における協同組合」において，協同組合は，協同組合の創設に集った人びとの思いであった協同組合をして協同組合たらしめる諸条件を忘れ，「思想上の危機」にあると批判し，「各種の協同組合にとって，それが創立以来200年以上かけて築いてきた力と勢いを維持していくためには根本的な転換や再構築が必ず必要になってくるだろう」という認識を示したが，なお，どれほど転換や再構築がなされたか，少なからず疑問である。しかし，われわれを取り巻く社会，経済環境が激しく変化する中でレイドローが提案した協同組合が関わるべき4つの優先分野，すなわち，世界の飢えを満たす活動，生産的労働の機会を創り出す活動，社会の保護者となる活動，地域社会の建設のための活動への関わりが強く要請されようになってきた。かくて，協同組合のレーゾンデートルをめぐる議論がようやく本格化し，ICA は，協同組合の基本的価値について，「マルコス報告」「ベーク報告」を経て，1995年，「協同組合のアイデンティティに関するICA声明」を発表したが，以下のように，新原則として④と⑦を加え，次の7つを掲げるようになった。

　　　①自発的な開かれた会員制，②組合員による民主的管理，③組合員の経済的参加（資本の公平な拠出，その民主的管理，配当制限，準備金の一部を分割不可能とする），④自治と自立，⑤教育，訓練および広報，⑥協同組合間協同，⑦コミュニティへの関与。

　もっとも，かかる価値を追求すべしという「声明」への合意と実態とのギャップはやはり大きいままである。しかし，協同組合はかかる価値を追求し得る潜在的可能性をもつ組織形態であり，現実にそれを具現する「新しい協同組合」（第3世代，第4世代の協同組合）が展開し始めている（後述および4章参照）。そ

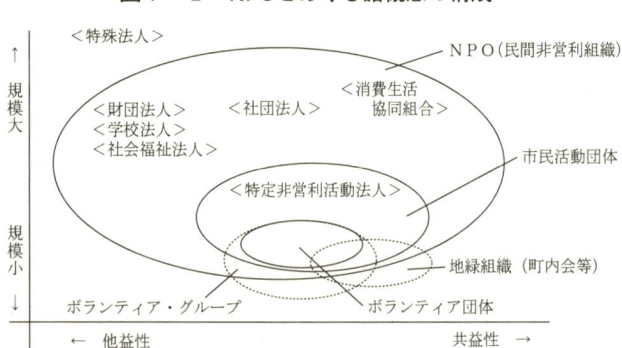

図1-2　NPOをめぐる諸概念の構成

```
↑          <特殊法人>              ＮＰＯ(民間非営利組織)
規         <財団法人>    <消費生活
模         <学校法人> <社団法人> 協同組合>
大         <社会福祉法人>                市民活動団体
           <特定非営利活動法人>
規                                      地縁組織(町内会等)
模
小     ボランティア・グループ    ボランティア団体
↓
     ← 他益性                    共益性 →
```

出所：山岡義典（1997：9）

れゆえ，営利セクター，政府セクターと異なる第三セクターを定義する場合，かかる協同組合（および共済）を欠いては，著しく不備なものとなるといわねばなるまい。したがって，非営利組織という場合，Non-Profit Organization という狭い定義ではなく，営利を第一義とする営利企業と異なって，社会的目的を主とする事業体を含む Not-For-Profit Organization と理解すべきだという議論が有力となってきている。たとえば，日本NPOセンター理事長の山岡義典は，図1-2のようなNPOをめぐる諸概念の構成を示している。そうなれば，「社会的経済」概念に重なってくる。

さらに，従来余り接触のなかったNPOアプローチ・グループと「社会的経済」アプローチ・グループの間で共通のテーマについて一堂に会しての議論が最近なされるようになってきた。

一つは，2005年5月，「サードセクター」への二つの代表的アプローチを主導する二つの国際研究者組織，すなわち，「社会的経済」の流れを汲む（すぐ後に言及する）EMESとサラモンたちを中心とする ISTR（International Society for Third-Sector Research：市民社会，フィランスロピーとNPOセクターの分野における研究と教育を促進する国際組織）が，国際会議「ヨーロッパ・コンファレンス」を初めて共催し，非営利組織の多様性をそれぞれ認識し合ったことである。われわれが忖度するに，すぐこの後に言及するヨーロッパにおける「社会的経済企業」の広範な展開，特に社会的企業の展開によるヨーロッパ・サードセクターの革新がついに両アプローチをして交錯させるところにまで達

したということであろうか（？）。まさに，記念すべき国際会議だといってよい。なお，この会議について佐藤紘毅（2005）の紹介がある。

　もう一つは，「サードセクター」に対する認識の高まりは，ついに，国連のイニシャティブで国民経済計算体系（SNA）のなかに「非営利組織サテライト勘定」を設けるところにまで達した（United Nations, 2003）。しかし，現在までのところ，概念規定が統計数字化しやすいNPOアプローチの影響力が大きい。それに対してEU委員会は，国連，EU議会，各国政府・同統計部局，サラモンその他の専門家，NPO等々を招請して国際会議を開催し，EUの伝統と特徴を踏まえてNPOのみならず社会的経済セクターの全てを包含したEUモデルをつくるための協力を訴え始めた（European Seminar on Satellite Accounts for the Social Economy, Brussels 23 April 2004）。[12]

社会的企業の登場

　さらに，最近，事実の方がこれら二つの概念を超える展開を示していることを紹介しておきたい。すなわち，1990年代に入って，EUにおいては，NPO概念でも「社会的経済」概念でも捉え切れない，それら二つの概念を超える「社会的企業」の登場が注目される（EU委員会の「社会的経済企業」の紹介の中でも，その1類型としてのカテゴリーを与えられていることは今すぐうえでもみた）。それは，EUの社会的経済研究者たちにその実態とそれが社会経済システムの革新にもつ意義についての共同研究を促した。かれらは，EU（12総局）の「特定社会経済研究」プロジェクトのもとにEU加盟各国の研究者の参加によって「ヨーロッパにおける社会的企業の登場（the Emergence of Social Enterprises in Europe）」ネットワーク（EMES Network）をつくり，1996年夏から1999年末にかけて「社会的企業の登場，ヨーロッパにおける社会的排除との闘いの道具」をテーマに共同研究を行い，その成果をボルザガ・ドゥフルニ編（2001）『社会的企業の登場』"Emergence of Social Enterprises in Europe" として刊行した。これによって，ヨーロッパにおける「新しい社会的経済」の展開における最新の革新の状況が明らかにされ始めたのである。[13]

　ドゥフルニの緒論と両編者による結論によりながら『社会的企業』が明らかにするところを少しく垣間見ておきたい。

1章　グローバリゼーションと「社会的経済」　　93

ドゥフルニは，まず，「サードセクター」という捉え方に次のように注意を促す。

　「民間営利セクターにも，公的セクターにも属さない『第三のタイプ』の経済組織は協同組合やワーカーズコープ，あるいは，労働者自主管理企業にしろ，また社会学者が関心寄せたアソシエーションやボランタリー組織にしろ，以前から存在し長い間これらに関心を寄せる研究者も存在してきた。しかしながら，こうしたアソシエーション・団体を一括りにするという考え方やそれを成り立たせる理論的な基礎が展開されるようになったのは1970年代半ば以降であり，それ以前はなかった。」
　それはなぜか。「深化する経済危機によって問題が生起するようになって，伝統的な公的セクターと民間セクターの限界が徐々に認識されるようになった。このような背景のもと，両セクターには帰属することのない別の種類の経済組織に対する関心が大いに再活性化された」からであるという。

　このように再認識された「サードセクター」に対して，二つの理論的アプローチが国際的に徐々に広がっていると，すでに紹介した「社会的経済」アプローチと「非営利（NPO）」アプローチをあげる。
　しかし，彼は二つのアプローチとも社会的企業の登場といういまサードセクターに起こっている革新のダイナミズムを捉えるには限界があるという。

　「第1に，両者は，すべてを包含する単一の定義をもってサードセクター全体を直ちにカバーしようと試みる。その結果，それぞれの定義に部分的にしか合致しない状況，セクター全体を通じて見出されるわけでない特徴，あるいは特定の組織にしか当てはまらない性格等々を包含することができなくなる。同時にある種の境界領域に位置する事業体を描くこともできなくなる。
　第2に，両者ともに本性において静態的であり，サードセクターがもっているラディカルな活力の把握にとって有効でない。
　第3に，多くの社会的企業は協同組合の要素と非営利組織の要素とを結合させている。この場合，社会的経済という概念の方が非営利組織という概念より

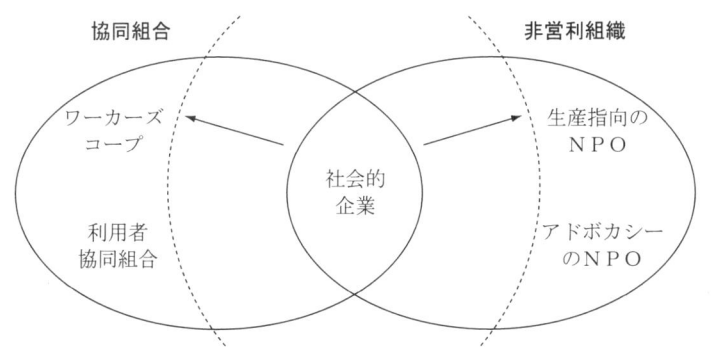

図1－3　協同組合とNPOの交差空間に存在する社会的企業

出所：Borzaga, C. and Defourny, J(2001), 和訳 2004：35

も社会的企業を包含し易いが，しかし社会的経済という概念でも十分に社会的企業を捉えきることはできない。」

かくして，次のようにいう。

「社会的企業は，非営利セクターあるいは社会的経済セクターのまったく新しい展開であり」，「社会的企業には，非営利セクターと社会的経済セクターという二つの概念を超える分析がふさわしい。」
　かれは，社会的（非営利）活動性と企業家活動性とを併せもった「社会的企業」という新しい法人類型の革新的登場を「アソシエーションと財団はより生産的で企業化精神に富んだ行動へと移行し」，「協同組合は（共益だけでなく）社会的目的が第一義性をもつことを再発見している」と表現し，図1－3をあげている。

そしてこの社会的企業のもつ経済的・社会的役割とその貢献について次のように総括する。

1) 現在進行中の福祉制度の転換への貢献

福祉制度が抱える課題の克服を目指して最近EU諸国でも広く実施されてき

た政策，一言でいえば社会サービス・コミュニティケアサービスの民営化の帰結はまだはっきりしない。社会サービス・コミュニティケアサービスの民営化による供給と購買の分離は取引コスト・契約コストを予想以上に増大させ，少なくとも若干のケースでサービスと仕事の質が劣化した。このように否定的な結果は主として政府が市場的擬制と営利企業を偏重する諸国で生まれてきた。

しかし社会的企業は「社会的」という呼称と「企業家活動」の二つの契機を結合しているゆえに，この転換において民間組織として所有され管理されるにしても公的な資源，市場的な資源さらに「営利的供給者」や「公的供給者」の活用できない資源をつかって，社会サービスの供給を増加することができるとともに所得分配をコミュニティが望むかたちに近づけることができる。

社会的サービス供給に関してイノベーションを起こし，まったく新しいサービスを創出もする。

社会的企業は，その特有の性格のため競争的環境の確立に貢献するが，信頼を基礎とする契約関係の形成に貢献できるし，利潤追求を目的としないために行政および消費者とそこで働く労働者との間にある利害の不一致を調停して消費者の満足と労働者の報酬の適正なる混合様式を他の形態よりもうまく引き出し，生産コストの削減にも貢献できる。

2）雇用創出

社会的企業は追加的雇用の創出に貢献できる。職につけない人びとを労働市場に吸収しようとする労働市場への統合型社会的企業がその典型であるが，この社会的企業は伝統的な企業で仕事にありつく可能性が極めて低い労働者たちを雇用する。さらにその他の社会サービス・コミュニティケアサービスを行うサービス供給型社会的企業等も新しい雇用を創出できる。社会的企業は社会的資源の動員における優位性，信頼関係に基づいて，社会サービス・コミュニティケアサービス部門がもっている雇用増加の大きな潜在的可能性を顕在化し得る。

3）社会的排除との闘い

しだいに複雑化していく社会にあって社会的排除と闘うためには，もはや失

業・貧困と社会的排除の単なる共犯関係を想定するだけでは有効ではない。現金給与と平準化されたサービスを武器に社会的排除と闘うことはいっそう困難である。むしろ比較的小さな特定グループの人びとのニーズを察知して，それに対応できる力量をそれぞれのコミュニティのなかに創出することが必要である。社会的企業は社会的連帯と相互扶助を発展させ信頼関係を広げて社会問題解決のために市民参加――ボランティア活動の促進と利用者参加を通じて――を推進することで社会的資本の創造に貢献できる。

4）地域開発

　グローバリゼーションと新しいテクノロジーは企業と地域の結びつきを希薄化させ，財の需要増加はもはや生産と雇用の増加をいたるところで生みだすというものではない。新しい雇用は一般的に需要が最初に発生する地域とは別の地域で生み出されるようになった。この過程は開発の進んでいない地域や崩壊しつつある地域に対してきわめて差別的に進行する。このような地域問題に対して，地域に根差した小さな社会的企業が供給する新しい社会サービス・コミュニティケアサービスは，地域に根ざした需要のための源泉を安定化するのに役立つ。地域コミュニティのなかで人々のための新しい雇用を創出し，それを通じて地域開発に貢献する社会的企業は，もし社会サービスだけなく他のサービス――たとえば，環境改善，文化サービス，交通等――にまでその活動を広げれば，将来的にはさらに発展する可能性がある。

5）サードセクター全体の活性化

　社会的企業は市場の外部に存在するのでもなく，資源配分の公的システムの外部に存在するのでもない。むしろ，市場と政府という双方の領域における存在理由とルールに基づいてみずからを説明する。社会的企業はコミュニティが抱えるある共通の問題に公的資金に必ずしも依存することなく，市民社会と民間組織がどのようにして直接的かつ自立的に取り組むか，その具体的事例となっている。社会的企業家活動としての社会的企業は市民社会の自発的な活力の結果である。

　また，一部の国では社会的企業の発展によってアソシエーションと財団はよ

図1-4　社会的企業の展開

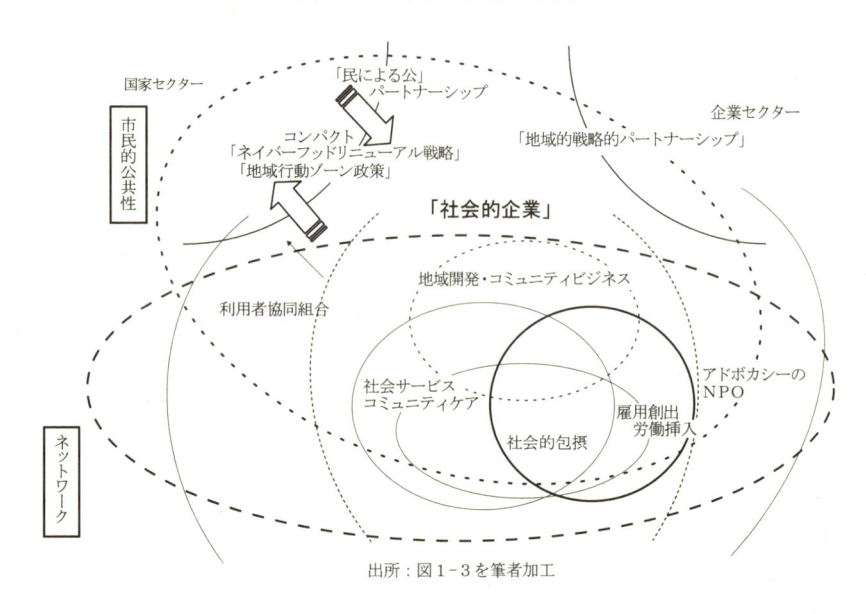

　国家セクター　　「民による公」パートナーシップ　　企業セクター
　市民的公共性
　　コンパクト
　　「ネイバーフッドリニューアル戦略」
　　「地域行動ゾーン政策」　　　　「地域的戦略的パートナーシップ」

　　　　　　　　　　「社会的企業」

　　　　　　　地域開発・コミュニティビジネス
　利用者協同組合
　　　　　　　　　　　　　　　　アドボカシーのNPO
　　　社会サービス
　　　コミュニティケア　　雇用創出
　　　　　　　　社会的包摂　労働挿入

　ネットワーク

出所：図1-3を筆者加工

り生産的で企業家精神に富んだ行動へと移行し始めている。財団がより民主的な統治へと少しずつ転換を始め，逆にいくつかの国では協同組合が社会的目的の第一義性を再発見している。

　いま，図1-3にこれらの社会的企業のもつ経済的・社会的役割を書き込めば図1-4のようになろう。

　さて，以上，第三セクター，NPOアプローチ，「社会的経済」アプローチの二つのアプローチ，そしてそれら二つのアプローチの共通点や相違点，相互関連やハイブリッドへの革新といった問題を提起してきた。そして，非営利セクターの多様性を尊重する意味で，より包括的な概念である「社会的経済」アプローチに賛意を示唆してきたが，この問題によりよく答えるためには，第三セクターを第三セクターたらしめる基本的性格，すなわち，営利のための組織でないが，国家（官）的公共性ではない，まさに新しい「民による公共性（市民的公共性）」とは何かをもう少し掘り下げて追求しておくことが必要となろう。

それが次の課題であるが，これに取り組む前に，これら非営利組織の台頭とその歴史的意義についてわれわれなりの理解を概括しておきたい。

（2）なぜ，いま，社会的経済が注目され，拡大が促進されなければならないか

それぞれの概念の紹介の際にすでに引用した文献にみられる限りでも，おおよそのことを理解し得る。もう一度，特に下線を付した部分に注意しながら振り返るとき，次のようなことがやや断片的ながら浮かび上がってくる。

その契機は，技術変化ないし知識社会への移行，あるいは，伝統的な政府セクターや営利セクターの機能不全や危機，またあるいは，社会サービスやコミュニティサービスの民営化やグローバリゼーション等々であれ，等しく問題視しているのは次のような事態であろう。

例えば，ドラッカーが問題にするのは，人と人との絆となる地域社会が根無し草になって社会的な絆が失われること，個人が奉仕を通じて主人の役割を果たす，個人が社会に積極的に参加しそれぞれ責任をもつという関係，国民を統合するための責任あるコミットメントをなすという関係，世の中をよくすることから生ずる満足や誇りを得る人と人との関係，まさに人びとが活き活き生きることのできる社会関係自体が解体してしまうことである。

サラモンたち，クラムカ，そしてEU委員会やドゥフルニたちが問題にするのも，深化する経済危機によって社会保障機構の不安定化，地域的不均衡の拡大，長期的失業者の社会からの排除等が進む，しかし，これらの問題をもはや伝統的な公的セクターと民間セクターでは解決できず，かくて社会統合の危機はもちろん，人びとの〈いのちとくらし〉そのものの解体の危機が進行しているということである。ハーバーマスのことばを使えば，「生活世界の植民地化」，われわれに言わせれば，その極度の「植民地化」による生活世界そのものの解体の危機の進行である。そして，このような人びとが活き活き生きることのできる社会関係自体の解体・社会統合の危機の進行こそ，逆にそれを取り返そうとする人びとの渇望を生み出し，そのためのボランタリーな行為を叢生させるエネルギーの源となるものであり，かくて，近年におけるそのエネルギーの高まりこそ，近年におけるNPO，社会的経済企業の叢生のバックグラウンドを

1章　グローバリゼーションと「社会的経済」

なしているであろうということをつかむのは比較的容易であろう。

　このように述べるとき，われわれは，かつて拙稿（本書，補遺〔1〕ないし補遺〔2〕）で提起したポスト・マルクス（抽象的な大文字の主体としての「労働者階級」の挫折）と「主体」否定のポスト・モダンのニヒリズムをともに突き抜けて構想された「新しい社会変革主体」——「生活世界の危機」に対応して叢生する「新しい社会運動」に象徴される新たなアソシェーションを基盤とし，さらにそれらをネット・ワークする「新しい社会変革主体」の形成——に想到する。本章に始まるⅠ部の1-4章は，なお抽象的規定に留まった補遺〔1〕，補遺〔2〕での「新しい社会変革主体」像——（ただし，社会的経済企業の台頭は，多様性を特徴とする「新しい社会変革主体」の重要な代表的な契機ではあるが，一契機に過ぎない故にあくまでその部分像に留まることはいうまでもない）——を，いくつかの視角から，また，一歩一歩それを具体化し，彫琢していく過程である。

　このことを頭の片隅に置いて頂いて，ここで，「新しい社会変革主体」の一主要契機としてのNPO，「社会的経済企業」の広範な台頭の歴史的意義を，本書におけるわれわれの全構図の簡単なスケッチを兼ねて，極めて乱暴ではあるが，歴史を多少遡りつつ大胆な図式化を試みておきたい。[14]

　さっそく次々頁の図1-5Aを見て頂きたい。三角形全体は広義の社会全体を示し，それを囲む円はその社会全体が自然・生態系の中に存在していることを示す。前近代においては，社会的再生産の諸契機は前近代的〈個-共同〉の社会連関の下に埋もれていた（三角形の大半の部分がその下に埋もれていた）。商品経済（市場経済）の進展はそれらの諸契機をそのような相互連関から切り離して商品化し，貨幣メディアによって結び直す（図1-5Aの貨幣メディアが媒介する市場経済セクターが矢印の方向に広がってくる）。

　それは，一方で，諸個人の自立(律)と解放を促す——（近代国民国家の成立が私的所有権を基本的人権としてこれを確かなものにする。政府セクターの成立)——。他方で，貨幣増殖に資する道具的な情報伝達を効率化し，社会の生産能力を著しく高める。とくに，社会の基幹的生産過程をも貨幣メディアが包摂したときは——（社会経済システムとして資本主義が確立したときは）——，そういってよ

い。その過程は，同時に，前近代的〈個－共同〉の社会連関の下から自立・解放された人びとのあいだに，自由で平等な立場での「生活世界」をめぐる討議と相互行為（アソシエーション）を可能にする。そしてそれら相互諒解の幾重もの重なりが創出する「市民的公共圏」を持つ「新たな生活世界」が生み出される──（これを近代化ベクトル，ないし市民的公共性ベクトル，あるいは，生活世界のコミュニケーション的合理化過程と呼ぶことができよう）──。

　しかし，現実の歴史過程においては，後者の開かれたコミュニケーション的理性による「生活世界」の再構築──（〈親密圏－アソシエーション－コミュニティ－市民的公共圏（性）〉の広がりによる再構築）──のプロジェクトは「未完のプロジェクト」のまま，前者の貨幣メディアによるシステム化のベクトルの方が遥かに逞しく進行し，資本主義という経済システムが社会全体を主導することになったのである。かくて，次のような事態が進展することになった。より多くの貨幣を獲得する利潤動機によって，あるいはそのための道具的効率性追求によって，〈いのちとくらし〉の生活世界が植民地化され，生態系内・社会内・歴史文化内の存在としての，相互的意味をもった人びとの相互行為の意味が解体され，人びとの社会連関は貧しくなるという事態である。これが貨幣メディアによる「生活世界の植民地化」である。

　それゆえ，生活世界を維持すべく，職人組合や労働組合等のアソシエーションによる，あるいは，コミュニティの人びとや群集による反抗・暴動の勃発，社会民主主義政党等の台頭，さらには革命運動などの諸々の社会変革運動などが生起せざるを得ない。この話題に事欠かない社会運動史や，政治史の疾風怒濤の話を大きく端折っていえば，覇権を制したのは一方でマルクス主義的国家社会主義，他方で社会民主主義的福祉国家であった（図１－５Ｂ）。

　しかし，いずれも大きな政府・国家の機能を優越させる──（三角形の頂点から伸びる政府セクターの過剰肥大化：図１－５Ａの市民的公共性は国家の公共性の肥大のもとに押さえ込まれた）──。そして，前者の国家社会主義は国家セクターが社会全面を覆い，それ以外の二つのセクターの個の契機をあまりにも圧殺することによって破綻し，後者の福祉国家も「公共性の構造転換」──（ハーバーマス：平たくいえば，国家的公共性が市民がつくり出す市民参加の公共性では全くなくなって巨大な官僚的機構に転換するとともに，市民は「パンとサーカス」を

1章　グローバリゼーションと「社会的経済」

図1−5A　商品経済化と近代化

伝統的社会の近代化

政府セクター　　市場・企業セクター

官　　営利

前近代の伝統的社会

官による公共性

自然・生態系
環境規制

生活世界
（社会・狭義）

社会セクター
コミュニケーション的行為
歴史文化

社会的世界
（社会・広義）

● 市民的公共性　　⭘ アソシエーション　　⭘ 親密圏

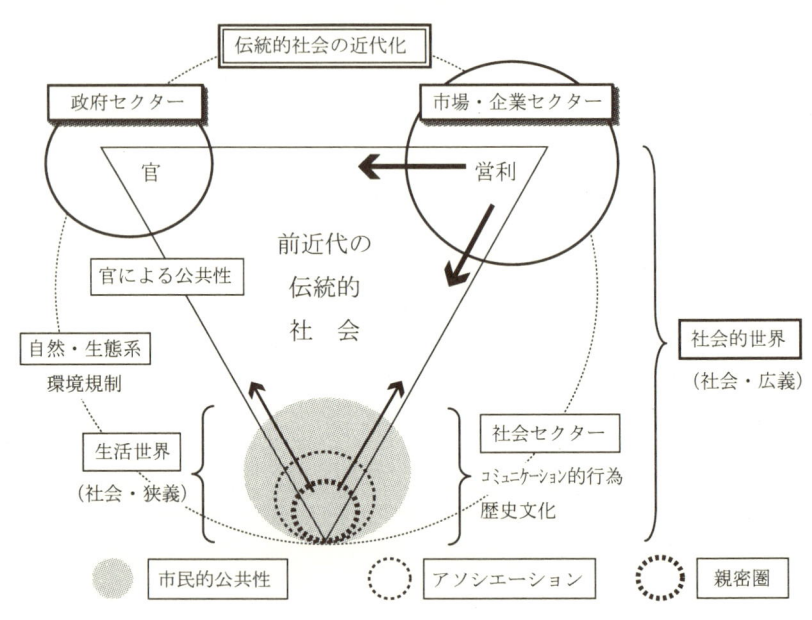

図1−5B　福祉国家化

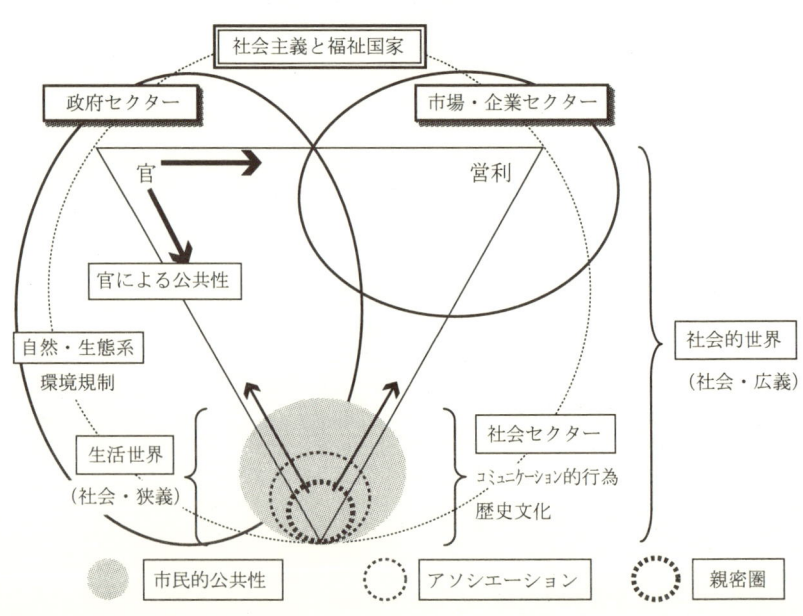

社会主義と福祉国家

政府セクター　　市場・企業セクター

官　　営利

官による公共性

自然・生態系
環境規制

生活世界
（社会・狭義）

社会セクター
コミュニケーション的行為
歴史文化

社会的世界
（社会・広義）

● 市民的公共性　　⭘ アソシエーション　　⭘ 親密圏

本編　Ⅰ部　社会的企業促進に向けて「もう一つの構造改革」

図1−5C　新自由主義

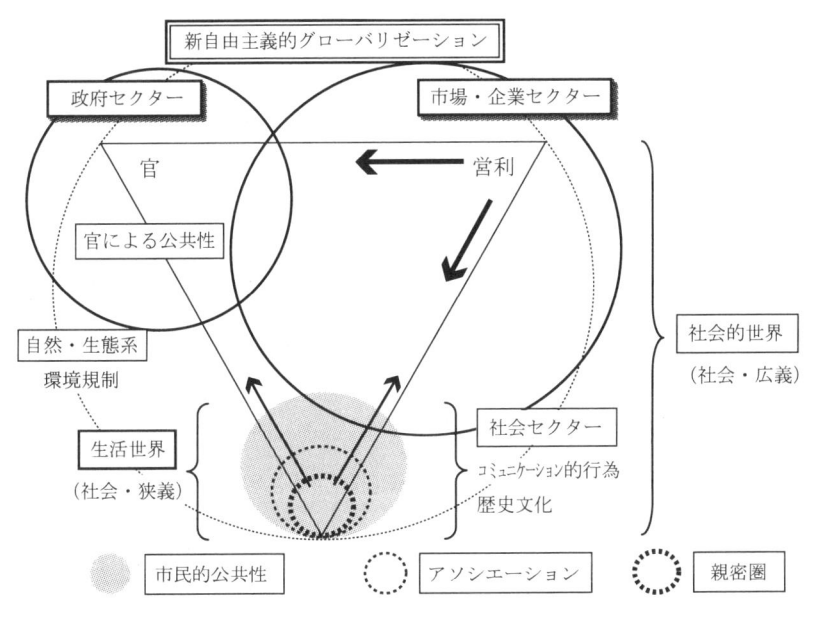

図1−5D　民主主義の民主主義化と社会的経済促進

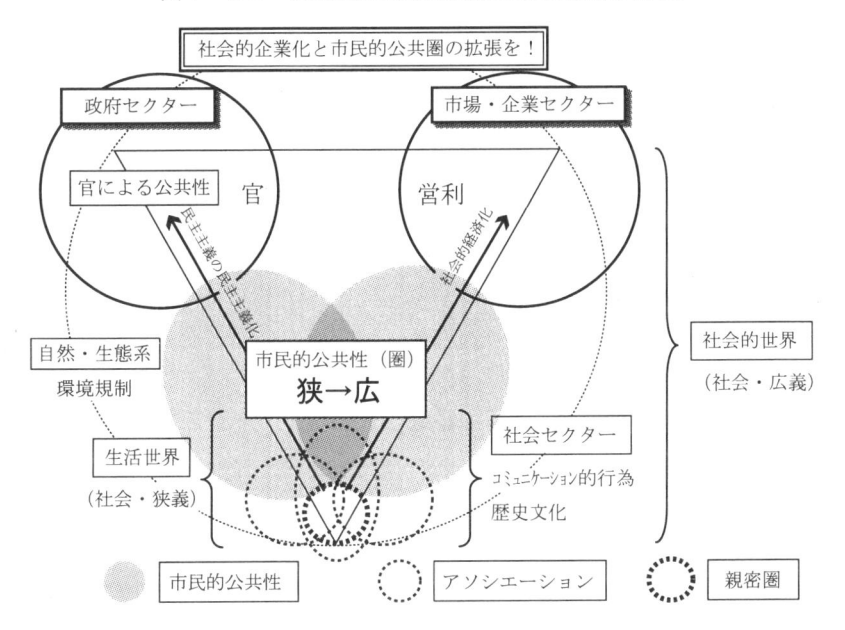

1章　グローバリゼーションと「社会的経済」

欲しがる国家の顧客になってしまう)——を遂げ，ドゥフルニのいうように，財政の危機，有効性の危機，正当性の危機を迎える。

つぎに，図1－5C。それ故，新たな〈個と共同〉のあり方が追求されなければならない段階に逢着したが，さしあたり，あたかも図1－5Bの反動のように，「小さな」政府の旗を掲げ，社会経済の運行を民——(その中心はもっぱら市場・企業セクターで，市場・企業セクターが過度肥大化)——に委ねる新自由主義の波が興り広がる。かくて多国籍企業が推進する新自由主義的グローバリゼーションが進行する。しかし，それによって社会的排除，格差の拡大による社会的持続可能性，生態系的持続可能性が一国規模でも，そして，グローバルな規模では絶望的な程度に危うくなってきている。

そして図1－5D。かくて，近代になって芽生えたアソシエーションを基盤とする社会的経済ベクトルの市場・企業セクター(右上)への伸張——(経済面におけるベクトルの伸張を見よ)——，そして制度化した民主主義を活性化するラディカル・デモクラシーの推進による政治次元における市民的公共性の推進(頂点の政府セクターに迫るベクトルの伸張を見よ)によって，近代初期に芽生えながら，中途挫折し未完のままの(経済的・政治的・社会的)「市民的公共性」ベクトルの全体社会への拡張が進む——(それらの相乗効果による面としての拡延，それこそ「サード・セクター」の革新的伸張・ルネッサンスといえる)——。かくてそれによって社会全体が環境的にも，社会的にも持続可能な「21世紀社会経済システム」を展望することが可能となる。

ところで，以上のいわば歴史的ダイナミズムの描写は，社会的経済諸企業が台頭する背景としては，はじめに断ったように単純すぎる。ヘーゲル主義やマルクス主義の歴史法則の失敗を踏まえていないようにみえる。直ちに，次のような多様要因群に想到する。はじめに，NPOや社会的経済の定義等を紹介したときにも触れたような産業構造のサービス産業化(さらには知識社会化)や価値観の転換等があげられる。そして，おそらく，それに起因するところもかなり大きい思われる需要の多様化，フレクシブル化，かくて供給においてもフレクシブル化が要請される事情，つまり，フォーディズムからポスト・フォーディズムへの移行ということもあげられる。事情は福祉においても同じで，福祉の需要においても，供給についても，もはや国家的福祉では対応できない

ということが指摘されている。

これらすべてを強調することで，われわれも人後に落ちないつもりである。しかし，うえでみてきた〈新自由主義的グローバリゼーションに勢いを得るシステムの論理・ベクトル〉と〈市民的公共性を求める生活世界の草の根の人びとに発する論理・連帯・協働のベクトル〉との対抗のダイナミズムの中にそれらを置いて評価すること——（両ベクトルの対抗の多様な，重層的な，フレクシブルな分厚い中間形態の襞にも入り込みつつ評価すること）——が，21世紀を持続可能にすることができるか否かを考える上で，今きわめて重要になっているというわれわれの判断こそ以上の図式化を促したのである。

II 〈個－アソシエーション－公共性〉による新たな公共性の追求

（1）新しい公共性を求めて—再びNPOの社会的使命と協同組合の共益について—

さて，図1－6は，NPOの社会的・経済的性格について他の組織と比較して明らかにするために，先に参照した〈NPOをめぐる諸概念の構図〉（山岡義典1997）を同氏が別様に表現したものである。図1－7は，それが開示する「新しい公共性」（「官による公」から「民による公」）を氏が表現されようとしたものである。NPOに則して論じられているが，協同組合もそのなかに位置づけられていて，基本的には，社会的経済セクターの性格とそれが開示する「新しい公共性」について，これに尽きるといってもよいほど簡にして要を得たイメージを提供している。したがって，この図を前提にして話を進めていきたい。

このように，ミッション（使命）指向や何かにこだわることは，貨幣システムや権力システムに促されて諸行為を手段的におこなうのではなく，まさに，意味を担う行為としてこれを取り戻そうということであり，21世紀が持続可能な社会として可能になるための第一の条件である。ここでは，ミッション（使命）を生命線とするNPOが特に重要な構成要素として浮かび上がる。

図1−6　NPOをめぐる諸概念の構図（2）

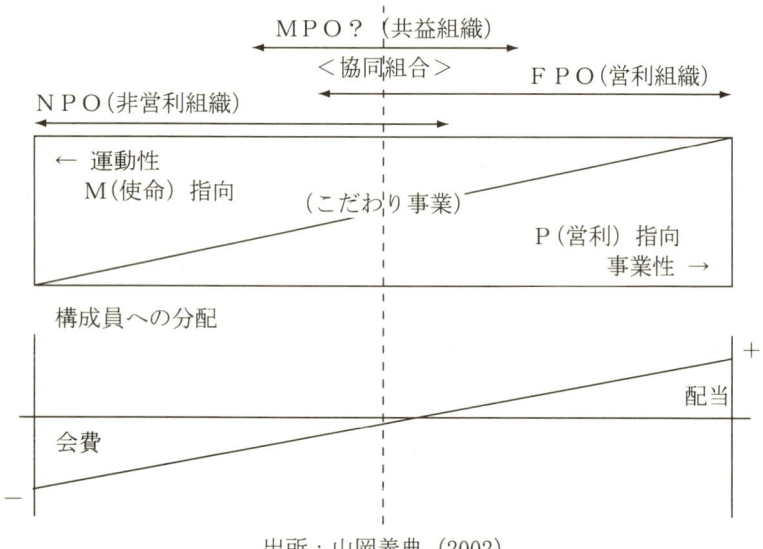

MPO？（共益組織）
＜協同組合＞
NPO（非営利組織）　　　　　　　　　FPO（営利組織）

← 運動性
　M（使命）指向
　　　　　（こだわり事業）
　　　　　　　　　　　　P（営利）指向
　　　　　　　　　　　　事業性 →

構成員への分配

会費　　　　　　　　　　　　　　配当

出所：山岡義典（2002）

図1−7　「官による公」と「民による公」の関係

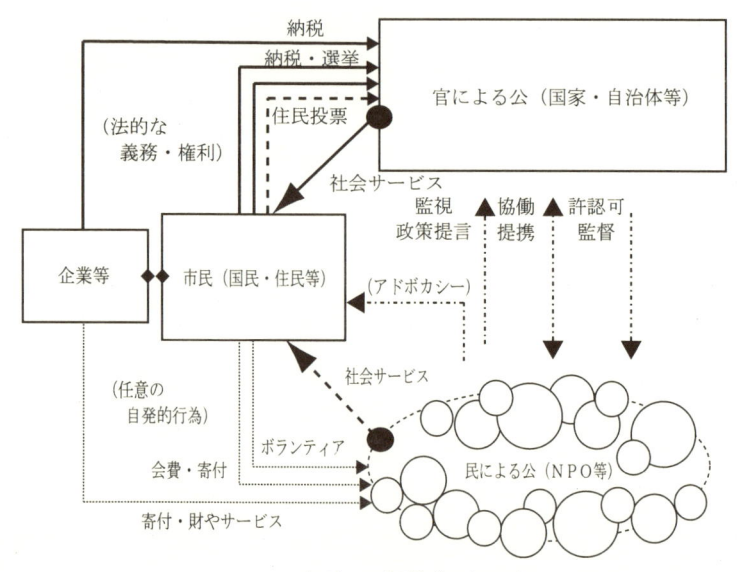

納税
納税・選挙
住民投票
官による公（国家・自治体等）
（法的な
　義務・権利）
社会サービス
監視　協働　許認可
政策提言　提携　監督
企業等　市民（国民・住民等）　（アドボカシー）
社会サービス
（任意の
　自発的行為）
ボランティア
会費・寄付
民による公（NPO等）
寄付・財やサービス

出所：山岡義典（2001）

106　本編　Ⅰ部　社会的企業促進に向けて「もう一つの構造改革」

しかし，その使命なり意味が，「新しい公共性」を勝ち取るためには，ハーバーマスにしたがえば，理想的に開かれた討議が必要である。また，人びとの開かれた討議によって見出された使命や意味は，〈個―共同〉によって担われなければならない。

（2）ハーバーマス理論の展開過程

しかし，議論を進める前に，このハーバーマスの議論について少し考えておきたい。少し先回りして触れたように，ハーバーマスは，現代社会の問題性を「生活世界」のシステムによる植民地化に求め，これを打開する方途を理想的に開かれたコミュニケーション的討議による生活世界の合理化の推進に求める。そして，それを，立憲的法治国家における市民主権の実現と表裏になった市民のあいだの政治的公共圏における，フォーマル，インフォーマルな公共的討議の活性化に求める。まさに，民主主義の民主主義化，ラディカル・デモクラシーというに相応しいようにみえる――Ⅰ部，Ⅱ部を通じて，われわれの議論はハーバーマスの「生活世界」，「（システム合理性による）生活世界の植民地化」，「生活世界の再形成」という概念展開を導きの糸としている。しかし，われわれの用いるそれらの概念はハーバーマスの明晰な概念からすると，悪くいうとかなり曖昧，よくいえばより含蓄を込めた幅広い意味で用いている。その所以はこれから明らかにしていく積りであるが，ハーバーマスのもともとの意味を明確にしておくために，それを簡明に要約している佐藤慶幸（1986：42-69）の優れた叙述を，少し長くなるが，章末の注で紹介しているので参照されたい――[15]。

ところで，これは現在のハーバーマスの到達した境地（『事実性と妥当性』Habermas, Jurgen, 1992）を一言で乱暴に表現したものだが，もう少し立ち入って理解する必要があるように思われる。もちろん，ここで多くの紙幅を費やすわけには行かない。さいわい，『公共性の構造転換』の初版が出てからおよそ30年ぶりに出された第2版（1990年版）にかなり長い序文がつけられ，そこで著者自ら，この間の著者の理論的展開（ないし転回）を簡潔に纏め，現在の到達点へあと一歩に迫るという段階――（最新の『事実性と妥当性』の観点は，ほぼ，1990年版の序文でも窺がわれるが，なお，不明瞭さが残されていたように思

1章　グローバリゼーションと「社会的経済」

える）──のエッセンスが浮き彫りなっている。

（A）『公共性の構造転換』（初版1962）→『コミュニケーション的行為の理論』（1981）
（1）まず，初版（1962年）当時の自らの理論の弱点を次のように反省している。
　①社会についての全体性概念（ひとつの大きな結社，「大文字の主体」としてイメージ）を保持していた。つまり，経済的再生産を含めてあらゆる生活領域を計画的な立法をつうじてプログラム化していく（民主主義的な社会的法治国家→社会主義的民主主義）というプロジェクトを描いていた。

* 「かれらの（財産なき大衆の―引用者）私的自律を保証するには，社会国家による地位の保証に頼らざるを得なかった……。かつて本書を執筆した当時の私にとっては，これはこれでまた民主的なコントロールが経済過程全体に拡大されてはじめて可能となるように思われたのである。」（『公共性の構造転換』1990年版，xvi-xvii）
* 「私が公共圏の構造転換を研究していた当時の民主主義理論への視角は，民主主義的な社会的法治国家は社会主義的な民主主義へとさらに発展するというアーベントロートの構想に負うところが大であった。……この発展図式には，その後疑わしいものとなった社会及び社会的自己組織についての全体性概念がいぜんとしてまとわりついていた。この全体性概念にそって考えれば，自己自身を管理し，経済的再生産を含めて，あらゆる生活領域を計画的な立法をつうじてプログラム化していく社会は，主権をもつ国民の政治的意思によって統合されるはずであった。しかし，社会全体は法と権力政治というメディアを介して自己自身へ働きかけるようなひとつの大きな結社としてイメージできるという仮定は，機能的に分化した社会の複合性の度合いを考えるとまったく説得力を失ってしまった。とりわけ，社会化された個人がひとつの包括的な組織の成員のごとく所属する社会的全体というような全体性優位のイメージは，市場に制御された経済システムや権力に制御された行政システムといった現実の前に退けられてしまう。（同書，xxvi）

② 大衆化した公衆のコミュニケーション能力のペシミステックな評価

　　＊「文化的慣習の面で階級的な制約から抜け出し，多元的で，内部で非常に分化した大衆からなる公衆がもつ抵抗能力や，とりわけ批判のポテンシャルについて，当時私は悲観的にすぎる判断を下していた。」（同書，ⅹⅹⅰ）

つまり，1968年が象徴する「新しい社会運動」のポテンシャルの評価に失敗していたのであり，特にフェミニズムからの批判を受け，後にこれを受容するようになったのである。

③　これは，①と重なるが，社会国家的な大衆民主主義を社会主義的民主主義へ展開していくことは，政党や団体の内部の民主化を通じて可能だと考えていた。

　　＊「当時私が批判的公開性の担い手として想定できたのは，対内的に民主化された団体や政党だけだった。政党や団体の内部の公共圏は，まだ再生能力のある公共的コミュニケーションの潜在的結節点であるように思われたのである。この結論は，もはや自発的に結社へ集う個人ではなく，多極化した公共圏のなかで組織された集団の成員が，相互に，また，とりわけ国家官僚制の巨大な複合体に対して，力の均衡や利害の調停をめぐって争うために，受動的な大衆の賛同を得ようと競争するような組織社会が成立しつつあるという趨勢から生じたのだった。……けれども，このモデルは，……それがヴェールでおおわれた多数派の権力にほかならないということだとトックヴィルやJ.S.ミルが信じていたのはあながち不当ではなかったかもしれない」（同書，ⅹⅹⅱ―ⅹⅹⅲ）

（2）うえの弱点を克服すべく，基本的な理論枠組みの転換をなした。『コミュニケーション的行為の理論』がその集大成であり，ハーバーマス理論の骨格が確立したといえる。

①すなわち，カント，ヘーゲルの超越的意識論（意識哲学，主体哲学）の破棄と相互行為による間主観的世界論への転換であるが，これを言語論的転回によって果たしたのである。

　言語論的転回といわれるのは，理論的枠組みのこの間主観的世界への転換を，互いに了解しあうことを前提とする日常言語共同体の間主観性に求めるからである——〈意識の自己反省＝独白の世界〉から〈日常言語の対話の世界，あるいは「コミュニケーション的行為」の世界〉への転換）——。ここでは，市民的ヒューマニズム——（歴史的，倫理的（ethical）イデオロギー）——に依存したかつての批判が持っていた弱点の克服という脈絡で次のように論じている。

　　＊「この書物（『公共性の構造転換』—引用者）の構成を規定している市民的公共圏の弁証法からは，イデオロギー批判的なアプローチ（市民的ヒューマニズムの理想からの批判—引用者）がすぐさま明るみにでてくる。この市民的理想が後退し，意識が冷笑的になってしまえば，イデオロギー批判が批判を行なううえでそれに対する人びとの同意を前提とせざるを得ない様々な規範や価値への志向は，いかにイデオロギー批判がそれらに訴えかけようとしても崩壊してしまっている。だからこそ、私は批判的社会研究のより深い規範的基礎付けを提起したのである。コミュニケーション的行為理論は、日常のコミュニケーションの実践それ自体に備わっている理性のポテンシャルをあらわにすべきものである。【補注】そうした社会科学は、文化的社会的な合理化の過程を全面的に確認し、この過程を遡って近代社会の境界の向こう側にまでたどっていく。だとすれば、もっぱらある時代に特有なかたちで現われる公共圏の形成にとっての規範的ポテンシャルを追求することは、もはや必要ではない。」（同書，ⅹⅹⅴ，下線は引用者）

　　【補注】
　　　ところで，ハーバーマスの理性，あるいは合理化（reasoning）の概念はかなり広いことに注意しておこう。言語共同体がコンセンサスを形成すべく，根拠を挙げて議論する理性的議論（reasoning）のテーマは表１−２のよう

な類型を持つ。

表1-2 議論の類型

議論の諸形態\関連点	問題となる発言	論争上の妥当性の要求
理論的討議	認知的・道具的	命題の真理性，目的論的行為の有効性
実践的討議	道徳的・実践的	行為規範の正当性
審美的批判	評価的	価値基準の適切さ
治療的批判	自己表示的	自己表示の誠実さ
説明的討議	……………	象徴的構成物の理解しやすさ，または，整合性

J・ハーバーマス（1981，和訳：上41）

②全体性概念を破棄した後に出現する対抗軸は、〈システムと生活世界〉という対抗軸であり、システムによる生活世界の植民地化とそれへのコミュニケーション的理性による対抗が主題となる（このことについても章末の注15を参照されたい）。ハーバーマスはここでは次のように論じる。

* 「目標は、もはや自立した資本制的な経済システムと官僚制的な支配システムの〈止揚〉などではなく、生活世界の領域を植民地化しようとするシステムの命令の干渉を民主的に封じ込めることである。それにともなって、客体化された本質的諸力の疎外とその取り戻しという実践哲学的なイメージには訣別が告げられた。ラディカル・デモクラシーによる正当化の過程の変革は、社会統合のための権力の間に新しいバランスを打ち立て、その結果、連帯という社会統合の力──〈生産力コミュニケーション〉──が貨幣と行政権力という他のふたつの制御資源がもつ〈権力〉に対抗して貫徹され、それによって生活世界の使用価値志向的な要求が通るようになることをめざすのである。」（同書，ⅹⅹⅸ，下線は引用者）

③そして、最後に、うえの引用で下線を付した部分、すなわち、ラディカル・

1章 グローバリゼーションと「社会的経済」

デモクラシーによる正当化，それによる社会統合の根拠そのものの理論枠組みの転換を次のようにいう。

「コミュニケーション的行為がもつ社会統合の力がまずもって存在するのは，それぞれの具体的な伝承や利害状況とよりあわされた特殊な生活形式や生活世界——ヘーゲルのことばでいえば〈人倫〉の領域——においてである。しかし，こうした生活の諸関係のなかで連帯をつくりだしていくエネルギーは，権力や利害を調整する民主的な手続きという政治的なレベルにそのままのかたちでは伝わらない。脱伝統的な社会では，それはなおのこと難しい。この社会では，背景にあるべき確信の同質性を前提にすることはできないし，かつては階級毎に推定されていた共通利害も……多元主義にとって代わられてしまったからである。」そして，B・マーニンを援用しつつ，「正当性の源泉は，個人のあらかじめ決定されている意思ではなく，その意思が形成される過程それ自体，いいかえれば協議（deliberation）である。……正当な決定とは，万人の意思を代表するものではなく，万人の協議の成果である。……正統的な法は，普遍的な協議の成果であって，（ルソーの—引用者）一般意思の表明ではない。」したがって，「立証すべき課題は，〈市民の道徳とはなんであるか〉という点から，〈道理にあった成果を可能にするという推定を根拠づけるべき民主的な意見形成や意思形成の手続きとはいかなるものか〉という問題に移ることになる。」（同書，xxviii - xxix）

また，「公共的な議論や交渉はなぜこのような道理にかなった意思形成に適したメディアであるのか」と問い，それへの答えとして，次のようにいう。

「私は，K.O.アーペルとともに，討議倫理なるアプローチを展開し，議論（Argumentation）を道徳的実践的問題を解決するのにふさわしい手続きとして際立たせた。……討議倫理は，たんに議論一般の不可避な語用論的前提がもつ規範的内容からなんらかの普遍的な道徳原理を引き出すことができるということを請求するだけではない。むしろ，この道徳原理それ自体は討議をつうじた規範的な妥当請求の実行にかかわっている。つまり，この道徳原理は規範の妥

当性をすべてのありうべき当事者が議論へ参加するという役割を引き受けるかぎりで，かれらの側で根拠づけられる同意の可能性に結びつけるわけである。こうした見解によるならば，政治的問題の解決は，その道徳的な核心が問題となるかぎりでは，制度化された公共的な議論の実践に頼らざるをえないのである。」(同書，xxxi)

さらに，次のようにもいう。

「あらゆる議論の実践に含まれているコミュニケーションにとっての前提には，不偏不党性への要求と，参加者が各自で持ち込む選好を疑問視し乗り越えることへの期待が組み込まれており，しかも，このふたつの前提が充たされることは，当然のこととなっていなければならない。近代自然法は，この問題に，正当な法的強制力を導入することで答えた。そして，この答えから出てくる〈法的強制力にとって必要な政治権力はそれ自体いかにして道徳的に制御されるのか〉という問題に対して，カントは法治国家の理念によって答えた。この理念を討議倫理の立場から展開するならば，それは，法がさらにもう一度自己自身に適用されるという観念となる。法は，議論の諸条件のもとで法案の作成や適用をおこなうさいの討議の様式をも保証しなければならない，というわけである。……<u>理想的なものとして想定されたコミュニケーション共同体の内部で，現実の社会では空間・時間・事柄の面で発生せざるをえない選択の強制力を発揮させるうえで，法的な手続きが役に立つのである</u>。」(同書，xxxii-xxxiii，下線は引用者)

下線部分に現われているように，正当性（普遍的妥当性）と事実性を架橋するベクトルを示す。しかし，それが明確に正面から詳述されるのは『事実性と妥当性』においてであった。

1章 グローバリゼーションと「社会的経済」

(B)『事実性と妥当性』

『事実性と妥当性』は「事実性と妥当性の社会的媒介としての法」を第1章のタイトルとして始まる。

近代法こそは，一方で，法として遵守されることを道徳的に要求する（道徳的妥当性をもたねばならない）が，それは時空を超越する反事実的に理想的に開かれた討議によって確保される。しかし，他方で，時空の限定された社会的事実性のなかで実定法としてのみ立法される。すなわち，法という形式こそが事実性と妥当性を社会的に媒介できるとするのである。つぎの図1－8が要点をついている。

図1－8　理性的な政治的意思形成の過程モデル

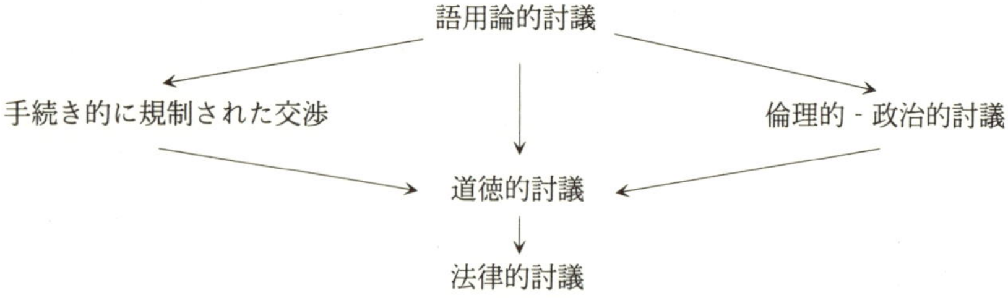

```
              語用論的討議
           ↙      ↓      ↘
手続き的に規制された交渉        倫理的‐政治的討議
           ↘      ↓      ↙
              道徳的討議
                  ↓
              法律的討議
```

出所：Habermas, Jürgen (1992), 和訳（上），2002：201

（3）ハーバーマス理論との批判的対話

ハーバーマスの理論的展開の軌跡をたどるとき，もっとも顕著な特徴は，その壮大な社会哲学理論が，その妥当性を疑わしくするような新しい歴史的事実と，あるいは，有力な批判にであったとき，まさに誠実に批判的対話を試み，多くの場合，新たな理論枠組みを──（しかも，そのさい，みずから「最後のマルクス主義者」というように，現実社会に対する批判を新たな仕方で再生するために）──大胆に地平融合的に創出してきたことだといえよう。

第一回目の展開（A）は，うえにみたように,『公共性の構造転換』(1962)でも引きずっていたフランクフルト学派第一世代から引き継いだヘーゲル，マ

ルクス的な理論枠組みから『コミュニケーション的行為の理論』(1981)の地平への脱皮である。フランクフルト学派第一世代が引き継いだヘーゲル，マルクス的な理論枠組みとは，一言でいえば〈労働―生産〉の哲学であり，またそれを社会大にした〈大きな歴史主体〉の哲学といえようが，それによって第一世代はマックス・ウェーバーのいう目的合理性の鉄の檻にしか行きつかず，目の前にしたのは，一方でナチズムやスターリニズム，他方で福祉国家の私化した大衆という絶望的な歴史的現実だった。かれらにはもはや自然のミメシスなる芸術活動に希望を繫ぐ他ないように思えたのである。

ハーバーマスは，この絶望的状況からのブレイクスルーを，うえにみたように，〈主体哲学・「大きな歴史的主体」の哲学〉から「言語論的転回」によって相互主体的世界への，また，目的合理性が優越する――（いま少し後に，われわれはこれを批判的に考察するが）――〈労働―生産〉の哲学から多様な合理性を追求するコミュニケーション的合理性の地平への転換に見出し，システムに植民地化された生活世界を，近代が約束する多様な合理性による合理化を遂行する「未完のプロジェクト」の完遂を標榜したのである。

このブレイクスルーをハーバーマスに促したのは，何よりも歴史的現実の帰趨へのハーバーマスの危機感であろうが，ポスト・モダン思想やシステム論からの彼に対する挑戦も見逃し得まい。これらとの対質を批判理論の視点からおこなうのであるが，ハーバーマスは，不思議と対質者に似てくるほどみずからの理論を開くという特徴がある。さらにもう一点，転換を促した要因として逸しえないのは，自ら認めているように，「新しい社会運動」の胎動であった。これを再評価し得た限りで，まさにラディカル・デモクラシーの見通しを得ることができたのである。

さて，第二回目（B）は，第一回目と性格が異なり，『コミュニケーション的行為』の世界の延長上での理論展開といってよい。それにしても，東欧の「遅ればせの革命」における市民社会の役割の見直しや開発途上国での民主化の流れの強まり，そして，先進諸国における「再発見された市民社会」の胎動という時代的背景がハーバーマスを時代の寵児に押し上げた。しかし，同時に様々な批判を浴び，それらとの対話のなかで事実性と妥当性の社会的媒介とし

1章　グローバリゼーションと「社会的経済」

ての法を中核に据えることによって理論の明確化，精緻化を図ったということができよう。ちなみに，ハーバーマスは序文で次のようにいう。

「私は，以上のような諸研究（全章のテーマを簡単に紹介して—引用者）を展開することによって，同時にコミュニケイション的行為の理論は制度のリアリティに盲目であるとか，まったくアナキズム的な帰結を導くものだといった批判を退けたい。」

さて，ハーバーマス理論を以上のように押さえたうえで，われわれが求める「新たな公共性」の追求に資する限りで，いくつかの点についてこれを検討したい。

① 『事実性と妥当性』以前の，『コミュニケイション的行為の理論』の段階のハーバーマス理論では，公共性の内実・意味を反事実的に，時空を越えた理想的に開かれた議論におけるコミュニケーション的理性による了解・連帯に求める。したがって，それはきわめて普遍的なものとされる。それゆえ，それは，たとえ言語論的転回によって超越論的形而上学から脱したといっても，事実上，カント的な形而上学に通じる。さらに，ハーバーマスがコンセンサス（了解）を志向する理性を称揚するが，それに対して，理性がそのようなものであるとすれば，理性の力は弱く，争い（Conflict），差異（Difference），「友・敵関係」が通常だと，実証主義者，システム論者，新・旧のマルクス主義的諸潮流，ガダマー流の解釈学，コミュニタリアン，そしてもちろん，啓蒙や理性に権力的支配をみるフーコーや新ニーチェ主義的なポスト・モダニズム等々，殆んどすべての思想潮流から批判を浴びたのである。

これらに対して，ハーバーマスはいま少し前に引用した部分——「私は，K.O.アーペルとともに……制度化された公共的な議論の実践に頼らざるを得ないのである。」——に続けて，「討議倫理のアプローチには，もしそうした討議の成果が道理にかなったものであるという推測をそれ自体でもつようにしたいなら，議論のいくつかの形式や交渉において充たさなければならないコミュニ

ケーションの前提——（あり得べき当事者の議論へ参加が保障された制度化された公共的な議論を指す—引用者）——を明確に規定でるという利点がある。それゆえ，このアプローチは，<u>規範的考察を経験的社会学的研究に接続する可能性を開くのである</u>」という。まさに討議倫理のアプローチによる接合によって（形而上学に通じると批判される）規範的考察が（事実性，歴史的現実性の次元にある）経験的社会学的研究によって擁護され得るようになるとともに，規範的考察が導入されることによって再構成された経験的社会科学研究が擁護されるのである。

しかし，この討議倫理学による「事実性」と「妥当性」の架橋は，多くの批判者に必ずしも説得的でない。「妥当性」があまりにも反事実的に理想的過ぎ，両者の間のギャップが大きすぎるのである。リチャード・J・バーンスタインは，ハーバーマスのこのような議論を次のように特徴づける。

「ハーバーマスは，いぜんとして客観主義と相対主義の二分法にこだわっているようにみえる。ガダマーと同じく，ハーバーマスも科学主義と実証主義の特徴である客観主義を手厳しく批判し……，また，さまざまな種類の相対主義や歴史主義と闘ってきたと自認している。しかしながら，基本的な問題点を提出するさいの彼のやり方は，唯一の二者択一のみを許容しているように思われる。つまり，間主観性や社会的再生産の構造そのものに基礎をもつようなコミュニケーション的倫理学が存在するか，<u>さもなくば</u>（下線—バーンスタイン），相対主義・決断主義・情動説から逃れる術はないことになるか，そのいずれかだというわけである。ハーバーマスは，超越論的な論証というカント的な伝統ときっぱり訣別しているにもかかわらず，コミュニケーション的行為に関する新しい再構成的な科学によって，カントとその後継者たちが確立しえなかったもの，つまり，<u>コミュニケーション的倫理学の確固たる基盤を確立することができる</u>，というような気持ちをわれわれにいだかせる。彼自身がしばしば示唆していることだが，もしこのようにハーバーマスを読むなら，彼の研究は，相対主義と決断主義の好餌となるにすぎないような，超越論的論証の新たな失敗例とみなされてしまうおそれがある。」(16)

ところで，バーンスタイン自身は，客観主義と相対主義の二分法を超えて行く運動に定位しようとする。そして，ハーバーマスに対して次のようにいう。

> 「テクスト・行為・歴史的時代など，そのいずれを解釈する場合であれ，もし競合するさまざまの解釈の信憑性を評価するための，普遍的で確固とした基準を提示することができなければ，解釈の良し悪しや，信憑性の程度を決定するための合理的な根拠は存在しない，という仮定があまりにしばしばなされすぎてきた。しかし，理解や解釈学的循環に関するガダマーの分析においては，具体的な事例においては比較による判定が可能であり，また，現にそうした判定がなされているということ，また，さまざまな論拠や論証にもとづいてそのような判定を裏づけることができるということが明らかにされている。」[17]

これを教訓とすべきだというのである。

> 「……解釈学的な理解を構成するものに関するガダマーの分析を用いて，ハーバーマスが──（実行していると主張していることではなく）──現に実行していることをよりはっきりと把握することができるのであり，逆に，……ハーバーマスはガダマー以上にわれわれの歴史的状況に対する包括的で鋭敏かつ信憑性の高い解釈を仕上げているのである。さらに，もうひとつのねじれがみうけられる。つまり，現代社会の諸問題に関するガダマーの解釈や，彼の思想の『痛烈な一撃』と私が名づけたものを用いて，ハーバーマスが展開した解釈や洞察を裏づけることができるのである」と。

つまり，ハーバーマスとガダマーはたがいに歩み寄れ！　というのである。あるいは，ハーバーマスに二分法を超えろと奨めるのである。しかし，ハーバーマスは，あくまで二分法に固執するのである。かくて，多くの批判者から「超越論的論証の新たな失敗例とみなされてしまうおそれがある」というバーンスタインの懸念が事実となってしまうのである。

ところが，ハーバーマスはこの窮地を脱する。先に述べたように，『事実性と妥当性』への第二回目の展開によって，一方で反事実的に理想的な時空を超越した討議の契機を保持したまま，他方でガダマー流の自己の歴史状況と現在の社会的習慣という地平での討議の契機をともにもつ「法律的討議」を発見し，〈普遍的道徳と歴史的・政治的倫理〉，〈理念と現実〉，〈妥当性と事実性〉を架橋するのである。図1－9にみるような市民主権の立憲国家の政治的公共圏は，まさに，そのうえの図1－8にみるように，法律的討議が〈普遍的な道徳的討議〉と〈倫理的─政治的討議，手続き的に規制された交渉〉の双方を可能にし，かつこれら架橋する枠組みを用意する。すなわち，一方で，自らの普遍的世界を守りながら，他方で，批判者の主張を殆どすべて取り込むのである。まさに，手際のよい離れ業を見るごとくであり，ハーバーマス理論が完成の極地に達したようにみえる。

　しかし，果たしてそれは成功しているだろうか。討議を道徳的討議と倫理的─政治的討議──（手続きに規制された交渉は，議論を単純化するために措いておこう）──の二つの契機ないし次元に分けているが，問題は，道徳的討議である。この道徳的討議に対しては，今すぐうえで議論したことがすべて当てはまるのではないだろうか。

　反事実的に理想的に開かれるべき道徳的討議にしても，形而上学への転落を免れるためには，いかに反事実的に広範囲の人びとに開かれようとも，人びとの間での討議でなければならず，そうなると彼らは天空に宙吊りになっているわけではなく，一定の倫理的地平に規定されながらもうひとつの契機たる倫理的─政治的討議を担う人びとと別の人びととではない。そうとするなら，道徳的討議にしても形而上学に堕さないためには，倫理的討議に近づかなければならないのだ。他方，倫理的討議にしても，それがコミュニケーション的合理性を求めるかぎり，可能な限り開かれていくべきであろう。ハーバーマスがこれを拒否するならば，ここでもまた「超越論的論証の新たな失敗例とみなされてしまうおそれがある」というバーンスタインの懸念が事実となってしまうのである。

いくら討議を開いていこうとしても，歴史的現実においては完全に開ききることはでない。つねに暫定的である。これを公共（圏）性に適用すれば，それ故公共（圏）性は，つねに，歴史特殊的なあるいは地域特殊的な公共（圏）性である――（その公共圏のうちにいる人びとからいえば，道徳にしても公共（圏）性にしても「外部」をもつということである。若干でも特殊性をもつという意味で，極端にいえば一種の大きな，大きな，アソシエーションとも言ってよかろう）――。あるいは，公共性は多様な複数性をもつといってもよい。そして，つねに暫定的であり，さらに開かれ得るということは，公共性を獲得するための最も重要な契機である。ハーバーマスが反事実的に理想的に開かれた議論に固執するのは，バーンスタイン流に好意的に推測すれば，それはこの暫定性，つまりさらに開かれなければならないことの担保であると理解すれば頷けないことでもない――（ハーバーマスは，多分，この好意を拒否するであろうが）――。したがって，公共性は従来排除されていたものを包摂することによってのみ達成されるということを堅持すれば，形而上学だと批判を受けずにまさに同じ趣旨のことを主張し得よう。

　それゆえ，市民主権を実行あらしめるように，制度化された討議をインフォーマルな討議によって活性化し，排除されていたものを包摂する〈民主主義のさらなる民主主義化〉を進めていくことが極めて重要になるのである。そして，政治的公共圏は，形而上学的な超越の世界でなく，特殊歴史的な，倫理的―政治的地平に繋がったままの人びとのあいだでの討議の場であるかぎり，多くの場合，排除されていた人びととの社会運動，あるいは，政治的運動による入力がなければこの公共圏は開いていかないということをも銘記しておくべきであろう。

　ところで，このように，ハーバーマスをバーンスタイン流に読み，「事実性と妥当性」の，「客観性と相対性」の，そして「現実と理念」のハーバーマス流の頑な二分法を拒否して，「事実性と妥当性のあいだ」，「客観性と相対性のあいだ」，「現実と理念のあいだ」というように，彼の二分法思考を拒否して，二分法の両極の「あいだ」に定位する，あるいは，両極を相対化する運動の境位に立つとき，ハーバーマス理論はかなりその相貌を変えることになる。

② ハーバーマスは、「事実性と妥当性」の二分法を固持したまま、両極を媒介するものとして、法に特別の重要性を付した。それゆえか、『コミュニケイション的行為の理論』の社会学的相貌も、いまや、『事実性と妥当性』の法学的相貌に変じ、ハーバーマスの注視も生活世界から「市民社会（Zivilgesellschaft）」へ、コミュニケーション的行為から「市民立法」や「市民行政」へより多く注がれるようになった。

もちろん、両極の「あいだ」に定位しても、法が道徳的契機――（いわば、両極を相対化する運動のうちに現われるベクトル的契機）――をもつ故に、ハーバーマスが強調する法制化の戦略的重要性はいささかも減じない。以下のようなハーバーマスの主張を割り引く必要はない。

「法コードは、生活世界の社会統合的了解作用がなされるための日常言語という媒体と結びついているだけではない。法コードはさらに、生活世界に由来する情報を、権力により制御された行政と貨幣により制御された経済の特殊的コードにとっても理解可能な形式へと変換するのである。そのかぎりにおいて、法の言語は、生活世界の領域に限定される道徳的コミュニケーションとは違って、社会全体を包括するコミュニケーション循環のなかでの、システムと生活世界との間の変換機として機能することができるのである。」（『事実性と妥当性』上106頁）

しかし、ハーバーマスにおいては、両極のギャップがあまりに大きいために、妥当性を事実性に媒介するものとして、法コードのみに期待が集中してしまう。そして、それはうえの引用にも現われているようにハーバーマスのもうひとつの根源的な、截然たる二分法思考、〈システムと生活世界〉の二分法と分かちがたく結びついているのである。そして、それは、また、突き詰めれば、ハーバーマスをしてハーバーマスたらしめた第一回目の大転回、すなわち、カント、ヘーゲルの超越的意識論（意識哲学、主体哲学）の破棄と相互行為による間主観的世界論への転換であるが、これを言語論的転回によって果たしたこと、そして、とくに、コミュニケーション的行為一般とその一領域である対話（会話）

的コミュニケーションとの関係を曖昧にしつつ、〈コミュニケーション〉と〈労働―生産〉の概念・領域を（あたかも、情報とエネルギーと分けるのに似せて）あまりにも截然とコミュニケーション的行為のなかから〈労働―生産〉的行為の契機を、〈労働―生産〉的行為のなかからコミュニケーション的行為の契機を強引に（破壊的に）抜き出す、二分法に結びついているのではなかろうか。

吉田傑俊は「ハーバーマスとマルクス」なる論稿においておよそ次のようにいう。[18]

> マルクスは、人間の一切の対自然的・間人間的活動を協働のもとに包摂していた。マルクスの協働概念は、ハーバーマスのいう労働と相互行為をすでに包摂するのであった。だが、実際の理論展開としては、マルクスは結果として交通概念（人間＝人間関係、人間的交流、あるいは、個人の物質的・精神的な交通の総体―引用者）を生産関係概念に収束してしまった。ハーバーマスは、マルクスの協働の二契機の一つの生産概念をその社会的性格を捨象した労働概念に局限化したうえで、マルクスの思想全体をその労働概念に集約して、これを批判した。そして、（ハーバーマス自身は―引用者）自覚的にそのような労働概念に対して、相互行為を優越させていると指摘できる。そして、そのことにより、ハーバーマスは、現代への鋭い認識と積極的な対策を示した。

しかし、二分法的に、〈コミュニケーション的行為・法律的討議〉となった〈相互行為〉と〈経済システムのなかのシステム的労働となった〈労働〉を、再び協働概念のなかに直接的に関係づけて捉え返すことができないだろうか。

ハーバーマスの理性は、あくまでクリアで、「あいだ」とか、「外部」という曖昧なもの、灰色はない。それ故、当然というべきか、コミュニケーション的理性による討議は、言語によって媒介されるとし、身体性による討議は看過される。しかし、いま、截然とした二分法を緩和し、「あいだ」とか、「外部」に目をやると、生活世界のコミュニケーション的行為の内容も、より豊かになっていく。佐藤慶幸は次のようにいう。

「生活世界は，対話的コミュニケーションと同時に共感的コミュニケーションとしての共感的了解によって人と人の関係性が維持される世界でもある。ハーバーマスの理論では，共感的コミュニケーションの問題は取り扱われていない。その意味で，ハーバーマス理論は，あまりに理性的すぎるのであり，それゆえに理想的，非現実的であると批判されよう。」[19]

かくて，バーンスタイン流に「あいだ」の境地に立てば，吉田傑俊のいうマルクスの協働概念も，佐藤慶幸のいう「共感」もその場を見出し，生活世界におけるコミュニケーション的理性による生活世界の合理化——（議論によるコンセンサス・了解・連帯としての公共性の達成）——は，もっぱら市民立法（市民的自律公共性，市民主権）へ向けての法的討議に収斂することなく，緑豊な多様性・繊細性と分厚い重層性をもってわれわれの前に現れてくる。当然にも，経済セクターも働きかけの対象として広大に広がっていることになる。

そして，すでに，前節でみた社会的経済セクターの広範な広がりは，生活世界と経済システムとの溶解が，すでにかなり進行していることを物語る以外の何ものでもなかろう。逆に，前章でみた社会的経済セクターの広範な広がりは，われわれにハーバーマス理論を以上のように見直すことを要請しているとみることができるのである。佐藤慶幸は，大胆に次のようにいう。

「複数の市民がある課題について相互に意見を交わしながら，討議と対話をとおして結び合う言説空間が，アソシエーションを形成する。市民的公共圏は，ある課題について話し合い行動する多種多様なアソシエーション個体群から形成される。この市民的公共圏の集合体を〈市民社会〉という。」
「このような〈市民社会〉論からすると，ハーバーマスの「市民社会」（Zivilgesellshaft）は狭い。主として，社会的・文化的領域に限定されている。それは，コミュニケーション的対話がおこなわれる領域が生活世界であり，それは社会的・文化的領域であるからであった。したがって，ハーバーマスの市民社会概念には〈社会的経済セクター〉は顧慮されていない。しかし，社会的経済は，アソシエーション的結合を特徴とする非政府，非営利の協働経済であるかぎり，市民社会というとき，それは，社会的・文化的アソシエーションの個体群とと

1章 グローバリゼーションと「社会的経済」

もに，政治的・経済的アソシエーション個体群も含まれるべきだ。これら四つのアソシエーション群の構成員とその連合体であるアソシエーションが市場と国家のあり方を批判し，そのあり方を変革していくとシステムと市民社会のあいだの接合面を広域化する。」[20]

　まさに卓見といってよい。ハーバーマスは，生活世界をシステム化されていない社会的・文化的領域に限定しているが，前節の図解（図１－５A～１－５D）で示したように，もともと経済領域，政治領域を含む社会の全領域を包摂していると考えるべきであろう。そのうち，貨幣メディアによってシステム化された領域，権力メディアによってシステム化された領域が自立してくる。しかし，政治領域においてもそうであるが，資本主義システムとして自立（律）化をイメージしやすい経済領域でも，経済領域がことごとくシステム化（自律的市場システム化）することはない。経済領域には，市場システムとともに，社会・文化的領域，政治的領域と重なった前近代的ウクラードとそのような前近代的社会関係から自律した市民たちのアソシエーションなどが混在し，それらの接合面は複雑であり，かつ動態的である。大企業の職場にも職場アソシエーションがあり得，職場を越えた労働者のアソシエーション（労働組合），あるいは，技術者のアソシエーションが，また，地域の市民と労働組合のアソシエーションもあり得る。ところが，ルーマン流のシステム論と批判的に対質するうちにハーバーマスは，自らも若干それに似せてしまい，ここでも截然たる二分法によって，経済領域は貨幣メディアによる完全システム化，国家セクターは権力メディアによる完全システム化，残された社会・文化領域が非システム化領域としての生活世界とクリア化してしまう。しかも，自立（律）的システム，たとえば，貨幣システムへの生活世界からの干渉はシステムの効率性を損なうとして，これを禁じ，法コードのみがシステムと生活世界の変換器となるとする。「あいだ」と「外部」のない，ハーバーマスのあまりにもクリアな二分法思考が，いまや，ハーバーマスの課題である生活世界のコミュニケーション的合理化の遂行による「未完のプロジェクト」をいかに阻んでいるかは，もはや，明らかになったと信ずる。

（4）〈個－アソシエーション－公共性〉による新たな公共性の追求

　さて，少し，ハーバーマスに関わり過ぎたかもしれないが，この辺で，本来の課題である「新たな公共性」の追求に戻ろう。以上の議論を踏まえれば，はじめに提示した〈個―共同〉は，――いまや，個（私）と公共性とのあいだを媒介するところの――，次のように歴史的特殊性，ないし暫定性に媒介されてある〈個（私）―共（協，ないしアソシエーション）―公共〉と表現した方がより妥当だと思われる。

　特殊な私――（他者に対して秘匿する特殊性private，さらに私にも不文明な「外部」に囲まれている私）――が他の私と互いに開き合い，コミュニケーション的理性によって互いに了解，連帯するとき――（あるいはそのような意味を担って行為し合うとき）――，それは，公共性へ向けての最初の了解・連帯（あるいはその意味を担う行為）といえるが，直ちに普通にいわれる広い公共性には達しない。けだし，その開き合いは互いに「外部」をもっていることは別にしても――（「外部」に開き直るのではなく，これを「合理性」によって取り込もうとする運動，ベクトルをもつことは大前提であるが，それでも残る「外部性」である）――，なお，限定された範囲に過ぎず，他のそのような試みに対しては，まだ，特殊性をもって閉じられている。この了解・連帯（その意味を担う行為）は，特殊性をもった共（協）ないしアソシエーションというべきであろう。このようなアソシエーションが互いに他のアソシエーションに開き合い，コミュニケーション的理性によって互いに了解・連帯するとき――（あるいはそのような意味を担って行為し合うとき）――，より広い範囲の公共性を実現する。しかし，なお，その公共性も暫定的である。けだし，それは，なお，排除している他者がいるかもしれないからである。

　このように，アソシエーション1は，家族という親密圏に対しては公共的（公共性1）であるが，アソシエーションとアソシエーションが互いに開き合うより広い範囲のアソシエーション（アソシエーション2）と公共性（公共性2）に対しては逆に親密圏的（コミュニタリアン的）特殊性をもつ。

1章　グローバリゼーションと「社会的経済」

図1−9　アソシエーションと公共圏（性）

公共性ベクトル（外へ開くベクトル）
親密性・アソシエーション性ベクトル
（親密性へ向かう内向きのベクトル）

アソシエーション3　公共性3
アソシエーション2　公共性2
アソシエーション1　公共性1
親密圏
公共性10　アソシエーション10

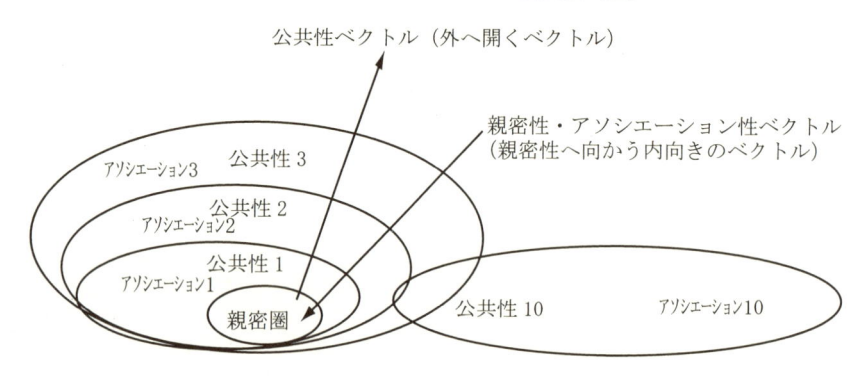

　図1−9の左側の図では，公共性ベクトルが外側に行くアソシエーションほど数字が大きくなっているが，必ずしも，同心円状に公共性ベクトルが高次になるとは限らない。図では表しにくいが，アソシエーション2，あるいはアソシエーション3のなかのある成員たちは，遥かに大きな数字のベクトルの公共性に達している場合がある（アソシエーション10）。かなり，入り乱れているのが実際であろう。

　ところで，これら互いに開き合うアソシエーションの重なり合いをもった広がりのさきに，支え合ってしか生きていけない故に一定の広さの特別に濃密に共有し合う生活世界としてのコミュニティがある。コミュニティのもっとも小さな単位は，家族であろうが，さらに，ローカルな，ナショナルなコミュニティなどへと広がっていく。そこで，アソシエーションの広がり，重なり合いがこのようなコミュニティへ広がった際に注意すべきこととして次の二点をあげておきたい。

　一つは，ここでいう，より開かれる公共圏（性）と浸透し合う親密性ベクトルは，公共圏（性）のなかでこそはじめて確認し得る個人の，その家族の，ローカル・コミュニティの，ナショナルコミュニティの，そして，次節を先回りしていえば，スーパー・ナショナル・リージョナルな，さらに，グローバル・コミュニティのユニークな，コミュニタリアンなアイデンティティをつくり出すベクトルである，ということ。

　もう一つは，コミュニティは，地方政府，国民国家など国家システムを具現

するものと領域において重なる場合が多いが,「新しい公共性」が再建するコミュニティと国家システム化されたコミュニティを混同してはならない, とうことである。まさに,後者の「官のコミュニティ」を「民のコミュニティ」へ転化していこうというのがコミュニケーション的合理性ベクトルなのだから。

さて,〈個−共同〉を以上のように〈個(私)−共(協・アソシエーション)−公共〉の重なり合いと考えれば,新しい公共性を獲得するために枢要なことは, ——(いま,任意のベクトル値のアソシエーションAを想定すれば)——, アソシエーションAを〈内に〉,そして,〈外に〉開いていくことである。

① 〈内に〉というのは,NPOにしろ,協同組合あるいは共済にしろ,〈私〉を〈他の私〉との強制力を排したボランタリーなコミュニケーションに開いて,相互に了解・連帯し,さらにコミュニケーション的経済行為もおこなうことである。そうとすると,各組合員がボランタリーに参加し,相互の了解・連帯のもとに,各組合員が出資し,アソシエーショナルな討議によって了解,共感する事柄・事業を設立し運営する協同組合という組織形態がNPOよりも,今度は——(一人一票制など自由で,平等の参加民主主義が健全におこなわれれば)——,「社会的経済」企業の組織としては有力な組織形態になってくる。とりわけ,従来排除されてきた人びとが主体的に参加できる便宜を図ることが重要であろう。その意味で,社会的に排除されてきた,あるいは,そうでなくとも,一方的にケアされるだけであった人びとをアソシエーションの一員として,主体的に参加する社会的協同組合(とくにイタリアの社会的協同組合B型はその典型である)という組織は,理念的にはもっとも極北に位置するといえよう。
② 〈外に〉,というのは,他者(他の私,他のアソシエーション)に対して,より高次の,ないし,広い範囲の公共性を求めて,強制力を排したボランタリーなコミュニケーションに開いて,相互の了解・連帯を広げていくこと,また,コミュニケーション的経済行為をも広げていくことである。それは,まさに多様で,人びとの襞にまで至る繊細さを持ちながら,幾重にも重層し,交錯する厚みをさらに厚くすることを追求しつつ,近隣→コミュニティ→サブ・ナショナル・リージョン→国民国家の域へと広げていくことである。

1章 グローバリゼーションと「社会的経済」

かくて，図1－7の右下の「民による公」（NPO等）とあるが，まさに，NPOであれ，協同組合（共済）であれ，互いに開かれた討議こそが使命や意味の公共性を保障する。そして，この企てに，どれだけ多くの多様な人びとを社会的経済のアソシエーションに開き，かれらが自らと自分たちの〈個（私）－共（協・アソシエーション）―公共〉を取り戻していくかが問題であろう。図1－6においては，ミッション性を特徴とするNPOがもっとも有力に見えたが，どれがもっとも有力か，ということよりもそれぞれ特徴をもった，その多様なあり方の方が遥かに重要であろう。

　さて，系論としていくつかの論点を追加しておこう。
③　NPO，協同組合のあいだでの公共性を求めての開かれた議論が必要であるが，ハーバーマスがつねに多くの批判者をもつのは，自由で平等な人びとのあいだでの強制力を排除された理想的な議論において，コミュニケーション的理性が根拠を挙げておこなう，理性的な議論によって了解，連帯に達するという点であった。たしかに，開かれた，自立（律）公共性を求めるハーバーマスのいう再生した新市民社会（Zivilgesellschaft）の市民については，開かれた議論によって了解，連帯が獲得されることが多くなっているかもしれない。しかし，歴史を振り返れば，フェミニズムの例を挙げるまでもなく排除された人びとが議論に加わり承認を得るためには，相当長い期間にわたる，ときには激しい運動あるいは闘争が必要であった。当の理想的に開かれているはずのハーバーマスの公共性さえ，フェミニズムに公共性を承認するのに，フェミニズムからの強い批判を受けて後のことであった。それ故，より広い，より深いところまで達する公共性を求めるには，運動からの入力というダイナミズムを必要とし，排除されたものの声に過敏なくらいセンシブルでなければならない。かくて，NPOの社会的ミッションも，協同組合のアソシエーショナルなこだわりも，絶えずこのような議論のなかで了解され直されねばならない。
④　さらに，系論としていえることは，多くの人びとが，とりわけ排除されてきた人びとが，これらの企てに参加できることが枢要であるとすれば，寄付が出来，ボランティア労働ができる経済的余裕がある人びとだけでなく，まさに

そこから排除されている，そのような余裕のない人びとを積極的に包摂していく仕組みが必要であろう。そうとすれば，寄付もボランティアも重要な意味があるが，主に自らの労働を以ってしか参加できない人びとのためには，労働の対価が支払われて然るべきであろう。むしろ，それが例外でなく原則であり，余裕のある人びとは，得た労働の対価を寄付する，あるいは，循環型経済構築のための資金循環のパイプを太くするべく，たとえば市民ファンドや市民バンクに出資・預託するというようにすべきであろう。この点については4章で少し掘り下げて議論する予定である。

さて，「新しい公共性」形成の意義は，「人びとが，自然・生態系のなかの，また，過去から未来へ繋ぐ文化のなかの，〈個—共同性〉を契機とする相互行為の重なり合いとしての社会のなかの存在としての自らを——（より正確にいえば，自らと自分たちの〈個—共同〉を，今度は，国家にその公共性としての共同性を譲り渡すことなく）——取り戻す」ということであり，その理性を経済セクターに浸透させ，貨幣セクターによる生活世界の植民地化を矯正するもっとも基礎的形態が以上に述べた社会的経済セクターの拡大である。

しかし，もちろん，社会的経済は以上に述べた人と人とのコミュニケーション的行為という「見える手」で結ぶというのがその本質をなすので，社会的経済の規模や範囲には限界がある。社会的経済が経済セクターを全面的に覆うことは出来ない。すでに触れたように，ハーバーマスは，むしろ，複雑化した社会においては，法によって経済セクターに介入した方がコミュニケーション的理性をここに浸透させ，貨幣セクターによる生活世界の植民地化を矯正するのにより有効だといっていたが，たしかにそのような側面もある。ただし，もはや，いうまでもないことだが，そのさいは，立法，行政，そして司法すら，いまやZivilgesellschaftの市民によるフォーマル，インフォーマルな議論によって見出された新たな公共性を体現し，市民主権，民主主義の民主主義化，分権，補完性原則——（subsidiarity rule：下位の公共体に権限と責任を分権し，上位公共体はそれを補完するにとどめることを原則とする）——を達成していなければならない。この関係は，山岡義典の図1－7によく表現されていた。

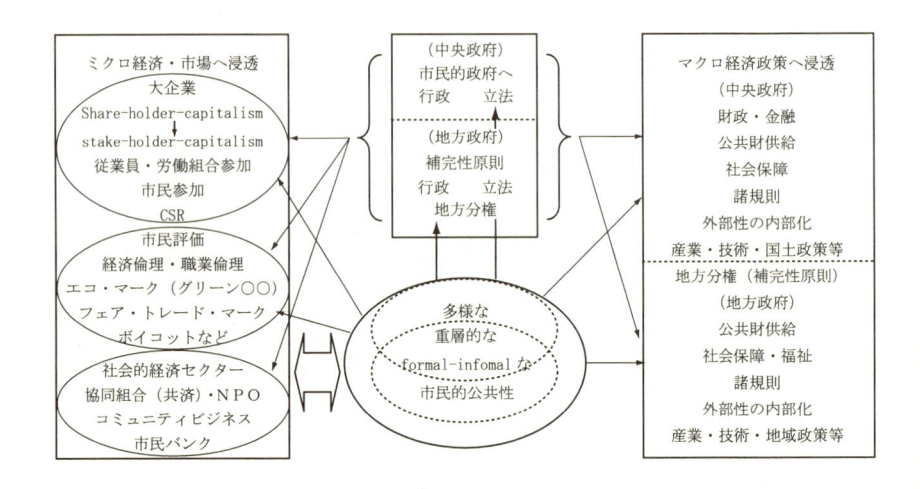

図1-10 市民的公共性（圏）拡延の多様なルート

[図：市民的公共性拡延の多様なルートを示す概念図。左側に「ミクロ経済・市場へ浸透」として大企業（Share-holder-capitalism → stake-holder-capitalism、従業員・労働組合参加、市民参加、CSR）、市民評価（経済倫理・職業倫理、エコ・マーク（グリーン○○）、フェア・トレード・マーク、ボイコットなど）、社会的経済セクター（協同組合（共済）・NPO、コミュニティビジネス、市民バンク）。中央上部に「（中央政府）市民的政府へ　行政　立法」「（地方政府）補完性原則　行政　立法　地方分権」。中央に「多様な　重層的な　formal-infomalな　市民的公共性」。右側に「マクロ経済政策へ浸透（中央政府）財政・金融、公共財供給、社会保障、諸規則、外部性の内部化、産業・技術・国土政策等」「地方分権（補完性原則）（地方政府）公共財供給、社会保障・福祉、諸規則、外部性の内部化、産業・技術・地域政策等」]

　もはや，説明を省くが，多様な，重層的な，フォーマル・インフォーマルの市民的公共性が①(a)直接的に社会経済企業として，(b)労働組合・市民株主としての経営参加（さらに，自治体やその他の多様な市民的公共性の担い手が参加し得るステイク・ホルダー・キャピタリズム）(c)エコ・マーク，フェア・トレード・マークなどによる市民評価指標，ボイコットなどの直接行動　(d)経済倫理・職業倫理・社会倫理，あるいは企業の社会的責任（CSR）の社会への浸透　②市民立法・市民行政を通じてのマクロ的，ミクロ的介入等々の多様なルートがある（図1-10）。

　社会的経済企業は，このように，コミュニケーション的理性を浸透させるもっとも基底的な形態であれ，多様なルートのなかで相対化される。しかし，多様なルートを生み出す根源ともいえる。市民社会の活性化のためには，社会的経済企業以上に基底的な形態を考えるのは難しい。

Ⅲ 「新しい公共性」のグローカル性

　ところで，先にみたように，新自由主義的グローバリゼーションのもとで，

先進諸国，途上諸国・地域を問わず，バブルとその破綻に翻弄され，リストラと大量失業，諸格差・社会的排除の拡大のなかで，社会は分裂し，アノミー化が進行し，自然・生態系との共生連関も壊される。この社会の解体，自然・生態系との共生連関の破壊は，途上国の人びとの生活世界においてとりわけはなはだしく進行するが，この問題は，先進諸国，途上諸国・地域が新自由主義的グローバリゼーションによってますます一体化してきている故に，途上諸国・地域の人びとの問題であるとともに，同時に，われわれの問題でもある。それゆえ，われわれの求める「コミュニケーション的理性」，あるいは「新たな公共性」の追求とその社会への浸透ベクトルは，上掲，図1－10で終わるわけにはいかない。

　図1－10が示す方向へすでに舵を切っているかのように見えるEU諸国においても，新自由主義的グローバリゼーションの帰結としての，バブル経済とその反動不況の繰り返し，アメリカのITバブルとその破綻による70年ぶりの長期的停滞局面への突入，その間，ますます激しくなるメガ・コンペティション，かくて，深刻化する構造的失業，とりわけ，低開発諸国・地域からの移民流入がこれらの問題をさらに深刻化するなど，一国の国内的対応だけでは難しくなってきている。EUのなかでも，スウェーデンは福祉国家の典型例とされてきたが，新自由主義的グローバリゼーションの波をかぶり，揺らぎ始めている。宮本太郎（1999）『福祉国家という戦略―スウェーデンモデルの政治経済学―』という優れた研究がそのゆくえを占うのに示唆的である。掻い摘んで紹介すれば次のようになる。

　さすがの福祉国家・スウェーデンモデルも，1970年代半ば過ぎから，他の国と同様に揺らぎ始め，70年代はいわば左に揺れ，80年代には右に揺れるという蛇行の末に迎えた90年代には，コーポラティズム的な制度が解体に向かう一方で，失業が急増し，かつてない困難に直面するようになった。環境の変容が起こったのだ。第1に，ポスト・フォーディズム化であり，第2に，経済のグローバル化に伴う労使の力関係の変化である。[21]
　かくて，一方では，福祉水準の低下が起こるとともに，他方で，二重構造が顕在化してきた。二重構造というのは，スウェーデンの福祉国家は制度的にみ

れば労働市場参加を条件とする所得比例型の保障と最低限保障の二層構造をなしており，完全雇用が揺らぐとこの二重構造が露呈してしまうのである。とくに，積極的労働市場政策によっても新たな雇用の場を見つけられない社会的弱者の排除が進んだ──（もっとも，国際的には，なお，スウェーデンの所得再分配機能は高い）──。

　グローバル化に対しては，一国での対応が難しく，少なくともEUレベルの展開を図るしかない。しかし，それも容易には進展しない。そうとすれば，国民的福祉国家としては，一方では，むしろグローバルな競争を前提に選択的経済政策（サプライサイド政策），積極的市場政策，そして成果主義を強めていくしかない。それは，サッチャーの新自由主義に近いというよりも，ジェソップのいう，新シュンペーター的ワークフェア国家やヒルシュのいう「国民的競争国家」に近くなる──（宮本太郎は福祉国家の将来をめぐる仮説を4つに分類するが，これを「衰退説」としている）[22]──。すなわち，グローバルなメガ・コンペティションに勝ち抜くために，イノベーションを刺激し，国民的な競争力を高めるサプライサイド政策国家に近づくということである。ここに，多かれ少なかれ，新自由主義的グローバリゼーションへ適応せざるを得ないというベクトルを見ることができる。

　しかし，スウェーデン福祉国家は，他方で，新自由主義的グローバリゼーションへの適応が必然にする二重構造の顕在化，周辺層の拡大，社会的排除の進行といった事態に対して，これを再包摂しようという理念と政策を持ち続けている。 現実には雇用の不安定化に他ならない実態を逆手につかって，人びとが必要を感じたとき自由に労働市場を離れたり教育を受けたりする条件に転化させる「積極的フレクシビリティ」を構想する。しかし，そのためには，図1-11のような架橋的な労働市場モデルが示すような労働市場の周辺にしっかりした安心安全とリフレシュ（再訓練・教育も含めて労働市場への再挿入）の場（福祉国家による制度，政策領域）の創出が必要である。

　図1-11で，Ⅰの領域は，個人の関心や産業社会の変化に応じて労働市場と

図1-11 架橋的な労働市場モデル

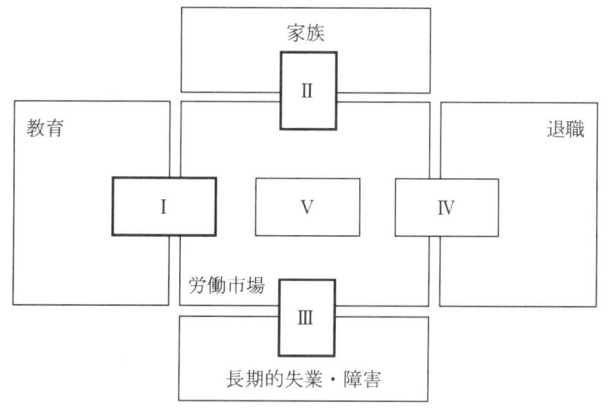

```
         家族
          ┌──┐
          │ II │
          └──┘
教育                        退職
  ┌──┐  ┌──┐  ┌──┐
  │ I │  │ V │  │ IV │
  └──┘  └──┘  └──┘
       労働市場
          ┌──┐
          │ III │
          └──┘
      長期的失業・障害
```

G.shimidt のモデルをもとに作成。cf. G.shimidt and B.Gazier, The Dynamics of Full Employment, Edward Elger, 2002

	福祉国家における政策領域	社会的経済における担い手
I	高等教育、リカレント教育	フリースクール等
II	自治体育児・介護政策	育児・介護サービス組織（ワーカーズコレクティブ等）
III	障害者政策・長期失業対策	媒介的労働市場組織、自助運動組織
IV	高齢者雇用促進政策	高齢者協同組合等
V	積極的労働市場政策	企業支援組織、就労支援組織

出所：宮本太郎（2003:30）

教育の間を行き来するための教育手当，リカレント教育など。IIは女性（あるいは男性）を家庭における無償労働に拘束することなく労働市場とつなげていく育児休暇や介護支援。IIIは労働市場内部でのワークシェアリングを可能にしていく政策領域。IVは高齢者の雇用促進策や早期退職制度など。そして，Vは積極的労働市場政策領域を表す。ところで，福祉の供給体制としては，90年以降，国家，市場，家族・コミュニティ，そして非営利組織などのアソシエーションが相互に連携して一つの福祉体制を形成する福祉多元体制が比較的急速に進行している。非営利組織などのアソシエーションは排除されたものを包摂するのに有効であるとともに，市民からのコントロールの新たな回路として福祉多元体制のシナジー効果を高めるのに貢献できる[23]。

ところで，うえの架橋モデルにおいては橋となっているが，むしろ，橋に代えて，福祉セクターと労働市場を跨ぐ広場とした方が適当だと思われるが，それについては後の4章でさらに論じることにしよう。

さて,以上において,多少スウェーデンの福祉国家のダイナミズムに立ち入ったのは,どのタイプの福祉国家でも,あるいは福祉国家ならざる国家でも,いま,〈新自由主義ベクトル〉と〈「市民的公共性」ベクトル〉とのぶつかり合いのダイナミズムが作用しているとみたからである。

新自由主義的グローバリゼーションは,まさにグローバリゼーションとして,あらゆる国・地域で,〈新自由主義(への適応)ベクトル〉を刺激し,それらにいよいよ激しくなるグローバル市場でのメガ・コンペティションに勝ち抜けるように,「国民的競争国家」への転換を迫っている。しかし,すべての国が勝利するわけには行かない。とりわけ,広範な影響力をもつ先端科学技術,グローバルな市場におけるデファクト・スタンダード,収穫逓増や集積の利益が大きな意味をもってきている現在のグローバル市場においては,合成の誤謬を帰結してしまう危険が大きい。

ユニークなイノベーションは,定義によって,多数者は多くの場合これを確保できない。多数者はフォロワーになるしかない。フォロワーの間では,生産要素のコスト切り下げ競争が蔓延する。「国民的競争国家」は,かくて,「底辺への競争」を余儀なくされる。たとえば,われわれは,かつて,つぎのように論じたことがある。[24]

> 無制限な労働供給や身体摩滅的強制労働など人間収奪的労働,また無制約な環境収奪が存在し,それをもって競争が展開されるならば,「底への競争」の問題はより深刻になる。
>
> ICFTU(国際自由労連)も,制裁を以って国際労働規準を遵守させようとするのは,社会条項を守ろうと努力している途上国が,それを守らない途上国による競争圧力によって,それが難しくなるのを阻止することがその趣旨だという。ICFTUは,たとえば,次のようにいう。
>
> 「インドがカーペット産業の児童労働を放置したままにしていることで最も打撃を受けているのは,労働条件を改善しようとしているネパールのカーペット輸出業者である。インドネシアの炭鉱で労働組合が抑圧されていることによって最も打撃を受けているのは,インドの炭鉱である。今まで強い労働組合のおかげで比較的よい賃金を得ていたが,インドネシアからの輸入でその賃金が切

り下げられた。そして，すべての発展途上国は，中国が（ILOの）中核的労働基準を冒して，安い労働コストを提供することによって，多国籍企業を彼らのところから中国へ引き抜かれることによって打撃を蒙っている。」

　これがグローバルに突き抜け，広がる〈新自由主義（への適応）ベクトル〉である。では，他方の〈「市民的公共性」ベクトル〉の方はどうか。
　興味深いことに，先進諸国の NPO の発展状況を明らかにした Lester M. Salamon たちは，先進国と同じように，途上国においても社会的経済セクターの台頭が見られることを報告している。Helmut K. Anheier and Lester M. Salamon ed. (1998) は，総括的に次のように述べる。[25]

　　まず，いくつかの指標を挙げて，途上国と先進国（OECD 諸国）とを比較する。
・一人当たり国民所得をみると途上国は隔絶して低い。そのことを，人びとは貧困のうちにあり，市場にアクセスできないゆえに非市場への需要が大きいと読む。その必要を満たしていたのが血縁，部族内の相互扶助，パトロン―クライアント関係であったが，都市化，近代化によってそれが衰退し，NPO に対する需要を大きくしているという。
・つぎに，政府の社会福祉支出の小さなことをあげ，政府もまた人びとの必要を満たしていないという。前項とあわせて　市場の失敗／政府の失敗という。
・農業就業人口比の高さを示し，そのことを，先進国ではNPO台頭の重要な要素となっている都市中間層の未発展と読む。さらに，政府はしばしば権威主義的で NPO に敵対的であるという。
　　このように NPO に対する需要が大きいにもかかわらず，先進国と異なってその輩出を阻害する要因も大きいという。しかし，先進国と同じように，1980年代から，とりわけ1990年以降，NPO が急速に台頭してきている，という。その理由として，もっとも強く彼が支持しているのは，一つには，サプライ・サイドの起業家精神――（古くからあるのは，宗教的動機によるものであるが，外国の NGO や都市中間層の経済発展支援，エンパワーメント）――が大きく貢献しているという。

1章　グローバリゼーションと「社会的経済」

二つには，社会的背景として，次のように述べる。すなわち，国家とNPOのあり方について4つのモデルを挙げる。①政府が保守的エリートにバックアップされているときには，社会福祉支出も小さく，NGOに敵対的なstatist model，②小さな政府と強いNPOのliberal model，③社会民主主義的な大きな政府と限界のあるNPOが係わるsocial democratic model，そして，④国家とNPOがパートナーシップを組むというcorporatist model。そして，①から④への転換がみられたことをNPOの台頭の理由としている。

　これを要約していえば，一定の経済発展による都市中間層の台頭，国際的なNGO支援，権威主義的国家の民主化が，必要とされていた非市場組織を広範に，かつ急速に台頭させる転轍機となっているということである。
　では，NPOはどれほどのウエイトをもつようになったのか。それを探る際，途上国においては，初めに指摘した，それぞれの社会に特徴的な形態で存在してきた「前近代的社会的経済」が様々な仕方で時代の流れに適応して存続しており，それが果たす役割も大きく，NPOを狭く規定するとその多様な形態を見落してしまうので，十分にフレクシブルに規定しなければならない，という。
　しかし，それにしても，次のようにいう，「途上国における非営利セクターの大きさは，想定されていたよりも遥かに上回るが，しかし，先進諸国に比べると一般的にはより小さい。先進諸国では，労働力人口の4〜5％であるのに対して，2％以下に留まっている」と。社会的経済が急速に台頭してきたにもかかわらず，社会の解体，社会と自然・生態系との共生連関の破壊がとりわけはなはだしく進行し，それがもっとも必要とされているところで，なお，決定的に不十分たるを免れないのである。
　そこで，確認しておかねばならないことは，途上国に人びとの生活世界の破壊が，グローバリゼーションの下でとりわけはなはだしく進行していることは，多国籍企業を擁し，そのグローバリゼーションをアメリカとともに推進している先進諸国に住むわれわれに無関係ではないことである。例え，そのことに無感覚であったとしても，うえにみた〈新自由主義的グローバリゼーション（への適合）ベクトル〉が廻り回ってわれわれの周りに押し寄せてくるのである。
　それゆえ，前節からのわれわれの議論からすれば，われわれのコミュニケー

ション的理性による討議，コミュニケーション的行為は，社会の解体，自然・生態系との連関の破壊に瀕する途上国の人びとにまで開かれ，彼らを包摂することによって，より広い，高次の「新しい公共性」を獲得するのでなければ，われわれの「新しい公共性」の創出は終わらない，ということであろう。さきの図1－9は，いまや図1－12へ展開する。ここでは，〈家族・親密圏─アソシエーション─公共圏（性）〉は，コミュニティとして，ローカル，ナショナル，グローバル，あるいは，ネーションのなかのリージョン（sub-national-regions），ネーションを越えたリージョン（super-national-regions）も含めて，多様化し，重層化し，相互に入り乱れる。

　ネーションを超えたリージョン，そしてグローバル・コミュニティは，歴史文化的世界としての他，最近は，地球環境問題，情報化によって，とみにその密度を高めてはいるが，生活世界としては必ずしも確固としていて，密度が濃いというまでにいっていない。ただ，貨幣メディアによるシステム化（市場化）だけがとくに新自由主義的グローバリゼーションによって突出して進められている──（IMF，WTO，世界銀行，あるいは，地域自由貿易協定など先進国主導の諸国際機関，諸制度がさらにそれを推進する梃子になっている）──。しかし，その市場システムが持続可能となるべく社会的次元で支えるセイフティー・ネットは，国民国家にしてもその国民に用意するのは極めて不十分であるが，グローバルレベルでは，そのさらに何分の一かの程度でもそもそも用意すべき国

図1－12　グローバル・コミュニティー，ナショナルコミュニティー，ローカル・コミュニティー

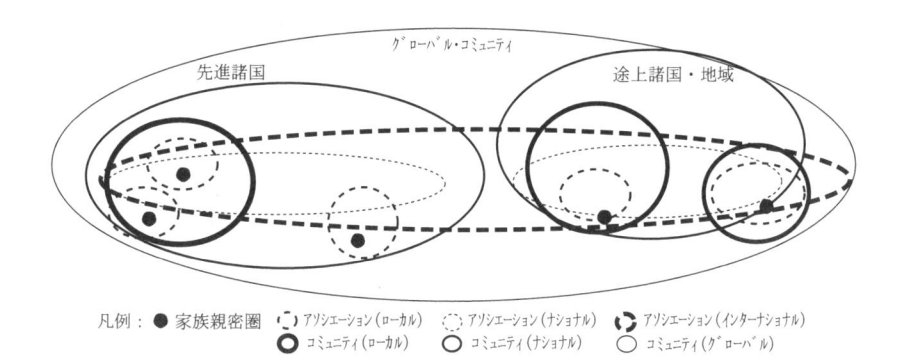

家としての規定（世界国家）を欠如している。先行する経済（貨幣）システム，あるいは，政治（権力）システムの跳梁に抗して，内部構成の多様性，重層性を相互に受容・批判しつつ形成される，ネーションを超えたリージョン，あるいはグローバルな「市民的公共性」なる「新しい公共性」の形成が切に望まれるのである。

　ところで，その〈ローカル―ナショナル―グローバル〉な性格をもつ公共圏（性）の広がりにおいて，ローカル・コミュニティは，特別の重要性をもつ。それは，けだし，自然・生態系内存在として，また社会内存在としてれわれの〈いのちとくらし〉の営みは，自然・生態系と社会の（〈個と協同〉）のありように制約され，またそれらに働きかけ返す応答のうちになされるのだが，われわれは，さしあたり，〈いのちとくらし〉の営みの大部分がそこでなされるローカル・コミュニティとその自然・生態系（風土）とのあいだにおいてこれをなす。ローカル・コミュニティは，より広い社会のありようがわれわれにいかなる意味をもつか，最終的な結果を示すところであり，また，自然・生態系との応答のフロンティアである。

　さらに，ローカル・コミュニティこそは，官としての公共を市民的公共性としての民の公共に取り戻すべく，そして，また，貨幣システムによって植民地化され，社会的排除が進むのに抗して人びとが互いに討議し，共感し合い，行為し合うことによって，われわれが直接参加し，その在りように主体的に働きかけられるもっとも手近なコミュニティである。かくて，ローカル・コミュニティの公共圏（性）の確保は，〈いのちとくらし〉の質と持続可能性（sustainability）にとって根幹的重要性をもつ。そのとき，内橋克人がいうように，（F）食の生産と流通（Food），（E）再生可能なエネルギー（Energy），（C）ケア（care社会的介護）の三領域の，「見える手」の協働で形成される循環型経済が展望される。[26]

　これを先進国のコミュニティのおいてのみならず，まさに，社会の解体，自然・生態系との連関の破壊に瀕する途上国のコミュニティにおいても実現しなければならないことは，われわれがより広い範囲の他者に開き，これを包摂して「新たな公共性」を獲得し，かくて，ナショナル・コミュニティを超えた東アジア・コミュニティの，あるいは，グローバル・コミュニティの市民として

のアイデンティティを獲得しようとするとき，まさに，我々自身の課題となる。

ところで，途上国の人びとに開かれたコミュニケーション的理性による了解，連帯，相互行為は，双方における社会的経済セクター間の直接的な連携という形態を最も基底的，かつ不可欠の形態としてこれを促すが，それだけに限られない。たとえば，社会的経済の主導によって，FEC の三領域を中心に「見える手」，すなわち，アソシエーションのネットワーク経済を形成していくことは，FEC の三領域をすべて社会的経済によって担いきることではない。もちろん，経済セクターをすべてアウタルキーにすることでもない。社会的経済は途上国においてもコミュニケーション的理性を途上国経済社会全体に浸透させるもっとも基底的な形態であれ，それを取り囲む広大な市場経済をむしろ前提にし，途上国版の図1-10のような多様な形態なりルートをもって途上国市場経済全体のあり方を生活世界の論理の上に基づかせるよう，そのインパクトを強化していくことがその力をより大きくすることになろう。

コミュニケーション的理性の浸透は市場経済の領域に対してのみでない。国家の領域，特にグローバルな市場に呑み込まれて福祉国家の形成が低位にとどめられる途上国の場合，むしろ国家の政策を活性化することが戦略的に重要になる。

さきに Salamon, Lester M. and Anheier, Helmut K.ed. (1998)，も指摘していたように，途上国の人びとの一人あたり所得は低く，農業就業人口の比率が高い。これは，途上国において，工業化がまだ低位のまま留まるか，あるいは，それがもっぱらグローバル市場向けで——(「生産条件」が「社会の存立条件」を悪化させることがあっても)——，「社会の存立条件」を向上させる工業化ではなかったことを物語る。内橋克人のいうように，貨幣システム(資本主義的生産)の発展は，一定の程度までは，人びとが，<u>自然・生態系のなかの存在</u>としての，<u>社会のなかの存在</u>としての，また，<u>歴史的文化のなかの存在</u>としての，その〈いのちとくらし〉の営みを豊かにするのに貢献する。換言すれば，人びとと社会の潜在能力 (capability＝well-being and well-doing) を高めるのに貢献し得る。しかし，それはきわめて不均等で，一方で途上国の多くを未発展のままにしながら，他方でその一定の程度を超え，総じて社会の存立

1章 グローバリゼーションと「社会的経済」

条件を脅かすようになってしまったのである[27]。また，先進国においては，大きな福祉国家が人びとの自律公共性を脅かすようになってしまったが，逆に途上国においては，福祉国家は殆ど未展開である。未展開のまま，新自由主義的グローバリセーションの波をかぶり，小さな政府を強要されるに至ったのである。

　したがって，<u>途上国の場合</u>，途上国の人びとの社会的，経済的潜在能力 capability（well-being, well-doing）の増進に資する限りで，経済の発展——（歴史的にもっとも効率的なシステムである資本主義経済の経済発展）——を進める国民国家の存在，その政策としての産業政策（開発主義政策），あるいは，さきに言及した「国民的競争国家」の「構造的競争力」向上政策等もむしろ必要となる——（ここで，補遺〔3〕の村上泰亮の多相的自由主義，あるいは，「開発主義」政策ミックスを想起されたい）——。

　しかし，もちろん，それは一定の〈条件付き〉である。その条件とは，いうまでもなく，「国民的競争国家」に転落して，「底辺への競争」を促進するのを阻止しつつという条件である。そして，先にも述べたように社会的排除に対するもっとも有力なアクターは社会的経済セクターの諸組織群，とりわけ，弱者もそのメンバーとして加わったアソシエーションであった。かくて，途上国の場合，国家とNPOのあり方のモデル④のようなあり方とともにならば，「産業政策（開発主義）」を進める国家の役割もまた重要だということができよう。もっとも，産業政策を進める国家の政策役割の重要性を説くとしても経済開発が先で，その後に，「開発主義をこえて」というのは，統計的に実証できない開発独裁体制の弁護論であり，民主主義が「貧困の克服」の鍵となるとは，まさに，アマルティア・センが生涯の仕事として，あくなく説くところである[28]。

　さて，途上国の社会的経済セクターが，図1-12にみるように，先進諸国の社会的経済セクターとの連携によって，「新しい公共性」を求める力量を増すとき，社会的経済セクターが先進・途上の両地域に拡大するばかりでなく，自分たちの公共性が，図1-13に見るような力強さでグローバルなレベルにまで達することが期待されるのである。力を増した「新たな公共性」は，ローカル・コミュニティからグローバル・コミュニティまで，〈個（親密圏）—アソシエーション（協）—公共性〉がさきに指摘したように，多様で，重層的であるゆえ

に，〔L〕FECの三領域をローカル・コミュニティの〈個と共同性〉のなかに埋め込むとともに，〔N〕それを基盤にしつつ，人びとのcapabilityの増進に資するように，現実のナショナルのなかのリージョン，ナショナルな経済発展のあり方，そして，ナショナルを超えるリージョナルな経済発展のあり方を転換しようとするであろう。

つまり，「見えざる手」ばかりでなく，「見える手」によっても連携することによって，国内のローカル・コミュニティ間の，また，——（先進一途上国間のそれも含む）——ローカル・コミュニティ間の局地的経済圏，そして，——（先進一途上国間のそれも含む）——国民経済間のリージョナルな経済圏は，単なる経済圏ではなく，同時に，それぞれ社会的ディメンション，また，エコロジカル・ディメンションをもつようになり得るのである。

しかし，そのためには，図に見るように，〔G〕自由主義的グローバル化を推進する国際経済機関・制度のあり方を変革しなければならない。「新たな公共性」あるいは「コミュニケーション的理性」は，草の根からとともに，「新自由主義ベクトル」をグローバル・コミュニティに放つ戦略的中枢機関・制度のあり方を，いわばうえからも変革しなければならないのである。

現在，IMF，世界銀行などの国際経済機関の改革，あるいは，国連のUNDP，環境サミット，社会サミットのありようをめぐって，新自由主義推進勢力と社会的経済がその有力な一翼と成っているインターナショナル・アソシエーションとが機会あるごとに激しいぶつかり合いを展開している。1992年のリオ・サミットに至るインターナショナル・アソシエーションの興隆が一つの時期を画した。しかし，1990年代こそ，新自由主義的グローバリゼーションが堰を切った奔流のごとく勢いを増した時期であった。しかし，その負の側面は，1999年末のWTOシアトル閣僚会議を失敗に追い込んだという，インターナショナル・アソシエーションの反グローバリズムの昂揚をもたらした。このとき，新自由主義的グローバリゼーションが帰結する社会的にも，環境的にも維持不可能な発展の仕方は，グローバルコミュニティの社会的側面をあつかう国際機関である国際労働機関（ILO）をこのインターナショナル・アソシエーションの反グローバリゼーションの昂揚の圏外にとどまることを許さなかった。

1999年,「ILO を近代化し再生する任務を課されて選出された」ファン・ソマビア国際労働機関（ILO）事務局長は，その事務局長報告『デーセント・ワーク』(1999)[29]の冒頭で次のようにいう。

　「この20年間において，ILO の伝統的活動の基礎はグローバル経済の出現によってもたらされた経済的，社会的環境の変容によって変化し，方向転換を迫られました。
　　経済自由化政策は，国家，労働，および経営の間の関係を変化させました。経済の成果は，今や，社会の当事者，法規範，あるいは国家の干渉による調停よりも，市場の力の強い影響を受けるようになっています。国際資本市場は，各国の労働力市場との密接な協力の枠外のものとなり，資本と労働にとって不釣合いの危険と利益をつくり出しています。『実体』経済と金融システムは，相互の接触を失ったように思われます。
　　雇用形態，労働市場および労使関係における変化は，ILO の構成員，とりわけ労働組織と使用者団体に対して大きな変化をもたらしています。
　　グローバル化は，繁栄と不平等をもたらし，集団的社会責任の限界を試しています。」
「人間の不安定と失業の問題はまた，大多数の諸国において最優先の政治的問題に返り咲いています。……移行経済諸国の経験，増大する社会的分極化，アフリカの排除，および新興市場諸国の最近の危機は，すべて，新たな金融体系の摸索を支える強固な社会的枠組みが必要なことを明らかにしています。」

　そして,「世界経済に人間の顔を与えること」が迫られているとし，ILOの目標を次のように再規定する。

　「今日，その使命は，大きな変革の時代において，広く行きわたった人びとの重大関心事の中に共鳴しているものを見出すことです。すなわちそれはディーセントワークのための持続的機会を見出すことにあります。
　　今日の ILO の主要な目標は，自由，公平，安全，そして人間としての尊厳を条件として，女性や男性にディーセントで生産的な仕事を確保するための機会

を促進することです。ディーセントワークは，4つのすべての戦略目標，すなわち，労働における権利の推進，雇用，社会的保護，そして社会対話のすべてが収束する焦点となっています。ILO は，ディーセントワークについての政策を導き，近い将来におけるその国際的役割を明確にしなければなりません。」

このように，経済が先行しているグローバリゼーションに欠落している社会的ディメンションをつくり出そうというのである。そして，まず，正規労働者だけでなく，正規の労働市場の外で働いている労働者，規制の適用がない賃金労働者，自営業者および家内労働者など膨大な数にのぼるインフォーマルな経済で働いている人びとにも関心を持つ必要があると述べ，十分な雇用機会が存在せず，社会保障が不適切で，働くに際して人間としての権利が蹂躙され，働く人びとの声が伝わらないなど4つの戦略目標において，ディーセントワークがいかに不足しているか，に注意を喚起する。

2002年，かかる ILO が，社会的経済セクターの一翼をなす協同組合に期待をかけ，「協同組合の促進」勧告を採択した[30]。短いが，含蓄のある，その前文を（若干簡略化して）引用して，本稿をひとまず閉じることにしよう。

2002年協同組合の促進勧告

　国際労働機関の総会は，……協同組合にとって，グローバル化による新しいさまざまな圧力，問題，及び機会が生じてきていることを認識し，

　1998年の第87回國際労働総会で採択された労働における基本原則および権利に関する宣言に留意し，

　諸國際労働条約および諸勧告，とくに，労働基本権，社会保障（最低基準），差別待遇，農業従事者団体，人的資源開発，雇用政策，中小企業における雇用創出などに関わる条約や勧告に具体化された権利および原則に留意し，

　「労働力は商品ではない」というフィラデルフィア宣言に具体化された原則を想起し，

　すべての労働者のディーセントワークの実現が ILO の第一の目的であることを強調し，

協同組合の促進に関する提案の採択を決定し，その提案が勧告の形式をとるべきであることを決定して，次の勧告を2002年6月，採択する。

図1-13 「新たな公共性」のグローバルな性格

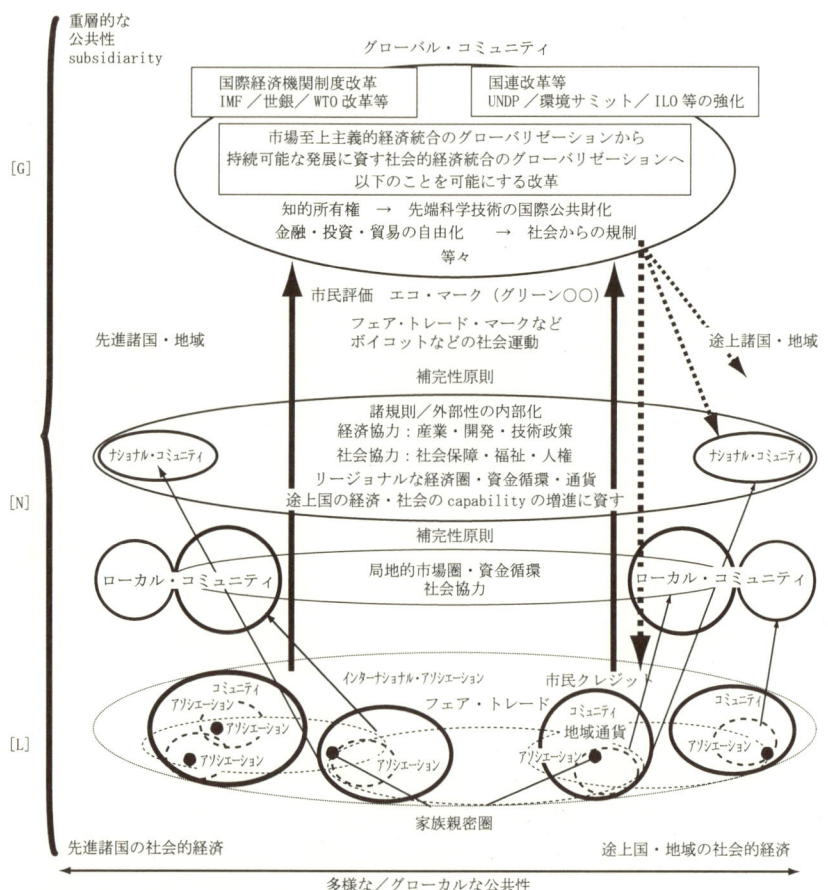

重層的な公共性 subsidiarity

[G] グローバル・コミュニティ

国際経済機関制度改革　IMF／世銀／WTO改革等
国連改革等　UNDP／環境サミット／ILO等の強化

市場至上主義的経済統合のグローバリゼーションから持続可能な発展に資す社会的経済統合のグローバリゼーションへ以下のことを可能にする改革

知的所有権　→　先端科学技術の国際公共財化
金融・投資・貿易の自由化　→　社会からの規制
等々

先進諸国・地域

市民評価　エコ・マーク（グリーン○○）
フェア・トレード・マークなど
ボイコットなどの社会運動

途上諸国・地域

補完性原則

[N] ナショナル・コミュニティ

諸規則／外部性の内部化
経済協力：産業・開発・技術政策
社会協力：社会保障・福祉・人権
リージョナルな経済圏・資金循環・通貨
途上国の経済・社会の capability の増進に資す

ナショナル・コミュニティ

補完性原則

ローカル・コミュニティ

局地的市場圏・資金循環
社会協力

ローカル・コミュニティ

[L] コミュニティ　アソシエーション
インターナショナル・アソシエーション
フェア・トレード
市民クレジット
コミュニティ　地域通貨
コミュニティ　アソシエーション

家族親密圏

先進諸国の社会的経済　　　　途上国・地域の社会的経済

多様な／グローカルな公共性

注

＊本稿は，「市民がつくる政策調査会」の「『社会的経済』促進プロジェクト」の第4回公開研究会（2002年9月25日）での報告（『社会運動』No.273，市民セクター政

144　本編　I部　社会的企業促進に向けて「もう一つの構造改革」

策機構）に加筆し，若干展開したものである。
（1）Calhoun, Craig, ed. (1992) 訳，316頁。
（2）Drucker, Peter F. (1989) 訳，298頁。
（3）Drucker, Peter F. (1993) 訳，288頁。
（4）Salamon, Lester M.and Anheier, Helmut K. (1994) 訳，3 - 4 頁。
（5）同上，20-25頁。および，Salamon, Lester M. (1999), p.464-466.
（6）Salamon, Lester M. (1999)
（7），（9）北島健一「社会的経済の思想と理論」富沢賢治・川口清史編，23 - 41頁。
（8）Moreau, Jacques, (1994) 訳，197-198頁，参考資料。
（10）Laidlaw, A.F. (1980) 訳，13－16頁。
（11）ICA，(1995)
（12）http://ec.europa.eu/enterprise/entrepreneurship/coop/conferences/coop-statistics-seminar.htm
（13）EMES は，その後も，次のようなプロジェクトを進め，その成果を出版するとともに多くのワーキング・ペーパーをEMESのHPから発信している。PERSEプロジェクト（2001-2004）：労働統合分野における社会的企業のパフォーマンス (the Socio-Economic Performance of Social Enterprises in the Field of Work-Integration)，TSFEPSプロジェクト（2001-2004）：ヨーロッパにおける保育サービス (Childcare Services in Europe) ELEXIESプロジェクト（2002-2003）：ヨーロッパにおける社会統合のための社会的企業 (Social Integration Enterprises in Europe)。出版物としては，ボルザガ・ドゥフルニ編『社会的企業』の他，Evers, A. and Laville, J.-L. eds. (2004), Borzaga, C. and Spear, R. Eds. (2004) などがある。

　ところで，「社会的企業」の台頭による，ヨーロッパ・サードセクターのイノベーションは，日本でもNPOや協同組合関係者や研究者の間に，すでに関心を呼び起こしている。『社会的企業』の和訳者や「社会的企業研究会」に集う人びとおよびその周辺の人びとは，その先端にあり，ヨーロッパ社会的企業の調査や研究をリードしている。

　たとえば，近年，日本NPO学会では，塚本一郎，柳沢敏勝，山口浩平氏等（2002, 2004），北島健一，中村陽一，清水洋行，藤井敦史氏 (2005), (2006) あるいは，服部崇・服部篤子，出口正之氏等 (2005) によって，「社会的企業」や「ソーシャルエンタープライズ」をテーマに織り込んだ報告やパネル討論，

ワークショップが組織されたり，著書や報告書も刊行され始めた。また，アーバン・コミュニティ・プラットフォーム「日英社会的企業交流プロジェクト」が「都市再生とソーシャルエンタープライズ（社会的企業）」というフォーラムを開催している。しかし，これらは，もっぱらイギリスのそれに集中している。そのイギリスについては，ごく最近，協同組合，クレジット・ユニオン，開発トラスト，コミュニティ・ビジネスなど組織類型ごとに概説し，法人格・財政構造を始め社会的企業の制度年を包括的に紹介する Social Enterprise London（2001）の翻訳（2005）も現れている。また，中川雄一郎氏（2005）も，かなり歴史を遡りつつ，イギリスのワーカーズ・コープを紹介している。

それに対して，しばらく以前から生活クラブ生協，ワーカーズ・コレクティブ関係者は，イギリスも含め，ヨーロッパ・カナダの協同組合を訪問・交流する旅を企画していたが，近年，イタリアの社会協同組合の活動，とりわけ障害者就労を通して社会参加を支援するしくみづくりに集中して，交流を深めている（佐藤紘毅編2004『社会的に不利な立場の人びととB型社会協同組合』市民セクター政策機構，佐藤紘毅・伊藤由理子編2006『イタリア社会協同組合をたずねて』同時代社）。このイタリアの社会的協同組合については，協同組合総合研究所も調査を行い，調査報告（2004）を出しているが，田中夏子（2004）は社会経済学視点から理論的にも，また歴史的，文化的背景においても，そして，とくに実態的にも優れた分析を加えている。

また，宮本太郎は，後に触れるが，ポスト福祉国家の福祉ミックスにおいて，社会的企業が重要な役割（ジェンダー問題も含めて）を担い得ることを，ワーカーズ・コレクティブ（コープ）を例に挙げて提起している。

さらに，『大原社会問題研究所雑誌』もNo.560-561と2号にわたって『英国の福祉改革の動向と到達点』（1），同（2）と特集号を組んでいる（そのなかに，ソーシャルエコノミーを正面から扱った中島理恵2005も含まれている）。

(14) 図1−5A〜図1−5Dは，一方で，ハーバーマスの「生活世界」と「システム」の対抗，他方で，ペストフの「第三セクターと福祉の三角形」モデルにヒントを得て，それを歴史的な，またそれぞれのセクター間のダイナミズムに注意を向けることを意図して作成した。

(15) 佐藤慶幸（1986：42-69）の要約。

「生活世界」概念はフッサールに発しており，……そこに生れ生きている人びとにとっては，経験的に関係づけられている具体的で自明の世界として表象

されている。すなわち「それは、われわれがいつでもすでにある一つの世界のなかに生きており、われわれはこの世界をわれわれの問の、問わざる地盤として前提しているという事実である。さらに、すべての学問的営為はこの世界を回帰的に指示するのであり、この世界からおのれの意味を得るのである」（ヴァルデンフェルス1982）。

このフッサールの立場を継承し、現象学的社会学の立場から「生活世界」をより具象的に展開したのがシュッツである。……（しかし）ハーバーマスは、シュッツが意識哲学モデルに固執していると批判する。……個人の意識によって生活世界が構成されるという点で、あくまでも現象学的社会学も主観主義の立場にたつ。……

しかし、「私」の生活世界は最初から私的世界ではなく、相互主観的世界である。その現実の基本構造は、われわれに共通している。「私」は、ある程度まで私の仲間の体験から知識を獲得すること、またかれらも「私」がそうすることは、「わたくし」にとって自明のことである。そうした相互主観的世界としての生活世界は、相互作用当事者の諒解達成のためのリソースとして役立つのである。そうした共通のリソースとして生活世界があるからこそ、共通の状況規定が可能となり、また世界における特定の問題について合意を導くことができるのである。

……

ところで、ハーバーマスは、社会を総体的に把握しようとする場合、この生活世界論的アプローチの限界をも指摘し、システム論的アプローチ（システム統合はシステム目標達成のための機能的連関として存続し、その連関を通して行為志向は調整される）の必要性をいう（引用者の要約）。

……

生活世界アプローチは、それだけを取りあげれば、社会をその当事者の観点から概念化しているために、日常的な慣行、すなわち社会を構成している当事者の生活世界の地平を越えて存在する原因、連関、結果等については捉えることができない。……社会の物質的再生産の過程は背景にしりぞいてしまうのである。

それゆえに、ハーバーマスは生活世界アプローチの一面性を改めるために、二つの方法——生活世界アプローチとシステム・アプローチ——を結合して、社会を「社会文化的な生活世界の維持発展の条件を充足させねばならないシステム」、あるいは「社会的に統合された諸集団のシステム的に安定化された

行為の連鎖」として考えることを提案する。

　(しかし，さらに最終的には―引用者)ハーバーマスは，二つの位相の相補関係を基盤として「社会」をとらえると同時に，社会進化過程で生活世界とシステムとが分離し，生活世界がシステムに「併合」される現代社会の危機的状況を問題にする。

　……資本主義的近代化は，「伝統的な」生活世界を〈合理化〉する決定的契機を与えると同時に，合理化された生活世界が社会統合のために担わなければならない負担をシステム統合によって軽減しようとするのである。すなわち，生活世界の人びとは，経済システムのなかに被雇用者として，また消費者として吸収され，さらに国家行政システムとしての官僚制のなかに市民，納税者，そして国家の受益者（クライアント）として吸収される。社会のこれら二つの下位システムを通して，生活世界は当システムの機能要件に従属させられ，道徳的―実践的要素は私的および公的領域から追放され，日常生活は次第に「貨幣化」され「官僚制化」される。……社会の資本主義的成長の内的ダイナミックスは，システムの複雑性のたえざる上昇もたらし，「貨幣―官僚制の複合体」が生活のあらゆる領域にまで拡大する。そして資本主義的成長とパラレルに発展する社会福祉国家が，生活の私的領域にまで受益者のネットを拡大するにつれて，国家権力は次第に生活世界の中核にまで浸透する。しかしながら，社会福祉政策はシステム統合の目的に役立つとしても，それは生活世界連関の社会的不統合をもたらすというディレンマを生み出すのである。しかし，このディレンマに逆らって，新しい社会的な潜在力が，「システムと生活世界との間の縫い目」にそって蓄積され，かつ顕在化してきた。

　最後の下線部分こそ，佐藤慶幸氏の現代社会における「アソシエーション革命」の標榜に，また，われわれの「新しい歴史主体」の構想に大きく共鳴し，われわれを鼓舞してやまないハーバーマス理論の珠玉の一節である。

(16) Bernstein, Richard J. (1983) 訳，Ⅱ，412頁
(17) 同上，412-413頁
(18) 吉田傑俊 (1995)
(19) 佐藤慶幸 (1991)，270頁
(20) 佐藤慶幸 (2002)，149-153頁
(21) 宮本太郎 (1999)，203-204頁
(22) 同上，247-263頁。ちなみに，他の3説をあげておこう。いわば「衰退説」と

対をなす「持続説」は，受益者集団が作り出され，これが削減に対する新たな抵抗勢力をつくりだし，福祉財政支出は容易には縮小しないという説。つぎに質的側面について，「分岐説」と「再編説」。「分岐説」は，衰退か持続か，という一般化はできない，福祉国家についての，自由主義モデルがたどる「ネオ・リベラル・ルート」，社会民主主義モデルがたどる「スカンディナビアン・ルート」，ドイツ・オランダ・イタリアなど保守主義モデルがたどる「労働削減ルート」と，福祉国家のゆくえは，そのタイプによって分岐するという説。「再編説」とは，福祉の供給主体に視点を置いて，従来の供給主体が国家のみに限らず，市場，コミュニティ・家族，非営利セクターなどを含んで多元化するという説。宮本は，スウェーデンの場合を「衰退」を含んだ「持続」，「分岐」のための「再編」と，特徴づけている。非常に説得的だが，ここでは，これを〈新自由主義ベクトル〉と〈新たな公共性ベクトル〉との対抗の具体相のひとつ——きわめて示唆的な具体相のひとつ——として読み取ろうとしているのである。

(23) 同上，247‐273頁
(24) 拙稿「WTO シアトル閣僚会議の失敗は歴史の分水嶺になり得るか—貿易と環境・労働のリンクをめぐる南北対立に関する一考察—」『経済志林』第68巻2号，2000年12月。
(25) Salamon, Lester M. and Anheier, Helmut K.ed. (1998), p.1‐44.
(26), (27) 内橋克人 (1997)
(28) Sen, Amartya (1999)
(29) ILO (1999)，第1章 主要な目標。
(30) ILO (2002)

2章 「平成長期不況」とは何であったか
－小泉・構造改革と「ポスト・小泉」改革へのオルタナティブ－

はじめに

われわれは1章で社会的経済セクターの興隆は何を意味するのか，その歴史的意味を追求したが，そこにわれわれがまさに予ねてから模索していた「新しい社会変革主体」(「新しい歴史主体」－補遺〔1〕，補遺〔2〕参照－)の現代における最も有力な担い手の一つを発見した。その1章をいわば総論として，本章ではそれを受けて，日本経済・社会の現況という場に降り立って現実分析を試みるとき，それはどのような相貌をもって顕れてくるか，いま少しく具体化していく第一歩(4章まで続く)を踏み出したい。

I 「平成長期不況」をめぐって

(1)「小泉・骨太構造改革」

1970年代から80年代初頭にかけて，資本主義世界は二度にわたる石油危機に襲われ，世界同時スタグフレーション(停滞とインフレの同時並存)に直面した。それは，両大戦間に始動し，第二次世界大戦後に支配的となったケインズ的福祉国家体制(それを経済的に支えたのは，成熟局面の「20世紀システム」の「第4波」――すぐ後の次節で言及する――に乗る世界的な高成長である)が「成長の限界」に逢着し，危機に陥ったことの一つの現われであった。とりわけ，二桁のインフレと二桁の失業率という深刻なスタグフレーションに呻吟した英米のアングロ・サクソン諸国(新旧のグローバルな覇権国)は，この危機に対して自国の，そしてグローバルな新自由主義的改革(1章の図1－5Bの福祉国家の出現以来，社会の全成員に対して国家がその生存権を保障すべく積み上げてきた資本の自由な運動に対する社会や国家による諸規制から資本を解き放つ新自由主義的改革)によって対応した。戦後冷戦対抗の相手方が崩壊し，それに対抗すべく社会の

成員を体制内に包摂する必要から解放されるとともに，同時に，弱者への配慮をおこなう余力を失い，グローバル化したメガ・コンペティションのなかで自らの生き残りを図る他なくなったのである。

しかし，日本資本主義はスタグフレーションに苦しむ欧米諸国を尻目に世界で最も早く，かつ軽微なうちにこれを克服した。日本経済のこの実績は内外から日本的経済システムへの関心を引き起こし，『資本主義対資本主義』（アルベール：アングロサクソン型に対して日・独をライン河の名に因んでライン型と呼んだ）などの資本主義類型論を刺激し，さらには，行き詰まった従来の支配的な資本蓄積様式であるフォーディズムに替わるアフター・フォーディズムの最有力類型として位置づけられ，イギリス，アメリカなど主にアングロ・サクソン諸国で，国際競争力強化策としてJapanization（日本型化）がもてはやされたりもした。

しかし，石油危機を克服した後の，1980年代初からの日本経済の「ハイテク景気」は，アメリカの双子（経常収支，財政収支）の赤字の拡大やプラザ合意による急激な円高への予防的なリフレーション政策もあって，好調さに陶酔するうちに，やがて巨大な「バブル景気」に転化してしまった。90年代初頭それがはじけ，以後，不況から不況へよろめく「失われた10年」ともいわれる「平成長期不況」に沈み込んだ（アメリカの，資本主義はすでに不況を克服したと豪語された「ニュー・エコノミー」とは対照的に）。

この日米の景況の逆転を背景に，折からの政・財・官界スキャンダルの発覚も棹差して，かつて世界から礼賛された「日本的経済システム」は様々な批判，非難を浴びるに至った。すなわち，それは，①政・官・財癒着の「クローニー資本主義」として貶められ，あるいは，②第二次世界大戦へ向けて軍事経済構築のためにつくられた官僚主導の「1940年体制」として，その制度的腐朽が著しいとされ，あるいは，③政・官・財複合体の一角に票田として農家，中小零細企業，低開発地方圏など経済的弱者を抱え込んで日本的経済システムの国際競争力強化を阻害する「自民党社会主義」（社会主義という言葉の乱用であるが）として批判された。そして，市場原理と法制原理によって解体・透明化されるべき対象に転落したという議論が急速に台頭してきたのである。

もっとも，このような議論の流れは，コーポラティズムや福祉国家などの大きな政府を攻撃し，すべてを市場と自助に委ねよという市場原理主義を称揚するイギリスのサッチャー首相，アメリカのレーガン大統領とともに新自由主義の三羽烏といわれた日本の中曽根康弘が行政管理庁長官，その後首相として1980年代初から央にかけて推進した第二次臨時行財政改革に始まる。かれは，石油危機後の赤字国債の累積となって危機に陥った財政の再建をばねに，三公社分割・民営化，規制緩和の旗を掲げ，「戦後日本の総決算」を叫んだ。それは，1984年の「日米円ドル委員会」による金融ビッグバンへ向けた軌道設定，そして「日米構造協議」(Structural Impediment Initiative) での，事実上，市場原理主義を基調とするアメリカン・グローバル・スタンダードへの改変要求の受け入れに繋がっていった。しかし，うえに見たように，日本経済はなお好調を持続し，当時は行財政改革の切迫性も比較的弱く，公営企業の労働組合攻撃を除いては，ほとんど表面的な処置で済ました感があった。むしろ，日本的システム礼賛によって，その問題性が覆い隠されてしまったのである（拙稿「日本における新保守主義の位相－第2臨調と中曽根政治の特質－」川上忠雄・増田寿男編1989）。

　しかし，それがうえに指摘したように，バブル経済に転化し，さらに平成大不況に落ち込み，また，政・官・財のスキャンダルが蔓延するなかで，国民の不満が鬱積していった。自民党の分裂，過半数割れがおこり，政治改革を掲げて細川非自民党連立内閣が生まれ，戦後日本の政治システムに揺らぎが生じた。しかし，非自民政権はシステム改革を進める政治体制をつくれないまま，離合集散を繰り返し，再び自民党政治の復活を許した。経済的にも，デフレ・スパイラルの進行に対して，従来型の景気対策の大盤振る舞いによってわずかに底支えができるのみで，このカンフル注射を打ち続けないと景気はもたず，いたずらに財政危機を深刻化させるのみであった。それは，「経済大国」，「バブル景気での資産効果成金」の夢から覚めやらぬ「中間大衆」の不満を鬱積させることになったと思われる。

　2001年4月，この長期の不況と政財官界スキャンダルによって鬱積した国民的不満を一挙に解消するかのごとき「構造改革」を掲げて（自民党をぶっ潰し

てもこれをやり遂げるといいながら）自民党総裁選に臨んだ小泉純一郎は，8割を超える国民世論の支持をバックに首相の座を獲得した。その「骨太・構造改革」の骨子はつぎのようなものであった（「骨太の方針」6月，「改革先行プログラム」10月）。

> 景気浮揚力が弱く，カンフルを打ち続けないと景気がもたないのは，日本の経済構造が制度疲労を起こしているからだ。それゆえ，不況だからといって赤字国債の増発によるケインズ的な景気対策は，グローバルな市場での大競争に耐えない企業や産業，制度を温存することになる。
> 「財政再建」を睨んで歳出削減，赤字国債発行枠を30兆円に抑える。同時に，バブル破綻で生じた「不良債権」を市場で処理（最終処理）し，2〜3年内に銀行の不良債権のオフバランスシート化（バランスシートから消す，直接償却）を進め，競争力のない企業や不良債権を自力で処理できない問題企業，さらに，エンプロイアビリティの劣る労働力のリストラを推し進める。
> 郵政民営化，道路公団民営化等，民営化・規制緩和を推進する。『改革なくして成長なし！』
> 「たしかに『痛み』が生じる。しかし，この『痛み』に耐えれば，規制の縛りを解かれて，企業は活性化し，『530万人雇用創出』が可能となる。」

背景にある考え方は，創造的破壊，すなわち，制度疲労著しくもはや桎梏と化した「1940年体制―クローニズム―自民党守旧派」の破壊，つまり「戦後日本の総決算」，それによる新自由主義的なアメリカン・グローバル・スタンダードへの自ら進んでの同調と編入だといってよい。

そして，今年（2006年）版の『経済財政白書―成長条件が復元し，新たな成長を目指す日本経済―』は，次のように「構造改革」の成果を自画自賛する。

> 「日本経済は，総じて見れば十年余りにわたる長期停滞のトンネルを抜け出し，ようやく未来への明るい展望をもてる状況になった」「我が国は90年代初めのいわゆるバブル経済の崩壊に加え，グローバル経済化での競争環境の激変という

2章 「平成長期不況」とは何であったか

『経済の非常事態』に直面しましたが，……政府の構造改革のへの取組もあいまって，日本経済は『平時の経済』に復帰しつつあると考えられ，2002年初から始まる景気回復は5年目を迎えています。」(はしがき)

しかし，改革は，『改革なくして成長なし』と最初に謳ったスローガン通りに実行され，その結果として回復してきたのだろうか。実は，現実は，「ワンフレーズ・ポリティクス」のようにはすっきりせず，その内実は自画自賛するにはかなり心もとない。

赤字国債増発を30兆円枠以下に抑え，「小さな政府」に向かったか。02年度から05年度まで毎年度，公約を破っても「たいした問題ではない」と，その枠を超えて膨らんだ。たしかに，景気回復，特に回復過程の持続が「いざなぎ越え」となりそうな06年予算で初めてギリギリの29兆9730億円に抑え込んだが，それは一般会計においてであって，政府全体の国債および借入金ならびに政府保証債務残高は，この間（2001年3月末〜2006年3月末），596兆円から881兆円へと膨らみ，対GDP比は1.21倍から1.71倍へと巨大化させてしまった。

「不良債権」も，デフレの激化をも厭わず，2〜3年の内に，5〜8割方，市場で最終処理してしまうはずであった。たしかに，「金融再生プラン」(竹中プラン)は，自己資本不足に陥った銀行に国有化の脅しをかけつつ,他方で不良債権の査定を厳格にしてその処理に拍車をかけようとするものであったが——もっとも，その手法は市場原理主義に反する国家の介入による不良債権処理（さらに不良債権先の倒産企業をも官的な「産業再生機構」によって再生させる用意も整えた）に近寄る——，それが引き起こしたデフレの深化のなかでデフレ・スパイラルが懸念されるに及んで，事実上破綻していた「りそな銀行」への公的資本の救済的投入となり，以後，こわもての「竹中プラン」も市場での最終処理よりも救済に傾いたというトーンダウンの印象を醸し出した。同時に，日銀の量的緩和政策もいよいよ本格化させた。そして，そうこうするうちに，幸いなことに，アメリカ，中国への輸出が伸び，ようやくに景気回復の兆しも出てきたのである。

道路4公団の民営化にしても，財政投融資先の縮減のために当初目論んだ，地域による分割民営化，それぞれの独立採算制化は，資産保有機構による資産

の一元化（かくて，上下の分離）によって事実上崩れ，なお，高速道路建設が続くことになってしまった。郵政民営化にしても，たしかに，以上のように，「小泉構造改革」がわけが分からなくなり——おまけに，イラク派兵からBSEまでのブッシュ追随，自ら引き起こしたアジア近隣外交の閉塞も加わって——，さしもの小泉人気にも蔭がさしたとき，争点を当初から彼が言っていた郵政民営化一本に絞り，反対に廻った自民党の立候補者に対して「刺客」を放つワンフレーズ・劇場型政治によって解散総選挙での自民党の大勝を博した。しかし，その郵政民営化にしても，国債および借入金ならびに政府保証債務の増大が続く限り，民営化とは言え，何らかの仕方で，その引き受け先を確保しなければならないとすると，事実上，看板のすげかえになりかねない。

「不良債権」を市場処理して破綻すべきものを破綻させ，健全なものが生き残れば企業，金融機関とも競争力が強化される。同時に，規制を撤廃し，市場のフレクシビリティを高め，失業の圧力によって賃金を引き下げれば530万の雇用が増えるというほど現実は単純ではない。これでは，過剰資本を一挙に処理するマルクス経済学でいう恐慌を起こすことである。この日本発の恐慌はアメリカに及び，双子の赤字——（10％ほどの高さであったアメリカの家計貯蓄は1980年代中頃から下がり始め，90年代に5％を割り2000年代に入って1〜2％とさらに下がり続けていたが，2005年度ついにマイナスに落ち込んだ。財政，経常収支の双子の上に消費者まで借金で暮らすいわば三つ子の赤字経済になってしまった。—USA. Dept. of Commerce, Sorvey of Current Business August 2006—）——にも拘らず，世界中からヴォラタイルナ資金を惹き付けることによって辛くも確保しているドルへの信頼を一挙に崩し，それは直ちに世界大恐慌の引き金を引くに違いない。

　スローガンどおりの構造改革は，もともと，いかなる一時的不均衡もやがて均衡するという均衡しか知らない新古典派主流経済学と創造的破壊を都合よく結びつけたイデオロギー的な主張で，現実には，じつは，日本の社会が耐え得ない無理筋なのではなかろうか。

（2）新古典派およびケインジアンの流れのなかからの諸批判

　主流派経済学の流れのなかからも，さすがにこれは無理筋と見て，これに替

わるオルタナティブの提起がなされた。かつての世界大恐慌，あるいは昭和金融恐慌を歴史的に回顧しつつ，バブル景気の破綻による負債デフレーションが進行するなかでの財政支出の抑制と競争促進による潜在供給力の増強策がデフレ・スパイラルを強めこそすれ，景気回復に繋がらないことに言及し，まさに歴史的選択ともいえるラディカルなオルタナティブな政策提言もなされた。

1.『日本経済非常事態宣言』－資本主義の一時的停止－

　平成大不況の大不況たる所以は，常軌を逸する大型バブルの帰結としての大規模な債務デフレーションの進行にある。それゆえ不良債権の処理は必要である。小泉構造改革は市場原理主義らしく市場での最終処理を当初の方針に掲げた。しかし，いまうえに言及したように，それは日本発の世界恐慌の引き金を引く。それゆえ実際には，当初の方針に反して金融システムのシステム危機を回避すべく，公的資金の導入による金融機関救済を余儀なくされた。しかし，市場原理主義としてはそれは出来るだけ避けたい。かくて，市場処理と公的資金の導入によるシステミックリスク回避との間をウロチョロするに過ぎなかった。救済と破綻はきわめて不均等に，しかも部分的にしかなされず，不良債権のマグマは長期不況のなかでなお新たに発生しながら潜在化していった。それゆえ，負債デフレの重石はなかなか取り除かれなかった。

　かくて，平成大不況の最大の要因を大型バブルの破綻による債務デフレーションとみるならば，この平成大不況を克服するためには，本格的に不良債権を処理しなければならない。しかし，その際，市場的処理の促進はデフレ・スパイラルへの道だとすれば，公的資金の大々的な投入を行ないつつこれをなさなければならない。どの金融機関，どの企業を生かし，どの金融機関，どの企業を整理するか，これを市場的に行なえないとすれば，まさに「経済安定本部」のようなものを設置して行政的に行なうしかなく，当然それは一時的にしろ，資本主義の停止になる――斉藤精一郎（2001）『日本経済非常事態宣言』はこのような文脈で提起されている――。

　これは，市場原理主義者はもとより，大多数のケインジアンにとっても，市場へのこのような差別的介入は禁じ手であろう。まさにラディカルである。

2. インフレ・ターゲット論

　そこで，多くの主流派経済学者によって提起されているのが，インフレ・ターゲット論である。銀行は不良債権に縛られて新たに貸出しが出来ないのではなく，投資需要がないから貸せないのである。デフレが進行しているならば，例えゼロ金利でも高金利である。投資，あるいは消費を呼び起こすには，使わないで貨幣で保有していると減価して損をするようにしなければならない。それにはインフレを起こすことだという。しかし，小泉政権もベースマネーを思い切り供給して，マネーサプライを増やそうとしているが，一向にマネーサプライは増えない。マネーは日銀から出ても事業に投ぜられず，国債と交換されて日銀に戻ってしまう。どうしたらインフレを起こせるか。これが問題となってきた。そこでラディカルな提案が出てきた。ベースマネーをもっともっと供給すればインフレにならないはずはない，というのが一つ（ゼロ金利，そしてさらに未曾有の量的緩和政策）。しかし，それでもその保証は無い。また，もしインフレになるような情勢ともなれば（じつは，それが何かが問題である），過剰に供給されてきたインフレのマグマは，もはやコントロール不可能になってしまうのではないだろうか。さらに冗談交じりか（？），貨幣保有に税金をかけて貨幣の減価を引き起こす，というウルトラCまで飛び出した。まさに，1）に劣らずラディカルであった。

3. ケインジアンの妥当性と問題性

　こう見てくると，もはや効果はなく，いたずらに財政危機を深刻化するのみだと批判を浴びせられていたオーソドックスなケインズ政策はよほど尋常に見えてくる。
　山家悠紀夫（2001）は，長期低迷を招いたのは「構造問題」か，あるいは「不良債権問題か」と問い，両者を否定し，「失われた10年」というけれどその間には不況と回復の波があり，構造改革こそ回復しかけた景気を挫折させ，不況を招きこれを深刻化させてきたという。
　すなわち，〈バブル破綻からの（93年を底にして）回復→**橋本構造革改**（97年）→**景気再悪化**・それに金融危機（アジア通貨危機）が加重→**信用収縮**（そのなかでの不良債権処理）〉，〈構造改革路線の修正によって2000－2001年は回復一歩手

前へ→小泉構造改革→景気三度目の悪化〉という連関を指摘する。

　また,「財政危機,その実相を探る」として,「財政危機論」のいくつかの誤った「思い込み」を指摘する。
　日本政府が600兆円超,国民一人当たり500万円以上の債務を抱え,先進国中最悪であるというが,一つには,「政府債務は完済が望ましい」という思い込みがある。しかし,日本政府の資産・負債状況をよくみれば,負債超過の途上国と質的にまったく異なって充分に資産超過の状態にあるという。

小野善康（2001）も,誤った前提に立つ小泉構造改革として,財政再建策などの国家のリストラはミクロ経済主体の論理を政府にも適用する合成の誤謬に陥っており,また国民の国債負担論は誤解だらけとし,これをつぎのように批判する。

① 不況期には,国債の国民負担論は誤解であり,負担など存在しない。この誤解は,国債償還時の増税という,お金の流れの一部だけを見ているからおこる。公債発行時の財政支出の増加分が民間に支払われていることを考慮すれば,負担はないことがわかる。
② 国債の次世代負担も,不況期には存在しない。国債が次世代に残されるというのは,同時にその分だけ余分の資産が次世代に残されるということを意味しており,国債が発行されていなければ,その余分がないだけである。
③ 国債が国民負担や次世代負担を引き起こすのは,好況期に,国債発行で調達した資金で政府が民間よりも効率の悪い事業をする場合だけである。不況期の国民負担という誤解は,完全雇用を前提とする議論をそのまま不況期に当てはめることから起こる。
　財政政策は,カネの視点から物の視点へ立つことが重要で,失業が最大の問題であり,不況期の公共事業の有用性を主張する。不況期には,民間部門が労働力を使いきれていないのだから,好況期にできなかった社会的宿題（生活の質の向上,高齢化対策施設,環境関連施設など）を政府が解決していく絶好期である。

しかし，失業が解消しない限り赤字国債を際限もなく増発するというのは，それにしてもラディカルである。そして，経済がグローバル化しているとき，日本の国債の暴落の可能性とそれが及ぼす影響について楽観し過ぎているのが懸念される。いままで高率を誇ってきた日本の高貯蓄率も急速に低下しつつあり，また，ほかに貸出先がないのと流動性維持のため銀行を初めとして金融機関の国債保有率が高くなっているが，国債価格の暴落はこれらの金融機関に大打撃を与ええる。もっとも，アメリカの対外債権債務関係を見れば，そのような日本政府の信用喪失の前に，おそらくアメリカ政府の信用喪失，ドルの暴落の方が先に来る可能性が高い。それは，まさに世界的な金融危機である。もし，これに世界的に対応するとすれば，さらにドルの発行によってドルを，そしてそれによって円を支えるか，現代版バンコール（ケインズが第二次世界大戦後，国民通貨に代わる世界通貨として提唱した）など新たな国際通貨を発行するしかなくなるだろう。

　このような対応策の場合に，2のインフレ引き起こし策は実現する。しかし，もはやそれはコントロール不可能であろう。

　以上に見たように，当初の「小泉構造改革」はそのラディカルなイデオロギー性のゆえに，国民のカタルシス向けのスローガンのみに留まり，財政再建のための赤字国債増発抑制も微温に留まり，不良債権の市場処理も，公的資金投入のどちらも微温に留まった。また，民営化，規制緩和も道路4公団に見られるように，まさに迷走，立ち往生というに相応しい。

　そして，主流派のなかからそれを批判する人びとも同じく，きわめてラディカルであった。

　しかし，そうこうしているうちに——『2006年版　経済財政白書』が「構造改革」の成果として自画自賛するのは今いったように問題であるが——とにかく景気が回復してきた。その景気回復過程が「いざなぎ景気」の時を越えて長期にわたっていると『白書』は誇る。しかし，2005年の名目GDPは，小泉内閣発足時の水準にほぼ戻ったに過ぎない（平成長期不況からの回復を判断して，橋本構造

2章　「平成長期不況」とは何であったか　159

改革に手をつけた1997年の回復水準をどれほど上回っただろうか)。回復過程が長いというのは，つまり落ち込みが深かったということの裏側でもある。また，『2006年版　経済財政白書』もいうように，この間，2度に亘って景気の先行きが不透明になる「踊り場」を伴ってという景気回復の弱々しさゆえということも否定できない。

　それにしても，とにかく景気が回復してきたのは，一つには，世界恐慌の引き金を引かずに済ませてきたとはいえ，この間になし崩し的に，『白書』の言う三つの過剰，すなわち，過剰債務，過剰設備，過剰雇用(この過剰とは，特に雇用の過剰は，我々にとっては過剰ではない。その時の資本蓄積の仕方にとって，利潤が十分に獲得できないという意味でいう過剰のこと，したがって資本の過剰であっても絶対的な雇用水準そのもの過剰ではないことはいうまでもない)を処理するリストラが進行したということである。すなわち，システム全体が破綻しないように，全面的かつ一律的ではなく，不均質に，生き残る強者と整理・しわ寄せを受ける弱者への分割を進めつつ，強者が再び活性化できるような水準にまで，三つの過剰のリストラを遂行したということである。

　ここでは，その不均等，しわ寄せの詳細(例えば，資本(企業)の市場競争場裏での勝ち組と負け組みへの不均等な皺寄せ，先ほどの「金融再生プラン」次元での裁量を排除し得ない皺寄せ，倒産と失業はもちろん，企業のサバイバルをかけたリストラによる雇用，賃金，労働条件への皺寄せ，その典型としての正規雇用の非正規雇用への切り替えにはじまって，高所得者への所得減税と大衆課税，ゼロ金利・量的緩和政策による家計部門から銀行・企業部門への膨大な所得移転，社会保障・福祉水準の切り下げと負担増，そのうえ，地域格差拡大等々，指摘したらきりがない)に及ぶことは避け，一言でいえば，我々の生活世界，地域社会，共同性のメルト・ダウンを進行させてしまったのである。社会のメルト・ダウンが始まりかけている。それについては少し後にまた触れよう。そのメルト・ダウンの進行の犠牲のうえに勝ち組の企業の活性化が見られ始めたのである。

　しかも，その活性化もじつは心もとない。上で指摘したように，景気回復過程は長期に亘るとはいえ，すぐ踊り場を迎え，あろうことか，実態の回復が顕著でもないのに，株式などの金融商品，あるいは，石油などの商品市況は，ミニ・バブルを呈する。そして，最も注意を要するのは，今回の「平成不況」に

おける経済指標のスパイラルな悪化に歯止めをかけ，底打ちから回復を導出したものとして，アメリカと中国への輸出拡大であったということである。そして，そのアメリカにしても中国にしても景気の先行きは累卵の危うさにあるということである。グローバル化した経済は覇権国アメリカの「双子の（ややもすれば『三つ子』の）赤字」を構造的に組み込んで，順繰りにグローバル化した経済の何処かにバブルを起こすことによってのみ景気の回復をはかれるに過ぎないように見える。そうとすれば，そのバブルの破裂によって再び世界恐慌への危機に陥ることにならざるを得ない。

　それだけはない。我々は，いま，いかなる転機に立っているか。ケインズ的福祉国家の行き詰まりの後，世界はもはや投機的金融利害の跳梁によって帰結するバブルによってしか，長期不況を脱し得ないのだろうか。そしてバブルと長期不況の交代のうちに，社会のメルト・ダウンと地球環境の歯止めの利かない破壊の進行に手を拱くしかないのか。少し視野を広げて，我々は如何なる転機にたっているのか，我々の歴史的位置を確認することが強く要請されるのである（バブル資本主義のメカニズムについては，さしあたり，川上忠雄2003，金子勝2003参照）。

　バブルの後に深く沈む長期にわたる停滞，これを克服して，そこからの回復が持続可能性をもち，われわれが21世紀の歴史をつくることが可能になるためにはどうしたらよいのか。それに対する解答を得るには，まずは，平成大不況のメカニズムを主流派経済学の通常の景気分析のディメンションを超えるさらに広いパースペクティブを獲得する必要がある。

II　「平成長期不況」のメカニズム―「大型バブル」と長期不況―

　平成不況について，なお，実体経済が深い落ち込みを見せる前に，「単に在来型の有効需要不足によるフローのリセッションと把握するに留まらず，その背景に金融の自由化による不良資産の調整過程――（すなわち，金融の自由化によって促進されたバブルの形成とその破綻によるクレジット・クランチ―引用者）

——が先行し，やがて重なり合い連動する複合不況である」とし，それが1980年代半ば以降，世界の先進国において同時多発的に的に起こっているバブルの発生と崩壊と共通した性格をもつことにつとに言及したのは宮崎義一（1992）であった。

その後，「平成不況」における資産デフレ要因の重要性についての認識は，うえに指摘したように，「不良債権処理」至上主義を生みだすほどに高まる。しかし，その「資産デフレ」を帰結する「バブル形成」，とくに金融自由化の問題性にまで遡及して行くのは，なお，マイノリティである。

また，ほぼ同時期に，篠原三代平（1992：3 - 4）は，このバブルとその破綻を「70年代の後半から現在までの世界経済の動きが，正常の長期繁栄を辿った50年代，60年代とは全く『異質』である。そして，その異質の世界経済の調整過程から，われわれはまだ離脱できないでいる。それは，世界が超長波の裏目が出た状態の中におかれているためだ，と私はいいたい。」と，コンドラチェフの長期波動のなかに位置づけ，一挙にパースペクティブを広げる。少し後に，それを次のように明晰化する（篠原三代平.1999：3 - 4）。

「『平成不況』は戦後最大の不況と呼ばれる。と同時に，先行した『平成ブーム』も，戦後50年間に他に見いだすことのできない『大型バブル』を含んでいた。こうした大型あるいは超大型バブルは，世界経済の長い歴史過程では，どうやら50〜60年おきに発生し，崩れ去っていったように考えられる。……いったん大型バブルが発生すると戦前は，その後には調整過程として一般に激しいデフレ過程を伴った。そして株価や地価が崩壊すると，企業や家計や銀行の保有する資産の市場価値が一挙に低落するから，それが設備投資や消費といった実体経済や金融システムに深刻な影響を与えずにはおかない。

一般に，ふつうの景気循環過程でも，大なり小なり中型ないし小型のバブルが発生する。しかし，ここで問題にするのは大型バブルである。たとえば，平成バブルの頂点1991年から62年さかのぼる1929年には，激しい株式投機のバブルが発生している。しかし，その崩壊に伴って世界経済は『大不況』へ突入していった。さらに，その1929年の56年前の1873年は，コンドラチェフの長波の頂点であったが，当時も普仏戦争の後，激しい金融恐慌を伴ったようである。その48年前の1825年，さらにその53年前の1772年にも同様の嵐がヨーロッパを

襲っている。そして1772年の52年前の1720年前後には，歴史的にも注目を集めた『南海泡沫事件』や『ミシシッピ泡沫事件』が起こっている。

　私は，戦前の大型バブルを発生させた先行的背景として，大戦争と大量の公債発行による過剰流動性の著しい拡大に注目したい。」

ところで，そのメカニズムについて，Berry, B. (1988) の描くアメリカにおけるコンドラチェフ波とクズネッツ波を若干の留保付きで紹介しながら，つぎのような仮説を提示している（篠原三代平1999：90, 94-95）。

「仮説Ⅰ　長期波動は国際政治，国際経済の長期のダイナミズムによって起こる。そして結果的には資源エネルギーの壁にぶつかるまで突っ走り，天井で『過熱』現象を引き起こす。……この意味では『制約循環説』である。歴史的には，国際収支を天井と考えた制約循環は3〜4年周期の短波をもたらす。完全雇用天井を想定した制約循環は10年くらいの中波を生む。そして，資源制約点まで発散しようとするダイナミズムが引き起こす波は，経験的には50〜60年の長波を惹起してきた。

　仮説Ⅱ　このインフレ的過熱の発端にくるものは，第一に『大戦争』（賠償金の支払の効果も含む）である。第二に最近の石油ショック，第三に大国の『相対的衰退期』に生じがちな『過剰支出』（アメリカの財政赤字の急増や1を超える限界消費性向）もこれに含まれる。

　仮説Ⅲ　戦前，戦後を通じて確証されるかどうかはわからないが，少なくとも第二次大戦後は，次のような三経路を経てワンセットの長波は終わる。

　第一の局面は，技術革新投資の時代で，マネーサプライの増大もインフレを起こさない。投資，消費，輸出も同一方向に伸び，GNPを構成する支出項目の間に競合を引き起こさない『プラス・サム』の局面。

　第二の局面は，資源制約に接近するため，GNP支出項目の間に，一方が増えれば他方が減るといった『ゼロ・サム』関係の生じがちな局面である。

　第三の局面は，為替レートや株価などの表れた『相対価格構造の激動』と『債務危機の深化』を指し，一括して『グローバル・アジャストメント』と名付ける。この調整が長引いているのが現在の姿（平成長期不況）である。

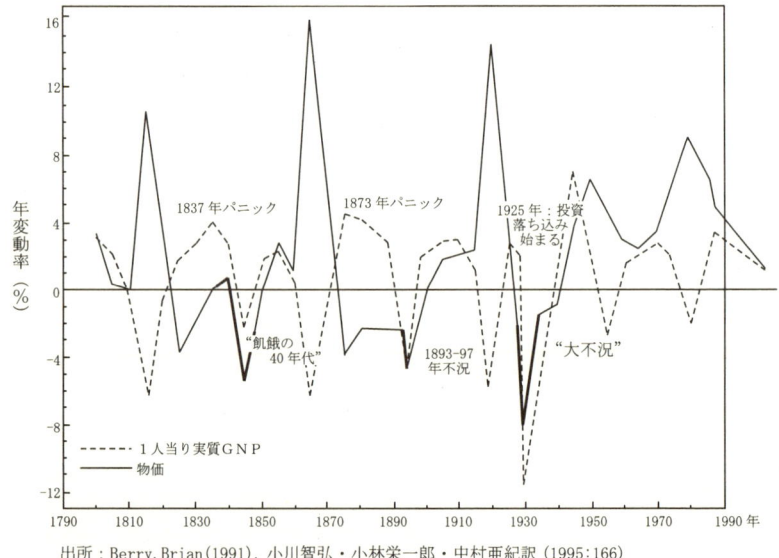

図2−1 アメリカにおけるコンドラチェフ波とクズネッツ波

グラフ中の注記:
- 1837年パニック
- "飢餓の40年代"
- 1873年パニック
- 1893-97年不況
- 1925年:投資落ち込み始まる
- "大不況"
- ----- 1人当り実質GNP
- ―― 物価

出所:Berry, Brian(1991),小川智弘・小林栄一郎・中村亜紀訳(1995:166)
注　1990-2000についてフリーハンドで追加

　仮説Ⅳ　大戦争や大国の過剰支出が生じると世界は『資本不足地域』と『資本過剰地域』に分裂する。したがって,長波が頂上を迎えた前後には,国際資本移動が急上昇する傾向が発生する。このことと仮説Ⅲの『対外債務残高』の増大と結びつく。

　仮説Ⅴ　長波の頂上前後は,インフレ的過熱の状態にあるため,貨幣経済は実物経済の枠組みを超えて肥大する傾向を伴う。インフレ期待が強められ,投機,バブルの持続を正常な状態だと錯覚する風潮が一般化し,その前後で株価や地価の急騰と急落が不可避となる。私はその意味で大型バブルの形成と崩壊も長波現象の一部とみなしたい。その急落が『長期不況』に結びつき,それが直ちに平成不況の分析に直結する。この仮説Ⅴが,従来の諸仮説に追加して,私が最も重要な新仮説として従来の諸説に追加したい論点の一つなのである。

（A）みられるように,新古典派経済学の理論モデル――（「ホモ・エコノミクス」「完全競争」「市場の普遍性」「凸環境」を公理的に前提してつくるアトミスティックな抽象理論）――はもちろん,ケインジアンなどを含む主流派経済学のパ

ースペクティブをも超えて，半世紀ごとの「大戦争」という政治的要因群までも包括した広い政治経済学的パースペクティブをもつ。

（B）　さらに，われわれの読み込みすぎではないと思うが，パースペクティブの広がりはもう一段階スケール・アップする。篠原三代平にとって，大型バブルとその崩壊による平成不況が長期波動現象の一環だというとき，それはつぎのようなことをも意味する。

　それは，ひとつには，平成不況が戦後いままでの不況と異なって，1930年代の大恐慌に匹敵する長期化と深刻さをもつというのだが，篠原三代平はその不況の深刻さについてつぎのようにいう。すなわち，不況は均衡からの下振れでやがて均衡を回復する循環の一環だと考えるシュムペーターを批判して，不況というより恐慌（クライシス）であり，「体制の危機」の考察まで深入りする必要があるとかなりラディカルなのである（篠原三代平1999：190-196）。

　　　シュムペーターがその『経済発展の理論』（1926年）の第六章「景気の回転」で，「本質的なものとして現れるのは景気の波動であって，『恐慌』ではない」といい，「企業者の新結合の群生的出現と，それを支える信用創造だけが経済内から発展への本質的動きとして観察される。そしてその行き過ぎによって生じた不況過程は『均衡状態』への復帰として考察されるにとどまる」といっていることを批判して，「長波では大型バブルと長期不況が不可欠であり，その意味で恐慌は長波にとって不可分の構成要素である。それゆえ，恐慌を本質的でない個別的な撹乱に過ぎないとする手法を長波ではとることはできない。なぜなら，クライシスは歴史上あらゆる長期波動に対する不可欠のエレメントであったからだ」といっている。さらに，「日本経済の景気循環を……分析していって，最後に恐慌の問題にまで行きついたのであるが，この問題は『体制の危機』の考察まで深入りする必要がある。」
　　　「戦前の資本主義は現実においてもしばしばこの体制上の危機に遭遇しながら循環を繰り返してきた。」

　これを，われわれなりにもう少し敷衍していくと次のようになる。長期波動

論者の多くが現時点を長波の谷，ないしその近傍にわれわれは立つということでは，一致しているにしても，このとき，われわれは均衡から外れてまた均衡に戻るという波動のなかにいるのか――（自動回復，システム的循環）――，それとも，クライシス・恐慌――（体制危機―その社会は何らかの構造的変革をしなければ存続できないような危機）――の最中にいるのか，という問いは非常に重要な論点であり，じつは長期波動論のアポリアをなす――（のみならず，社会科学のアポリアでもある）――。そこで，篠原三代平（1999）は次のようにいわざるを得ない。

「戦後50年，世界の経済学は景気循環を忘れてしまっただけではない。景気循環が時折り大きく『過熱』したとき，投資財部門や証券市場の加熱と大型バブルの形成が，続く景気後退を著しく深刻なものにしたという事実をも彼らは忘れ去ってしまった。」(p. i－ii)
「残念ながら，戦後派のエコノミストや政治家には，戦前経験された長期かつ深刻なデフレ的悪循環の実感が完全に欠落している。資本主義の長期的うねりが裏目に出たときの恐ろしさが全然念頭になくて，悠長な議論を続けている。しかし，いまそんなときではないと，私はいいたい。」(p.46)
「橋本内閣や小泉内閣がデフレを一層激しくする政策措置をかたくなにとっていることには，我慢ができない」（篠原三代平2003：185）という。

では，どうするか。しかし，われわれは次のようなかれの政策提言に接すると，いささか戸惑いを禁じえない。

「構造改革」について，「私はとりあえず，デフレ・センシティブでない構造改革については，できるだけすみやかにそれらを実施すべきだと考えている。」「しかし，構造改革は一挙には行いがたい。その意味で，小泉内閣がその第一歩を踏み出したことは歓迎してよい。」しかし，デフレ・センシティブな構造改革は，先ほどのように怒りを感じるというのである。
「いまのままじっとしていたら，そして金融庁タイプの不良資産削減を構造改革の名目の下に実施していくだけだったら，日本経済はデフレ・スパイラルの

中にズルズルと入りこんでいきかねない。」「限られた期間，財政発動が行なわれる必要がある。ある程度は赤字公債の発行を増額したり，金融面で長期公債の買いオペを実施する必要もある。」(p.200) といい，（1）時限的リフレ政策，（2）税制による異時点間代替措置（たとえば，4年間消費税をゼロにする。その代わり5年目からは消費税を15％に引き上げる）などを提案する。篠原三代平編著（2003：194-196）

これでは，普通の主流派経済学をこえる次元までパースペクティブを広げながら，さきにみたケインジアンやインフレ・ターゲット論者の域を出ない。われわれとしては，篠原三代平が長期循環論に言及しつつ示唆したパースペクティブの広がり，とくに（A），（B）として理解したパースペクティブの広がりをわれわれなりにより積極的に活かした場合，「小泉構造改革」とは異なるいかなる政策展望を得ることができるか，考えてみたい。

篠原三代平とともに長期波動論に言及してきたが，長期波動論というのは，じつは，われわれにとっていささか荷が重い。しかし，われわれの考察を進めるうえで豊富な契機もたくさん蔵している。まず，われわれなりの方法で長期波動論に切り込んで，少し荷を軽くしておきたい。

Ⅲ　長期波動をどう理解するか

（1）長期波動と「三段階論」―システムと社会的ないし歴史的主体―

　長期波動ないし長期循環というからには，長期にわたって，繰り返えされる論理（内生的必然性）を追求する。たとえば，産業化時代のコンドラチェフの第1循環から第二次世界大戦後の長波まで，いくつもの長期波動を重ね合わせて長波時計をつくったりする。ちなみに，Berry, B.（1988）は，つぎのような時計をつくる（図2－2）。
　しかし，技術，産業，生産工程，労働市場・労使関係，金融，コーポレート

図2-2　長期波動時計

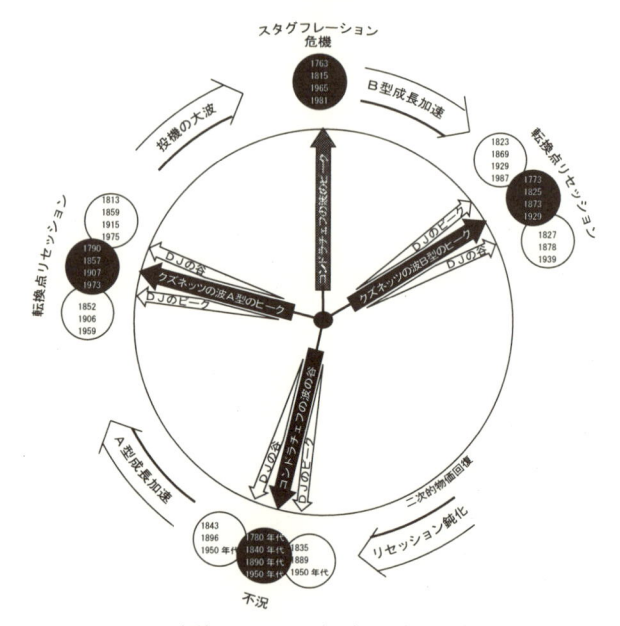

（図中の文字）
スタグフレーション
危機
1763
1815
1965
1981
B型成長加速
投機の大波
転換点リセッション
1823
1869
1929
1987
1773
1825
1873
1929
1827
1878
1939
1813
1859
1915
1975
1790
1857
1907
1973
転換点リセッション
1852
1906
1959
DJの谷
クズネッツの波A型のピーク
DJのピーク
クズネッツの波B型のピーク
DJの谷
DJのピーク
コンドラチェフの波のピーク
コンドラチェフの波の谷
A型成長加速
DJの谷
DJのピーク
1843
1896
1950年代
1780年代
1840年代
1890年代
1950年代
1835
1889
1950年代
不況
二次的物価回復
リセッション鈍化

出所:Berry Brian（1991），訳（1995:198）

ガバナンス等々の具体的歴史的現実は長期波動ごとにかなり異なってくる。それ故，この時計の論理はいつでも，どこでも妥当するきわめて抽象的な次元におけるものとならざるをえない。

　経済学で循環の内的必然を説く場合，うえにあげた具体的現実の世界にあまり大きな変化がなく，しかし，設備投資によって，生産力水準に認識可能なある変化がみられる蓋然性の高い10年周期の設備循環が最も好まれる。およそ資本主義と称しうる社会ならばどこでも，いつでも適用できる，それ以上抽象化すればもはや資本主義と言えなくなるような最も抽象的な次元での一社会の構造と動態を示す論理としての「原理論」——（宇野弘蔵は「原理論」，「段階論」そして「現実（状）分析」の三段階からなる経済学研究方法を提唱した。以下は，そのわれわれなりの理解である）——では，19世紀のイギリスが最もその原理像に近いとされるが，その場合もこの設備循環がとりあげられる。篠原三代平のいう「完全雇用制約」による利潤率の低下＝過剰蓄積——（信用膨張などによって差し当たり隠蔽されて過剰蓄積がなされるが，金本位制下の信用制約が恐慌を

引き起こして利潤率の低下＝過剰蓄積が暴露される）──が生じ，恐慌が必然になる。しかし，不況期に，恐慌による価値破壊と淘汰と技術革新によって一段高い生産力水準に達し，利潤率も回復して新たな循環が始まる。

　たしかに，この抽象的論理は長期波動の必然性を追求するとき，ある示唆を与えてくれる。しかし，産業化時代のコンドラチェフの第１循環から第二次世界大戦後の長期波動まで，いくつもの長期波動における技術，産業，生産工程，労働市場・労使関係，金融，コーポレートガバナンス等々の具体的歴史的現実は，たがいにきわめて相違する。重ねあわされた各長期波動はそれぞれの具体的歴史的個性をもつ。

「原理論」と歴史的現実との間にはあまりに大きなギャップがあることになる。じつは，形態（資本）は，歴史的現実の多様性を包摂しようと形態（システム）自身を多様化する。資本形態は，そのもとにより高度の技術，産業，組織，諸制度ないしそれらの新結合を取り込み，利潤率の低落を阻止するとともに，より広範に社会を包摂する資本蓄積様式を展開しようと実態と鬩ぎ合う。これが，次々と継起する，そしてそれぞれ種差をもった「支配的な」あるいは「主導的な」資本蓄積様式の展開として現れる。もう少し具体的に言えば，商人資本的蓄積様式，産業資本的蓄積様式，金融資本的蓄積様式がそれである。それぞれ種差をもつが，とわけ金融資本的蓄積様式はバラエティに富む。この新たな蓄積様式の登場と長期波動の上昇とは，それぞれの時期の設定の仕方によっては，もちろんぴったりとはしないまでもある程度の符合を示す。

　しかし，ここで注意を要することは，システム＝資本形態（金融資本的蓄積様式など）への包摂が，いかに形式的，抽象的であれ，具体的歴史的現実はシステム＝資本形態に包摂されきることはない，ということである。形態（システム）による歴史的現実の包摂には限界があるということである。例えば，社会の構造とその変動（歴史）は，システムと主体的行為の二つの契機によって成り立つ。すなわち，システム──（定型化，記号化されて，もはや意味を問われなくなった行為）──と主体的行為（人と人との直接的多面的コミュニケーションによる了解，共感とその実現を求める行為の重なり）──の二つの契機によって成り立つ。その主体的行為は一方でシステム＝形態に取り込まれながらも，逆にそれらに働きかける反省的な諸主体等はシステムに包摂されきれないとい

うことである。システム＝形態はつねに外部に囲まれている。その外部の主領域の一つがこの主体なのである。

　はじめから，一挙にこの次元にまで降り立って，具体的歴史的現実の分析を総体的におこなえれば，それに越したことはない。しかし，ヘーゲルならざる身では世界史をいきなり我がものとすることは難しい。まずは，せいぜい資本形式がかなり実態を包摂するのに成功した資本形式，すなわち，資本主義の世界的展開を主導したとみられる資本形式，産業資本形式と金融資本形式の諸タイプのタイプ論的分析，それらが世界をどう編成しようとしたのか，を分析する準備的議論が必要なのでないかと思われる——（タイプ論としての「段階論」）——。

　そのうえで，およそ資本主義社会といえるならば，どこでも，いつでも働き始める法則的（システム的）運動の論理（「原理論」）と，いま指摘した，いくつかのタイプの資本主義の世界的展開を主導しているとみられる資本蓄積様式とそれらが世界秩序形成に発するシステム的論理（「段階論」）に示唆を受けつつ，まさに，システムと実態との交錯，鬩ぎ合いを総体的に分析することが少しは容易になるのではないかと思われる。これが「現状（現実）分析論」といわれるものに相当する。「段階論」は，媒介する論理次元であり——（いうなれば，色づけする前の描画，やがて，それに色をつけることになれば，それが「現実分析」に豊富化され得る）——，「現実分析」こそ，最終的課題であり，「ここがロドスだ，さあ，跳べ！」という正念場である。

　長期循環論はわれわれには荷が重いといったのは，うえで分別した，少なくとも資本主義ならばいつでも，どこでも繰り返される「原理論」次元の論理と，「段階論」次元の論理，そして，形態＝システムと主体的契機との相互作用にまで降り立った「現実分析」次元の論理の三つが渾然一体となっていて，区別されて，かつ，統一されている，というようになっていないからである。

　ここに，例えばコンドラチェフの悲劇も生みだされる。コンドラチェフは，つぎのように主張した。
「われわれは長期波動の存在を主張し，それが偶然的な要因から発生するとの

見解に反対すると同時に，この長期波動は資本主義経済の本質に属する原因に由来する，と考える」（コンドラチェフ1926　訳1987：147）。

　このようなコンドラチェフの主張に真っ向から反論を加えたのがトロツキーであった（Goldstein 1988：28　岡田光正訳1997：65）。トロツキーも，資本主義発展における長期波動の存在を認め，成長の加速と減速の歴史的時期と特徴づけた。しかし，「コンドラチェフ教授が軽率にも循環という言葉で呼ぶよう提案している資本主義発展曲線の長弧（コンドラチェフの長波）に関しては，その性格や長さは資本主義的諸力の内的作用によってではなく，資本主義発展の流れを方向づける外在的諸条件によって決定される。新しい国や大陸の資本主義による獲得，新しい天然資源の発見，それに加えて戦争や革命といった『上部構造』的性格をもった大事件こそが，資本主義的発展の上昇・停滞・衰退の諸時代の性格と，それらの交代を決定するのである。」（Trotsky 1923:277）

　すなわち，資本主義の存続を前提にしてそのなかで繰り返される短期的な景気循環の必然性の論理を，構造が変動するしかも特殊歴史的に変動する資本主義の長期波動の論理，とくに戦争や革命といった相対的独自性をもつ「上部構造」を取り込んだ論理の中に不当にも持ち込んでいると批判したのである。

　やがて，資本主義の全般的危機のもと，一国社会主義を社会主義的な原始的蓄積過程として農民を収奪して，一挙に工業化，農業集団化を推し進めようとするスターリンによって，コンドラチェフは資本主義の循環的再生を確信し，富農を擁護する反革命分子と見なされ，粛清されることになったのである。

　両者を区別してかつ統一しないと，コンドラチェフとトロツキーのように互いに排斥し合うのみである。

　また，逆に，両者を十分に区別しないで統一すると，資本主義の発展段階によって，あるいは長期循環ごとに，また国ごとに異なった特徴をもち，また，上部構造が相対的独自性をもつゆえに特別の重要性を持つ体制的危機の展開の在り様や革命的主体の成熟の有り様などもすべてが混同され，同じような意味で必然的な展開であるとされる危険がある。それは，一方で，必然性の極端な希釈化か，他方で，特殊歴史的な世界史の総体をある生成の論理の必然的展開――（しかし，じつのところ，必然性の恣意的な主意主義的理解に陥る）――とみ

2章　「平成長期不況」とは何であったか

てしまう危険に陥る。コンドラチェフの銃殺は，両者を十分に区別しないで統一したこと，すなわち，自らの恣意的，政治主義的理解を特殊歴史的な世界史の総体の生成の論理の必然的展開とみる——（それは，ヘーゲル，マルクスに由来するのだが）——スターリンの独善がもたらした悲劇だといえようか。

かくて，われわれは，「三段階」の論理の次元を区別しつつ，統一することの重要性を確認するのである。そして，この確認さえ確保しておけば，われわれは長期波動論から多くの示唆を得ることができる。

（2）長期波動論三学派の検討

1．Goldsteinによる長期波動の三学派

Goldstein は，長期波動についての1920-30年代の第一次論争と1970年代から今日までの論争のリバイバル期（第二次論争）を通じて，かなり網羅的に多くの学説を検討し，両期を通じて保守的，革命的，リベラルの三つの世界観におおよそのところ対応するつぎの三つの学派に分別した（Goldstein, J 1988, 岡田光正訳1997：93-108）。

> 1）資本投下学派（保守的世界観を反映する：コンドラチェフ，フォレスター）
> 長期波動は鉄道・運河・工場など恒久的資本財への大規模な投資とこれの減耗から起こる。下降期に，減耗は新しい大規模な投資の時期をもたらすが，上昇が続くと投資の行き過ぎが生じる。
> 2）革新学派（リベラルな世界観を反映する：シュムペーター，メンシュ）
> 長期波動は特定の時期に経済の特定の部門に技術革新が群生するために起こる。このような技術革新の群生によって経済の新たな「先導的部門」が形成されるが，この部門は自ら急速に成長するとともに経済全体を上昇へと押しやる。しかしながら，当初の革新もやがては収穫逓減をきたし，その結果，経済は減速し下降期に入る。下降期は技術革新を促すが，それはつぎの上昇期に現実となる。
> 3）資本主義危機学派（革命的な世界観を反映する：トロツキー，マンデル）

長期波動は資本主義における重大な危機の反復によって説明され，利潤率の低落傾向から起こる。このような危機からの立ち直りは資本主義経済にとって内生的なものではなく，外生的要因（例えば，帝国主義的拡張，新たな天然資源の発見，労働運動の抑圧）によって，資本蓄積に有利な諸条件が回復し，利潤率が上昇することによって起こる。

表2-1　長期波動三学派の理論枠組み・モデル・処方箋

学派	枠組み	モデル	処方箋
トロツキー／マンデル（革命派）	マルクス主義弁証法　生産様式における発展の諸段階	危機傾向／階級闘争	国際的な社会主義革命
シュムペータリアン（リベラル派）	リベラルな経済学　経済発展における個人の役割重視	技術革新／先導部門	上昇を促す革新の増大
フォレスター（保守派）	保守的な管理　複雑な環境のもとでの有効な政策決定	資本投下／システムダイナミクス	循環を制御する正確な投資政策

出所　Goldstein 1988：148-149　岡田光正.訳1997：294

保守派は繰り返す論理を取り出した典型であり，具体的歴史的契機を，いわんや主体的契機はこれを直接的にはもちろん，「原理論」が含意する抽象的次元においても考慮しようとしてはいない。それ故，「循環を踏まえながら，いかなる歴史的転換点なのか」と問う「現実分析」への示唆は殆どない。そこで，直ぐに次ぎへ移ろう。

2．革新学派（シュムペータリアン）
　　―企業者の登場とテクノ・エコノミック・パラダイム転換―

　リベラル派のシュンペータリアンは，保守派と違って必ずしも楽観的になれない可能性がある。というのは，彼らによれば，長期波動は特定の時期に経済の特定の部門に技術革新が群生するために起こる。このような技術革新の群生によって経済の新たな「先導的部門」が形成され，この部門は自ら急速に成長

2章　「平成長期不況」とは何であったか

するとともに経済全体を上昇へと押しやる。しかしながら，当初の革新もやがては収穫逓減をきたし，その結果，経済は減速し下降期に入る。つぎの長期波動を起こすに足る技術革新が果たしてこの不況期においてなされているだろうか。それが容易には見出せず，まだ模索中というのであれば，不況はより深刻になる。

　しかし，概してシュンペータリアンは楽観的である。つまり，不況期には，まさに不況故に，技術革新のニーズが高まり，つぎの長波の上昇を生み出すに足る基幹的技術の発明，発見がなされる。そして，それらが投資として実現されれば，すなわち次の長期波動の上昇が始まると考える。

　ちなみに，シュムペーターはコンドラチェフの規定した時期区分にほぼしたがって，それぞれの長期波動を主導した技術革新投資を次のように識別した。(Schumperter 1939 訳Ⅰ 1958：252-3)

	時期区分	先導的部門
第1循環	1780年代～1842年	「その吸収の長引いた産業革命」
第2循環	1842年　～1897年	「蒸気と鉄鋼の時代」
第3循環	1897年　～	「電気，化学および自動車」

シュムペーターの流れを汲むもっとも最近の革新学派の代表者としてフリーマンは，最近にまで対象を延長して，つぎのように五つの循環を規定している(Freeman 1987 大野喜久之輔監訳・新田光重訳1989：76-77)。

	時期区分	特徴
第1循環	1770-80年代～1830-40年代	初期の機械化のコンドラチェフの波動
第2循環	1830-40年代～1880-90年代	蒸気機関と鉄道のコンドラチェフ波動
第3循環	1880-90年代～1930-40年代	電気工学と重工業のコンドラチェフ波動
第4循環	1930-40年代～1980-1990年代	フォード主義大量生産のコンドラチェフ波動
第5循環	1980-90年代～　　？	情報通信のコンドラチェフ波動

　先程のBerryは，ほぼ，このフリーマンのパラダイムを踏襲しつつ，アメ

リカについてみているのだが、至極楽観的である（Berry, B. 1991小川ほか訳 1995：262-263）。

　Berryは、「1980年代には、アメリカ経済では、フォード主義的大量生産のコンドラチェフ波（1950年代～1990年代？）をつくった技術革新は十分に実現されて終わりが告げられ」、次の長期波動を担うべく、新たな技術パラダイムの展開がすでに進行し始めていると診断し、「次期の成長サイクルは21世紀初頭の10年の間に現出するはず（で）、この成長を中心的に担うものは、1980年代に導入された情報技術だろう」と予測する。そして、この情報技術の開花は「ベンチャー企業の出現は垂直的統合された巨大企業の軽量化と、技術発展の最先端に立つネットワーク企業による巨大企業の代替との組み合わせを伴う。地域的なネットワークが超国家的なネットワークに連携し、世界の先進的な地域は、技術的に見れば一つになったと言える。分散しつつも同時に相互依存的であるこうしたスペシャリスト達の織り成すネットワークは、複数のセンターから管理運営されている。」
　このような発展に内在する創造的潜勢力は経済的なものにとどまらない。この潜勢力のうちには、いままでと別の世界を築き上げる機会が潜んでいる。国民国家は自己の利害を追求して、過去500年間の間に55年サイクルの世界戦争を戦い、覇権国と挑戦国の次々の交代やコンドラチェフの波のピークというインフレーションの尖頭とを生み出したのだが、グローバル組織と制度は、そうした政治的なパワーゲームを超克し得るものである。

　しかし、不安げなものもいる。村上泰亮も、おそらくネオ・シュムペータリアンの影響もあると思われるが、独特の技術革新のダイナミックスを提起した（村上泰亮1992：339-341）。
　村上泰亮は、およそ次のようにいう。

　　経済的に上向きになる四半世紀と下向きになる四半世紀からなるコンドラチェフの長波に当たる平均半世紀周期の長波がみられるが、しかし、技術の面からみると、それがある意味で逆になる。つまり、経済的な不況局面は新技術の

頻出する創造的な局面,経済的な好況局面は技術の応用が需要の造出につながる応用的な局面になっている。この事実は,技術が経済に応用されるまでに25年かかるとも解釈できるし,あるいは経済のゆきづまりが新技術を誘発するとも解釈できる。第1波についていえば,最初の四半世紀の経済的下降期に綿織物が技術突破し,次の四半世紀に経済的上向きの時代がくる。

しかし,村上に特徴的なのは,さらに長いサイクルを考える。

　1775年頃に始まる第1四半世紀波と,1825年に頃始まる第2半世紀波との間には,明らかに鉄製機械の使用や蒸気による駆動などの点で技術的な同質性がある。第1半世紀波は綿織物という単一産業を中心とした技術突破の段階だったのに対して,第2半世紀波は綿織物産業の周辺に次第に集積された関連技術がさまざまの産業に,とくに鉄道・蒸気船・工作機械などの産業に展開された結果生じたものであり,いわばその技術の成熟の段階であった(図では,突破波は普通の直線あるいは破線で,成熟波は太い直線あるいは破線で示される)。

図2-3　技術革新のダイナミックス

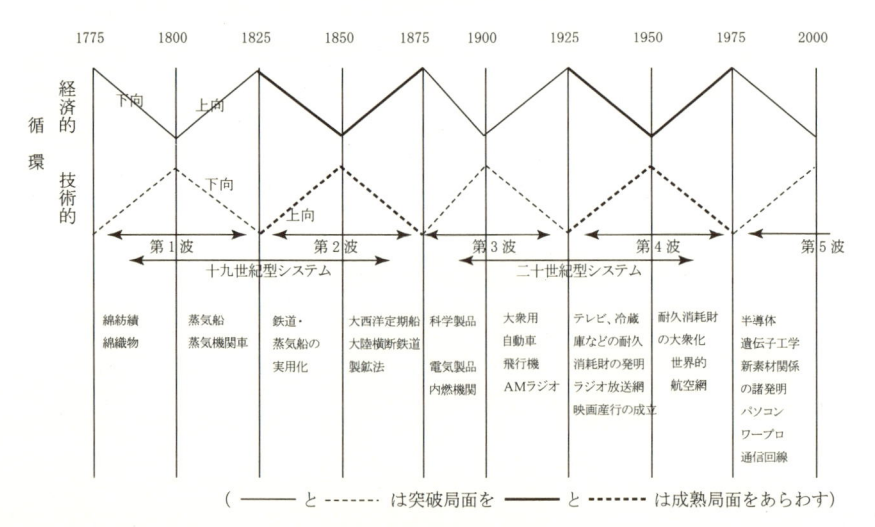

年	1775	1800	1825	1850	1875	1900	1925	1950	1975	2000
波	第1波		第2波		第3波		第4波		第5波	
システム	十九世紀型システム				二十世紀型システム					
技術	綿紡績 綿織物	蒸気船 蒸気機関車	鉄道・蒸気船の実用化	大西洋定期船 大陸横断鉄道 製鉱法	科学製品 電気製品 内燃機関	大衆用自動車 飛行機 AMラジオ	テレビ、冷蔵庫などの耐久消耗財の発明 ラジオ放送網 映画産行の成立	耐久消耗財の大衆化 世界的航空網	半導体 遺伝子工学 新素材関係の諸発明 パソコン ワープロ 通信回線	

(―――と------は突破局面を ―――と------は成熟局面をあらわす)

出所:村上泰亮(1992:339-341)

同じパターンは一世紀後の第3波の突破（電力・石油などの新エネルギーと人工素材を基軸にした全く新しい技術体系）と第4波（第3波の新技術が全面的応用され，とくに耐久消費財，運輸，通信に対する大衆需要を生みだす）の成熟として繰り返される。第1波と第2波を合わせて，「十九世紀型システム」と呼び，第3波と第4波を合わせて「二十世紀型システム」呼び，両者の分水嶺を「第二次産業革命」と呼ぶ。

　そこで問題は，これによって現時点をどう判断するかであるが，そのまえに，「第二次世界大戦後の四半世紀（第4波）は非常に恵まれた経済好況の時代であったことが説明できる」という。けだし，第4波は，第3波の突破技術を全面的に開花させた成熟の半世紀波に属するというだけでなく，その後半の好況と応用技術の四半世紀に属している。そのうえ，「十九世紀型システム」の展開をうけての「二十世紀型システム」の展開であるから波動の積み重さなりはさらに厚い。

　だが，それに続く現時点はどうか。「二十世紀型システム」は，もはや成長力を消尽してしまった。かくて，「第三次産業革命」が必要とされる。つまり，大変な突破技術が必要とされる。そんなものがすでにできているだろうか。村上は，「コンピュータ，トランジスター，光ファイバー，遺伝子，新素材などの現半世紀の発明も『第三次産業革命』と呼ばれるに値する衝撃力をもっている」と判断する。しかし，かれは，この本の執筆時（1992）には，停滞がなお続くことを予期している。

　　「ロボットやパソコンも，まだ主として従来の型の産業活動を高めるために使われている。……大容量の通信回線や通信衛星といったインフラストラクチュアの整備，とくにその全世界的な整備なしには，真性の情報産業あるいは情報社会は現れてこない。『大衆のための情報』が流通し利用されるようにならない限り，需要の大波は高まってはこない。C．ペレスのいうように，まだ制度が技術に『ミスマッチ』しているのである」といわしめる。

　ところで，革新（イノベーション）学派は，Goldsteinが特徴づけるように，

2章　「平成長期不況」とは何であったか　　177

市場経済を前提にしつつも,経済発展における個人の役割,企業家精神(entrepreneurship)の発揮を重視する。その意味で,革新学派においては,経済活動は市場システムのなかで新古典派が前提するようなホモ・エコノミクスたちの既定のシステム的反応関係としてではなく,主体的契機をも伴う人びとの経済活動として現れる。それ故,システム内に今までない革新,新結合も生じる──(かくて,テクノ・エコノミック・パラダイムの転換も生じる)──。

さらに,革新を政策的に促進しようとする政策志向的な Freeman を中心としたネオ・シュムペータリアンのグループになると,新技術や新組織の普及過程にも関心を寄せ,とくに優れたものが,設計者,技術者,企業者,経営者へのベスト・プラクティスとして認められ,その普及が社会進化の起動力となるという。

Freeman はそれぞれの長期波動に対応したそれぞれのテクノ・エコノミック・パラダイムについて,その主要な特徴を一表にまとめている。ここに掲げるには大きすぎるので,その表なかから現時点がいかなる歴史的転機に立つのかを探ろうとしているわれわれにとって,興味深いセルを拾ったのが表2−2である。

この表において,Ⅳ期からⅤ期への転換に注意しつつ,「主要な『媒介部門』と誘発された成長部門」,「低下する価格で豊富な供給をおこなう主要産業」,「小規模な基礎から急速に成長するその他の部門」の上の3つの欄をみると,コアとなる科学技術の発見,発明が産業に応用され,新たな産業を誘発し,産業構造を革新していく科学技術の衝撃力がよく窺われる。しかし,また,その下の2つの欄,「先行するテクノ・エコノミック・パラダイムの限界と新しいパラダイムが何らかの解決策を提供する方法」「企業組織および協調と競争の形態」をみると,専用組み立てライン,位階制的部門分割などⅣ期のフォード主義的大量生産の不経済性と硬直性を打破するフレクシブル生産システムやネットワーク化など生産工程,生産組織,企業組織,企業間関係におけるソフトな組織革新が重要な要素としてとりあげられる。

さらにこの技術,産業,組織へと広がった相互規定関係は,じつに,「イノベーションの国民的システム」を問題にのぼせ,また,それがおかれている環

表2－2 相次ぐテクノ・エコノミックス・パラダイムの若干の主要な特徴の試論的素描

特　徴	IV フォード主義的大量生産のコンドラチェフ波動	V 情報通信のコンドラチェフ波動
主要な『媒介部門』と誘発された成長部門	自動車／トラック／トラクター／戦車／自動車化された／戦争のための軍備／航空機化／耐久消費財／プロセスプラント／合成素材／石油化学製品／高速道路	コンピュータ／電子資本財／ソフトウエア／遠距離通信設備／光ファイバー／ロボティックス／FMS／セラミックス／データ・バンク／情報サービス
低下する価格で豊富な供給を行う主要産業	エネルギー（とくに石油）	チップ（マイクロエレクトロニクス）
小規模な基礎から急速に成長するその他の部門	コンピュータ／テレビ／レーダー／数値制御工作機械／薬品／原子爆弾と原子力／ミサイル	「第三世代」のバイオテクノロジー製品およびプロセス／宇宙開発／ファイン・ケミカル／SDI
先行するテクノ・エコノミック・パラダイムの限界と新しいパラダイムが何らかの解決策を提供する方法	バッチ生産の規模の限界がフロー工程，組立てライン生産技術，部品や資材の完全標準化，豊富な安いエネルギーによって部分的に克服される。自動車や航空輸送のスピードと伸縮性による産業立地都市開発の新しいパターン。	専用組み立てラインやプロセス・プラントの規模の不経済と硬直性は，フレキシブル生産システム，「ネットワーク」および「範囲の経済性」によって部分的に克服される。エネルギー・資材集約の限界は電子制御システムおよび部品によって部分的に克服される。位階性的な部門分割化の限界は，「システメーション」，「ネットワーク化」および設計・生産・販売の統合によって克服される。
企業組織および協調と競争の形態	寡占的競争，直接外国投資や多角的プラント立地に基づく多国籍企業，「身近に」立地する競争的下請けあるいは垂直的統合。統合と部局分散化および位階制的コントロールの増大。大企業における「テクノストラクチュア」。	大企業と小企業のネットワークは，コンピュータ・ネットワーク技術，品質管理，訓練，投資計画，生産計画（「かんばん方式」）などにおける密接な協調にますます基礎をおくようになる。 「系列」や類似の構造は内部的な資本市場を提供する。
国民的規制体系の若干の特徴	「福祉国家」と「戦争国家」。ケインズ的技法による投資，成長，雇用の国家的規制の試み。高水準の国家支出と関与。ファシズムの崩壊後，労働組合との「社会的パートナーシップ」。	「規制緩和」と「福祉国家」の巻き返し。戦略情報通信技術のインフラストラクチュアの「再規制」。「ビッグブラザー」国家「ビッグシスター」国家。労働組合の弱体化。国の金融制度や資本市場の規制緩和と再規制。情報通信技術や赤緑連合に基づく新しい参加的・分権的福祉国家の出現の可能性。
国際的規制体制の側面	「パックス・アメリカーナ」。合衆国の経済的，軍事的支配。脱植民地化。ソ連との軍拡競争と冷戦。合衆国が支配した国際金融，貿易体制（ガット，IMF，世界銀行）が1970年代，1980年代には不安定化。	「多極性」。地域ブロック。ブレトンウッズ体制の不安定化。世界的金融，資本，情報通信および超国家的企業の規制を可能にする適切な国際制度の開発の問題
イノベーションの国民的システムの主要な特徴	専門家されたR&D部門の大部分の産業への拡散。請負と国立の研究所における軍事的R&Dへの大規模な国家の関与。民間の科学や技術への国家の支出の増大。中等・高等教育と産業訓練の急速な拡大。多国籍企業による広範なライセンス供与，ノウハウ契約および投資による技術の移転。	R&D，設計，生産・プロセス工学および販売の水平的統合。プロセス設計と多技能訓練の統合。コンピュータ・ネットワーク化と共同研究。属さの技術と科学協同に対する国家の援助。ソフトウエアやバイオテクノロジーのための新しいタイプの所有権制度。「研究所としての工場」。

Freeman, C. 1987　大野喜久之輔監訳・新田光重訳1989：77-79から抄出

2章　「平成長期不況」とは何であったか　　179

境としての「国民的規制体制」，そして「国際的規制体制」との相互規定関係にまで広げられる。

　それ故に，いまや，社会制度的枠組みとの緊張関係までもパースペクティブに取り込むに至る。Freeman グループのなかでも，最もラディカルなのが村上が言及した Perez で，Feeman をして，「この（Perez の－引用者）視点においては1980年代の構造的危機は新しいパラダイムへの長期にわたる社会的適応の期間である。このアプローチは，技術変化に基づくある程度の自律性をもつ『生産力』と，既存の社会制度を強化し保持しようとする『生産関係』の間の緊張関係についてのマルクスの理論を偲ばせる」(Freeman, C. 1987 訳1989：82) といわしめる。また，Goledstein は，彼女をつぎのように特徴づける。

　　Perez, Carlotas (1983：358) は，長期波動を「厳密に経済的な現象としてではなく，むしろ（国民的および国際的次元における）社会経済的・制度的システム全体の調和のとれた，あるいは調和を欠いた行動が経済的にみて測定可能なしかたで現れたもの」と考えている。シュムペーターは，社会的・制度的条件は経済システムにとって外生的であると想定していたが，ペレスは，資本主義は二つの「サブシステム」，一つは「技術経済的」サブシステム，もう一つは「社会的・制度的」サブシステムを含むと述べている。短期の景気循環はもっぱら前者の「技術経済的」サブシステムの内部で説明できるが，長期波動はこの両方のサブシステムにかかわっており，それは「システム全体の進化における継起的諸局面」または「継起的な発展様式」とみなされる (p.360)。

　　この経済生活の進化におけるどの局面も「相互に関係のある一群の革新に基礎をおく……技術スタイル」によって特徴づけられる (p. 358, 360)。技術スタイルが「その潜勢力の限界」に達し，ついには「構造的危機」に陥るまで，長期の上昇を持続させる。このような危機は，「経済的サブシステムと社会制度的枠組みとの補完性が崩壊したこと」をさし示しており，「社会制度的枠組みの再構築によって」この補完性を取りもどすことを「余儀なくさせるのである。」
　　(Goldstein, J 1988 訳1997：108)

　Goldstein は，さらに，Perez の「構造的危機」の概念は，「『資本主義危機

学派』に分類したGordonの『社会的蓄積構造』――（この社会的蓄積構造は資本主義がひきつづき機能していくための社会諸制度的条件を表している）――の安定性を脅かすものとしての経済的危機の概念に相似する」という（Goldstein, J訳1997：108, 306）。

　われわれも，Freemanの表をみてすぐ気づくことは，これまた，マルクス主義の伝統を受け継ぐフランス出自のレギュラシオン学派に相似する面をもっていることである。第二次世界大戦後のテクノ・エコノミック・パラダイムとしての「フォード主義的大量生産」は，レギュラシオン学派の「蓄積体制」としてのフォーディズムに通じ，「先行するテクノ・エコノミック・パラダイムの限界と新しいパラダイムが何らかの解決策を提供する方法」として掲げられていることは，レギュラシオン学派の一部でトヨティズムをアフター・フォーディズムの一つとするのに通じる。

　しかし，ここで注意すべきことは，Freemanにおいても，Perezにとっても，革新のコアは科学技術の革新であり，また，開発組織，工程組織，企業内諸組織，企業間組織などの組織・制度まで革新を広げても，彼らの念頭にあるのは，さしあたり経済組織であり，主体的契機も，entreneurshipに満ちた，起業者，企業者，設計者，技術者，経営者である。あくまで「技術経済的」サブシステムが社会進化の推進力であり，「社会制度的枠組み」は，革新や革新の「ベスト・プラクティス」の普及を促進するのか，阻害するのか，いわば，「技術経済的」サブシステムの環境として位置づけられている，といってよいであろう。そして，「技術経済的」サブシステムの進化が「社会制度的枠組み」に阻害されているという「構造的危機」を彼らが目の前にしたときは，「イノベーションの国民的システム」をイノベーション促進的なシステムに転換するように政策的に働きかけるという政策志向を示すのである。

　さて，革新学派については以上に留め，最後の「資本主義危機学派」についての検討に入ろう。

3．「資本主義危機学派」－「システムか，主体か」，そして，その根本的な見直しへ－

　第二次世界大戦後，新たな長期波動の上昇局面を辿っていた資本主義体制が

1970年代に入って示し始めた変調は，当然のことながら，「資本主義危機学派」を刺激した。Goldsteinによれば，長期波動への関心のリバイバルは，「資本主義危機学派」においては，Ernest Mandel (1975, 1980, 1981) が，ほぼ，トロツキーの理論枠組みを継承してマルクス主義的長期波動理論を再定式化したことに始まるという（Goldstein, J 訳1997：93-96）。

> 「資本主義体制の基本的な運動法則は資本蓄積の運動法則である。長期波動の下降は，平均利潤率の傾向的低落というこの運動法則の現れであり，資本主義の危機の開始を意味する。しかし，長期波動の上昇，つまり危機の解決はどのように説明することができるだろうか。」

マンデル（Mandel, E. 1980：21, 28）はトロツキーと同様に「回復は資本主義固有のものではなく，平均利潤を高めるように作用する外在的作用によってひき起こされる」といいながら，長期波動の上昇の背後にあって，それを規定した歴史的要因を次のようにあげる。

> ①1848年の革命とカリフォルニアの金鉱の発見。これは資本主義的世界市場を広げ，工業化と技術革新に拍車をかけ，労働の生産性（したがって利潤率）を高めた。②1893年以後の帝国主義的発展。③1930年代と1940年代に国際労働者階級が蒙った歴史的敗北（ファシズム，戦争，冷戦，マッカーシズム）。これは労働者から抽出される剰余価値の比率を高めた。また，安価な中東石油，軍需部門から生み出される政府保証の利潤，電気通信技術の進歩も利潤率を高めるのに寄与した。

理論の枠組みをさらに平たくいえば，「平均利潤率の傾向的低落を資本主義体制の基本的な運動法則である資本蓄積の運動法則の現れ」と捉えてしまうから――（「原理論」の抽象次元における繰り返す論理と長期波動論ないし「段階論」の抽象次元を区別せずに）――，回復する論理を資本の蓄積運動のなかに見出せなくなり，「回復は資本主義固有のものではなく，平均利潤率を高めるように作用する外在的作用――（じつは，基本的運動法則の次元・内容が曖昧なので，

どこまでを内といい，どこから外というか曖昧になる）——によって引き起こされる。」というしかなくなる。しかし，それだけに，具体的歴史的現実——（われわれからみると「現実分析」）——に注意を向ける。われわれからみて，その最大の成果は歴史における「主体」的契機にスポットライトを当てることになったことである。

「主体的契機」を脱落させた「システムの自動循環」（「保守派」）とは全く逆の，システムが捉えきれない歴史的主体を前面に押し出したのである。

かくて，「不況長波の帰趨はあらかじめ規定されているわけではない。」「それは現在の社会的諸力間の階級闘争の帰趨に依存する」ということになる。

しかし，そこには大きな落とし穴があったのである。じつは，長期波動論の検討に入る前に注意したように，各論理の抽象次元と論理の内容が，区別されたうえで統一されていないのである。それ故に，往々にしてコンドラチェフの悲劇としてみたように，すべてが曖昧なままスターリン的に統合されてしまう恐れがあった。そして，歴史はその落とし穴に陥ってしまったのである。

生産力の発展によって，「もはや社会とあいいれな（く）」なったブルジョア社会の支配を覆し，「各人の発展が万人の自由な発展の条件となるような一つの結合社会」を創るべく，プロレタリアートが革命主体として階級形成される——その必然性を「歴史法則」を以って主張したところに，『空想から科学へ』を標榜したマルクス主義の真骨頂があった。

しかし，いまや，まさに，この「歴史法則」は歴史によって否定され，プロレタリアートの革命主体としての階級形成は決定的に挫折したことは明らかである。その双方は，根底から見直されねばなるまい。Goldsteinが示す「資本主義危機学派」の理論モデルと処方箋とを示すトロツキー，マンデルのそれは，そのまま妥当するというわけには行かない。

もっとも，マンデルもそのような歴史の落とし穴の省察を踏まえ，革命の主体像も，社会主義像の描き方も若干変わってきている。

世界資本主義が国際労働者階級を敗北させ，停滞の危機を克服するためには，相当の社会的・人間的代価をともなう外性的要因が必要だが，「われわれは，この経済的不況期から逃れる別の方法，資本主義の『破壊的適応』でなく，社

会的・人間的代価を最小限度まで減らす方法がある，という確固たる信念をもっている。それは社会主義への道にほかならない」として，次のようにいう (Mandel, Ernest 1980　岡田光正訳1990：143)。

「a生産者によるその生産手段の領有。利潤の生産のためではなくて、欲求の直接的充足のために行われる生産手段の計画的利用。b多数決原理と、情報、選択、討論、政治的多元主義の，いっさいの民主的自由を伴う民主的過程とによる計画優先順位の決定。c連合した生産者自身による社会の運営。肥大化しすぎて高くつく官僚的国家機構の加速的衰滅。所得における不平等の，またd貨幣および市場経済の速やかな縮小。自己運営と自己管理もそれがなければ空想的でしかないか，欺瞞でしかない。労働日の根本的短縮。カール・マルクスによって考えられたもの——（連合した生産者の体制）——としての社会主義とは，およそこうしたものである。それは広範な国際的規模においてのみ実現されうる。」（下線は引用者）

とくに下線b部分は，スターリンと歴史的な国家社会主義への批判的対置であり，注目に値する。しかし，下線a部分は，経済や社会の全範囲に及ぶように読め，下線d部分の貨幣や市場経済は消滅した方がよいようにも読める。下線c部分はその仕方がわからない。

そして，相変わらず，労働者階級の革命主体としての形成には楽観的である。

「（今度の危機の場合は，）客観的な基準だけを考慮するならば，国際的にも国内的にもすべての関係諸国においても，また主体的要因もつけ加えるならば，大部分の国において，資本と労働との力関係は1920-40年のときよりもずっと労働側に有利だ。……労働者階級にそうした壊滅的打撃を負わせることは，短期的には不可能である」(Mandel 1980　岡田光正訳1990：135)。

さて，長期波動論の三学派について検討してきたが，FreemanやPerezなどのネオ・シュムペータリアンの議論やネオ・マルクス学派ともいえるGordonの「社会的蓄積体制論」や「レギュラシオン学派」の議論は，生産力の歴史具体的な発展との関わりの中で形成される「支配的資本蓄積様式」の継起的発展

として捉える「段階論」，さらにこの「段階論」を媒介にして，より特殊的な歴史的現実に迫るべく「現実分析論」を行おうとするわれわれには，きわめて親しみやすく，必ずしも大きな違和感を感じない。むしろ，われわれの議論を豊富に発展させる諸契機を多く見出すことができると思われる。

「大型バブル—長期デフレ」を大戦争を基点とする長期波動の一環であると，長期波動に言及しつつ主流派経済学のパースペクティブのラディカルな拡張を求める篠原三代平の問題提起，とくにその（A）のパースペクティブ（P.96）の拡張の要求は，われわれからすれば，まさにうえに指摘した「段階論」を踏まえた「現実分析」の拡充の要請と捉えることができる。

ところで，篠原三代平の提起した（B）の問題提起（P.97）は，「資本主義危機学派」こそがもっとも鋭く提起したのであったが，それは，「生産力の発展によって，もはや社会とあいいれな（く）」なったブルジョア社会の支配を覆し，「各人の発展が万人の自由な発展の条件となるような一つの結合社会」を創るべく，「プロレタリアートが革命主体として階級形成される」という，新しい歴史主体形成についての超楽観的な展望があったからこそ，提起できたのであった。しかし，この歴史をつくる「大きな主体」づくりは，歴史において決定的に挫折した。その挫折は，歴史において主体的契機などというものはもはや考えられないというニヒリズムを，あるいはポスト・モダン思想を蔓延させた。社会科学においても「危機派」は決定的に凋落し，主体的契機を捨象したシステム論が流行となる。もちろん，歴史的現実をよくみる人びとはシステム論に飽き足りない。かくて，ネオ・シュムペータリアンが多くの人を引きつけるのも頷ける。

　もし，歴史にいくらかでも「主体的契機」というものがあるとすれば，「危機派」の挫折の責任は大きい。かくて，「主体」というものに対する根本的な反省的見直しが必要とされるのである。もちろん，これは大問題であるだけに，すでに多くの試みがあるが，ここでそれらに触れる余裕はない。しかし，幸い，われわれはすでに——（Ⅱ部の補遺〔1〕，補遺〔2〕で）——，この問題に取り組んだことがあり，また，1章でそれを受けて，その具体像の彫琢を始めたところである。それをここで生かさねば，いままでの模索の意味がなくなる。

2章　「平成長期不況」とは何であったか

さて，「小泉・構造改革」のオルタナティブを求めて，という最初の問題からはもうすでに大分大回りをしてしまったが，しかし，それ故に，篠原三代平とは異なる「小泉・構造改革」のオルタナティブは何かという，はじめの問題提起の前にようやく立つことができるようになったと思われる。

IV 「平成長期不況脱却」を「社会的経済」の促進による「循環型地域社会」づくりの好機に

　長期波動論者をはじめ，技術・経済システム，社会・制度システム，国民的・国際的政治経済システムまでパースペクティブを広くとる多くの論者が何らかの形で認める最大公約数的なことは，いまは一つの長期波動の深い谷のうちにあるということ，すなわち，一つの時代のパラダイムが終わったということ，そして，次の時代のパラダイムが模索されているということであろう。なお，一つの時代の終わりという現在われわれが直面している「歴史的転機」ということの意味について，次章でもう一度問題にする機会がある。あわせて参照を乞いたい。

　一つの時代のパラダイムの終わりは，早くも第1次石油危機とスタグフレーションとして現れるが，それは平成巨大バブルとその破綻としての平成長期不況によってより深く刻印される。そして，いま，景気が回復してきたように見えても，覇権国アメリカの「三つ子の赤字」を構造的に組み込んで，グローバル化した経済の何処かに順繰りにバブルを起こすことによってのみ，つかの間の景気の回復を図れるに過ぎないように見えてきた。しかもこのバブルと不況の交替の間に各国内における諸社会経済的格差，社会的排除の拡大，市場倫理，職業倫理の崩壊，社会アノミー，生活の安心，安全の危機が確実に進む。グローバルなスケールではその何十倍，何百倍ものオーダーでの諸格差の拡大，……等々の進行，それに由来するテロ－反テロ戦争の更なる拡大。さらにかかる社会的持続性の惨劇の展開の舞台となる地球環境の破壊は歯止めなく加速的に進行する。

　Mandelは，かつて，次のようにいった (Mandel, E 1972 岡田光正1990：221)。

「後期資本主義の時代に生産諸力の一層の発展と結びついている潜在的な浪費と破壊の力学が非常に強く作用するため，より高次の社会形態による資本主義の解消がなければ，体制ないし人間文明全体の自己破壊しかない」。「『社会主義か文明破壊か』の選択が……完全な意義を獲得する」。

ところが，Mandel の「社会主義」がさきにみたとおりの「社会主義」，そして労働者階級側の主体形成に確信をもっていたとすると，うえにみた現状はわれわれを挫折と絶望の淵へ追いやるしかないが，「歴史的主体」についてかなり根本的な見直しを済ませたわれわれとしては，今や，次のようにいうことができよう。

人類が21世紀以降もその歴史の歩みを続けていこうとするなら，人びとが，自然・生態系のなかの，経済のなかの，社会のなかの存在としての自ら（より正確にいえば，自らと自分たちの〈個－共同〉）を，今度は資本と国家にその公共性としての共同性を譲り渡すことなく，取り戻すことである。

貨幣メディアの過大な肥大によって貧困化し，アノミー化した社会セクターを，図1－5Dの二つのベクトルに見るように，一方で，縮減された国家的公共性を市民的公共性として取り戻し（ラディカル・デモクラシー），他方で，For-Profit 経済によって植民地化された社会セクターを Not-For-Profit 経済（社会的経済）によって取り戻すことである。

かくて，われわれのもう一つの構造改革は，単刀直入にいえば，それは，節題に掲げたとおり，ラディカル・デモクラシーと「社会的経済」の促進をその基盤にすえた「循環型地域社会」づくりを大胆に進め，これを「平成長期不況脱却」の梃子にしようというよりも，むしろ，ラディカル・デモクラシーと「社会的経済」の促進をその基盤にすえた「循環型地域社会」づくりを大胆に進めるために，「平成長期不況脱却」を突破口にしようというのである。

そのようにいうのは，一つには，篠原三代平編著（2003）が，「平成長期不況」を前にして，「限られた期間，ある程度は赤字公債の発行を増額したり，金融面で長期公債の買いオペを実施する必要もある」と，時限的リフレ政策や税制による異時点間代替措置などを提案していたのを紹介したが，それよりも，

われわれには，むしろ，小野善康（2001）の議論が興味深い。小野善康は，「財政政策は，カネの視点から物の視点へ立つことが重要で，失業が最大の問題であり」，「不況期には，民間部門が労働力を使いきれていないのだから，好況期にできなかった社会的宿題――（生活の質の向上，高齢化対策施設，環境関連施設など）――を政府が解決していく絶好機である」といっていたが，われわれからすれば，この社会的宿題こそ，「『社会的経済』の促進による『循環型地域社会』づくり」だといいたいのである。

　さらにいえば，この，「『社会的経済』の促進による『循環型地域社会』づくり」は，次代を持続可能にするパラダイムづくりの出発点である。それゆえ，たとえ景気が回復しても，したがって民間企業の投資需要と競合するようになっても，第一に優先されねばならぬ――（宿題をきっかけに，より早く，より大規模に取り掛からねばならぬ）――最重要の政策アジェンダなのである。

　けだし，ラディカル・デモクラシーと「社会的経済」こそ，すでに1章で論じたように，21世紀を持続可能な社会にするための新たなパラダイムに他ならないからである。

　ネオ・シュムペータリアンをはじめ，多くの人びとが次の時代のパラダイムを情報化社会の展開に見出す。Berry（1991）に言及しながらすでに指摘したように，情報化技術は，あるいは，知識としての情報は，おのずから景気循環をなくす「ニュー・エコノミー」に導いたり，戦争を克服できるものではない。むしろ大型バブルと大不況を帰結し，デジタル・デバイド，知のデバイドをつくりだし，社会解体，かくて紛争とテロ，そして反テロ戦争を引き起こしかねない。しかし，それは，情報技術や知識としての情報が本来的に備えている性格ではない。それは，同時に，21世紀を自然・生態系的にも，社会的にも持続可能は発展を可能にすべく展開するラディカル・デモクラシーと「社会的経済」の促進をその基盤にすえた「循環型地域社会」づくりにおいて，その潜在的可能性をより大きく開く可能性をも秘めている。むしろ，Berry（1988）の展望が実現するためには，まさに本書が追求するような「新しい歴史的主体」の形成が必要とされているのである（3章Ⅳを参照）。

　最後に，もう一つ注意しておきたいことがある。本章で，「小泉・構造改革」

のオルタナティブとして，21世紀を自然・生態系的にも，社会的にも持続可能な発展を可能にすべくラディカル・デモクラシーと「社会的経済」の促進をその基盤にすえた「循環型地域社会」づくりということを提起したが，それによってわれわれがつくり求めようとしているものは，まさしく，総論としての1章がそのサブ・タイトルとして掲げるキー・コンセプト，すなわち，**新たな「市民的公共性」**——しかも「**グローカル**」な（a ローカルにして同時に，b グローバルな，a 内に開かれて同時に，b 外に開かれている）「**市民的公共性**」——というものであったということを改めて肝に銘じることである。というのは，他でもない。「ポスト・小泉」の危うさを目の前にして，一層その必要を感じるからである。

　昨年（2005年）9月の郵政解散総選挙で，争点を郵政民営化1点に絞り，反対する候補に「刺客」をも放っての，またもや，ワンフレーズ・劇場型選挙で大勝を博した小泉政権も，5年を経てこの（2006年）9月で退場し，いま，「ポスト・小泉」の登場となった。自民党総裁には，小泉内閣の3閣僚，官房長官・安倍晋三，外務大臣・麻生太郎，財務大臣・谷垣禎一の3人が立ち，安倍晋三が約三分の二の票を獲得して他候補を圧倒し，「ポスト・小泉」政権の座を占めた。ところで，この間，自民党総裁選に向けて，「ポスト・小泉」の各候補がそれぞれ政権構想を掲げた。

　三候補とも，基本的に「小泉構造改革」を評価し，これを引き継ぐとしながら——したがって，多少の「化粧直し」に過ぎないものに終わると思われるが——しかし，かれらは共通して，こともあろうに「脱小泉」を打ち出そうとしていると報じられた。首相の座を獲得した安倍晋三候補の政権構想を窺うと，その自己矛盾の極めて大きいことに驚かざるを得ない。

　かれは，「再チャレンジを可能とする柔軟で多様な社会の仕組みの構築」を強調する。

> 　国民ひとりひとりがその能力や持ち味を十分発揮し，努力が報われる公正な社会を構築していくことは，国政の重要課題である。このためには，多様な機会が与えられ，仮に失敗しても何度でも再チャレンジができ，「勝ち組，負け組」

を固定させない社会の仕組みが必要である。人生の各段階で多様な選択肢が用意され，それを自由に選択することで，個人も企業も自由闊達な活動が可能となり，ひいては我が国経済の活性化にも資することとなる（「再チャレンジ推進委員会」中間とりまとめ）。

さらに，次のような報道が新聞に載った（「朝日新聞」060813）。

　安倍氏，脱「小泉路線」へ傾斜　参院選視野に
　安倍官房長官が，小泉改革の継承者という立場を微修正し，徐々に「脱小泉」を模索し始めた。首相就任を見越して，小沢民主党との全面対決になる来年夏の参院選を早くも視野に入れているからだ。今年1月以来になる「お国入り」で支持者を前に行った自民党総裁選への立候補宣言でも，地方への配慮を色濃くにじませた。
　「未来に夢を持てる農業，林業，漁業にしていかなければいけない。所得が増えていく第1次産業を目指したい」
　安倍氏は12日，山口県下関市の総決起集会で「第1次産業所得拡大構想」を提唱し，「地方重視」の姿勢を強調した。同県の山陰側は水産拠点として栄えたが，戦後，第1次産業は衰退し農山漁村の過疎化が進む。
　下関市の江島潔市長は同じ集会で「負けた地域を，しっかりもう一度押していただくのが安倍内閣ではないか。まずは小泉改革を肯定する。悪いところ，うまくいかなかったところは安倍先生に託す」と，小泉路線の修正に期待感を示した。
　党内からも「小泉改革路線は経済至上主義で地方に冷たい」と批判のある小泉首相。安倍氏はこの日，「改革の炎は絶やしてはいけない」と強調しつつ，「地域の格差を感じる人たちがいるのは事実。地域の再生に全力を尽くす」と約束した。
　「脱小泉」を意識する安倍氏の発言は「公共事業有用論」にも象徴的に表れている。
　7月23日の日本青年会議所の集会では「（戦後の）日本は借金をして新幹線，高速道路をつくった。必要なものはちゃんとやっていく」と発言。12日にも山

口県長門市で「山陰自動車道は必要でしょうし，インフラ整備，基礎的な基盤をつくっていくのも政治家の大きな使命だ」。公共事業費の大幅削減をためらいなく続けた首相との姿勢の違いは鮮明だ。

また，麻生太郎候補は次のように報道されていた（日本経済新聞　2006/08/11）。

> 麻生氏，小泉改革「修正」前面に・21日政権構想
> 　自民党総裁選出馬に意欲を示す麻生太郎外相は「日本の底力」と題する政権構想で，地方経済の重視や政府・与党の連携強化などを訴える。小泉改革の後継者と目される安倍晋三官房長官に対抗し，都市と地方の格差拡大や党軽視の批判がある改革の修正路線を打ち出すことで「非安倍」票の取り込みをめざす。
> ……
> 　政権構想では国の将来像として「小さくても温かくて強い政府」「活力ある高齢社会」を掲げる。中小製造業や農林水産業を後押しする政策減税に加えて，3世代同居世帯や高齢者雇用を奨励する優遇税制も盛り込む。

谷垣禎一候補は谷垣禎一ホームページで次のようにいう。

> 　現在私が持っている大きな懸念について，今日はお話ししたい。　それは，
> (1)首脳同士が会えない隣国との異常な関係を正し，アジアホットラインを構築すること，
> (2)シャッター通りに苦しむ地域の本音を受け止め，地域の活力を本当に取り戻すこと，
> (3)子や孫へツケの先送りを許さず，財政の立直しに逃げずにぶつかること，の3つである。
> 　私は，地域の本音に耳を傾け，弱者の小さな声にも耳を傾けたい。そして，地域の活力を本当に取り戻すよう全力を尽くしたい。地域の自然，歴史，文化などその地域にしかない良さを活用した産業の発展，女性・高齢者をいかした地域のひとづくり・雇用の創出，真に必要なインフラの整備，地域コミュニテ

ィーの再生など，総合的な取り組みが必要だ。

　こうした施策を，国民の心のありようにも訴えかける「『絆』の国民運動」として一体的に推進していくことが重要である。「『絆』の国民運動」を国家のリーダーたるものが先頭に立って展開していくのである。……

三候補を比較して，次のような報道もある（朝日新聞2006年8月21日）。

　自民党総裁選に立候補する麻生外相，谷垣財務相が20日，大分市で開かれた同党の県連セミナーにそろって出席し，地方活性化策を競い合った。……麻生氏は，小泉政権での規制緩和や地方への権限委譲を評価した上で，「人口が集中している東京，名古屋，福岡に経済がぐわっと寄ってきている。地域間に格差がついてきた。これを感じなかったらおかしい」と語り，都市と地方の間の格差問題を強調した。具体策として「開かずの踏切」対策やゆとりある住宅づくり支援などを掲げ，「社会資本やライフラインなどにもっと公共投資をしてもおかしくない」と述べた。

　谷垣氏も，都市と地間で税収を調整する「ふるさと共同税」構想を語る一方，「基本的なインフラが整備されない中で頑張れと言っても元気が出ない」と指摘。「地方が衰退すれば，国も衰退する」として一定の公共事業の必要性を述べた。

　総裁選での優位が確定的になっている安倍氏に対し，谷垣，麻生両氏は対立軸を打ち出そう躍起だ。靖国問題への対処などでは独自色が明確になっており，麻生氏はこの日も，私案の靖国神社の非宗教法人化を念頭に「天皇陛下でも首相でも他国の元首でも心静かに参拝できる環境をつくることが大事」と主張。谷垣氏は「私が首相になれば参拝を控える」と明言する一方，麻生氏の試案についても「靖国の方が宗教法人をやめる意思がないといけない」と実現性に首をかしげた。

　ただ，地方活性化策では，安倍氏も小泉改革を微修正する立場から「インフラ整備も政治家の使命」と主張しており，谷垣氏や麻生氏が独自色を発揮するまでに至っていない。

　以上のように「脱小泉」色を主張するのは，すでに見たように必ずしもスロ

ーガン通りではなかったが，しかし，「小泉構造改革」が，平成巨大バブルと平成長期不況のなかで進行していた社会経済的諸格差，社会的排除の拡大，市場倫理・職業倫理の崩壊，社会アノミー，生活の安心，安全の危機の進行，すなわち，「戦後日本の解体」に留まらず，日本の社会基盤そのものの解体を促進してしまったことを認めざるをなくなっていることを意味しよう。

しかし，各候補は，そして政権の座を占めたの安倍晋三も，基本的に「小泉・構造改革」路線を評価し，これを引き継ぐという。だが，例えば安倍晋三のいう「再チャレンジ」はいかにして可能か。

「小泉構造改革」を引き継いで，絶えず諸格差が拡大するダイナミズムを許している限り，セイフティ・ネットを設けるといっても，すべての人びとに，そして地域に均等に保障する最低ラインはどんどん低くなってしまう。落ちてくるものに再挑戦の機会を与えるといっても，生まれついての社会環境の中で，あるいは一度でも失敗したものは，そうでないものに比べて上昇できる確率は低くなる。格差拡大の悪循環が拡大こそすれ，諸格差の縮小，社会的非排除者の再包摂は極めて難しい。大河の流れ落ちる滝の高さをそのままに，落ちる水を逆流させるのだというに等しい。もし，単に，自民党総裁選目当ての地方票取りなどのリップサービスの域を超えて，真に社会のメルト・ダウンを阻止し，「美しい日本」をつくろうとするなら，「小泉構造改革」の多少の化粧直しでは済まない。諸格差拡大のダイナミズムに拍車をかけるのを止め，競争機構の網の目から落ちてしまう最弱者まで，すべての成員の well-being と潜在可能性を高めることのできる社会的多様性をもったインフラづくりが必須であろう。例えば，「1章Ⅲ：新しい公共性のグローカル性」で紹介したスウェーデンの架橋的労働市場モデルとその社会的経済企業による補強，それにヒントを得て展開した「4章（3）：ジェンダー平等化要求と社会的企業の勃興」〜（5）：**必要条件－労働運動との連携・労働運動の革新**」で提起するような社会的経済企業を基盤にした架橋的労働市場モデルのさらなる展開モデルなどを参照されたい。われわれが，うえで，われわれの求める「**新たな（市民的）公共性**」の二つの最重要な性格の一つとして，**a ローカル**に，**内**に，つまり，社会の底辺に喘ぐ被排除者にまで開かれているということに改めて注意を促した所以である。そこまで「脱小泉」を図れるだろうか。

さらに，市民的公共性のグローカルな性格に注意を促したのは，それだけの故ではない。いわば，そのことの外的表れともいうべきものを恐れたからである。特に愛国心を強調し「美しい国，日本」を標榜する安倍政権の場合にそういえる。それは，こういうことである。
　人と人の絆，ふるさと，地域，そして国を愛するのは当然であろう。そして，「国家の自立」は必要なことはいうまでもない。しかし，それは，他の人と人の絆の，他のふるさとの，他の地域の，そして他の国のそれぞれの愛，「自立」の尊重という開かれた思いとともにでなければ，前者はそれこそ偏狭な自己愛，偏狭なふるさと愛，偏狭な愛国，つまり閉じられた，相手から尊重されないものになってしまう。相手に開かれ，相手から尊敬される人，地域，国家こそ，自ら誇りを以て愛することが出来るのではなかろうか。
　とくに，もし，現代版の「脱亜入欧」（むしろ「脱亜入米」というべきか）よろしく，アメリカには開きすぎるくらい開きつつ（構造改革によってジャパニーズ・スタンダードをアメリカン・スタンダードに改変し，かつ同盟によってジャパニーズ・パワーをアメリカン・パワーの世界戦略の一環に編入されることを許しつつ），他方で，近隣アジア諸国に閉じられ過ぎるくらい閉じられることはないだろうか。
　もし，「東アジア共同体」なるものが成功裏につくられるとすれば，それは，FTAのような経済における自由市場だけでなく，また，経済的ディメンションでのエネルギー，環境協力だけでなく，人権的・社会的ディメンションにおいても，特に東アジア諸国・地域のなかでも最弱者をも包摂する国と国の，そして人と人の開き合いとそれに基づく，諸連帯，諸制度，諸インフラの組み換えや創出が必要となろう。かくて，もう一度，1章の章末の図1－13を見ていただきたい。また，Ⅱ部　補遺3での村上泰亮の保守主義的解釈学批判を見ていただきたい。そこにわれわれのオルタナティブの骨格と基本線が見えるはずである。そのようなオルタナティブの道に進まない限り，現代版「脱亜入米」は，近隣アジア諸国の反日を激しくするばかりでなく，反テロ戦争を推進するアメリカへの憎悪まで日本に向かわせる危険がないだろうか。われわれが，うえで，われわれの求める「**新たな（市民的）公共性**」のもう一つの重要な性格の一つとして，**b 外にそしてグローバルに**，つまり，差し当たり近隣東アジア

諸国の社会の底辺に喘ぐ被排除者にまで開かれているということに改めて注意を促した所以である。

3章 「複合的地域活性化戦略」
「内発的発展論」と「地域構造論」に学ぶ

はじめに

　われわれは前章で，システム的契機にさらなる自由を与えようとする市場原理主義的イデオロギーの濃厚な「小泉・構造改革」の問題性を検討するとともに，それに代わるもう一つの構造改革としてラディカル・デモクラシーと「社会的経済」の促進をその基盤にすえた「循環型地域社会」づくりという生の人びとの主体的契機に基づく戦略を提起した。しかし，ここで忘れてならないことは，近代が生み出したハードな〈主－客〉，〈システム－生活世界〉，あるいは〈システム－主体〉等々の二分法の罠に嵌ってはならないということである。けだし，再び大文字の主体をつくる失敗を避け，また暴走するシステムに逆に有効に浸透してその力量を十二分に発揮するためには，両極の〈あいだ〉に，多様性，重層性，フレクシビリティに富んだ中間領域を分厚く創出していくことが重要であるからである。抽象的な能書きはこの位で止め，早速，「地域活性化戦略」をめぐって対抗関係にある二つの戦略，「内発的発展論」と「地域構造論」とが交錯する論点をとりあげ，いままでの議論の豊富化を試みたい。

I 「内発的発展」論

　「内発的発展」（endogenous development）という言葉は，西川潤によれば，1975年の国連特別総会の際，スウェーデンのダグ・ハマーショルド財団がつくった報告『なにをなすべきか』が，「もう一つの発展」という概念を提起し，その属性の一つとして「内発的」という言葉を「自力更生」と並んで用いたのが最初であるという。そして，『もう一つの発展－いくつかのアプローチと戦略』（同財団 1977）に基づいてそれを特徴付ける次の5点を紹介している（西川　潤1989：13-15，引用者なりに要約）。

（1）人びとの基本的必要に関連している（Need-oriented）：発展目標が物財の増大にあるのではなく，物質的・精神的な人間の基本的必要を充足することに向けられる。とりわけ，今日人類の大多数を占める被支配・非抑圧大衆の衣食住，教育，衛生の基本的必要を満たすことが課題であるが，発展の究極の目標はすべての人間が自己実現，創造，平等，共生などの必要，そして自分の運命を自分で決める必要を充足していくことである。

（2）内発的である（Endogenous）：これは，みずから主権を行使し，みずからの価値観と未来展望を定めるような社会の内部から起こってくる発展のあり方を指している。

（3）自立的である（Self-reliant）：それぞれの社会の発展は，その自然的・文化的環境の下で，まず当該社会構成員のもつ活力を活かし，その経済社会のもつ諸資源を利用する形で行われるべきである。

（4）エコロジー的に健全である（Ecologically sound）：支配的な経済成長優先型の発展では環境保全の側面がしばしば無視され，子々孫々の世代が享受すべき環境資源，生態系を破壊して，将来世代ばかりか現代世代の貧困化を導くことが多い。もう一つの発展では，地方的な生態系に将来世代の利用に対する配慮を加え，現代世代と将来世代がともに環境資源から最大の利益を得つつ，これを合理的に利用する方向がはかられる。

（5）経済社会の構造変化が必要である（Based on structural transformation）：社会成員のすべてが自分に影響するような意思・政策決定に関して，これに参加し，また，みずから管理することができるように，社会関係，経済活動やその空間的分布，また権力構造などの面での改革が必要である。

ところで，日本における地域経済発展の現実のなかでは，「内発的発展論」の展開は，このような世界的な思潮の台頭と響き合いながら各方面からなされたが，特に高度成長期の外来型開発の問題性を実証的に明らかにしつつ，それに代わるオルタナティブとして「内発的発展論」を展開した宮本憲一を中心とする地方財政学者グループの仕事が注目される。宮本憲一は次のようにいう（宮本憲一1989：286-294　引用者要約）。

「(外来型開発方式は－引用者)外来型開発進出企業の経済力とその波及効果による関連産業の成長によって所得や雇用をすすめ,税収を上げることによって地域の住民福祉を向上させるという方式であ(る)といわれたが,しかし,現実には地元住民のための環境を破壊し(海水浴場埋立て,砂丘破壊),世界でもっとも深刻な公害を発生させた。それは絶対的損失(人間の健康障害や死亡,自然破壊・文化財破壊など補償不可能な不可逆的損失)を発生させ,社会的損失が大きいということだけでなく,それに比して地元に寄与する社会的便益がおどろくほど小さく,計画から実行にいたるまで進出企業や国家が主導権をもつために,民主主義＝地方自治の発展がみられず,政治の民主化,社会の近代化,文化の進展,ひいては地域福祉の向上をもたらすことでも,失敗に終わっている。」

かくて,外来型開発に替わる「もう一つの発展」として,内発的発展を次のように提起する(同上：294-295)。

「日本における内発的発展は戦前にまでさかのぼりうるが,1970年代になって,街づくりや村おこしということばに表現されるように,社会的に定着してきた。内発的発展は高度成長期に外来型開発に取り残され,あるいはその失敗の影響を受けた地域のなかでオルタナティブな方式としてはじまったのである。」

そして,つぎのような内発的発展の原則をあげる(同上：296-302)。

(1) 地域開発が大企業や政府の事業としてでなく,地元の技術・産業・文化を土台にして,地域内の市場を主な対象として地域の住民が学習し計画し経営するものであること。内発的発展は何がしかの反体制的あるいは反政府的な運動をきっかけにしている。たとえば湯布院の場合は新産業都市計画に反逆するもの,大山町の場合は政府の画一的な農業政策に反対して米作りを止め,桃,栗や柿などをつくる山村農業に転換し,農産物を加工して付加価値をつけるという一・五次産業を提唱した。反体制的と自称するほどの自発的なエ

ネルギーがなければ，条件の悪い過疎地で開発に成功できるはずはない。
（2）環境保全の枠の中で開発を考え，自然の保全や美しい街並みをつくるというアメニティを中心の目的とし，福祉と文化が向上するような総合され，何よりも地元住民の人権の確立をもとめる総合的目的をもっているということ。内発的発展は公害反対運動や環境保全の住民運動を出発点にしている例が多い。
（3）産業開発を特定業種に限定せず複雑な産業部門にわたるようにして，付加価値があらゆる段階で地元に帰属するような地域産業連関をはかることである。
（4）住民参加の制度を作り，自治体が住民の意志を体して，その計画によるように資本や土地利用を規制しうる自治権をもつことである。

われわれの提起した〈ラディカル・デモクラシーと「社会的経済」の促進をその基盤に据えた「循環型地域社会」づくり〉の基本的性格についていえば，まずは，このような「内発的発展」の趣旨に重なるところが多い。

Ⅱ 「地域構造論」

ところで，このような内発的発展論に対して，「日本における戦前戦後を通じた経済地理学研究の到達点」と自負し，最近の国土計画づくりにも大きな影響力をもつに至った「地域構造論」の立場から厳しい批判がなされている。「地域構造論」の主張は何か，矢田俊文『地域構造論概説』(1990)によりながらその要点をわれわれなりにさらに要約して示せば次のようになる。[補論]

「地域構造論なるものは，（基礎的・自立的な社会単位としての-引用者）国民経済の空間システムないし地域システムを解明する理論であり」，「世界経済については，世界システム論把握ではなく，国民経済を基礎単位とし，その結合という把握の立場をとるとともに，国民経済を自立的な経済単位たる『自治体経済』の集合とみるのではなく，国民経済を一つの空間システム＝地域構造と

してとらえ，その一切片として地域経済を位置づける。」(矢田俊文編著1990：14)

ところで，その「国民経済の空間システム＝地域構造」，すなわち，それぞれ性格の異なる地域経済の有機的編成＝地域分業体系はどのようにつくりだされるのか。その，現代資本主義の構造を編成するダイナミックな法則的力学の追求こそ，(地域の個別性を追求する地誌的な経済地理学はこの構造そのものの変革に迫りえないとして退ける)法則定立的な社会科学を標榜する「地域構造論」の要諦であると思われる。次のように述べる。

「国民経済の空間システム＝地域構造とは，一国の国土を基礎にして，長い歴史的過程を経て形成された国民経済の地域的分業体系のことであり」，その「地域的分業体系なるものは，社会的分業体系としての産業構造によって基本的に規定される。」(同上：15)したがって，「国民経済の地域構造は，産業構造を担う諸部門・諸機能の地理的配置＝産業配置として把握することができる。この産業配置は，諸部門・諸機能の立地と，これを基礎にして展開される価値＝所得(原材料・製品，労働力も含めてであろう－引用者)の地域循環の二つの側面を有している。」(同上：16)

「産業配置の一つの側面である産業立地に注目すれば，一般に同一ないし同種の部門や機能の立地がほぼ同様の立地動向を示すことから，その立地が一定の地理的範囲のなかで卓越する傾向をもち，『等質地域』としての『産業地域』ないし『産業地帯』を形成する。産業分類や空間的範囲を最も広くとった場合，重化学工業地帯，農林水産業地帯，中枢管理機能やサービス産業の集積する都市地域などと把握することができる。」(同上：20)

「他方，産業立地を基礎にして展開する原材料・燃料などの『素材の地域的循環』，労働力の地域的循環，さらには所得・資金などの『価値の地域的循環』に注目するならば」，「財やサービス，労働力，所得・資金などによって規模を異にするものの，(それらの地域的循環は)いずれも一定の空間的範囲のなかで相対的にまとまりを示す。つまり，各々重層的に編成された市場圏(商圏)，サービス圏，通勤圏・生活圏，金融圏，そして国家(中央・地方政府)や本社など

の中枢機能の管轄圏」を見出すことができる。「この結果，国民経済は，大・中・小の複合的・総合的な経済圏の重層的編成として把握される。」(同上：20-21)

　中小都市と農林水産業地帯のみで囲まれた経済圏がもっとも小さく，その上にこれらの経済圏をいくつか抱え，一部は重化学工業地帯も含み，地方中枢都市を軸とするより広域的な経済圏，大都市を軸に近郊都市群・重化学工業地帯・農林水産業地帯を含む大都市経済圏，そして大都市を中心とする国民経済という最も大きな経済圏となる。ここで，産業地域と経済圏の範囲が完全に一致する自立的な地域経済は国民経済という最も大きな経済圏のみとなる。

　そして，いう（同上：22-25），「現代資本主義のもとでの地域構造は，その担い手である巨大企業の（最大限の利潤を求める－引用者）立地運動の集合として形成される故に，多くの地域問題をその内部で醸成する。たとえば，リーディング・インダストリーでの企業群の資本蓄積は全国土レベルの地域編成を主導するとともに，財・サービス，所得・賃金，そして労働力の地域循環の目となる。その過程で国土の隅々に対してはそれらのヒト，モノ，カネ，情報を吸い上げる「逆流効果」を及ぼす。他方，この「成長の極」は，隣接した地域に対して強力な「波及効果」をもたらす。その結果，「成長の極」とその隣接地域を頂点とし，周辺地域を最底辺とした多階層的な地域格差が必然的に発生する。
　かくして，個々の自治体がその地域政策によって，このような構造的規定力がもたらす地域問題を克服することはできないという。

【補論】
　最近，矢田俊文（2000：279-312）は，現代の世界の経済地理学の諸潮流を広く見渡して，その中に自らの「地域構造論」を積極的に位置づけるとともに，率直に，「「(20世紀) 第四半世紀における『新しい社会的現実』の前で，大幅な修正を迫られていることは否定すべくもない」ことを認め，諸潮流の成果を積極的に吸収し，その「現代的再生」の企図を告げている。
　しかし，「内発的発展論」と「地域構造論」の論点の交錯というわれわれに関心からすれば，ひとまずは，『地域構造の理論』やはじめてその体系を世に問うた『産業配置と地域経済』に拠っても，そう不都合はないと思われる。というのは，現代世界の経済地理学の諸潮流を，世界経済の空間シ

ステム論（I.Wallerstein, A.Lipietz），情報経済の空間システム論（A.Pred, M.Castells），企業経済の空間システム論（D.Massey E.W.Schump, M.Porter），地域経済の空間システム論（A.J.Scott, A.Marksen），そして自らの国民経済の空間システム論（T.Yada）というように分類している。そして，それらの相互補完関係を整理して，「地域構造論」の意義と再構築の方向を提示しているが，われわれのみるところ，「地域構造論」の基本的論点，編成には些かの揺るぎもない。しかし，そうはいうものの，「世界経済の空間システム」「企業経済の空間システム」「情報経済の空間システム」の編成力の高まりを考慮に入れて，再構築しようというのである。

　すなわち，一方で，グローバルな覇権階層システムの形成と，グローバル企業の企業経済の空間システムの規定力が増し，各国の産業構造と地域構造がグローバル企業の世界戦略という「強い磁石」で引きつけられたように再編成されていく「世界経済の空間システム」の中で，かつて強調した国家と国民経済の一定の相対化。他方で，「新産業空間」などのような地域的な産業集積の空間編成力の増大やＩＴ革命によるヴァーチャル空間づくりの編成力に大きなものがあり，これにも大いに考慮を払おう，というのである。

「地域構造論」者は，以上のような考え方から，先に検討した「内発的発展論」を批判する。

　「一口でいえば，これらの理論があまりに運動論に傾斜しすぎている点からくる空間的視点の弱さである。」「内発的発展論では１自治体内での政策論に限られ，いくつかの地域にまたがる，すなわち国民経済の中での地域経済の位置づけという視点は出てきにくい。」（久野国夫1990：212）

そしてつぎのように戯画化さえする。

　「地域構造の今日的実態を欠いた地域経済論では，自治体は依然としてマクロな目をふさがれたままであるから，中央政府の『分割統治』下にあるのと同然であり，テクノポリスやリゾート構想など中央政府のお墨付きを得た『地域開

発』政策の指定獲得競争に動員されるという構造は，手を変え品を変え繰り返されるだけであろう。『一村一品運動』で知られる大分県の大山農協，『産直』の下郷農協は内発的発展の例としてよくとり上げられるが，どちらも地域住民の自発的運動という点では同じく内発的性格をもっているが，米作に頼らない大山のそれは実質的に政府の基本政策を所与とした上で，いかにうまく市場競争に勝つかであるのに対して，主要食糧（穀物や肉）にこだわる下郷のそれは，企業家精神よりも農の哲学を重視している。したがって大山の内発的発展では，農産物の自由化反対や日本農業をどうするかといった展望は出てきにくいのみならず，農民はたえず市場動向にふりまわされる結果となる。」

「内発的発展論は，自治体という空間単位での住民自治の主体形成論として一人歩きしている。内発的発展論は，しばしば見られる主観的には善意の研究者による，現実の産業特性や立地動向をほとんど考慮に入れない願望的地域経済論の理論的よりどころとなっているというのは言い過ぎであろうか。」（同上：213）

　たしかに，市場社会が支配的になっている限り，国民経済における社会的分業体系は，利潤最大化を求める企業の自由な産業立地運動の合成として展開する。国土の各部分に存在するそれぞれのコミュニティにおける〈いのちとくらし〉の営みもこのシステムの構造的力学から自由であることはできない。したがって，内発的発展論が理論と実践においてその潜在力を発揮し得るためには，まずは，「地域構造」論者のいうシステムの力学による地域の〈いのちとくらし〉の営みのあり方への規定力を認めたうえで，内発的発展論をさらに発展させる必要があろう。中村剛治郎（2004）はそのフロンティアに位置するように思われ，教えられるところが多い。

Ⅲ　内発的発展論のうちからの対応的発展

　中村剛次郎は以下のようにいう。

3章　「複合的地域活性化戦略」

「日本における内発的発展論は，学会では多くの場合，宮本憲一による日本の地域開発研究からの定義や西川潤の途上国開発論からの概説的整理を紹介したりくりかえしたりするにとどまっている傾向がある。……前者においても，……地域経済の構造分析により，内発的発展の地域経済モデルの本格的計量的実証研究をおこなっているわけではない。」(中村剛治郎2004：18)
「地域経済は地域を越える大きな経済力の作用のもとにあり」，「地域経済の運命は，地域自らの選択と行動だけでなく，地域間の関係によっても規定されている。」「周辺化する地域が，中枢地域と同じような発展戦略を立てても成功しない。」(同上：111)
「貧しい低開発国」の内発的発展と先進国における内発的発展，農村における内発的発展と都市における内発的発展を，全く同列に論じることが出来るか，とりわけ内発的発展実現するための方法や主体についてより具体化すべきではないかなど，内発的発展論に内在しながら，その発展をはかることを提起している。(同上：18)
「貧しい低開発国」では，生きていくために必要な基礎的な食料・衣服・住居が手に入らない欠乏状態に苦しんでいるので，内発的発展は地域内需給を重点に置くという方法的原則については首肯できる。先進国でも，食料やエネルギーなど出来るだけ地域需給を基本原則として追求することは重要である。全国市場を対象とする場合でも，地域で評判を高めたものが他の地域でも売れるようになって市場と生産を拡大していくという道筋を成功の道として想定することができる。

しかし，「市場経済と福祉国家の考え方が発展して，貨幣所得の豊かさが民衆レベルまで浸透している先進国の地域経済では，当初から全国区市場や世界市場を対象とする製品を生産することも，内発的発展の道としてありうるのではないか。」「従来の過疎地域や低開発国の内発的発展の取り組みから抽出された定義を尺度に，内発的発展でないと簡単に排除してしまうだけでは，内発的発展論の現代的意義は限定的になってしまう危険がある。都市型内発的発展や知識経済の内発的発展論を展開していく必要がある。」(同上：19-20) そして，かれは，金沢市における内発的発展の都市産業政策を展開している。(同上：第5 - 6章)

「地域構造論論争」（矢田俊文編著1990）は中村剛治郎（1987）が地域構造論を積極的に肯定するに至ったとみなして次のようにいっている。

> 「地方財政学による国民経済の空間的論理に対する視点の欠落をこれだけ率直に認めた『地方財政研究者』はほとんどいない。……『地域経済の改革は内部的なとりくみなしには不可能であるが，同時にこれをとりまく地域経済の相互関係（地域構造）の変革なしには困難である。地域構造の実体分析をすすめ，地域構造の改革を求めていくことが重要な課題になっている』という指摘は，日頃の筆者の指摘とまったく一致しており，基本的な賛意を示したい。」矢田俊文編著（1990：37）

しかし，中村剛治郎の立論の基底は依然として「内発的発展論」にあることは否定できない。したがって，矢田俊文も，中村剛治郎が「地域構造論」に対する批判，すなわち，「地域という言葉に含まれている人間発達の場，共同生活空間としての総合性，個性，共同性，主体性，自治体といった視点が欠落している」という批判をなお保持していることにも触れている（中村にとって，そしてわれわれにとっても，このことこそが枢要なことである－引用者）。それゆえ，単純に「地域構造論」の軍門に降ったわけではないだろう。

Ⅳ 「地域構造論」の潜在的可能性

ところで，「地域構造論」は，潜在的には（あるいは解釈の仕方によっては），「内発的発展論」のこのようなこだわりに理解を示すことが可能な，広い視野と奥深い懐を備えているようにもみえる。

矢田俊文は，氏の提唱する「地域構造論」の体系的確立を告げることになったと思われる『産業配置と地域構造』（1982）の一節で「地域経済論」や「経済地理学」に存在する二つの視角について次のように論じている。

> 「一つは，個々の具体的な地域の分析，あるいはその地域のあるべき方向の検討のなかから積みあげられ，一般化されつつある地域経済論』である。一言でいえば，『地域』からの，ないしは下からの『地域経済論』である。他の一つは，国民経済の発展とそのもとでの経済の空間的展開のなかで『地域』をとらえようとする『地域経済論』である。」(矢田俊文1982：104)

そして，後者の立場から前者を批判するだけでなく，この二つの視角の統一をも志向するのである。

> 「たしかに，A『一定の地域の住民が，その地域の風土的個性を背景に，その地域の共同体に対して一体感をもち，地域の行政的・経済的自立と文化的独立性とを追求する』といった玉野井芳郎氏のいう『地域主義』とB地域的分業と協業の発展のなかに『労働の社会化の法則』の貫徹と進歩的役割をみようとする日山宏氏の『地域経済論』とは，ほとんど歩み寄り不可能な距離を感じさせる。しかし，中村氏らの個別地域の分析のなかに『国民経済の地域構造』が考慮されたり，野原氏が『地域的再生産圏の重層的編成物としての国民経済』というとらえ方をしたり，清成氏が『経済の地域内循環』領域の重層的な編成を主張しているところに，『地域』論的視角の側からの『国民経済』との統一の方向をみることができる。他方，竹内氏は『国民経済の地域循環』の中で経済地域を考え，筆者も『国民経済の地域構造』のなかで個別の地域経済を位置づけられるものと主張している。つまり，下から上へ（地域から国民経済へ）の研究方向と，上から下へ（国民経済から地域へ）の研究方向が接近しつつあると考えることも不可能ではない。」(同上：105-106 下線は引用者。矢田は下線部AをネガティブにBをポジティブ評価する。後述のため記憶されたい。)

にもかかわらず，両者の内容上の統一は依然なされていない。それには二つの問題点が存在している，と課題を示す。(同上：106-107)

> 第一は，「『地域的視角』の側からは，生活圏レベルの『地域』については，きわめて鮮明にとらえながら，それ以上の範囲の『地域』については，あまり

に一般的・抽象的にとどまっており，逆に『国民経済的視角』の側からは，東西経済圏レベルのきわめて広域的な『地域』の摘出のみに成功し，それ以下のものについては，あまりに不鮮明となっていることにある。

　第二は，より本質的な問題にかかわることだといいながら，「『地域論的視角』に立つ論者の多くは，地域住民の生活圏のレベルでの地域問題と深くかかわっており，これを解決しようとする実践的課題のなかから『地域経済論』を構築しようとしており，きわめて問題意識の鋭い方法論的追求となっている。」したがって，「『事実を事実としてとらえる』という研究態度を生ぬるいとして，しばしば激しく糾弾するほど『近視眼的』姿勢を示す。」

　他方，「『国民経済的視角』に立つ論者の多くは，既存の経済学の成果のうえに立って，『机上』で論理展開を行ないがちとなり，地域問題といっても過密と過疎，都市と農村，地域間格差など相対的に一般的なとらえ方に興味を示し，C個別の『地域問題を解決し，域経済を育成していくという主体的な運動と結合』しにくい弱さを示しがちである。したがって，『地域問題』を解決するためにいかなる『地域構造』を歴史の発展の継続性と断層性のなかで構築すべきかという視点がしばしば欠落してしまう。」したがって，「真の意味での両者の統一は，資本主義社会における地域構造の形成の論理を相対的に独自な課題として確認し，これを理論的・実証的に究明するとともに，『地域問題』を真に解決するという立場から，地域住民運動とともに，こうした地域構造の変革の方向を模索し，個々の地域経済の再建もこれとの関連で追求していくことであろう。」（後述のため下線部A，BとともにCも記憶されたい。）

そして，「地域構造論」の論理体系を「産業配置論」，「地域経済論」，「国土利用論」，そして「地域政策論」の4部からなるものとして打ち出すが，その最後のところで「あるべき地域構造」として6点あげているが，その最後の6点目でも次のようにいっている（同上：263-264）。

　「第六に，こうした『あるべき地域構造』の確立は，地域住民運動，国政革新運動と結合し，これらの運動間の調整とイニシャティブのもとで実現することである。保守・革新を問わず単なるうえからの産業立地の分散や地域再編成，

権限委譲によっては，十分に実質化しえないと考える。」

こうして，ここまで受容的になった「地域構造論」は，もはや異議を差し挟む余地がなくなったと思われるほど内発的発展論を包摂し得るようにみえる。しかし，両者を統一するのを困難にしている矢田俊文が指摘した二つの問題点，とりわけ第二の問題点の克服は現実には相当難しいようである。

V 小考－「地域構造論」のその後の展開

「地域構造論」は，やがて国土政策づくりに影響力をもつようになってくる。すなわち，それは「多極分散型国土の構築」を基本目標とした第4次全国総合開発計画（四全総）で導入され，さらに五全総（「21世紀の国土のグランドデザイン」）やその後の「国土の総合点検」における指導概念――数個の「広域経済圏」づくりによる「多軸型国土構造」の形成を牽引する「地域連携軸」構想――となっていった。

1980年代央以降，関西圏も沈滞して，東京一極集中がこれまでになく顕著になってきたが，名古屋を中心とする中京圏が比較的元気であるし，三大都市圏以外の地方でも，人口100万人以上の中枢都市，札幌，仙台，広島，福岡が急速に成長している。それに続く規模の新潟，金沢，岡山，熊本などの都市もかなり成長している。さらに，各県庁所在都市が堅調な伸びを示している。こうした現実の流れを背景に，矢田俊文は次のようにいう。

> 「マーケットメカニズムに任せておけば，やはり関東であり，中京に膨張していきますが，この力を政策的に地方拠点都市に誘導できないか。『成長の極』戦略です。ですから，地方のかなり大規模の都市にこの流れを誘導すれば，全くマーケットメカニズムに反するわけでないので，国がちょっと背中を押してくれるだけでよい。流れは8対2から6対4ぐらいになるかもしれない。この4の力で地方の活性化の極に育てたらどうか。」（矢田俊文1996：18）

その延長上に,「広域経済圏」づくりを提起する。

> 「日本経済は,五大経済圏に分け(る)。つまり,首都圏,関西圏,中部圏,広島から九州方面の西南圏,仙台あるいは盛岡から北側の北東圏の五つです。」「おそらくいまのままでいけば,ハイテク産業は東北にも九州にも確実に展開する。サービス産業もかなりの程度,地方中枢都市で成長する。」「(ハイテク,サービスの)二大成長産業を地方に定着することによって『成長の極』を形成する。圏内に多様な産業が集積し,雇用機会の多様性ができあがり,人材が定着する。そのなかでヒト,モノ,カネ,情報の域内循環と相互連携をよくするためにインフラを整備する。そして各経済圏がそれぞれ外国と直接結びつく。新潟が対岸に,北海道が北方圏と,九州・沖縄がアジア圏というようにです。」「(人口は)東北地方は約1200万,九州は1300万,中国・四国1200万,これらの地域でいろいろな産業が成立し,経済圏ごとにまとまってきます。ミニ国民経済みたいなものができる。したがって,若者も結構好きな仕事,好みの大学を経済圏のなかで確保できる時代が,今中央集権システムのなかでもでき始めている。」(同上:26-27)

これは,もっぱら成長産業が重化学工業からハイテク産業とサービス産業の二大成長産業へ転換したということを主な根拠とするのだろうが,国民経済のみが自立的経済圏だといっていたところからは,かなり大きな注目すべき変化である(【補論】で指摘した,世界的潮流の一つとなった地域産業集積論の吸収ということもあろう)。さらに,われわれからすると,「地域連携軸」戦略というのがきわめて注目される。

> 「おそらく地方中枢都市は放っておいても伸びる。問題は,地方中枢都市の成長力を次の地方中核都市群にどう流し込んでいくか。」「中枢都市だけでなく,一部地方中核都市群も伸びている。その分水嶺が50万都市前後のところかと思います。これを30万都市前後のところまで引き下げることができないだろうか。それを地方中心都市群,地方工業都市群,地方中小都市群,リゾート地域,こ

れを全体として，……相互のネットワークのなかでリンケージが考えられないか。」
「『地域連携軸』は，地域相互の多様で密度の高い交流・連携を推進することにより，地域がそれぞれの有する資源を相互に活かしつつ機能を補完しあうことにより，住民がより高次の機能を享受できるようにしたり，新たな文化や価値を創造し，これらにより地域の特色ある発展をはかる国土政策上の戦略手段である。また，『地域連携軸』は，単に交通，情報・通信基盤の整備による地域間の結びつきのみでなく，産業，観光，文化，学術，研究などの多様な機能の交流・連帯を総体としてとらえたものといえ，複数の中小規模の都市圏間の交流・連携（タイプⅤ）を促進するもの，地方中枢・中核都市圏とその周辺地域の都市圏の交流・連携を促進するもの（タイプⅣ），複数の地方中枢都市圏の交流・連携を促進するもの（タイプⅢ），あるいは流域を単位とした上下流の交流・連携を促進するもの（タイプⅥ）など多様なパターンが考えられる。」（同上：.67-69）

〔そのほか，太平洋ベルト地帯のように，その連なりが国土の広い範囲を縦貫するようなもの（タイプⅠ），その国土の軸を肋骨のように横断的につなぐもの（タイプⅡ）もある。しかし，矢田俊文は，国土軸より，地域連携軸を指向して次のようにいう。
「5全総へ向けて，『第二国土軸』論争というのがそんなに重要な話なのか。いかにも政治課題であり，大変面白いのですが，20万〜30万都市の結合に，あれだけ膨大な投資が必要なのか。私は，やっぱりそんなに投資が要らない地域軸というものをしっかり固めながら，そして結果的に格差構造というのを先行的になくして，いわゆる広域経済圏というのをつくりあげる。それが文化，教育の機会均等，そういう点で地方が連携していけば，もっとはっきりしたデザインが描けると思います。……地方が均等に手を携えて新しい国土デザインを提起するには，第二国土軸競争よりも，地域軸のほうが社会的需要があり，まとまりやすく，しかも多少面白いアイデアではないかと思っています。」同上：66〕

この地域連携軸戦略によって，第一に，「地方圏で可能な限り札仙広福に類似した都市をつくりあげる。このためには，近接した中核都市圏の連合を意識的

にしかけることによって，中枢都市圏にランクアップする。北陸経済圏を背景とした富山・金沢・福井連合都市圏，北関東経済圏をバックにした高崎・前橋・宇都宮・水戸連合都市圏，東瀬戸内経済圏における岡山・倉敷・高松連合都市圏などは，機能を分担しながら相互に補完することによって，十分に大都市複合体に匹敵する集積を図ることができる。」

こうして，30万都市くらいまでをこの発展軸に動員する。しかし，「首都→地方中枢都市→地方中核都市」という「三層の一極集中」のなかで，それ以下の人口10万，20万の地方中心都市，地方中小都市などは衰退が著しい。これらはどうするか。それらに対しても，タイプⅤの地域連携軸づくりによってワンランク・アップをはかる。さらに周辺の農山漁村については，拡大する中枢都市圏との交流・連携に活路を見出す。このように，地域連携軸によってそれぞれ機能的にワンランク・アップしつつ，中枢都市圏の発展力を底辺にまで及ぼそうとするのである。

機能を相互補完しながらの地域間のハードのみならず，ソフトも含めた連携こそ，一方で，個々の都市の人口の増大なしに，あるいは，100万都市でなくとも，さらには地方中小都市群でも産業集積の一環に加わって100万都市並みの集積を享受することを可能にする。まさに地域連携軸は魔法の杖のごとき働きをする。しかし，それはあまりにも楽天的に過ぎるのではないだろうか。

第一に，政策的に背中をちょっと押された位でも進む中枢都市の成長は広域圏全体に「波及効果」を及ぼし，「広域圏」全体の発展軸となるとは限らない。逆に，広域圏の「中枢都市への一極集中」をもたらしかねない。近隣の中核都市すら中枢都市からの「吸引効果」の方が，中枢都市からの「波及効果」を上回る可能性もある。中核都市がよほど自らの内発的発展の基盤を備えて中枢都市との地域連携軸のあり方についてイニシャティブをもった場合にのみ，「波及効果」をより多く享受しえる。同じことは，中核都市とその周辺の中心都市，中小都市，あるいは農山漁村とのあいだでもいえる。したがって，まず，中心都市，中小都市，あるいは農山漁村は，それぞれの内発的発展を強め合うように，相互の間で地域連携軸をつくることが必要であろう。それによってそれらは，はじめて中核都市との地域連携にイニシャティブをもって臨むことが可能

になる。そして，中核都市は，みずからの周辺とのこのような地域連携軸を備えることによって中枢都市との地域連携におけるイニシャティブを強化し得る。

　じつは，これは底辺の農山魚村，中小都市，中心都市から，それぞれの内発的発展を強め合うように交流・連携を進め，機能的にワンランク・アップしつつ中枢都市にまで重層的にその交流・連携を積み上げることでないだろうか。そして，内発的発展を強め合うように交流・連携を進め，機能的にワンランク・アップするように進める地域連携軸づくりは，われわれにいわせれば，実は彼らの間でのコミュニケーション的行為‐協同による彼らの新しい公共性づくりにほかならない。より具体的にいえば，話し合いで互いに納得し得た，したがって自分たちの社会的意味・価値（それは連帯を生み出す）を，マーケット・メカニズムが前提だとはいえ，可能な限りそれをマーケット・メカニズムに反映させて，彼らのあいだでの機能分担・分業，あるいは新しい彼らの制度づくりを進めることである。

　ところで，再三言及しているように，現代日本の市場メカニズムのなかでは「三層の一極集中」，すなわち，国土範囲での「東京一極集中」と広域経済圏範囲での「中枢都市・中核都市一極集中」が顕著に進行している。それゆえ，東京一極集中を抑制するために中枢・中核都市の「背中をちょっと押すだけ」ではなく，むしろ，重層的な地域連携軸形成において，より底辺からの「内発的発展」とそれらの間での連携により多くのウェイトを置く政策措置が必要である。それこそ，各レベルの公共性を支える行財政の大胆な地方分権とこれまた，大胆な「社会的経済」（市民事業）促進へ向けての政策的舵取りである。

　しかし，逆に，東京一極集中に対抗するという大義名分を掲げて，あるいは，より一般的に，アジアのライバルの成長のなかで，アジア圏の「発展軸」としての「日本の優位」を確保するという大義名分を掲げて，中枢都市圏の産業集積を一層高度にすることに政策の重点が置かれるならば，広域経済圏範囲での「中枢都市・中核都市一極集中」が一層顕著に進行して，中心都市‐中小都市‐農山魚村の工業，農林漁業，流通・サービス業を問わず，すべての産業の空洞化，コミュニティの崩壊は火を見るより明らかとなる。そして，その懸念は決して根拠のないものではない。それは，経済産業省，文部科学省が先導した

「産業クラスター」戦略に国土交通省も接近しつつあるのではないかという懸念を払拭しきれないからである。

ちなみに，2001年，経済産業省は「産業クラスター計画」に取り組み始めたが，その問題意識を「産業クラスター・カンファレンス」を主催した経済産業省大臣官房審議官の広田博士が主催者挨拶のなかで次のように述べている。

> 「わが国の産業は，過去の一貫した経済の拡大基調の中で，世界でも１，２を争う競争力を有するに至りました。しかしながら，昨今の世界の社会経済情勢というのは大変急激に変化しており，わが国の産業もその地位を危うくされつつあるところです。これまでとは別の競争力の源泉というものを探し出して，競争力をつけていく必要があります。その際，産業集積を積み重ねていくことが国の競争力の優位をもたらしてくれる。世界的にそういう考え方が広まりつつあるわけです。私ども経済産業省では，平成13年度から，『産業クラスター計画』というものに取り組んでまいったわけです。」（広田博司2003）

そして，経済産業省は「産業クラスター計画はまだ緒についたばかり（で），これから本格的に成果をあげることが期待される」として，「産業クラスターの意義をこの際改めて整理し，また産業クラスターを形成するための効果的な方策について検討することが不可欠であると考え……一橋大学の石倉洋子教授を座長とする産業クラスター研究会というものを設置し，委員の方々に，産業クラスターに関する理論的な研究やクラスター形成に関する実証的な研究などをお願いして行っていただ（いた）。」

その産業クラスター研究会での議論に触発されたメンバーが著わしたのが，石倉洋子・藤田昌久・前田昇・金井一頼・山崎朗（2003）『日本の産業クラスター戦略』であるが，まさに，この要請に応える手始めであろうか。

第１章で，研究会座長の石倉洋子が「今なぜ産業クラスターなのか」と論じているが，ほぼ上の広田博士のそれと重なる。

> 「『失われた10年』といわれた1990年代をすぎ，早や５年に近づく日本では，世界第２位の市場規模を持ち，技術開発力の蓄積もある経済の再生が期待され，

3章 「複合的地域活性化戦略」

構造改革など各種の改革が推進されているにもかかわらず，各種のマクロ政策には具体的な成果がなかなかみえていない。このようななかで，最近，経済開発の新しい視点として産業クラスターの考え方が脚光を浴びている。それはマクロ政策だけでなく，ミクロ経済の観点から世界の中での『競争力』に注目するものである。また，業界でなくある程度広がりのある単位にある多様な組織や機関が連携し，協働と競争を行うことによって，イノベーションを起こし，新しい付加価値を創造しようとするものである。」（石倉洋子2003：1）

ここでは，産業クラスターの他の可能性については触れる余裕はないので，本稿の文脈から，是非，言及しておかねばならない議論の一つの基本的性格にだけ触れておこう。それは，第5章の「地域産業政策としてのクラスター計画」の議論である。「社会政策から発展戦略へ」という小見出しのもと，次のように論じる。（山崎朗2003：182-185）

「これまでの地域産業政策では，『地域間格差の是正』という理念が拡大解釈され，本来産業政策の一部であるはずの地域産業政策が『社会政策』として実施されてきた経緯がある。」「クラスター計画の第一義の目的は，『地域間格差の是正』ではなく，産業クラスターにおける産業競争力の強化であるということである。言い換えれば，これまでの地域産業政策の理念として強く反映されてきた『社会政策』的視点ではなく，発展的視点が重要となるということである。」「クラスター計画は地方による，地方のための計画ではない。」「クラスター計画は，産業政策の空間版（地域版）である。もともとクラスターとは，地域概念というよりも産業概念としてとらえるべき概念である。〇〇地域クラスターではなく，〇〇産業クラスターが□□地域に存在しているということなのである。」

また，「日本のクラスター計画の課題」という項の中で，「東京一極集中」についても，つぎのようにいう。（山崎朗2003：.187-188）

「製造業企業の本社，研究所の首都圏集中は，地方における量産型工場の『分

散立地』の裏返しである。このような極端な頭脳部分の東京一極集構造のなかで，地方の頭脳拠点化，進化遺伝子の植え付けは容易なことではない。また，短期間で実現できるものでもない。……地方のクラスターがアメリカのような自立性の高い産業クラスターとなることは，もともと無理だと認識しておくべきであろう。つまり，地方のクラスター計画によってベンチャー企業が続々と輩出し，それらが世界的大企業に成長するというシリコンバレー的なシナリオは，基本的にはありえないと理解しておく必要がある。日本の地方におけるクラスターの課題は，東京の本社，研究所と濃密なネットワークを形成し，開発と生産とのタイムラグを短縮し，できれば国際取引やイノベーションの一端をになえるように，個々のプレイヤーの実力をアップすることである。」

長期構想（目標年次2010-2015）として，「一極一軸型から多軸型国土構造」を目指した5全総「21世紀の国土のグランドデザイン－地域の自立の促進と美しい国土の創造－」が1998年に閣議決定されたが，一昨年（2004），早くも点検作業がなされ，『国土の総合的点検－新しい"国のかたち"へ向けて－』を纏めた。その取り纏めのイメージが図3－1として示されている。

ここでのポイントは「二層の広域圏の概念を国土空間に展開」するということである。すなわち，「生活面では，複数の市町村からなる『生活圏域』，経済面では，都道府県を越える規模からなる『地域ブロック』の二層の『広域圏』を今後の国土を考える際の地域的まとまりとし，これらを相互に連関させることで，国土全体として自立・安定した地域社会を形成する」ということである。

後者の「地域ブロック」について，『選択と集中』の考えに基づき，限られた資源が民間部門において生産性の高い拠点に重点的に投入されるように誘導し，拠点都市圏に産業集積を形成することで，拠点の発展とその波及効果により地域ブロック全体の活力を維持していく」という。前者の「生活圏域」については，「生活の利便性のために各種の都市サービスの充足が鍵となる。今後，これを包括的に提供する中心的な都市の存立が地域によって困難になる状況を踏まえ，圏域（人口規模で30万人前後，時間距離で1時間前後のまとまり）内での機能分担と相互補完により都市的なサービスを維持していくとともに，それが困難な地域では，特色ある地域づくりなどにより地域社会を維持していくこと

図 3 − 1 「国土の総合的点検」とりまとめイメージ

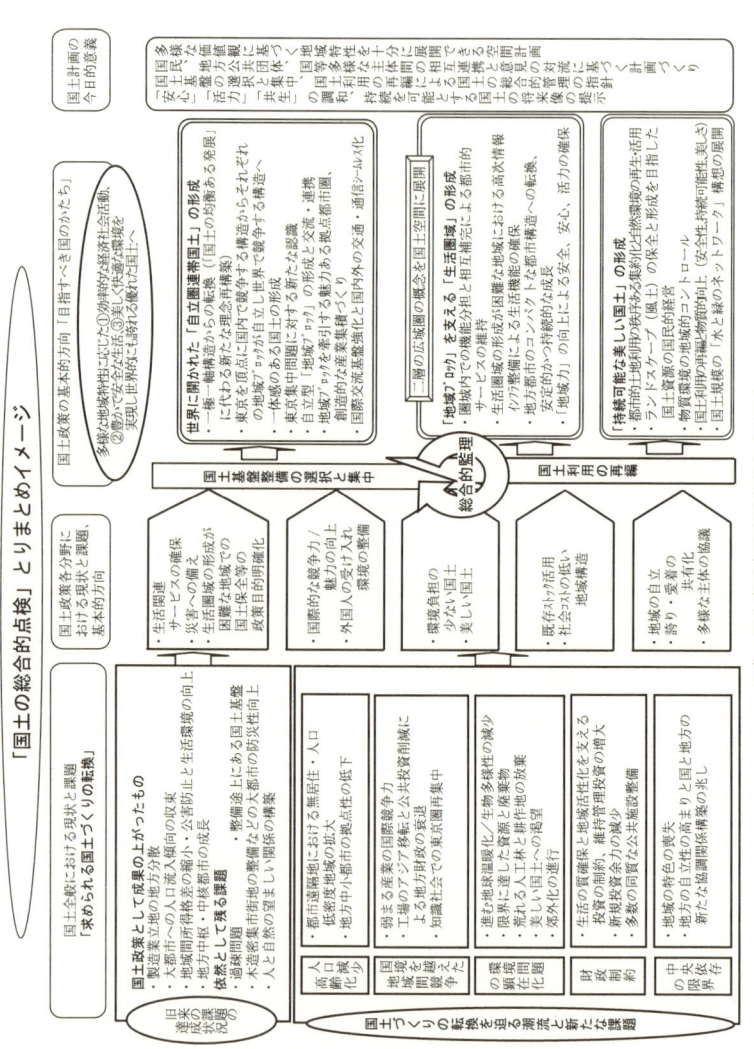

出典：国土審議会調査改革部会（2004c）

が重要になる」という。

その後で，「『ほどよいまち（調和のとれたまち）』を踏まえた地域づくり」が提起される。じつは，これといまうえで言及された，「生活圏」からはみ出る地域の，特色ある地域づくりとどう関連するのか，それが問題であるが（数パラグラフ後の【補論 2】を参照），これはひとまずおいて，「生活圏域」を構成する「ほどよいまちを踏まえた地域づくり」について次のようにいっている。(国土審議会調査改革部会2004b:63-67)

「地域づくりの結果として実現する『ほどよいまち』」

①地域づくりは，住民，NPO，企業，地方公共団体など多様な主体が参加して協働し，自主的に取り組むことが重要であり，結果としてバランスをもち，長期的に発展が持続する「ほどよいまち」が実現される。「ほどよいまち」とは，産業，環境，生活のバランスがとれ，都市機能と農村機能がバランスしている，住民の生活を支える生活基盤と外から移入した産業がバランスしている，農業，製造業，サービス業など産業構成もバランスしているまちのことである。諸機能がバランスしていると，社会が大きく変化する時代にあっても柔軟に対応可能で影響が少なく，まして緩やかな変化は吸収することが可能である。

②地域資源の活用による自助

地域に内在している伝統，技術，文化，自然，景観など地域資源の中から価値を発見し，磨き上げ，伸ばしていくことで他地域にない価値を生み出すことが重要である。

③ネットワークによる互助

自地域に必要な人材，文化，産業を補強するために他地域から移入を促進し，自地域に不足する機能を各地域の有する得意分野で補強／補完する形で連携し，また都市から一部を移入する形の『多元的』で，時間を経るに従い環境に応じて柔軟に変化する「動的な」ネットワークを形成することで，他地域との『相対的』な位置関係において自立の確立を目指す。

また，「今後の地域づくりにあたっての重要な要素」として次のことを指摘

している。

①熱心な地域リーダーの存在
②住民の生活に必要な所得機会の確保
　まず目指すべきは，地域住民が欲する商品・サービスを地元で生産する（地産地消，コミュニティ・ビジネス）こと，地元企業が必要とする労働者を地元が提供すること，地域で形成された資金を地域の事業に融資・投資することなど，「地域のなかで経済を回す」という自助が基本である。
　そのうえで，商品を大消費地である国内の都会や産業集積，東アジアなどへ出荷販売すること，国内や東アジアなどから観光客を呼び込むこと，住宅などを開発販売して居住者を呼び込む。
③多様な主体が参加する仕組みの構築
　住民個人，自治会，町内会，ＮＰＯ，企業，商工会議所，商工会，青年会議所，地方公共団体など多様な主体が参加して協働し，個性的な地域づくりを行うことが重要となる。住民がみずからを治めるという意味での自治構造の再編やＮＰＯなどの住民活動組織の創設や活動を促し，定年時期に差し掛かっている元気な団塊の世代の参加を促し，多様な個人が個人の資格で活動に参加し協働を促すことが重要である。
　行政と非行政とが一緒になって徹底した議論を積み重ね，合意に至るようなボトムアップ型の仕組みが重要である。
④地域づくりに対する，国，地方公共団体の，各段階に応じた，地域の主体性を前提とする適切な支援。

そして，「ほどよいまち」づくりと「二層の広域圏」との関係について次のようにいう。

　「こうして実現する『ほどよいまち』の一つ一つが，生活面では，生活圏域において都市的サービスを互いに機能分担し合いながら提供する役割を担う一方で，経済面では，地域ブロックの拠点からの波及を受け止めることで，生活圏域と地域ブロックという二層の広域圏が形成される。国土が多種多様，複数複

層の地域社会により構成され，二層の広域圏を念頭に置いた地域の自立と安定を担保する仕組みが形成されるには，地域ブロックの牽引役となる拠点と発展の躓きがちな町の双方が，『ほどよいまち』の価値を認識することが重要である。」

【補論2】
「ほどよいまち」とは，都市機能に重点を置いて互いに都市機能を提供し合うまちとすれば，それはかなり「大きなまち」がイメージされる。矢田俊文『国土政策と地域政策』(p.24)は，拠点都市としては人口規模100万以上が望ましいが，それを人口30万以上のところまで「地域連携軸」によって引き下げる。その拠点都市の下限の30万以下の都市が「ほどよいまち」候補であろう。国土審議会第2回調査会改革部会に事務局は，参考資料として，都市圏（中心都市のほかに同郊外も含む）および都市圏中心都市の双方について人口規模10〜30万人の都市を選び出している（「都市圏中心都市規模別人口構成」「参考資料1」p.16-17）。それは全人口の16.39％を占める。ちなみに，「ほどよいまち」候補から零れ落ちる10万人未満都市圏は10.37％，都市圏を構成する以外の町村は7.62％。また，三大都市圏以外の地方圏人口のウエイトが全体の50.5％だから，「ほどよいまち」候補から零れ落ちる10万人未満の都市圏と都市圏を構成するに至らない町村は合わせて，三大都市圏以外の地方圏人口のじつに35.6％を占める（すべて2000年現在）。地方圏人口の3分の1以上を「ほどよいまち」づくりの範囲外とすることについては，同部会で批判的意見が出された。
「『ほどよいまち』は10万人規模と想定するのか。10万人に満たない規模でも個性を持って取り組んでいるところは地方にたくさんある。」
　また，パブリック・コメントでもつぎの様な意見が続出している（「『国土の総合的点検』中間とりまとめに寄せられた意見について」国土審議会調査改革部会2004a）。
「生活圏域を『人口30万，移動1時間以内圏』と規定する積極的な意義は感じられない。それぞれの地域で，固有の歴史文化などの特性があり，住民の交流状況，地理的条件も異なるわけだから，国主導で圏域の目安を示す必要はない。地域資源の活用による自助を前提に，特定機能に特化しないバランスのとれたまちづくりを地域自らが主体的に行うという『ほどよいまち』の概念と，『生活圏域』において圏域の『枠』をおおよそであっても示すことは相容れない。」（三重県，総合企画局政策推進チーム）

3章「複合的地域活性化戦略」

「『生活圏域』および『地域ブロック』の二層の広域圏を設定した場合，それぞれの圏域における周辺地域の位置づけ，役割やその位置づけ，振興の方策を明らかにする必要がある。拠点都市からの波及効果では維持は困難」(鳥取県，企画部企画課)

そのためか否かは別として，その後は市町村の人口規模への言及はなくなり，定性的な性格づけになっている。他方，市町村の行政の中心地から高速道路をつかわないで，1時間でいける範囲の人口規模30万人圏という範囲が「生活圏」とされる。ちなみにその外に出るのは，全人口の4.5％，三大都市圏以外の地方圏人口のほぼ1割にあたる。それは，必ずしも，少ない数ではないであろう。それ故，地方人口の3分の1以上を占める小さな市町村でも（「生活圏」の外に出る地域も含めて），それぞれ「ほどよいまち」づくりの手法によって元気な地域となり，それらが連携軸をつくり特長を活かして機能分担を進めれば，月並みな都市機能より豊かな生活機能を提供し合いながら，ネットワークとしての「ほどよいまち」づくりに参加することも可能になるのではないだろうか。

「ほどよいまち」は，それ自身が，人口規模30万の「生活圏域」の外に出る，周辺の小さな市・町・村をも包摂する地域連携軸・ネットワーク的性格をもちながら，「生活圏域」という地域連携軸・ネットワークの構成要素となるというように考えられるならば，これは，まさに下からの「内発的発展」の論理を如実に体現するものである。他方で，地域ブロックの牽引役となる拠点からの「波及効果」を「主体的に」に受け止め，逆に，そのことによって地域ブロックの産業集積の発展の在りようにいくらかでも地域の性格を及ぼし，当該広域経済圏に，東京圏や他の広域経済圏とは異なった性格を創りだすのを助け，広域圏同士の同じ平面での競争よりも，国土内での，あるいは，東アジア圏での機能分担による連携的・持続的発展の可能性を創りだす端緒となり得る。

さらに，広域「生活圏」も，「都市的サービスの享受」ということが「圏域」をつくりだす基本要素となっているが，それも一つの要素ではあろうが，人びとの〈いのちとくらし〉の営みは「多自然的環境の享受」も必要とするだろうし，まさに，労働の場と機会とともにある。かくて，「広域生活圏」は，広域「ほどよいまち」であるべきであり，「ほどよいまち」と同じように，「生活

と「経済」の両面からとらえることができる。そうだとすれば,「ほどよいまち」－「広域生活圏」－「広域経済圏」という三層構造として把握されることになる。それ故,「ほどよいまち」づくりは,二層の広域圏の基層をなすものとしてもっと強調されてよいことになる。

さらにいえば 中枢都市,とりわけ首都圏においては,逆に,その大都市圏を「ほどよいまち」のネットワークにつくりなおす必要があるのではないだろうか。ここでも「ほどよいまち」が基底的たるべきだということにもなる。

しかし,さきの「『国土の総合点検』とりまとめイメージ」では,「ほどよいまち」づくりに一言の言及もない。また,このイメージから「ほどよいまち」づくりの論理を浮かびあがらせることは難しい。これはどうしたことだろうか。逆に,このイメージから,「産業クラスター」について一言の言及もないが,山崎朗的「産業クラスター論」を浮かびあがらせることはさほど難しくはない。すなわち,つぎの連関が,イメージ図の真ん中に枠で強調された「二層の広域圏の概念を国土空間に展開」のコアをなすものとして,黒々とうかびあがってくるのを禁じえないのである。

地域ブロックを牽引する魅力ある拠点都市圏,創造的な産業集積づくり
『選択と集中』による資源投入
↑
その『地域ブロック』をささえる機能分担と相互補完による都市的サービスの維持

さらに,「多軸型国土構造の形成の基礎づくり」を基本目標とする5全総「21世紀の国土のグランドデザイン」の目玉は「地域連携軸」であったが,しかし,太平洋ベルト上の従来の第一国土軸(「西日本国土軸」)に加えて,「北東国土軸」「日本海国土軸」「太平洋新国土軸」の3本の第二国土軸を将来的につくっていくというのは認めている。たとえば,「日本海国土軸を長期的視野に入れて,山陰軸,北陸軸,北東北軸,その間に新潟・山形の軸という都市間結合を主としてつくりながら,投資に余裕ができたときに,後をつなげば国土軸になります」と。

すると,さきほど,東京一極集中を改変し新しい国土デザインの構想を可能にする「広域経済の自立」,「国土軸よりも地域連携軸を!」という提起は,単

に財政の余裕のあるなしの便宜によるのか。「広域経済圏の自立」から構想する「新しい国土デザイン」の「新しさ」の中味が怪しくなる。

かくて，中村剛治郎のつぎのような批判が妥当すると考えざるを得なくなる。

「(「多軸型国土構造の形成」を謳う5全総について−引用者) その内実は，美辞麗句のことばを除けば，高速道路，東京湾口道路など6つの海峡横断道路，整備新幹線，国際港湾，国際空港の整備を謳う大規模な交通公共事業計画が中心であるため，従来の全総計画とかわらず5全総にすぎない。……もっとも，公共投資中心の従来型の景気政策が採用されている時期の計画であり，日本経済の多国籍企業段階に特徴的な新自由主義的な政策基調が国土政策の前面に出てくるようになると，5全総は転換を迫られ，非効率的な投資の削減が打ち出されることが予測された。副題の『地域の自立の促進』はその前触れをなすものとして，つまり，福祉国家の地域支援の縮小と問題地域の切り捨て，地方分権による自前の地域自立の要求を示唆していたからである。」(中村剛治郎2004：131)

Ⅵ 「内発的発展論」と「地域構造論」との真の統合を目指して─「新しい歴史主体」の形成─

以上，われわれは，「地域構造論」を体系的に確立したと認められる『産業配置と地域構造』の末尾の意欲的な課題設定，すなわち，「世界経済的視野に立ちながら，国民経済の空間編成としての地域構造，そのなかでも重層的経済圏の形成の論理を追求しつつ，地域問題，地域政策を追求すること，その際のポイントは広域経済圏や生活圏レベルのコミュニティの確立である」として，これを，「保守・革新を問わず単なるうえからの産業立地の分散や地域再編成，権限委譲によっては，十分に実質化しえないと考え」，「地域住民運動，国政革新運動と結合し，これらの運動間の調整とイニシャティブのもとで実現する」ということに鼓舞され，その潜在的可能性の展開をわれわれなりに追った。

そして，(「国土軸」づくりに優先する) 地域連携軸戦略，さらに，「ほどよいまち」づくりを基盤にした，タイプⅤの地域連携軸戦略としての「生活圏」コミュニティづくりのうちに，その可能性が潜在していなくはないことを探った。しかし，同時に，それがきわめて危ういこと，われわれの勝手な思い入れに過ぎないという危うさのうちのあることも判明した。依然として，かつて矢田俊文が掲げた課題は果たされていない。それはなぜなのか。

　そこで，想起されるのが，すでに指摘したことであるが，矢田俊文はうえの課題設定に先立って，経済地理学や地域経済論において，上から (普遍的，法則定立的) と下から (個別的，地誌的) との，二つの視角があることに触れ，その二つの視角の統合が必要なことを論じていた。そして，その統合が困難なことに触れ，なぜ困難なのか，上からの (普遍的，法則定立的) 視角に分類される「国民経済的視角」の問題点を自ら指摘していた (先ほど下線 c を付した部分)。いま一度，該当部分を再掲しよう。

　　C「個別の『地域問題を解決し，地域経済を育成していくという主体的な運動と結合』しにくい弱さを示しがちである。したがって，『地域問題』を解決するためにいかなる『地域構造』を歴史の発展の継続性と断層性のなかで構築すべきかという視点がしばしば欠落してしまう。」したがって，「真の意味での両者の統一は，資本主義社会における地域構造の形成の論理を相対的に独自な課題として確認し，これを理論的・実証的に解明するとともに，『地域問題』を真に解決するという立場から，地域住民運動とともに，こうした地域構造の変革の方向を模索し，個々の地域経済の再建もこれとの関連で追求していくことであろう。」(下線およびゴチックは引用者，下線での強調場所は前掲と異なる)

　矢田俊文は，その少しうえのBを付した「地域的分業と協業の発展のなかに『労働の社会化の法則』の貫徹と進歩的役割を見ようとする日山宏『地域経済論』」を次のように評価する。

　　「氏の見解の本質は，資本主義における地域的分業と協業を『労働の社会化の発展』のなかで正しく位置づけようとしたものの，より具体的に地域的分業の

様相をまさに資本主義経済機構のなかで解明しえていないことにある。もっといえば、<u>資本主義社会における資本の空間運動がつくりだす地域的分業体系つまり地域構造をそれ自体としてとらえようとしていない</u>のである。そのことが、現在の地域的分業のあり方を『労働の社会化の法則の地域的具体的形態』としてのみ一面的に評価し、それの『独占による管理』から『プロレタリアの管理』によって、地域問題が基本的に解決するという、あまりに一般的な結論を導きだすことになってしまう。独占段階における地域的分業のあり方を、激化する『地域問題』との関連で理論的・具体的に解明し、そのなかから『プロレタリアによる管理』のもとにおける地域的分業のあり方を模索するのでなければ、地域問題の解決の展望は生れてこないであろう。地域的分業そのものを否定しようとする『地域主義』などの最近の『地域経済論』を真に批判し、克服しようとするならば、こうしたことは不可欠であろう。」

われわれがみるに、矢田俊文の「地域構造論」は、まさに、上掲、二つの引用文の下線部分の問題点を克服しようとして提起されたものだろう。そして、そのことについては、いままでのわれわれの検討においても、一応肯定的に認めてもよい。われわれからすれば、問題は、むしろ、「主体的な運動との結合」とか、「歴史の発展の継続性と断続性」（ゴチック部分）というのをどう考えるのか、ということが気になる。

矢田俊文のいう「歴史の継続と断続」というのは、必ずしもよく分からない。しかし、先に下線部A、B、Cやすぐ上の引用部分から少しくは推測することができよう。すなわち、「歴史の継続」ということについては、日山宏が「『労働の社会化』にともなう地域的分業と協業の歴史的発展のなかで、資本主義的地域分業と協業は共同体的相互関係から全社会の真に自由で民主的な地域分業と協業への発展の過渡段階」ととらえていることを評価していることから窺える。「全社会の真に自由で民主的な地域分業と協業への発展」とは、おそらく資本主義から社会主義への移行を意味しているのではないだろうか。

「『あるべき地域構造』の確立にとっては、資本主義体性か社会主義体制のあり

方と別個にあるわけでない。経済地域の成立,地方分権の確立は,資本主義体制のもとでよりも社会主義体制のもとでの方が真に開花できるのであろう。独占資本主義のもとでの地域問題の激化と住民運動の発展,中央集権社会主義の矛盾の露呈といった事態が,地方分権的社会主義をも視野に入れなければならない段階にきている。」(矢田俊文1982:264)

このような「歴史的発展の連続性と断続性」認識,われわれが端的にいえば,「労働の社会化の法則」というような「唯物史観的な歴史認識」が矢田俊文が求める「真の統合」への障害になっていないか,われわれにはこのことが気になるのである。

しかし,この文章が書かれて4半世紀になる。現在に近い時点では,どうだろうか。現在まで上述の歴史観は堅持されているか,新たな歴史観が構築されたかわからない。直接は対応しないが,幸い,はじめに触れた,現代の世界の経済地理学の諸潮流を広く見渡し,そのなかに自らの「地域構造論」を位置づけた論考の冒頭で,「20世紀末から21世紀初頭にかけて,世界史的に見て明らかに大きな転換に直面していることは,多くの論者の共通の理解である。しかし,何をもって転換期とみるのか,どれだけの時間的なスパンの中で位置づけるのか,論者によって必ずしも共通しているわけではない」と,格好の問題を提起してくれている。そして,いくつかの「画期」をあげている。(矢田俊文2000b:279-282)

(1) 地球環境の危機:18世紀末からの産業革命による生産力の急速な発展とそれに伴う膨大な化石エネルギーの消費,および多様な化学物質の開発によって人類の存在を危うくするまでに地球環境の破壊が進んでいることを「画期」のメルクマールとする。／人類誕生からの時代認識
(2) 情報社会の到来:財貨の生産と分配・経済成長を基軸原理とする「工業社会」から情報の生産・理論的知識を基軸原理とする「脱工業社会」への転換,あるいは,トフラーの「第3の波」の到来を「画期」／産業革命以降の工業社会との対比の時代認識

（3）世界システムの転換：冷戦体制が崩壊し，世界経済がアメリカを基軸として一体化する，いわゆるグローバライゼーションの進展を「画期」／20世紀後半の世界システムの転換に力点を置く時代認識

そして，「((1)，(2)，(3)とも)『情報化』という唯一の推進力によるものとみることができるかも知れない。少なくとも情報社会の到来とグローバライゼーションは，同一のパースペクティブ上にある」と，(2)「情報化」に世界史的な大転換の内実とその起動力を求める。

たしかに，とくに，(2)と(3)については，かなりの程度まで同意できる。(1)については，具体的に述べていないのでよくわからないが，ある面でそういってよいだろう。また，IT技術を「空間克服技術」と呼び，「情報経済の空間システム論が21世紀の経済地理学を制するとみるのは早計だろうか」（同上：311）と「ヴァーチャル空間」出現の衝撃力を強調しているが，とくに経済地理学にとってはそうだろうが，政治，経済，社会，文化とあらゆる面で，なおその衝撃力は計りきれない位大きいことはたしかであろう。

もっとも，産業・経済，生活が情報技術だけで成り立っているわけではなく，複雑な産業連関構造と生活構造との，そしてそれらの間の連関の一部として，その中に浸透していくものであり，国土空間にしても，矢田が，「地域構造論の現代化」をはかる際の注意点として適切に指摘していたように，「ダイヤモンドのある本拠地，あるいは地域的産業集積が『国の優位』や地域の優位を決定し，国民経済の空間システムの一つの中核的位置を占めるようになり，その分析が国民経済の空間システムの解明に貢献している。しかし，他方で，農林水産業地帯や鉱山地域，伝統的な重化学工業地域や地域経済にしっかり埋め込まれている食品，木材・家具，陶磁器などの地場産業地域など，これ以外の多様な『産業地域』の分析もまた国民経済の空間システムの解明に依然必要である」（同上：309）ことは，しっかりと押さえておかねばならない。

しかも，その衝撃力は大きいものの，科学技術，産業技術としてのIT技術が21世紀の社会のあり方を一義的に決めていくわけではない。

2章で，Brian J.L.Berryの描くオプティミスティックな情報技術の開花の

帰結をみたが，逆に極めてペシミスティックな帰結も可能である。すなわち，1984年はとうに過ぎたが，情報技術の進化の仕方によっては，ジョージ・オーエルの描くビッグ・ブラザーによって管理される超管理社会がこれから出現することはないのか。Berryは，すでに，はるかに膨大な人口を抱え，これからも爆発的に人口が増えるとみられる途上国には触れていないが，持てるものと持たざるものの格差は，デジタル・ディヴァイドの進行によって，先進諸国と途上国との間で，また，途上国内で，さらに著しくなる危険はないのか。先進諸国の，「過剰富裕化」の都市生活スタイルの，途上国の人びとへのデモンストレーション効果は，ますます広く，大きくなる。それは，途上国の人口爆発とともに，グローバルな規模での，水，食糧，エネルギー不足は，すでに一部の地域で，とくに最貧国，最貧地域でひどくなっているが，その一層の進行は，地球環境丸ごとの破壊となって，先進諸国の人びとの生存をも一挙に危うくする。そのなかで，『ルガノ秘密報告・グローバル市場経済生き残り戦略』——（スーザン・ジョージ描く先進国の最高の頭脳をヴァーチャルな委員会に結集して構想する，架空のグローバル市場経済生き残り戦略）——が空恐ろしい構想を描く。(George, Susan 1999, 毛利良一監訳，幾島幸子訳2000：86-107)

　　グローバル市場経済が生き残るため唯一の選択肢は，地球人口の削減だという結論のもとに，委員会の作業部会は，つぎのような構想を描く。
「20世紀にはすさまじい大量虐殺がいくつも行われたが，それらは，時間，人員，費用などあらゆる意味でコストがかかりすぎ，非効率で，やがて世界中に知れわたり，その下手人たちには破壊と汚名がもたらされた。」その失敗を教訓にしての戦略は，「無名の人びとの死か，地球の終焉か」と問うて，前者を選択する。しかも，その際，汚名を浴びないようにする，というのである。
「第一段階は，活気に満ちた競争的でグローバル化した経済は，国内および国際間に必然的に勝者と敗者，『中』に入る者と『外』にはじかれるもので構成されるに二層社会をつくるという事実を認め，他者にもそれを認めさせることである。これこそ健全な姿であり，このシステムの推進力，いわば『人間の本質』であって，決して変えることのできないものなのだ。（だから）この本質を変えようとむなしい努力をするよりも，（このことを認めて，そのうえで，）勝者を

最大限に増やして敗者を減らし，今日よりずっと多くの人間に市場が生み出す利益を享受すべきである」と考えるようにさせることである。

「そこで私たちは委員会に積極的な人口制御戦略を指摘，倫理的，経済的，政治的，心理学的に正当化する発想や議論，イメージを開発，推進するために，思想家，作家，教師，マスコミ関係者らで構成される集団を組織することを強く推奨する。……バイオサイエンス，生態学，人口学，社会学，新古典派経済学をはじめ，現代のさまざまな学問分野の研究成果は，賢明な解釈を加えることでおのずから革新的な知的枠組みの中に位置づけられるはずだ。これらの新しい思想は，明確な目的意識をもった知的集団のネットワークを通して十分に検討し，練り上げられたうえで，あまねく広められなければならない。……これらのメンバーには，書籍や定期刊行物はもちろん，主流の新聞やラジオ，テレビ，電子メディアにも登場する機会をもつ環境が与えられ，……公的私的，さまざまな集まりで講演する，青少年とふれあい指導する，複数のウェブサイトを立ち上げるなどの機会も十分与えられるべきである。また，委員会の面々は，新しい思想の普及に必須の"知的・イデオロギー的増幅器"を備えたグローバルな巨大メディアの上層部と密接な関係があることも疑いない。……私たち作業部会のメンバーは自らこの知的集団の一つの典型だとみなしている。」（同上：105-107）

IT革命の進行が，国民経済が国際分業を通じて結合・再編され，これによって世界経済の空間システムが形成されるが，この国際分業は単純な相互補完によるものではなく，中心と呼ばれる先進資本主義国のヘゲモニーのもとに，NIESやロシア・東欧諸国が半周辺，アジア・アフリカ・ラテンアメリカなど開発途上国が周辺として立体的にシステム化されていく。そのなかで，先進国に『本拠地』をおく，グローバル企業の企業経済の空間システムの規定力が増し，各国の産業構造と地域構造がグローバル企業の世界戦略という『強い磁石』で引きつけられたように再編成されていくという状況の中でなされる限り，その中心ほど，あるいは上層ほどその衝撃力を自らのものとすることになり，「スピードによる階層化」の弾みがついて，諸格差の拡大はさらに著しくなることが予想される。かくて，情報技術革命によって，おのずからBerryの夢

が正夢になる確率よりは、悪夢のような『ルガノ秘密報告』が現実となる確率を高める結果をもたらさないか、懸念を強めさせさえするのである。

　国内でも話は同じであろう。このようなグローバルな規模での階層化の進行の中で、「外」に弾かれないように、各国が、それぞれ「国の競争優位」を必死で高めざるを得なくなっている。そこで「産業クラスター戦略」を遂行しようとしているのであるから、いきおい、国内で強いところをより強くして、グローバル市場でも強くしなければ、国は敗北・衰退をまぬかれない。「三層の一極集中」はさらに進行することになろう。そのうえ、情報技術革命の衝撃がこれを後押しする。

　したがって、Berryの夢が実現に少しでも近づくためには、衝撃力が大きいだけに、IT技術は、どのようなIT技術が、政治、経済、社会、文化のどの面に、どういう主体によって、何のために開発され、どのようにつかわれて行くかが問題となる。IT技術そのものではなく、どのようなニーズと関心が産業、経済、生活の相互関係の中で人びとの間でたかまり、IT技術の開発、応用、導入のあり方をリードするようになるのかに懸かってくる。政治面で、経済面で、社会面で、あるいは、文化面で、いくらかでも重なる想いを抱く人びとの想いと想いが紡ぎだしたネットワークが機能しなければ、Berryの夢は決して実現に近づくことはない。これは、ルガノ秘密報告の主体づくりと全く逆のベクトルをもつ主体づくりを必要とし、双方の間での競争、対抗のうちに、どちらが優勢を占めるか、その帰結が、その未来像を決定する――（双方互角ということも含めて、さまざまなグラデーションにおいてあり得よう）――。

　同じように、国内においても、東京一極集中から広域経済圏への分散をすすめる中枢・中核都市の産業集積が、その効果を挙げつつ、それを、さらに「ほどよいまち」づくりの活性化に及ぼすことができるか否かは、「ほどよいまち」づくりのネットワーク形成に、どれだけそれぞれの中小都市、町村に住む人びとの主体的想いと行為を取り込むことができるか、そして、それをさらに連携させて、放っておけば進行する「三層の一極集中」のシステムの法則的力学のベクトルに対抗できるほどのもにできるか、どうか、に懸かっている。

3章　「複合的地域活性化戦略」

ところで，主体形成といっても，もちろん，それは，ブルジョア階級にたいするプロレタリアートの形成などというヘーゲル的な灰色の哲学的概念展開に，緑なす現実を押し込めるものではない。われわれが提起したのは，相貌がすでにかなりの程度はっきりしてきていると思うが，まさに「新しい歴史主体」であった。

　こうしてみると，今，いかなる転機にあるか，という点で，矢田俊文が挙げている三点のすべてに，まずは，同調してもよいが，しかし，われわれからみると，（2）の情報技術革命については，それがなにを帰結するのか，そのシナリオは一通りではない。それは，「新しい主体」の形成の程度，在り方のそれと密接に関連していることに注意する必要がある。（3）の，グローバリゼーションの進行という，世界システムの転換にしても，じつは，一義的ではない。その行く末は，一方で，アメリカおよびその他の先進諸国を「本拠地」とする「多国籍企業」の「企業空間システム」がつくりだす階層化，それと重なり合う〈中心国―周辺諸国・地域〉という政治経済圏の階層化の拡大――（その悪魔的帰結は，「グローバル市場の生き残り」のために，名もなき人びとの死を選択する『ルガノ報告』の世界）――というベクトル，他方で，「ダボス会議」に対抗する「世界社会フォーラム」が象徴する様々な「新しい主体」による「反グローバリズム」のグローバルな連携・連帯の広がりというベクトル，この両ベクトルの対抗と消長の在りように懸かる。
　そうとすれば，（4）として，もう一つの転換を，すなわち，**「新しい歴史主体」の形成の胎動**を付け加えることがぜひとも必要である――（それは，なお，胎動であって，すでに形成されたものでも，また，「歴史法則」によって，形成を約束されたものでもないが）――。
　ところで，転換の（1）として掲げられている，人類の存在を危うくするまでに進んでいる地球環境の破壊については，矢田俊文はほとんど言及していないが，それは，他の危機とは次元を異にする深刻さをもつといわねばならない。人類の誕生以来，問われる必要のなかった人類の歴史が展開されてきた舞台そのものの危機，しかも人類史の展開そのものがもたらした，そして人類史から

すれば，わずか，200年ほど，さらに限定していえば，石油への原材料・エネルギー転換，大量生産ー大量消費・大量廃棄に乗ったここ数十年の経済の高成長・ライフスタイルの展開と広がりを招いたものである。人類史の持続可能性の危機であるが，わずかの間の人類史の展開あり方によっておこった（市場経済の暴走という）「人びとのなした業」，人為が起こしたものである。

どのように対応すれば，この危機を脱出しすることができるのだろうか。グローバルなメガ・コンペティション（大競争）のなかでの情報技術の技術革新によって飛躍的に促進される環境技術の進化に懸けるのであろうか。しかし，すでに言及したように，（2）と（3）は，途方もない格差拡大を帰結しつつ，『ルガノ秘密報告』の悪夢をちらつかせない保証はない。この悪夢を避けようとするなら，今，うえに言及した「新しい歴史主体」形成に期待するほかなかろう。

しかも，ここで特筆すべきことは，地球環境の破壊の危機──（また，それを人びとの眼前に目に見えるものとしてせまる，自分たちの周りの環境破壊）──自体が，先進国，途上国・地域を問わず，「新しい主体」を叢生させるもっとも重要な契機の一つとなっていることである。かくて，「内発的発展」，あるいは「『社会的経済』と『ラディカル・デモクラシー』の促進を基礎にした『循環型地域社会づくり』」をその一翼とする，「新しい歴史主体」の形成がどのように進むかに，21世紀がどのようなものになるか，その推転の鍵をなすといっても過言ではなかろう。

矢田俊文は，（4）をカウントせず，（2）をもっとも重視する。それに対して，われわれは，（4）を導入し，（1），（2），（3）すべてについて，この（4）の視点との交錯を重視する。

こうして，（4）として導入したわれわれの「新しい主体」形成の視点からみると，「歴史の継続と断続」の景色はかなり変わってくる。

いうまでもなく，まず，「歴史の継続」については，いまや，「『労働の社会化』にともなう地域的分業と協業の歴史的発展のなかで，資本主義的地域分業と協業は，共同体的相互関係から全社会の真に自由で民主的な地域分業と協業への発展の過渡段階」ということを「歴史法則」として前提できなくなる。そ

れは，まさに実証を要する問題となる。また，「全社会の真に自由で民主的な地域分業と協業」は，「独占による管理」に代わって「プロレタリアによる管理」によって実現されるなどと，とてもいえなくなる。第一，「プロレタリア」とは，何処に，どう実在するのか，「管理」とはどうすることなのか。それらをラディカルに見直した，われわれの「新しい主体」形成の観点からいえば，それこそ，〈いのちとくらし〉を営むそれぞれの地域で——（「地域構造論」に学んでいえば，「世界経済システム」に組み込まれながらも相対的独自性を保持する「国民経済システム」がつくりだす「地域構造」による規定を踏まえて）——，それぞれの地域にふさわしい特徴をもった「内発的発展」を，あるいは「『社会的経済』と『ラディカル・デモクラシー』を基礎とする『地域循環型社会』づくり」を企図する，多様な地域の人びと以外に「主体」はいない。そして，「管理」ということにしても，底辺の農山魚村，中小都市，中心都市それぞれの「内発的発展」，それらを携えての，それらの間の交流・連携による地域連携軸づくり，すなわち，われわれにいわせれば，彼らの間でのコミュニケーション的行為‐協同による彼らの新しい公共性づくり——（より具体的にいえば，話し合いでたがいに納得しえた，したがって自分たちの社会的意味・価値〈それは連帯を生み出す〉）——を，マーケット・メカニズムが前提だとはいえ，可能な限りそれをマーケット・メカニズムに反映させて，彼らのあいだでの機能分担・分業，あるいは，新しい彼らの制度づくりを進めるということ以外にない。

　もっとも，それは，幾層にも重層的に重なる。たとえば，〈「(それ自身ネットワーク的な）ほどよいまち」圏－「広域生活圏」－都道府県－「広域地方圏」－国民経済圏－（リージョン圏－グローバル圏）〉というように重層的になるが，もちろん，「ほどよいまち」圏や「広域生活圏」など，より下層の経済圏が飛び越えて，直接上層のリージョン圏やグローバル圏に結びつく契機も自立性を確保するために必要であろうから，交錯した重層性となる。それらの，それぞれのレベルで，彼らの間でのコミュニケーション的行為（協同）によって，新しい公共性づくりを進め，それに基づいて，それぞれのレベルの「公共政策」を遂行する。基礎的な経済圏へ行財政の分権が望ましいが，もちろん，より上位の公共圏の公共政策が独自の重要な機能を果たさねばならないことはいうまでもない。対外的に主権を認め合っており，また，国民の生存権を保証してい

る国民国家レベルでの公共政策は引き続き重要な機能を果たす必要があろう。その場合，それは，おのずから相対的独自性をもつが，しかし，あくまで，補完性原則にもとづいて，下位の公共圏間の合意によってつくり出される公共政策がその基本でなければなるまい。ところで，グローバリゼーションが進むにしたがって，ますます，国民経済圏より上位の公共性づくりが重要になりつつあるが，それについては，総論として1章で多少論じたが，別の機会にもう少し後に論ずることにしたい。

さらに，転機として，(4)の「新しい主体」の形成ということを追加することは，玉野井芳郎の視角を「労働の社会化の法則」によってアナクロニズムとすることにも見直しを要求することになる。

というのは，「生態学的視点の導入，自然・環境・文化が一体化した"地域"把握，その多様性の強調」は，まさに，「内発的発展」や『社会的経済』の促進を基礎にした『地域循環型社会』づくり」の，すなわち，「新しい主体」づくりの重要な契機となっているものである。「国民経済が成立して一世紀以上経過した時点で，自然と文化とが統一された集落的規模での"地域"の存在とその分権を主張する」というのも，昔へ戻そうというのではなく，それらが解体された現代において，それらの契機を新たな形態で回復することを主張していると受け取れる。それは，いま，うえに述べたように，〈「(それ自身ネットワークとしての) ほどよいまち」づくり－「広域生活圏」づくり〉そのものとして理解し得るのである。

こうして，21世紀以降においても人類が環境的にも，社会的にも持続可能な発展を確かなものにし，人類史を継続するためには，(4)の転機，すなわち，「新しい主体」の形成が鍵を握る。そして，それが形成されれば，人類社会は持続可能な発展という新たなパラダイムを獲得する。それは，現在の持続不可能な発展，発展というよりも破滅へ向かっての暴走であるが，その暴走軌道から脱する，「断続」的発展である。「新しい主体」は，「いのちとくらし」の「日常の営み」，市場社会における日常の営みに「継続」している。しかし，市場社会が人びとの「命と暮らしの営み」をその暴走に捲き組むとき，巻き込ま

れつつ,そこから自分たちの連帯,合意を市場社会に持ち込んで,暴走する市場社会を変革するという「断続」をやってのけるのである。

「歴史的主体」について,また,「歴史の継続と断続」ということについて,以上のような理解が広がるとき,「東京一極集中」は,「広域経済圏」に分散し,「広域経済圏」は,「(それ自身ネットワーク的な)ほどよいまち」づくりの活性化を促すことができるようになる。逆に,以上のような理解が広がらなければ,「東京一極集中」は止まず,また「中枢都市一極集中」も止まず,注目すべき「ほどよいまち」づくりは失敗に帰し,農林漁業,地場産業をはじめとする地方産業はその衰退を阻止し得ず,地方中小都市,町村も崩壊し,地域の,そして国土の生態系,自然環境との共生も危うくなるかぎりであろう。

「真の意味での両者(「地域的視角」と「国民経済的視角」-引用者)の統一は,資本主義社会における地域構造の形成の論理を相対的に独自な課題として確認し,これを理論的・実証的に解明するとともに,『地域問題』を真に解決するという立場から,地域住民運動とともに,こうした地域構造の変革の方向を模索し,個々の地域経済の再建もこれとの関連で追求していくことであろう」という矢田俊文自身の発言,そして,「地域問題の解明や地域政策の構想と主体形成の展望につながるような地域経済の展望が求められる」(下線は引用者)という中村剛治郎の指摘への同意は,以上のような理解の共有への期待が,必ずしも,空しい著者の片思いではないことを物語ると思うのだが,どうだろうか。

さて,以上,「内発的発展」と「地域構造論」に学びながら,両者の統合が必要なこと,そして,それを真に統合するためには,「内発的発展」や「『ラディカル・デモクラシー』と『社会的経済』の促進を基礎とする『循環型社会』づくり」をその一翼とする「新しい歴史主体」の形成というところで,合流ないし連携することが必要なことを明らかにし得たと思う。そして,そのことを通じて,「『社会的経済』の促進を基礎とする『循環型社会』づくり」,ないし「新しい歴史主体」の形成のもつ含意,あるいは,全体像の一端なり,一側面を少しは具体化し得たのではないかと思う。

4章　日本における「社会的経済」の促進戦略
さまざまな二項対立を超えて「新しい歴史主体」の形成を＊

はじめに

　われわれは，前章で近年顕著なっている三層の一極集中（東京・地方中枢・中核都市一極集中）とその裏返しとしての，地方地域社会の衰退という問題に注目し，地域活性化戦略における「内発的発展論」と「地域構造論」との二つの対抗する戦略を検討した。前者の「内発的発展論」は地域の人びとの〈草の根の諸アソシエーション〉の主体的働きかけを重視する。それに対して，後者の「地域構造論」は〈システム：（市場と国家），あるいは（グローバル市場 とグローバル覇権）〉の作用力を重視する。ここに，〈主体〉対〈システム〉の「二分法的対抗」をみることができる。

　しかし，われわれが，「内発的発展論」と「地域構造論」との対抗を取り上げたのは，まさに，この対抗に微妙なところがあると思われたからであった。〈主体〉概念をラディカルに見直した「新しい歴史主体」の形成という視角からみるとき，〈主体〉とは，〈（新古典派経済学的な）社会と切り離された原子論的「個」〉や〈（唯物史観的な）「階級的主体」〉ではなく，また，システムとは，それを構成する諸要素に外的に客観的にのみ作用するメカニックな自律的，自動的な〈市場や国家システム〉ではなくなる。いまや，主体の側の「個」は，〈自然的生態系の中の，そして社会のなかの相互主体〉として，たがいに開かれた「コミュニケーション的行為」を通じて市民的公共性をつくりあげる「個々の草の根の人びと」，そして彼らがつくるアソシエーション・連帯・ネットワークとなる。他方，システムの側は，（三層の一極集中を是正するためにちょっとした無理を冒させる）「成長の極」戦略や（もう少し大きな無理をさせて，生活圏と経済圏を重ねあわせる）「ほどよいまちづくり」を基礎にした「地域連携軸戦略」のような，〈人びとの政策的意思を入れ込んだ柔軟なシステム〉となる。後者は，前者の形成の程度に応じて現実的になり，前者の主体的力量は後者のような具体的制度となってはじめて現実的に発現される。

もっとも，その可能性において前進が見え隠れしながらも，日本の現実においては〈システム〉の作用力の方が主体的契機を決定的に圧倒しているのを否めない——そもそも「ほどよいまちづくり」や「地域連携軸（タイプV）」の形成という，制度や政策そのものが限られているし，さらに，たとえ，制度・政策はできたにしても，その内実において，官としての自治体主導以上に〈草の根の諸アソシエーション〉の主体的働きかけがそこに見られる試みは一層限られている——。

　それ故，本章においては分析視角を若干変え，以上における〈システムと主体〉の対抗と相互浸透という両項からなる枠組みを，今度は，〈新しい歴史主体〉の形成という〈主体〉項に注意を集中し，その形成と展開という視角でみていきたい。それによって，うえで言及した〈草の根のアソシエーション〉のような〈新しい歴史主体〉がシステムに働きかけるべく，現代日本においてどのように出現してきているか，その具体像を獲得するとともに，その歴史的主体としての可能性と，しかし，その前途に横たわる課題の大きさをみていくことにしよう。

　そして同時に，前章の叙述に引き続き，さらに様々にステレオタイプ化した二分法を打破し，それらの中間領域・次元を創出していくことが形成されつつある新しい歴史主体の特徴であり，その力量増大の源でもあることをも明らかにしていきたい。

I　日本における「サードセクター」革新の胎動

　1章で指摘したように，日本では，「サードセクター」にアプローチする二つの概念，すなわち，「社会的経済企業」という概念もNPOという概念もともにごく新しいといってよい。そのことは，社会的経済と括られる個々の構成要素（協同組合，共済やアソシエーション等々）がそれぞれ独自の展開をしてこなかったということではない。しかし，サードセクターとして，21世紀の活力ある市民社会構築にポジティブな役割を果たす革新のアクターとして捉える期

待も自覚も弱かったといってよい。ところが，日本でも，世界に多少遅れ，すぐ後に言及するように程度は未だしといえども，世界の潮流と軌を一にして1970年代から1980年代には，「新しい社会的経済」への胎動を，そして1990年代，特にその半ば以降，その新たな高まりを見出すことができる。

（1）「新しい社会的経済」への胎動－ボランティアとNPOの台頭－

最初に，この胎動を直感で捉えられるように，図を四つあげておこう〔出所：図4－1は，粕谷信次（1987：227），図4－2，図4－3は，経済企画庁編（1998：8, 14），図4－4，図4－5は，http://www.npo-homepage.go.jp/〕。

図4－1は新聞紙上に報道された社会的紛争を手掛かりに，いかなる問題が時代の争点となっているかをうかがったものである。1960年代後半から70年代にかけて争点の性格が大きく変化した。従来，賃上げなど労使関係の紛争が支配的であったが，そのウェイトが急減し，代わって公害反対などの住民運動が激増した。これに物価値上げ反対，有害食品，欠陥商品の告発などの消費者運動も加わって，まさに〈いのちとくらし〉の問題がのっぴきならぬ問題として社会の前面に登場してきたことがうかがえる。ここでは省略するが，分類別運動団体数の推移を見ても，以上を反映し，「新しい社会運動」の登場を確認で

図4－1 新聞報道にみる社会的コンフリクトの年別構成推移

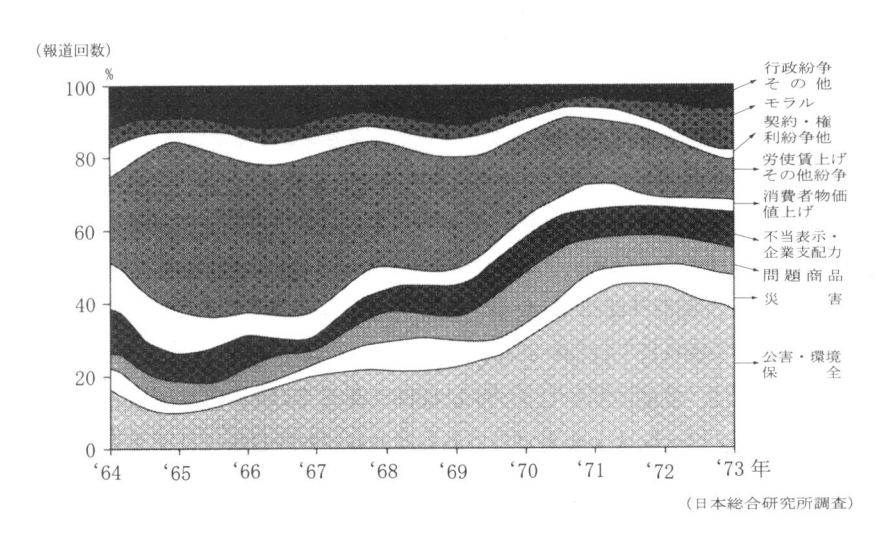

（日本総合研究所調査）

第4章 日本における「社会的経済」の促進戦略 *237*

図4－2　80年代後半から大きく増えるボランティア数

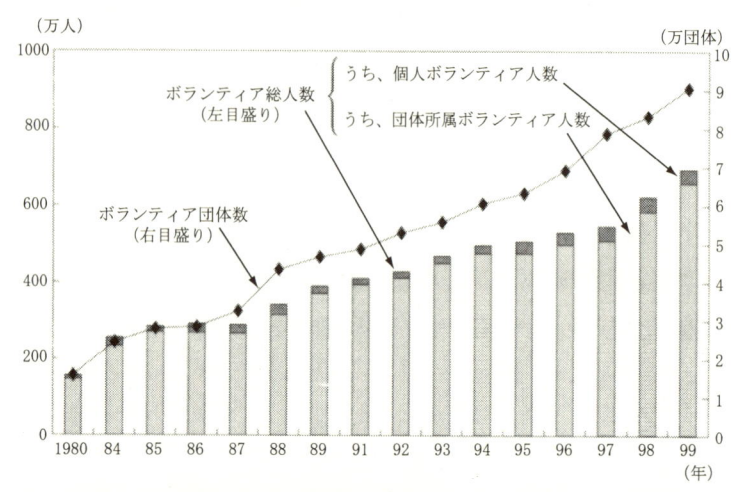

〈備考〉1．(社福) 全国社会福祉協議会　全国ボランティア活動センター「ボランティア活動年間」(1999年) により作成。
2．1980～87年は4月時点、88～96年は9月時点、91～96年は3月時点、97～99年は4月時点の人数。
3．81～83年、90年は調査されていない。

図4－3　90年代後半に急増した「ボランティア」の新聞紙面登場回数

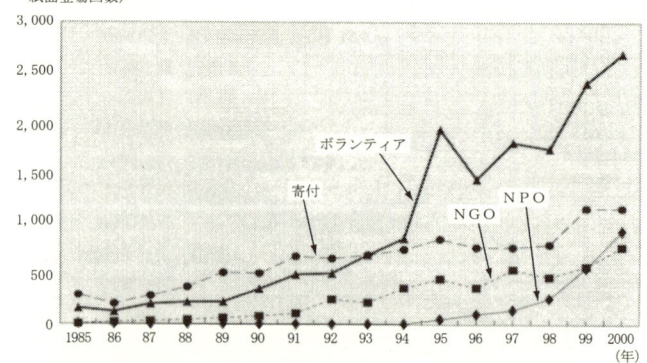

〈備考〉1．日経テレコン21 (日本経済新聞社が保有するデーターベース) の検索により作成。
2．検索した新聞は、日本経済新聞、日本経済金融新聞、日本経済産業新聞、日本経済流通新聞、読売新聞、毎日新聞、産経新聞の計7紙。ただし、1紙当たり平均紙面登場回数の計算において、日経新聞関係4紙は合計して1紙とした。
3．検索開始年は、日経新聞関係4紙が1985年、読売新聞が1986年、毎日新聞が1987年、産経新聞が1992年。
4．2000年は、1月1日～8月31日までの8か月間の紙面登場回数を1.5倍して年間の紙面登場回数とした。
5．NGO(Non-Govermental Organization, 非政府団体) は「非政府」という点が強調されており、開発、人権、環境、平和問題等に取り組む非営利の市民団体の総称として用いられている。

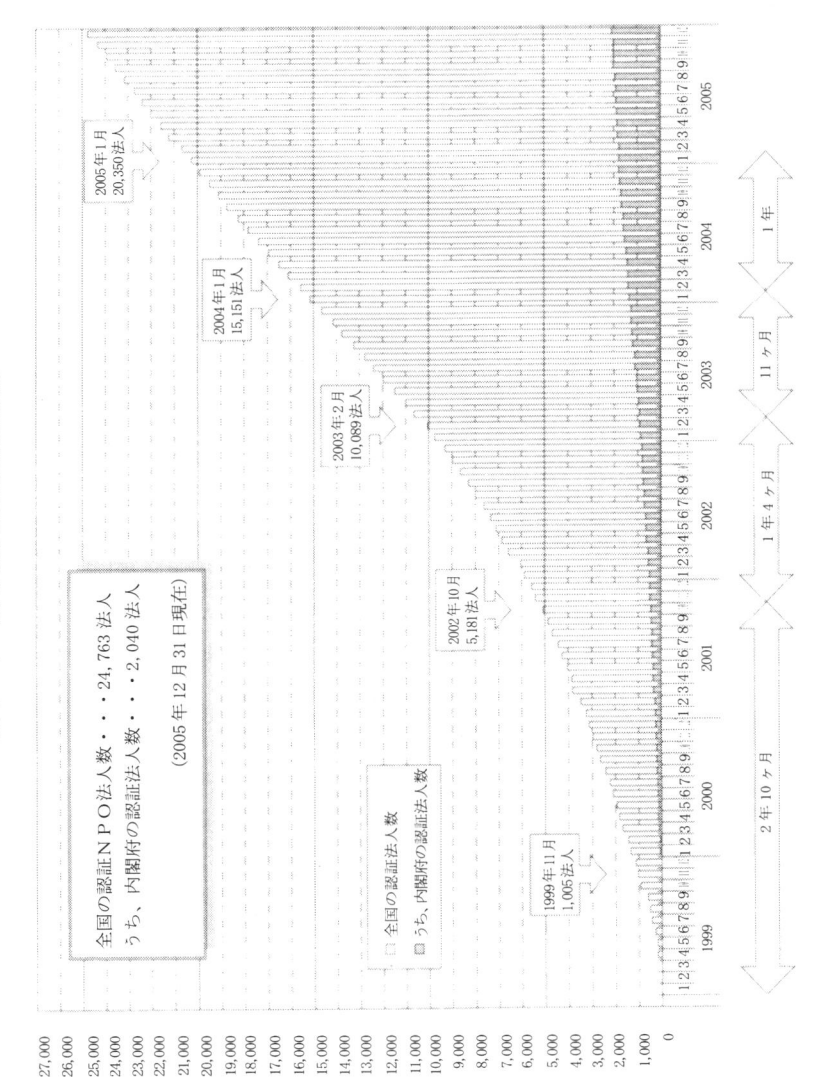

図4－4　NPO法人の認証数の推移

第4章　日本における「社会的経済」の促進戦略

図4－5　活動分野別NPO法人承認数

活動分野

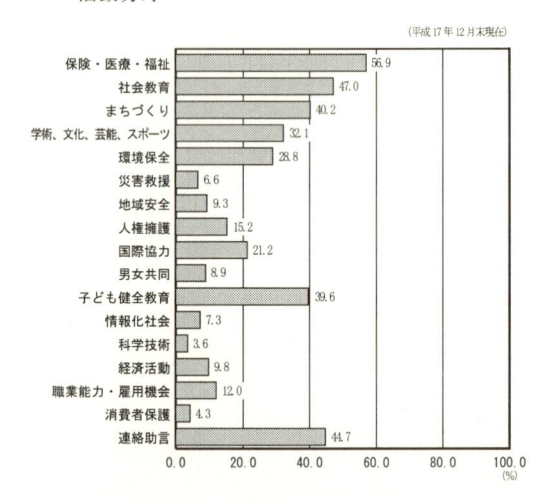

(平成17年12月末現在)

活動分野	%
保険・医療・福祉	56.9
社会教育	47.0
まちづくり	40.2
学術、文化、芸能、スポーツ	32.1
環境保全	28.8
災害救援	6.6
地域安全	9.3
人権擁護	15.2
国際協力	21.2
男女共同	8.9
子ども健全教育	39.6
情報化社会	7.3
科学技術	3.6
経済活動	9.8
職業能力・雇用機会	12.0
消費者保護	4.3
連絡助言	44.7

(注1) 特定非営利活動法人の定款に記載されている特定非営利活動の種類を集計したものである。
(注2) 一つの法人が複数の活動分野の活動を行う場合があるため、合計は100%にはならない。

きる。さて，その後はどうか。採りあげる指標は異なるが，いわゆる「市民活動」，すなわち，人びとのボランタリー・アソシエーションによる経済，政治，社会への働きかけこそ，「新しい社会運動」の最も基礎的な契機であるから，これによって，その後の趨勢を大まかには見ることができよう。

　見られるように，ボランティア数，ボランティア団体数ともに，1980年代に入っても順調に増え続けているが，80年代末から90年代にかけてさらに若干勢いづいた。そして，90年代後半に入るとその増加は一層顕著になる。とくに，1995年の阪神・淡路大震災の際には，新聞紙上での報道件数の飛躍的上昇に表れているように，ボランティアに対する社会の関心が一挙に沸騰した感があるが，実際ボランティアの人数もこれを契機に更なる高まりを示している。このボランティアに対する社会の関心の高まりを駆動力にして，1998年3月に，「特定非営利活動促進法」（いわゆるNPO法）が国会で成立し，12月に施行をみ，今まで殆ど禁止に近い状態といえる程難しかった民間非営利活動組織の法人格取得が，従来と比べれば格段に容易になった。

図4－6　わが国の法人制度の概要（イメージ）

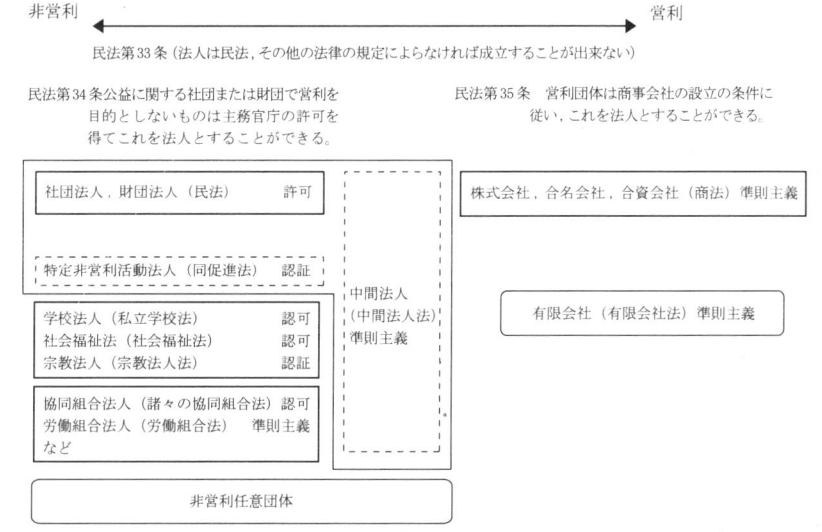

非営利 ←————————————————————→ 営利

民法第33条（法人は民法，その他の法律の規定によらなければ成立することが出来ない）

民法第34条 公益に関する社団または財団で営利を目的としないものは主務官庁の許可を得てこれを法人とすることができる。

民法第35条　営利団体は商事会社の設立の条件に従い，これを法人とすることができる。

| 社団法人，財団法人（民法）　　　　　　許可 |
| 特定非営利活動法人（同促進法）　　　　認証 |
| 学校法人（私立学校法）　　　　　　　　認可 |
| 社会福祉法（社会福祉法）　　　　　　　認可 |
| 宗教法人（宗教法人法）　　　　　　　　認証 |
| 協同組合法人（諸々の協同組合法）　　　認可 |
| 労働組合法人（労働組合法）　　　　準則主義 |
| など |

中間法人（中間法人法）準則主義

株式会社，合名会社，合資会社（商法）準則主義

有限会社（有限会社法）準則主義

非営利任意団体

出所：税制調査会　非営利ワーキンググループ1-1の資料「わが国法人制度の概要（イメージ）」を若干改変

　最近までのNPO法人の趨勢を見れば，図4－4の如くである。NPO法の成立は，日本における市民力台頭の新たな画期をなすものとして注目すべきであろう。

　そもそも，主権在民でない欽定憲法下の明治29年（1896年）に制定されたまま，戦後改革の洗礼も受けずに現在にまで生き延びている日本の民法は，制定期の明治中期に相応しい〈国家（公益）―私（営利）〉の二分法の前提のもと，（驚くべきことに，NPO法，中間法人法がそれぞれ1998年，2002年施行されるまで）法人形態としては35条で規定する準則主義の「営利法人」と34条で規定する政府が許可権を有する公益法人（社団と財団）を規定するだけであった。すなわち，法人は営利法人であるか，営利法人にあらざれば公益法人かの二分法的に位置づけられ，営利法人の設立は準則主義によって認めるが，公益法人については，「公益事業の推進に資するもので，公益事業を賄うのに必要な程度の規模，公益法人としての社会的信用を傷つけないもの」で，しかも「確固とした財政的基礎」をもっているか等々について主務官庁が（行政的裁量が入り得る）判断し，その許可を条件にはじめて設立を認めた。

たしかに，学校法人，社会福祉法人，宗教法人などをそれぞれ個別の特別法によって，また，一定の時代的要請に基づき，農業・消費生活・事業協同組合など各種協同組合に対して，そのつど特別法を制定することによって，それぞれに法人格を追加的に認めてきた。しかし，その場合もそれぞれの個別法に規定された主務官庁の認可を条件にして認められた（ただし，労働組合，弁護士会は準則主義）。一般のボランタリーな非営利活動団体には法人格を認めてこなかった。法人格が認められないと法人として契約の当事者になれず，組織に属する個々人あるいはその代表者が個人として契約しなければならず，組織としての資産はなく融資も受けにくい。また，債務などに対しては，個人として無限責任を負わされる。

　山岡義典（2000）は，このNPO法成立の意義について，「NPO法と今後の日本」と題して次のような文章を『生活協同組合』（290号，2000年3月）に寄せた。

　　「20世紀の末から21世紀の初頭にかけて，日本では一連の制度改革が進む。……一連の制度の改革は，21世紀制度改革と言ってもよい。……
　　　1998年12月のNPO法の施行は，実はその先駆，あるいは露払いとしての役割を担うものであった。約100年前に施行された民法が定める公益法人制度（主務官庁の設立許可と監督を骨子とする社団法人・財団法人の制度）に，ささやかながら風穴をあけたものということができる。」
　　（続いて起きるのが……地方分権一括法，介護保険制度，社会福祉事業法の改正，情報公開法，家電リサイクル法，そして教育改革，非営利法人制度改革など一連の制度改革−引用者による要約）。
　　「これら一連の改革の特徴は何か。それはいずれも中途半端でなかなか思い切った改革にはなっていないということだ。まず改革の内容自体が，いずれも不十分，不満足である。だからNPO法や情報公開法のように，付則や付帯決議で数年後の見直しがうたわれている。地方分権や省庁再編にしても，さらなる改革の積み重ねがないと実質的な意味はない。改革の実施自体も，まるで傷口のばんそうこうを恐る恐るはがすかのように逡巡しながら行われる。……だからといって，このような漸進的な改革を責めるわけにもいかない。それなりの理由

もある。

　その一つは，内発的な改革であるということだ。いずれも世界的な動向を背景にしているとはいえ，明治維新のような黒船の恐怖や戦後改革のような占領軍の力で英断をもって為されるものではない。……

　もう一つの理由は，その制度改革のほとんどいずれもが，NPOすなわち市民活動団体などの民間非営利組織が育って初めて有効に機能するものだからである。その点で21世紀制度改革の最初期にNPO法が成立し施行されたことの意味は大きいが，本格的な改革のためには，非営利セクターの力量はあまりに未発達といわざるをえない。それらが十分に育っていない日本社会では，どうしても中途半端な改革にならざるを得ない。今後その発達に合わせて，改革も本格化するというわけだ。そのためにも，NPO制度自体の改革に，本格的に取り組む必要があるのである。……

　この21世紀制度改革の現代史的な意義は何か。それは世間型社会から市民型社会への，日本社会の転換の促進ということだ。……

　21世紀制度改革はこのような世間型社会から市民型社会への変化を促進するもので，その動きをしっかりと支えるのがNPO法だ。……

　NPO法は，附則で施行3年後（2001年11月末）までに見なおすことを規定し，付帯決議では施行2年後（2000年11月末）までに，税制優遇制度の創設も含めた見直しの成案を得ることをうたっている。……この実現は，実は容易なことではない。従来の発想を超える公益概念の確立が求められるからである。

　税制優遇による税収の減少額自体は，実は大したことはない。数十億の免税で日本に自助社会の根幹が育ち小さな政府への道が準備されるなら，これほど安上がりの社会政策はない。問題はこのような「民による公共」への政策シフトを認めるかどうかにかかっている。それが「市民公益」の思想の確立という課題だ。もっとも，制度ができれば寄付がすぐに集まるかといえば，そうはいかない。「寄付の文化」の醸成という別の課題もあるが，税制優遇制度創設の運動自体が，市民公益の思想を確立し寄付の文化を築く過程でもあるとも思う。

　NPO法の見なおし論議は税制だけではない。法人制度そのものも準則主義に近づける努力が必要だ。そのことも含めて，今後1年10ヵ月にわたる見直しの運動をどう展開していくか，それが問われている。

（2）「新しい社会的経済」(「第三世代／第四世代の協同組合」)の胎動

　以上，NPOの台頭の方に話がちょっと偏ったが，それは，最近における，日本のサードセクターの活性化の駆動力としての地位を高めつつあるからである。しかし，サードセクターにおける事業規模や雇用比率からみて，NPOより遥かに大きな割合を占める「社会的経済セクター」においても，NPOの台頭に劣らないサードセクター革新の担い手として，「新しい社会的経済」，あるいは，石見尚（1988, 2002）がいうところの「第三世代／第四世代の協同組合」が出現してきている。

　そもそも，第二次世界大戦後の日本における消費生活協同組合は，基本的には「第二世代」（主として，信用事業や流通事業を展開する）といってよいが，ヨーロッパとは異なって「社会的」といってもよい特徴をもっている。栗本昭（2004）はそれを「日本型生協モデル」と呼んでいる。

　すなわち，日本型生協は出発の当初から「平和運動」のような社会運動を展開してきたが，とくに，1960年代末から1970年代にかけて，大量生産－大量消費型の高度成長がもたらした諸問題——（ゴミや廃棄物の大量投棄，農薬や有害食品添加物などによる複合汚染，そして公害や環境破壊など）——に直面して，先に言及した「新しい社会運動」をも担い始めた。しかも，農薬や化学肥料などの化学物質の使用を控え，有機農業を進める生産者グループ，添加物を加えない食品加工業者との「産直」など，いわば社会制度のイノベーションを推進しながら加わっていったのである。そして，食品の安全性，家族の健康を心配する広範な主婦層を中心に地域コミュニティにおける人と人のつながりを拠り所に班（共同購入組織）をつくりながら，また逆に，班をつくって人と人のつながりを生み出しながら，地域コミュニティを基盤とする日本独特の「市民生協」として急速に成長していった。
　いま，栗本昭にしたがってヨーロッパ生協モデルと日本型生協モデルを比較すると次のようになる（栗本昭2004：50-61）。

表4-1　ヨーロッパ生協のモデルと日本型生協のモデルの比較

	ヨーロッパ生協のモデル	日本型生協のモデル
所　有	内部留保中心	組合員出資金中心
利　用	一般消費者	組合員のみ（員外利用禁止）
運　営	弱い組合員参加	各種中間組織，強い組合員参加
構　造	連合会の強い統制力	単協主権，弱い連合会
機　能	消費者志向の小売企業	小売企業＋社会運動的側面

出所：栗本昭（2004：51）

　しかし，もちろん日本の多くの生協は依然として第二世代に留まる側面を強く持ち，したがって日本型生協の特徴とともにヨーロッパ型生協の特徴も併せるという二面性を持っている。

　特にグローバリゼーションの進行に伴い流通のスケールメリットをますます求める巨大流通資本との激しい競争に直面するや，第二世代に留まる多くの生協は巨大流通資本と同じ土俵での競争に巻き込まれ，合併に次ぐ合併や共同仕入れによってスケールメリット追求を余儀なくされていった。こういう事態を前にして，員外利用が制限され，地区や行政区ごとに運営委員会などの中間組織を持ち，単協の独立性が強く全国連合会への商品の結集率が低いというような日本型生協の諸特徴は，巨大流通資本と生き残りをかけた競争という同じ土俵に乗れば，一定の不利な制約条件として捉えられる。さらに，グローバリゼーションのますますの進行を前にして，それは歴史の必然の流れだと見れば，生協の生き残りにはヨーロッパ型生協への収斂が合理的だとする方向が強く打ち出される。

　しかし，栗本昭は同論考の中で，同時に日本型が「組合員との関係，コミュニティ（地域）との関係，社会的ディメンション」の強さを武器に，ヨーロッパ型からさらに分岐を強める方向もあることを示唆している。ただし，「女性の就業の増加による在宅率の低下，若年層の個人主義の増大と組織離れ，ライフスタイルや嗜好の多様化などの変化は，従来の延長ではない個人対応の事業と組織のあり方を要請している。近年の個配（班によらず個々の組合員のもとへ

の直配）の拡大はこのトレンドに対する対応であるが，班に代わる組合員間，組合員と生協の間のコミュニケーションと参加の仕組みをつくりあげることが求められている」と条件をつける。

そして，コミュニティ（地域）との関わりを一層強め，「近隣の班や地区・行政区の運営委員会などの地域をベースにした組合員の参加の場が設けられ，地場産業・商店街との協同や産直を通じた都市と農村の交流，地域の環境・福祉・教育などの問題への取り組み，自治体との災害時の緊急物資支援協定の締結など，生協による『まちづくり』の取り組みは広がりつつある」と指摘する。

また，社会的ディメンションについて，「日本型生協は創立時点から消費者運動との関わりが深く，消費者組織の中核として自他共に認められている（が），……近年は食の安全の社会システムを求めるキャンペーンを展開し，大きな成果を挙げつつある」とさらなる前進を強調するが，同時にここでも次のような条件をつける。「阪神大震災を契機にボランティア活動が根付き始め，1998年の特定非営利活動促進法制定以後，NPO法人の数は1万7千を超え，生協活動からスピンオフしたNPOも数多く生まれている。このような状況の下で生協の社会的活動も自己完結型から市民主体の社会経済システムをめざすネットワークの中に置き直すことが求められている。」

果たして，日本の生協はどちらへ向かうのか，ヨーロッパ型か，あるいはうえの栗本昭の課した条件を整えつつ日本型生協の「21世紀型生協」への展開か？

ここで，是非とも挙げておかねばならないのは，栗本昭の論考を含む中村陽一＋21世紀コープ研究センター編著『21世紀型生協論－生協インフラの社会的活用とその未来』である。

編者の中村陽一は「上述の方向性――（『消費生活協同組合』における大きな流れとして，規模拡大と効率追求による（市場）競争志向，常勤職員主導型の運営，組織統合へ向かうベクトルなどを基調とした『販売事業』拡大の追求―引用者）――とは異なる方向があり得るのではないか，そしてそれこそ，今後の経済社会を見据えたうえで真剣に議論すべき方向ではないか」（中村陽一2004：iv）といい，「21世紀型生協論」を提起している。しかも単なる机上の理想論ではなく，首都圏コープグループの実践事例研究に基づきつつ，まさに栗本昭の課し

た3条件整備の果敢な取り組みとそれによる「21世紀型生協」への実践的展望を提起している。すなわち,「21世紀型生協像」として次の5つの視点を挙げる（唐笠一雄2004：242-245）。

①個人対応型事業の可能性
②パートナーとの共同ネットワークの構築
③組合員自ら動かす生協
④協同型コミュニティの形成
⑤生協インフラの社会的開放

そして,首都圏コープグループは,「『協同組合から地域をみるのではなく,地域に暮らすひとりひとりから協同組合をとらえ直す』新しい事業スタイルや地域『コミュニティへの関与』を含むものとして,NPOサポートセンター機能や高齢者の雇用拡大,女性の自立と雇用拡大等社会的な場の開発をこれまでの事業の周りに形成し行くことを始めている。それが広がったとき,首都圏コープグループの中にさまざまな新しい生協運動が誕生しているであろう」という。

ところで,その誕生の時からもっぱら個々人のアソシエーションという基盤を大切にしながら,組合員の強い参加意識による「組合員自らが動かす生協」を,そして「協同組合地域社会」を求め,生協インフラの社会的開放とともに各種の「新しい社会運動」をもっとも先進的に推進してきた生協グループとして,1960年代中頃牛乳の共同購入から始まった「生活クラブ生協」グループがある。

石見尚は――（かれは,最近,「第三世代生協」の延長上に,さらに公共的目的を追求する生協の「第四世代」論を展開している。〈私－共－公〉の連続性を強調するわれわれの立場からすれば,むべなるかなというべきで,それはまさに市民的公共性の広がりを強調するものとして注目される）――,生協の「新しい波」の代表例としてこの「生活クラブ生協」を挙げる。事実,生活クラブは,「社会運動コーポラティズム」――最近アメリカで「社会運動ユニオニズム」というものが台頭しているといわれるが,これに倣えば――の,様々な仕方を試みている。

同生協連合会のHP（http://www.seikatsuclub.coop/）にしたがってあげれば次のようになる。

(A) 市場に出回る商品を買うだけの受け身の消費者であることを止め，人の身体に安全で，環境に配慮した食品や生活必需品を一つひとつ，生産者と協力してつくる。
(B) 協同組合組織を基盤にしながら，社会福祉法人やNPO組織などを形成し，デイサービスセンターや特別養護老人ホームを運営するなど，市民参加による福祉事業を展開。
(C) 積極的に政治に参加する「代理人運動」と呼ぶ，ネットワーク運動。環境保全や福祉制度の充実などをテーマに，政策の実現に取組む。
(D) 利益追求型の企業で雇われるのではなく，自分たちで出資し，運営し，働く，協同組合方式の新しい働き方，ワーカーズ・コレクティブの創造。ちなみに，ワーカーズ・コレクティブの働き方で生み出す新しい価値観として次の諸点をあげている。
  ・社会的，経済的自立をめざし，自分の生活スタイルにあった「新しい生き方」「もうひとつの働き方」をデザインする。
  ・働く場の領域拡大：より暮らしやすい社会の実現のために誰もが生活する上で必要な「もの・サービス」を目的を同じにしたメンバーで事業化する。
  ・地域社会の問題を「働く者・働く場」から提起，解決する。
  ・少子・高齢化社会に必要な働き方，男も女も高齢者も元気に働く，働く意志のある人が誰でも参加できる時代にあった働き方として，広く就労の機会を創出する。
(E) 世界各国のNGOや協同組合との交流・連帯活動

しかし，この生協の「新しい波」は，「日本型生協」においては，多かれ少なかれ他の多くの生協でも見られる。そして，環境生協，福祉生協などのような新たな種類の生活協同組合をも創り出している（前掲の中村陽一＋21世紀コー

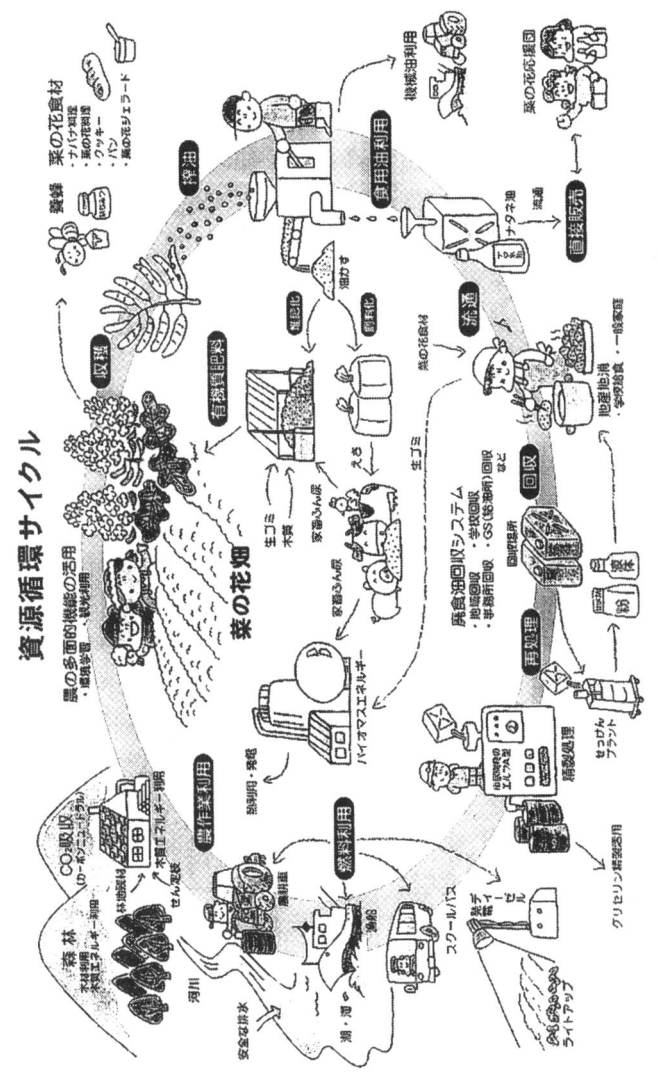

図4-7 菜の花プロジェクト 出所：滋賀県環境生協HP

菜の花プロジェクト 資源循環サイクル

菜の花プロジェクトは、「資源循環サイクル」のどこからでも参加ができます。

出所：滋賀県環境生協

第4章 日本における「社会的経済」の促進戦略 249

プセンター編著2004，及び現代生協論編集委員会編2005）。

まず，(A)については，程度や規模は様々であれ，殆どすべての日本型生協は試みているといって過言ではなかろう。

(B)も，福祉サービスを提供する福祉生協，高齢者の仕事起こしを支援する高齢者生協，そして環境生協などが購買生協とあるいは農業協同組合と連携を図りながら全国各地で見られ始めている。「生活協同組合」のニーズは「消費生活」に限られず，健康，福祉（育児，各種障害者・ホームレス就労等社会的包摂，高齢者介護・社会参加），環境保護・再生，教育・文化，そして様々なコミュニティづくり・コミュニティ開発等々まさに生活全般の問題に共同で対処していくことへ大きく展開し始めているのである。

とくに，関西圏の水がめである琵琶湖の赤潮大発生を契機として出発した滋賀県環境生協の活動は琵琶湖の水質汚染対策から，〈石鹸運動─菜の花プロジェクト〉の全国的展開（さらに最近では，東アジアへの展開をも）を導き，安全な食と（自然）エネルギーの確保，そして環境保護を同時に多面的に可能にするバイオマス循環の本格的拡大を，市民たち自身が担うイノベーションを伴いながら起こしつつあるという点で注目すべきであろう。諸関連を一目で表現する素晴らしい図であると思われるので，紙幅を厭わず掲げておきたい（図4－7）。

このような「生活」全般にわたる問題への対処における，もう一つの道を追求する際に，もう一つ言及しておくべきことは，戦前のセツルメント活動に起源をもち，また，農民とともに歩んだ農村医療として広がった医療生協の活動の伝統──イタリアで近年展開を見ている「社会的企業」の代表例としての社会協同組合（B型も含めて）の先駆ともいえる──もあるということである（差し当たり，日野秀逸「現代医療生協論」現代生協論編集委員会2005）。

(C)も，「代理人運動」という明確な形に結実してはいないが，全国の市町村選挙，特に首長選挙の際に，「勝手連」がつくられることが多くなってきた。その際，日本型生協の社会的資源を生かしているところも少なくないであろう。

(D)しかし，「新しい波」を最もよく象徴し，これからの展開の潜在力を秘めているのは，ヨーロッパの例でもそうだが，また，石見尚も強調することで

あるが,「ワーカーズ・コープ」,あるいは,「ワーカーズ・コレクティブ」であろう。これも,全国各地の生協の中で,あるいは周辺で展開してきている。農協のもとや周辺でも,最近,「ワーカーズ・コレクティブ」が展開している(全国農業協同組合中央会2001)。

ところで,上に触れた「ワーカーズ・コレクティブ」とちょっと異なった流れの「ワーカーズ・コープ」も存在している。

まず,「ワーカーズ・コープ」(「労働者協同組合」)とは,「協同労働の協同組合」であると定義している。そして,「協同労働の協同組合とは,働く人びと・市民が,みんなで出資し,民主的に経営し,責任を分かち合って,人と地域に役立つ仕事をおこす協同組合だ。協同労働とは,働く人どうしが協同し,利用する人と協同し,地域に協同を広げる労働です。」

そして,「使命〜協同労働の協同組合がめざすもの〜」として,以下のようにいう(労働者協同組合連合会HP　http://www.roukyou.gr.jp/)。

「協同労働の協同組合は,人のいのちとくらし,人間らしい労働を,最高の価値とします。
協同労働を通じて『よい仕事』を実現します。
働く人びと・市民が主人公となる『新しい事業体』をつくります。
すべての人びとが協同し,共に生きる『新しい福祉社会』を築きます。」

当然のことながら,最も基本的な経営形態,目的という点で「ワーカーズ・コレクティブ」と殆ど重なり合う。敢えて,相違点を挙げれば,「ワーカーズ・コレクティブ」が,「新しく生みだす価値観」で,「社会的,経済的自立をめざし,自分の生活スタイルにあった『新しい生き方』『もうひとつの働き方』をデザインする」ことを第一に挙げているのに対して,「労働者協同組合」は,まず,協同組合が対象とする労働の内容を「協同労働」と定義して,「協同労働」をしきりに強調していることであろう。

それは,おそらく,その設立の経緯と必要とされる社会的役割の違いによると思われる。政府が従来行っていた失業対策事業を1970年代初から徐々に削減

し，ついには廃止してしまった。それに対応すべく，1971年に，西宮市で高齢者事業団が誕生したのを皮切りに，全国各地で「失業者・中高年齢者」の仕事づくりを目指す「事業団」がつくられ，自治体からの委託事業を柱に事業を広げていった。1983年にイタリアに調査団を派遣し，100年の歴史をもつ「労働者協同組合」の調査・研究を行い，1986年に，正式に労働者協同組合組織への発展を決定し，1998年以降，労働者協同組合を法的に位置づける運動を行っている。しかし，阪神大震災以降，大きく広がったNPO・市民活動との連携が広がり，AARP（全米退職者協会）との交流などを通じて，「地域づくり」「仕事おこし」を担う市民事業的な発展と高齢者協同組合づくり，また，介護保険の開始とともに，「ワーカーズコープ方式」による「地域福祉事業所づくり」もこれに加わった。

かつての失業対策事業の対象者だった，相当の数の中高年の失業者に仕事を一度に創出しなければならず，いきおい，自治体などの委託事業を柱にしなければならない，という切迫した事情がその性格付けに大きく影響していると思われる。しかし，阪神大震災以降，特に，「地域福祉所づくり」などが始められ，主婦層をはじめ，さまざまな種類の人びとによってその活動が担われるにしたがって，ワーカーズ・コレクティブと同じような性格をもつ部分も生まれ，全体として多様性も出てきているように思われる。

このように見てくると，日本もまんざらではない。「市民社会の自発的活力の結果」としての「サードセクター」のイノベーションが日本においても進行しているのを確認することができる。ヨーロッパでは，なるほど，社会的排除への闘い，雇用創出の間の相乗を中心に，社会的企業がダイナミックに展開しているが，消費生協は，ドイツ，フランスなどでは，グローバリゼーションの中で，多国籍企業と同じ土俵で闘い，それに敗れて消失し，社会的企業の勃興に社会的関係資源を供給し得ないでいる。ところが日本の生協は，上で見てきたような21世紀型の展開によっては，決してヨーロッパのそれに引けをとらない，むしろ，遥かに豊富な潜在的可能性にも恵まれているといえるかもしれないのである。

しかし，その期待の前には，なお，厳しい現実の壁が立ち塞がり，それを乗

り越えるのは容易ではないことも直ちに判明する。

II 「『サードセクター』から『社会的企業』へ」の革新の前に立ちはだかる諸困難

(1) NPO法見直し－公益法人改革

　まず，NPO法の付帯決議にあった見直しはどうなったか。先送りされていた優遇税制について山岡義典（2000）が「実は難しい。問題は『民による公共』への政策シフトを認めるかどうかにかかっている」と懸念していたが，それが現実となってしまったのである。

　確かに2001年3月，租税特別措置法が改正され，一定の要件を満たしたNPO法人が国税庁長官の認定を受けると認定NPO法人となり，その法人に寄附した法人や個人がその寄附金の一定の額を確定申告の時に所得から控除することができるという制度がつくられた。しかしその認定要件が非常に厳しく，2006年4月現在でもわずか40団体で全体からすればネグリジブルな数に過ぎない。

　旧態依然たる民法体系をそのままに，その特別法として「特定非営利活動法人」を追加的に差し込んだのだが，公益―国家，私益―民という二分法が前提であるゆえに，国家（官）のコントロールの強弱の程度に応じて法人格の付与と優遇税制の程度を決めることになる。法人格付与については，公益法人（今度の公益法人制度改改革以前の公益法人－後述参照）の許可に比して緩和したが，優遇税制については本来業務については法人税を非課税としたものの，寄付控除やみなし寄付金は事実上認めないに等しい結果となってしまったのである。

　それに対して，NPO関係者などで構成した「NPO支援税制に関する有識者会議」（堀田力さわやか福祉財団理事長ほか，11名で構成）が，NPO支援税制では，優遇を受けられるNPO法人となるための「認定要件」が厳しすぎることから実効性がないと，NPO支援税制の改正などに向けた要望書を内閣府に提

出し，野党各党も，認定NPO法人の要件の再検討，認定期間と更新手続きの再検討，「みなし寄付金制度」の導入，地方税における支援措置の導入など，市民公益を育成・促進するという目的に相応しい税制となるよう，抜本的な見直しと拡充を図るための改正を要求した (http://www.npoweb.jp/news/)。

ところで，もう一つの問題である「NPO法人」設立に際しての準則主義への移行も先送りされたままになっていた。こうして，政府は，NPO法の改正に向けて何らかの対応を迫られていた。他方で，「骨太・構造改革」を謳う小泉内閣のもとで財政の縮減・効率化要請も強まり，公益法人の不祥事調査結果を契機に，「公益法人制度の抜本見直し」を政治日程に上せたのであるが（2002年3月，閣議決定），その一環としてNPO法の改正問題も処理しようと企図したのである。[2]

そして，その後4年の曲折を経て，06年3月10日，政府は公益法人制度改革関連法案を国会に提出し――（ただし，税制上の措置はなお先送りされている）――，いま最終的決定がなされつつある。この間の曲折は日本における「市民公益」概念が確立するか否か，いまその分岐点にあることを窺わせて興味深い。

ところで，用意周到というか，「公益法人制度の抜本的見直し」の閣議決定に先立って，「公益も営利も目的としない団体の社会経済活動が我が国において重要な地位を占めていることにかんがみ，これらの団体の準則主義による法人格の取得を可能とする制度を新たに創設する必要がある」として「中間法人法」を成立させていた（2001年6月）。この「中間法人法」では，中間法人は営利を目的とせず「剰余金」を社員に分配することは許されないとしたにもかかわらず，「営利法人」と同じように原則課税とされた（もっとも法人の解散に際して「残余財産」の分配は社員総会で決議さえすれば可能となっているので，その点は公益法人，特定非営利活動法人などと異なって，営利法人に通じる原則課税の根拠を与えてしまっている）。

「公益法人制度の抜本的改革」は，終始，内閣府の行政改革推進事務局の主導性が顕著であったが，次のような包括的な法人制度を構想していたように思わ

図4－8　公益法人改革の進捗状況

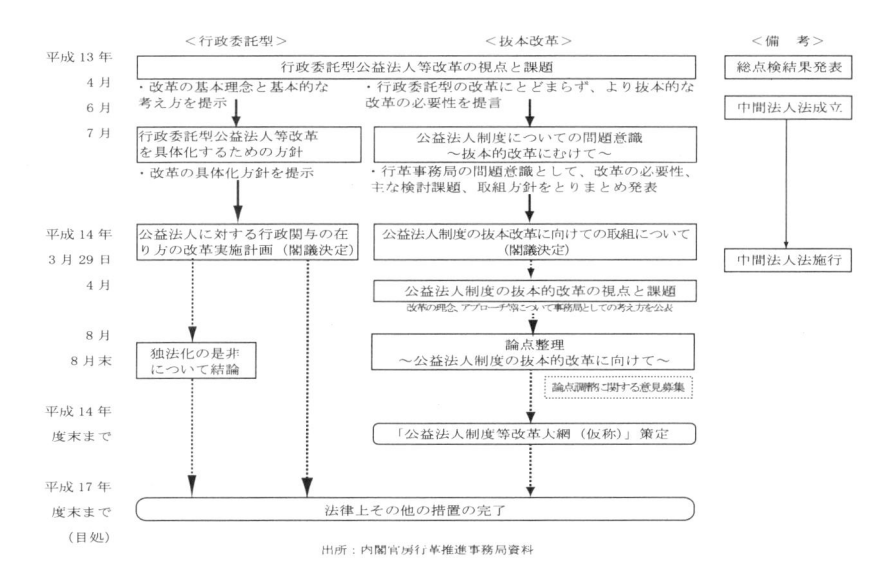

	＜行政委託型＞	＜抜本改革＞	＜備　考＞
平成13年 4月	行政委託型公益法人等改革の視点と課題		総点検結果発表
6月	・改革の基本理念と基本的な考え方を提示	・行政委託型の改革にとどまらず、より抜本的な改革の必要性を提言	中間法人法成立
7月	行政委託型公益法人等改革を具体化するための方針 ・改革の具体化方針を提示	公益法人制度についての問題意識 ～抜本的改革にむけて～ ・行革事務局の問題意識として、改革の必要性、主な検討課題、取組方針をとりまとめ発表	
平成14年 3月29日	公益法人に対する行政関与の在り方の改革実施計画（閣議決定）	公益法人制度の抜本改革に向けての取組について（閣議決定）	中間法人法施行
4月		公益法人制度の抜本的改革の視点と課題 改革の理念、アプローチ等について事務局としての考え方を公表	
8月 8月末	独法化の是非について結論	論点整理 ～公益法人制度の抜本的改革に向けて～	
		論点整理に関する意見募集	
平成14年度末まで		「公益法人制度等改革大綱（仮称）」策定	
平成17年度末まで（目処）	法律上その他の措置の完了		

出所：内閣官房行革推進事務局資料

れる（「論点整理」における「基本検討パターン」）。

　すなわち，公益法人，特定非営利活動法人，中間法人を問わず，「非営利法人」に一括し，その設立は準則主義として簡易にするが，税制上は原則課税とする。言い換えれば，すべては，一度は，中間法人と同じように扱う（1階部分）。その上で，特に公益性を税務当局，あるいは行政庁が認定すれば，税制上の優遇措置が受けられるという，公益―国家（官）対私益―民間を根拠とする二階建ての構造を構想したのである。

　その後，「行革事務局」は，2002年度（平成14年度）中の「公益法人制度等改革大綱（仮称）」閣議決定を目指し，「論点整理」に対するパブリック・コメントを募るとともに，内閣府大臣の私的懇談会（「公益法人制度の抜本的改革に関する懇談会」）を設置して議論を詰め，2003年2月，それを「非営利法人課税作業部会」に説明し，税制上の措置の検討を促し，大綱原案作成の議論は大詰めを迎えた。そのとき，固まりつつあった案は，まさに「論点整理」の「基本的検討パターン」そのものであった。

　当時，その作業部会のメンバーであった「さわやか財団」の堀田力は，この

ままでは「非営利法人原則課税」という結論が早々に出かねないことを懸念し，2月14日，財務省の了解を得た上で，現状報告と対案および意見募集の呼びかけ文を公表することに踏み切った(3)（堀田力は，その後はメンバーに再任されなかった）。

　官僚と一部の有識者しか，議論や決定過程に参加し得ず，情報も不十分にしか開示されない中で，大綱閣議決定という大詰めの時期を迎えて，NPO関係者の警戒も高まりつつあったが，ここにおいて，NPO関係者から猛反発が起こった。公益法人協会も中間法人との一体化に反対した。その中で，自民党の行政改革推進本部の公益法人委員会の会合で，行革事務局の素案に対して，とりわけNPO法人の扱いに関して異論が出されたのを契機に，「懇談会」，「税調・作業部会」とも延期となった。結局，政府は一般的な「非営利法人制度」はそのままつくるが，当面，NPO法を除外し，両制度の調整は先送りするというように方針を転換した。そのためにもう一度仕切り直しをし，2004年11月，有識者会議が「報告書」を纏め，それをそのまま次のような内容の一般的な「非営利法人制度」創設に関する大綱として閣議決定した（2004年12月）。

1　現行公益法人法，中間法人法を廃止し，公益性の有無に関わらず準則主義（登記）により簡易に設立できる非営利法人制度を創設する。NPO制度は今回の改革に含めない。
2　非営利法人のうち一定の要件を満たすものを判断主体が判断して，「公益性を有する非営利法人」とする。判断主体は，特定の大臣のもと民間の有識者からなる合議制の委員会を設置し，判断する。
　（ただし，その趣旨に沿う税制上の措置は先送りし，財務省が影響力を持つ政府税制調査会の議論に委ねる。）

　2005年6月，政府税制調査会はうえの1）の準則主義による非営利法人は原則課税，2）の「公益性を有する非営利法人」には，公益性認定と同時に法人税非課税（収益事業部分には課税）と寄付金優遇税制をともに認める方向の提言を纏めた（NPOも含めて一般的に寄付金控除枠の拡大の意向も示した）。しかし，「公益性を有する非営利法人」の範囲は従来の特定公益増進法人よりは多少（？）

広がるとしても，一階から二階へ上がれないその他の非営利法人には課税強化にしかならない。

　法制化の準備を整え，2006年3月，政府は，①「一般社団法人及び一般財団法人に関する法律」，②「公益社団法人及び公益財団法人の認定等に関する法律」，③「同上改正に伴う関係法整備のための法律」（③は形式的調整）の公営法人改革三法案として今国会に提出した。

　①は，上の大綱の1）を具体化するもので，特定非営利（NPO）法人には当面手をつけないが，事業の公益性の有無にかかわらず，従来の中間法人と公益法人を新非営利法人──（余剰金の分配を目的としない非営利の一般社団または一般財団）──に一括りにし，準則主義により法人格を取得できるようにした。法人の設立については中間法人並みの準則主義にしたわけである（同時に，②の裏側として，中間法人並みに原則課税の網をかけることを予定）。もっとも，準則主義にする見返りか，社員総会，理事会の設置，理事の法人又は第三者に対する責任規定，社員による代表訴訟制度，財務状況の一般的開示など株式会社制度と同程度の自立的なガバナンスの確保を要求する。その他で目新しいものとしては，資金調達及び財産基礎の維持を図るため「基金制度」を新たに設けた。

　しかし，今回の改革の実質上の焦点は②の「公益性」有無の認定主体の問題である。法律案では次のようになっている。

　公益認定について，「行政庁──（事業が2つ以上の県域にわたる場合は内閣総理大臣，それ以外は都道府県知事）──は，……公益認定をする」（第5条）。つまり主語は行政庁になっている。監督──（報告および検査，勧告，命令，公益認定取り消し等）──も同じく主語は行政庁。
　ただし，行政庁はそれら公益認定や監督等を行う場合，そのもとに設置する「有識者」からなる公益等認定委員会に諮問し，その意見に基づきこれらを行わねばならないとする。
　その際，行政庁は，申請する法人の事業が主務官庁の許認可に関わる点があ

れば当該主務官庁の，暴力団関係の有無については警察庁の，納税状況については税務署の意見を聴いてその意見を付して，公益等認定委員会に諮問を行うとする。

　これをどう評価するか。今回初めて公益法人が中間法人並みに，一般社団，一般財団という非営利法人として主務官庁の許可制を脱して設立が準則主義となったことは，NPO関係者を含めて一般に一歩前進だとして歓迎している。
　ただし，NPOや協同組合などの市民組織からは，新公益法人のガバナンス等運営ルールは市民の団体自治を極力尊重し，活発化させ，さらには育成していくという視点からは問題点や不十分な点があると指摘されている。主務官庁制を外す故か，たとえ少数でも法律を悪用して私的利益をむさぼるものが出ることを警戒して大規模な株式会社にこそ妥当するコストのかかるガバナンス等運営制度を設けている。これを極小規模のアソシエーション的な非営利法人に一律，機械的に適用されるとせっかく出てきた市民公益の芽がつぶされかねない。さらに，それらのアソシエーション的市民組織の内部の民主主義的ガバナンス，さらにそれを育んでいくという契機が全く考慮されていない。直ちに自己利益がぶつかり合う市場社会の大規模な株式会社の社員代表訴訟制等に飛躍してしまっている。
　しかし，市民組織関係者の最も懸念する問題はやはり②の公益性認定主体にある。まず，現在の日本の状況ではとても叶わぬことながら，行政から独立した自ら権限を持つ民間の第三者機関ではなく，こともあろうに，すでに触れたように条文上は，認定，監督等の主語は行政庁となっている。しかし，行政庁は，そのもとに置く「公益認定等委員会」に諮問してその意見に基づきこれらを行うとなっているが，実は極めて微妙である。
　「公益認定等委員会」の構成は，「有識者会議」のとりまとめでは民間有識者となっていたが，条文では「人格高潔……」となって，民間の文字が脱落している。また，限定された範囲のことと断っているが，非営利組織が公益認定を申請する際，場合によって主務官庁，警察庁，税務署の意見を付して，つまり事前に行政庁が書類を調えて公益認定委員会に諮問するとなっている（事務局の機能が重要となる！）。もっともパブリック・コメントへの回答や国会の委員会

の公聴会での参考人意見やそれに対する議員の質問の範囲では，民間有識者からなる委員会が実質的に判断主体となるような解釈が優勢であるような雰囲気がある。しかし，今回の法律では，委員会やその運営の細則，具体的なあり方は規定されておらず，2008年度の施行までに用意する極めて多数にのぼる政省令等に委ねられている。今国会での議論は，他の諸行政改革法案と一括審議で殆ど審議らしい審議なしで駆け足で通過してしまった。衆院の委員会で一定の付帯決議を付したものの，しかし様々な懸念がありえる。実際に委員の人選はどうなるのか，事務局はどのように構成され，どのように機能するのか。例え民間有識者が委員会委員になったとしても形骸化し，事実上，主務官庁制が残存することにならないか？

　そもそも行政でも，営利企業でもなし得ない市民的公益性──（市民的公益性は不特定多数の利益とのみ規定してよいのか？）──の判定は，行政庁はもとより，民間有識者といえども彼らだけで可能なのか？　諸市民組織は公益認定委員会の委員として市民組織関係者を多数含めることを強く要求している。しかし，さらにいえば，個々の市民組織関係者を委員会に送ればよいということではなく，市民的公共性とは市民，市民組織の間での，開かれた自由な議論，相互評価──（インフォーマルなそれを含めたラディカル・デモクラシー）──を前提とする。かくて，開かれた市民，市民組織間ネットワークによる相互評価が公益認定の基盤とならねばならない。それは，また，先の市民組織の民主主義的ガバナンスの基盤をつくることにもつながる。

　このような開かれた市民，市民組織間のネットワーク的相互評価が公益認定の制度的プロセスに明確に組み込まれていないで，上に述べたように官の介入の余地を残す曖昧な部分が多いとなると，今度の改革が特殊法人や行政委託型法人等の官の私物的公益法人の衣替えによる新しい制度のもとでの生き残り策になり得ないとは決していえない。その懸念は次のような税制面の懸念に直結する。

　すなわち，今回の公益法人改革法案のもう一つの大きな問題性は，法案の提案理由や総則で，「民間の団体が自発的に行う公益を目的とする事業の実施が公益の増進のために重要となっていることにかんがみ，公益の増進及び活力あ

る社会の実現に資することを目的とする」としているにもかかわらず，支援税制が全く切り離されて先送りされていることである。先に指摘したように，支援優遇策をとるのか，あるいは，提案理由や総則は単に名目で，財政再建のために課税基盤を広げる増税路線の一環となるのかわからない（行政庁から独立した市民組織ネットワークがつくり出す相互評価を基盤とする公益認定ならば，官の私物的公益法人を潰し，その財源を市民型公益法人へ廻すという至極もっともなことは簡単になし得るにもかかわらず。また，「税制優遇による税収の減少額自体は実は大したことはない。数十億の免税で日本に自助社会の根幹が育ち小さな政府への道が準備されるなら，これほど安上がりの社会政策はない」という山岡氏の前述の言にもかかわらず）。

堀田力氏等の「民間法制・税制調査会」は「税制の骨格」として次のような建議書を提出している。(4)

1．一般非営利法人について
　非営利法人は，利益を分配しない限り，その利益を享受する帰属主体が存在しないのであるから，法人税を課すべきではなく，ただ，非営利法人が営利事業と競合する収益事業によって収益を得た時に限り，営利事業とのイコールフッティングを根拠に課税するのが相当である。
2．公益性を有する非営利法人
　1）本来事業（関連事業を含む。以下同じ）を非課税とする。公益を実現するための事業だからである。
　2）非本来収益事業の収益を本来事業に充てる時は，100％のみなし寄附を認める。
　3）金融資産収益は，非課税とする。
3．寄付金税制のあり方について
　1）公益法人の認定と同時に寄付金優遇措置を付与すべきである。その効果ゆえに，公益性の認定要件を狭めてはならない。
　……
4．個人住民税の寄付金控除について
　個人住民税についても，寄付金控除後の所得を基準とすべきである。

果たしてこの建議がどの程度受け入れられるであろうか。税調でも「民間が担う公共」という概念が使われ始めたといわれているし、認定NPOの拡大が議論されているともいわれるので、多少とも前進するかもしれない。うえの建議がそのまま実現するようなことがあれば、日本のサードセクター革新の展望は明るくなる。

　しかし、たとえその場合でもいくつもの問題が残る。例えば〈営利企業の行う事業との関係〉がどうなるか、市民的公共性の拡大にとってきわめて重要である。この問題が決定的な形で現れたのが、「流山訴訟控訴審判決」である。

流山訴訟控訴審判決の骨子
（1）NPO法人流山ユー・アイネット（以下「控訴人」という）が有償ボランティア活動として行っているふれあい事業に関し、松戸税務署はその剰余金に法人税を課したが、千葉地方裁判所は、2004年4月2日、この課税を認める判決をした。これに対し控訴人は控訴して争ったが、東京高等裁判所は控訴を棄却した。
（2）控訴審判決の理由の骨子は次のとおりである。
　①ふれあい事業は会員の主観によれば精神的交流であるが、外形的には家事等のサービスであって客観的形態からすれば「請負業」に当たる。
　②1時間当たり800円（会員に600円、控訴人に200円）は謝礼、寄附でなく、サービス提供の対価である。
　③サービス提供の主体は、会員でなく、流山ユー・アイネットである。
　④課税がボランティアのインセンティブを喪失させるという主張は立法論としては傾聴すべきであるが、法解釈としては困難である。

　この判決に対して流山ユー・アイネットは承服し難い旨つぎのように反論している。

　①ボランティア活動はその外形的行為だけを見れば、ほとんどが「営利事業」あるいは「収益事業」として行われている行為と同じになってしまうのであ

り，外形だけを抽出して判断するのは誤りである。
② 1時間当たり600円は主観的にも客観的にも，会員の労働に対する報酬ではない。200円は主観的にも客観的にもコーディネーターに対する寄附である。
③ サービスは，会員の意思と判断で提供されている。
④ 剰余金は控訴人の役職員の無償活動等により生じたもので，税法上課税が当然とする性質のものではない。

この判決は，「福祉のたすけあい」という「社会的空間」——コミュニティの社会的資源を基盤に，サービス利用者，サービス提供者，コーディネーターがつくる協同（互酬・協同・連帯）空間——に，あえて市場社会の企業形態と雇用関係を持ち込んで，営利企業とイコールフッティングする強引な解釈である。このような社会空間こそ，「社会的経済」企業が創出するところの〈市場の内部にあって同時に社会的な市民的公共空間〉である。

もし税調が「民が担う公共」ということを少しでも評価するならば，この社会空間を構成するもののなかには，営利を追求し，それを分配しようとするものは誰もいないことを認めるべきである（前述したは市民アセスメントがこれを担保する）。かくて，法人税を課税する根拠はなく，むしろ，既存の「官の公共」の手が届かない社会的ニーズを充たそうとするこのような「民が担う公共」として，「みなし寄付」や「寄付控除」はもちろんのこと，税を取るどころか，逆に市民から取った税の一部を還元しつつ積極的に支援すべきであろう（後述するソーシャル・コンパクト，「生活賃金」等参照）。

NPO法改革は当面除外され，創設の「非営利法人法」との関係調整は将来の課題とされたが，もちろん，今回どのような結論が出るかは，NPOに無関係ではない。また，今回，手をつけられなかった，学校法人，社会福祉法人などの民法34条の特別法による諸法人，さらには，協同組合法人のあり方にも影響を及ぼさないではおくまい。

（2）ワーカーズ・コープ（コレクティブ）法はできたか？

　ところで，ワーカーズ・コレクティブやワーカーズ・コープは，むしろ，企業（協同組合・企業組合・任意団体・NPO・？——適当する法人形態が未だ法制度として実現していない）そのものをこの社会空間の構成要素でつくりだそうとするものである。「アビリティクラブたすけあい」の加藤昌男は，ワーカーズ・コレクティブの活動について，次のようにいう（加藤昌男2004）。

> 「メンバーみずからが協同で出資し，労働し，運営し，経営する。通常，営利企業では，資本家（出資者）と経営者が別々に存在し，経営者（事業主）が労働者に賃金を支払うのだが，ワーカーズ・コレクティブにおいては経営と労働が分離されず不可分のものとして機能する。換言すると，構成メンバー全員が，皆，対等・平等に権利と義務を持ち，何かあれば協同・連帯して責任を取る運動・事業体である。」

　最も分りやすいのが，──（「社会やコミュニティのため」という一般的なミッション（使命）を一つの企業形態のなかに具体的に取り込んだともいうべき）──サービス利用者をもメンバーに加えた「たすけあいワーカーズ」であろう。イタリアの「社会協同組合B型」にも見るように，社会的に排除された人たちを社会的に再包摂するのには最も有効性を発揮する「社会的企業」形態である。

　ところが，ワーカーズ・コレクティブにしろ，ワーカーズ・コープにしろ，ヨーロッパではすでにごく一般的になっているのに，日本では未だ制度として認められていない。「市民活動促進法」（NPO法）制定運動の高まりのなかで，それに連携しつつ，それぞれ，「ワーカーズ・コレクティブ法（案）」，「労働者協同組合法（案）」を数次にわたって発表してきた。しかし，「市民活動促進法」は，自民党の反対意見を入れて，「市民」という言葉を落として「特定非営利活動促進法」として成立したが，「ワーカーズ・コレクティブ法」，「労働者協同組合法」とも，未だ，日の目を見ていない。

このことと直接関連するが，両法の制定促進運動のなかで，「統一協同組合法」制定，あるいは，「協同組合基本法」制定も提案された。ともに，ヨーロッパ諸国では珍しくない。
　先ほど見たように，生協の「新しい波」の台頭は，ワーカーズ・コレクティブやワーカーズ・コープのみならず，環境生協，福祉生協など，従来の狭い共益を超えて公共性を追求する，新しい分野の「社会的」にして，「事業的」な活動のために，協同組合という企業形態を，困難に直面しつつもそれを乗り越えて生み出した。もし，「統一協同組合法」なり，「協同組合基本法」があったならば，それらの協同組合づくりは，遥かに容易であったろうし，さらにさまざまな協同組合が生まれ，日本の社会的企業の厚みとウエイトはより大きなものになり得るであろう。しかし，残念ながら，「統一協同組合法」も，「協同組合基本法」も問題提起にのみ留まっている。

　ところで，ワーカーズ・コレクティブ法の立法運動を進めてきたワーカーズ・コレクティブ・ジャパンは，今回の公益法人改革の中で，公益法人改革オンブズマンの浜辺哲也の提起するNPOと協同組合との新たなハイブリッドともいうべき「出資型非営利法人制度」の創設に，その半歩の前進（その後に経営と労働をも自ら担う真性のワーカーズ・コープを展望する）を見出した。いま，その骨子をみれば次のようになっている。

非営利法人一般法に出資型法人を規定する必要性

　　　　　　　　　　　　　　　2004年5月19日　公益法人改革オンブズマン
　1　出資型非営利法人へのニーズ
　　出資を財産の基礎とする非営利活動への潜在的な需要は大きいが，これに適した法人制度がないため，任意団体のまま活動を続けるものや，NPO法人と民法組合，NPO法人と商法の匿名組合を重複して設立する例がある。
　2　NPO法の不備
　　出資を基礎に活動することを前提とした法設計となっていない。NPO法制定の過程で，出資を必要とする市民活動は，NPO法の対象から外された。

このため，介護保険に参入するためNPO法人格を取ったワーカーズは，やむなく出資を寄付や融資として扱っている。NPOバンク，風力発電は，事業に必要となる数億円の出資を集めるため，事業を運営するNPOとは別に民法の事業組合や商法の匿名組合を作るという手間を負っている。

3　中間法人法の不備

残余財産の分配が可能となっており，法人の非営利性や公益性を利害関係者にアピールすることができない。また，会費や寄付に法人税が課されるなど非営利法人に必要な税制が措置されていない。

4　協同組合法の不備

各種協同組合法は活動目的や事業が狭く限定され，設立要件も詳細であり，縦割りの主務大臣認可が必要とされる制度であり，多様な非営利活動の受け皿として機能できない。

再三の要望の後，今回，出資型非営利法人制度の創設は「拠出型非営利法人」（出資と拠出は本来意味が異なるが）として組み込まれる展望が出てきたかのように思われたが——それでも，「流山判決」が示す問題がのこり，寄付控除などの優遇税制はおろか，収益事業として課税される懸念が残っている——，結局は，そのような新たな非営利法人類型はできず，一般社団が採用可能な単なる「基金」制度に矮小化されてしまった。

以上，われわれは，公益法人改革の曲折の中に，一方で，NPO（さらに事業化するNPO）の展開，「第3世代，第4世代」の協同組合の新しい波の展開として現れている日本におけるサード・セクターの広がりと活性化，それを駆動する「市民力」の台頭は，NPO原則課税案を拒否させる程に高まってきていることを確認する。

しかし，他方で，山岡義典が21世紀社会を活力に富んだ市民社会として構築する際の鍵となるものとして提起した「民による公」の認識は，残念なことに，未だし，ということをも確認させられるのである。依然として，「公（官）―私（営利企業）」二分法が日本におけるサードセクターのブレイクを阻んでいるのである。

第4章　日本における「社会的経済」の促進戦略

なるほど，日本における公は，「財政危機」から「小さな国家」を標榜する。しかし，日本の「公（官）」は，「公―私」の中間的社会空間としての「民による公」の公共的性格を理解しないから，なお，「公益」判断権と「公金」運用権を握って放なさない。また，この中間的社会空間の公共的性格を理解しないから，ようやく立ち上がりだした中間的社会空間にも，とかく，「私」（営利セクター）の物差しを当て，その収益――（「社会的企業」が「社会的」であるがゆえに動員する，社会関係的資源（ボランティア労働，寄付，社会的信頼，連帯等々）によってはじめて確保されるにもかかわらず）――に課税しようとする。

さらに，起こり得る最悪の事態は，「社会的企業」が「社会的」であるが故に動員する各種の社会的関係資源を，営利企業――（低賃金，劣悪労働条件の非正規労働にますます多く依存する営利企業）――とのサバイバル競争に動員することになり，地域の労働者の賃金，労働条件を引き下げるように機能するばかりでなく，結局は，「社会的企業」を存立させた，社会的関係資源をボロボロにしかねないことである（次節（5）参照）。

その先に見えてくるのは，中間領域，市民領域のない，「（依然として権威的な）小さな国家」と「（輸移入労働力をも含む非正規・未組織労働者の劣悪労働条件に支えられる）企業セクター」の二分法の荒涼として，殺伐たる世界である。

かくて，日本のサードセクターは，「公（公益・官）―私（私益・営利企業）」二分法を打ち破り，その間の中間的社会空間をEUの如く「社会的企業」の勃興によってダイナミックに拡大転換するか，あるいは，今すぐうえに言及した「公―私」二分法の荒涼として殺伐たる世界への転落か，今，まさに，分岐点に立っているといえよう。そうとすれば，われわれの課題は，かなり鮮明になってくるのではないだろうか。

すなわち，われわれは，まずは，どこからかでも，また，一歩づつでも，この「公（公益・官）―私（私益・営利企業）」二分法を相対化し，これを打ち破る突破口を見出し，この二極の間を市民的公共空間によって押し広げていくことであろう。しかし，では，具体的にどうすればよいのか。ここで難問にぶつかる。

Ⅲ 社会的企業促進戦略，われわれの課題は何か
－新しい歴史主体の具体像を求めて－

社会革新とはなにか－「システム・図」と「外部・地」との中間領域の創出，新たな線引き－

　しかし，以上の叙述を少し顧みれば，どこにその突破口があり，その突破口に向かってそれを推進するエネルギーが地下のマグマとしてどのように蓄積されてきているのか，われわれはその答えを得るべくかなり前進してきていることを知るのである。

「新しい社会的経済」，あるいは「社会的企業」の出現と展開は何を意味するのか。他でもない。今まで，様々に表現してきたが，直感に訴えつつ最も簡単に示そうとしたのが，1章，図1－5Aから図1－5Dへの歴史的展開である。一言で平たくいえば，市場と政府の失敗――（多少，凹凸をつけた言い方をすれば，双方の極限近くまで展開した歴史的経験こそが明らかにする失敗）――の結果，「市場と政府」という陽のあたる両システム・図に対して，それらを存在させる背景をなしているにもかかわらず，それらシステムの陰・地になっている「外部」に留められていた「大地」としての「社会」，換言すれば，いわば，「人びとの，様々な〈個と共同〉の重層的複合体」が，自らの持続可能性に危機感を抱き――（文字通りの生存の危機から生き難さの問題まで含めて）――，生きいきと生き続けるべく，声を挙げ，行動し始めたことであろう。

　最も広い意味での社会が市場，あるいは国家というシステムに構造化されるとき，システムに沿わない社会のその他の諸契機はシステムの外に排除される。市場世界を説明しようとする経済学の例が最もわかり易い。経済学のテキストの冒頭にでているように，経済学の世界はいくつかの公理（公準）を前提として成り立ち，それらの公準に反する契機は，たとえ現実には存在していても「ないもの」とされる。あるいは，思考の上で，または構造的暴力によって声を挙げないように抑圧され，排除されるのである。国家システムは市場システムの成り立ちを説明する経済学ほど普遍的なモデルをもっていないが，一つの

法体系のようなある観念体系によって力の秩序を説明しようとするものがそのときどきに採用され，それに沿わない社会的契機が，やはり外部に排除される——公然たる力の体系であるゆえに，力の体系を表に出さない市場システムよりも率直に——。

　少し一般化して言えば，「システム化」はシステム化できない契機を「外部」に排除することによって自らを維持する。むしろ，「システム」は「ないもの，ないとみなせるもの」を「外部」として前提して，初めて成り立っている。しかし，ここで，「システム」がもはやシステムの維持のためにシステム化できない諸契機を排除する「外部」の存在を前提できなくなったとき，それは「システム」存続の危機となる。

　この危機に陥ったシステムの再生は，「内部」を「外部」に開き，「外部」を「内部」に導き入れる中間領域の創出や新たな線引きという総体的社会そのもののあり方のラディカルな革新を必要とする。「外部」あるいは「大地」自身が自ら声を挙げ行動し始めたとき，それはもっともラディカルになり得る。前掲図1－5Dにおける，第三極の社会セクターから伸びる二本のベクトル，〈社会的経済（企業）ベクトル〉，〈市民的公共性ベクトル〉は，それぞれ市場の再構築と国家システムの再構築を迫る，まさに，この「外部」の再内部化を求めて挙げ始めた声であり，起こし始めた行動である。

　さて，そうとすると，ヨーロッパにおける社会的経済・社会的企業の展開も，日本におけるそれも，まさに「外部」の再内部化を求めて挙げ始めた声であり，起こし始めた行動であるとみることができよう。そして，それは「公（公益・官）―私（私益・営利企業）」二分法を相対化し，これを打ち破る突破口を見出し，この二極の間を市民的公共空間によって押し広げていく。それだけではない。それは同時並行して，従来のさまざまな固定観念，固定的二分法，例えば，〈出資者vs.（経営者）vs.雇用労働者〉，〈ペイド・ワーク（賃金を支払われる仕事）vs.アンペイド・ワーク（賃金を支払われない仕事）〉，〈有償労働vs.ボランティア労働〉，〈生産者vs.消費者・利用者〉，〈税金vs.寄付・ボランティア〉等々を縦横に乗り越え，新結合による新たな中間領域や新たなフレキシブルな境界領域を創出していくことになろう。そのようなダイナミックな社会制度革新の先に，はじめて，われわれは社会的にも，環境的にも持続可能な21世紀社会経済

システムを展望することができるのではなかろうか。

さて，以上を導きの糸として，持続可能な社会づくりの新しい歴史主体としての社会的経済，社会的企業の澎湃たる展開を可能にする諸条件，そしてまた，社会的企業の澎湃たる展開が持続可能な社会づくりにもつ可能性についていくつかの側面から考えていきたい。それはまた，新しい歴史主体の具体像にさらに一歩一歩迫る過程にもしたい。

（1）「市民的公共性」を求めての連携

いままで，「公－私」二分法を有効に打破し得なかったのはなぜか。一つには，NPO法の制定に向けての運動にはNPOのみがかかわり，今回の公益法人改革においは，準則主義化と支援税制措置を求めるNPOが，当初，公益法人とともに原則課税の中間法人と一括りにされ，原則課税にされかかったとき，NPOセクターが反撃すべく沸き立ったものの，その後，NPOがその改革から切り離されるとともに，NPOセクターもクールになってしまった。協同組合セクターも，その一部の新しい波の「ワーカーズ・コープ」や「ワーカーズ・コレクティブ」がそれぞれに相応しい制度を求めて立法運動を行っても，あるいは，統一協同組合法，協同組合基本法を提起しても，NPOセクターはもとより，協同組合セクターの第二世代的な主流もクールだったといえる。況や農協や労働組合においてをや。もし，これらの運動がはじめから有機的に連携していたら，例えば，公益法人オンブズマンがかつて提起した「非営利協同法人法」制定運動に類する運動を展開していたら，事態はどう展開したであろうか。

以下，この連携，共闘が如何なる制度革新を切り開き得るか，その具体例の一つとして，いま言及したお蔵にしまい込まれた公益法人改革オンブズマン「非営利協同法人構想（案）」を採り挙げてみたい。[7]

新しい非営利法人制度は，NPO法の限界（公益性の要件，政治活動等の制限，行政の認証）や中間法人法の問題点（課税原則，残余財産の分配，基金制度）を克服し，さらに，構成員が出資して地域コミュニティの利益のために事業を

行うワーカーズコレクティブのような協同法人も包含した制度とする。
　イ　一般通則（一階）
　　　法人制度の一般通則として，非営利性，準則主義，出資規定（オプション），組織規定，情報公開に関する最低限の要件のみを定める。
　ロ　特別規定（二階）
　　　特別規定（二階）として，一般通則（一階）の上に，新公益法人，NPO法人，ワーカーズ法人など，法人類型毎に規定を設け，様々な特色を持つ法人活動に見合った規定と優遇措置を設ける。
　ハ　一般通則の規定は以下のとおりとする。
　　1　法人の活動目的：営利以外を目的とすることのみ規定。
　　2　非営利性：剰余金及び解散時の残余財産を社員で分配しないことを規定。出資配当をゼロ又は一定利率以下に制限。
　　3　準則主義：行政の関与なく登記のみで設立できるものとする。
　　4　出資規定：オプションとして出資と協同基金に関する規定を置く。
　　5　課税原則：法人税は厳格な非営利性故に非課税とする。
　　6　収益事業：法人税法上の収益事業については非営利故に軽減税率で課税。
　　7　組織体制：社員総会，理事，監事に関する規定を設ける。基本財産の要件は設けない。
　　8　情報公開：NPO法人並みの情報公開規定。インターネットの活用を図る。
　　9　残余財産：社員への分配を認めない。他の非営利法人か，地方公共団体，又は国に帰属。
　　10　政治活動の制限：法人制度には政治活動の制限規定を設けない。
　ニ　特別規定に定める事項
　　11　ネットワーク連合組織：非営利セクターの協同を図る組織。準則主義，法人税非課税，寄付税制の対象とする。
　　12　非営利協同基金：非営利セクターの資金循環を促す基金。準則主義，法人税非課税，寄付税制の対象とする。
　ホ　税法で規定する事項

13　寄付促進税制：財務構成又は事業分野に関する客観的基準で寄付控除の対象となる法人を選定。
　ヘ　政策的に推進すべき事項
　　14　民間評価機関（含む情報公開センター）：非営利法人の情報公開と評価を支援する機関の標準的要件を非営利セクター自らが設け，準則主義で民間評価機関の設立が活発化する環境を整える」。

　そして，何故，NPOと協同組合の統合が必要か？　と問うて，次のようにいう。

①事業基盤として重要な出資金
　・NPO法人の財源に占める寄付と会費の割合は小さく，財政基盤を強化しようとすれば助成金，補助金・委託費を得るか事業収入を上げるしかない。継続的に財サービスを提供する事業には建物，設備機器が必要となるが，NPO向けの融資制度も黎明期にあり，まとまった設備資金を得る方策として社員による出資が重要となる。ところが，公益法人，NPO法人，中間法人には，出資に関する規定がない。
　・出資法は「何人も，不特定且つ多数の者に対し，後日出資の払いもどしとして出資金の全額若しくはこれをこえる金額に相当する金銭を支払うべき旨を明示し，又は暗黙のうちに示して，出資金の受入をしてはならない。」と定める。営利法人や協同組合では出資規定があるが，そうでない限り非営利法人が出資を受入れることはできない。
　・NPO法人格をとったワーカーズコレクティブは，社員からの「出資」ではなく「借入金」か「寄付金」として会計処理している。
②協同組合の準則主義化
　・各種協同組合は，その組合類型毎に事業内容が細かに限定されており，また組合設立にも縦割りの大臣認可を必要とする。諸外国では，協同組合の基本法，統一法があり，協同組合の基本的な組織内容を備えていれば法人格を取得できる。
　・中小企業等事業協同組合法に基づく企業組合は，比較的柔軟に設立できる

とされるが，大臣認可が必要である上，営利企業に分類され，組合員と地域の福祉向上を非営利で追求するワーカーズコレクティブの理念を反映した制度ではない。

③運動論

・行政と営利企業に二分された社会構造に第三勢力として市民社会が拡大していくことが待望される。それは，NPO法人のみならず協同組合も含めた非営利協同セクターとして把握されるべきものであろう。

・今般，政府側から寄付や会費も含めて非営利法人を原則課税とする提案がなされたが，非営利法人は非分配制約を課していることを看過して競争条件を均等化するため原則課税とすることは当然という意見が根強い。この論法は，近い将来，協同組合の軽減税率の見直しにも及ぶ議論である。

・法人の分配原則を無視した競争条件の均等化論，原則課税論に対抗するには，公益法人，NPO法人のみならず協同組合，ワーカーズコレクティブが連携して対抗案を提示していく必要がある。

ここで，以上の「非営利協同法人法構想」の妥当性を補強するために，すでに強調したことで言わずもがなの感じもあるが，重要なので敢えて，「市民的公共性」についてのわれわれの基本的主張点を少し振り返っておきたい。

1章で詳述したことであるが，市民的公共性の特質は次の諸点にあることを強調した。

1）特殊な私——（他者に対して秘匿する特殊性private，さらに私にも不文明な「外部」に囲まれている私）——が他の私と互いに開き合い，コミュニケーション的理性によって互いに了解，連帯するとき，それは，公共性へ向けての最初の了解・連帯といえるが，直ちに普通に言われる広い公共性には達しない。けだし，その開き合いは，なお，限定された範囲に過ぎず，他のそのような試みに対しては，まだ，特殊性をもって閉じられている。この了解・連帯は，特殊性をもった共（協）ないしアソシエーションというべきであろう。このようなアソシエーションが互いに他のアソシエーションに開き合い，コミュニケーション的理性によって互いに了解・連帯するとき，より広い範囲の公共

性を実現する．しかし，なお，その公共性も，暫定的である．けだし，それは，なお，排除している他者――（「外部」とされている他者）――がいるかもしれないからである．じつは，〈親密圏のなかの個－アソシエーション－公共性〉は，つねに相対的なのである．

　図１－５Ｄ（１章）でも描かれているように，市民的公共性は，可能な限り理想的に開かれたコミュニケーション的言語・行為を通じて，親密圏のうちにある個と個がそれぞれアソシエーションに向かって開き合い，それらのアソシエーションがさらにいくつも開き合いながら公共性の次元を次第に高めていくという〈個－共－公共性〉のダイナミズムをこそ最も重要な特徴とする．

　２）それゆえ，一方で，このダイナミズムが空間的に外へ開いていく場合，家族，ローカル・アソシエーションないしコミュニティ，ナショナル・アソシエーションないしコミュニティ，グローバル・アソシエーションないしコミュニティへと広がり，そのとき，左端の，無規定だった個も，家族，ローカルなアソシエーションやコミュニティなど中間レベルにあって媒介した多様なアソシエーションやコミュニティの一員としてのアイデンティティを保持しつつ，ついにグローバルな公共性を担う個としてのアイデンティティを獲得し得る．

　他方で，このダイナミズムが社会的に排除されたものとしての外部に向かって開き，自ら声を挙げ，行動し始めた彼らを内部に導き入れることは，けだし，うえに論じたように，社会的にも，環境的にも持続可能な21世紀を展望し得るための必須の戦略であり，ダイナミズムを開いていくエネルギーの源となるものである．この場合も，社会的排除がさまざまな仕方でなされる故に，かれらに開くアソシエーションはそれに応じてきわめて多様になる．この多様なアソシエーションの連携によって到達する公共性は，かくて，それぞれ特徴をもった被排除者に手の届くような具体的な社会的包摂をも含んだ内的多様性に満ちたものとなろう．

　３）そして，もう一つ落としてならない特徴は，市民的公共性と国家的公共性とを混同してはならないということである．日本のように，官が公共性を簒奪しているところはもちろんのことであるが，例え民主的手続きによって市民

主権が確立されたにしても，ローカル・コミュニティやナショナルコミュニティなどコミュニティの体現する市民的公共性と自治体や国家の体現する公共性との間には大きなギャップがある。それは，言うまでもなく後者が権力的契機を有するということである。それに対して，市民的公共性とは，例え市民政府に対しても，手続き的に制度化された討議をインフォーマルな討議によって活性化し，排除されていたものを包摂する，民主主義のさらなる民主主義化を進めていく。そして，政治的公共性は（理想的に開かれたという場合それは），形而上学的な超越の世界ではなく，倫理的・政治的地平に繋がったままの生身の人びとの間での討議の場である限り，多くの場合，排除されていた人びととの社会運動による政治的入力がなければ，開いていくのは難しいということである。況や現代日本においておや。

かくて，上に提起した「市民的公共性を求めての連携」は，そもそも，日本において市民的公共性を少しでも広げていくための，いわば前提条件のようなものである。このことに成功しないでは，とても日本における市民的公共性の広がりを期待できない，ということなる。最低限，公益法人改革オンブズマンの提起するような「非営利協同法人構想」にみるようなNPOと協同組合の連携が必要であろう。

さて，もう一つ触れておくべきことは，公益性の判断主体および判断基準についての論点である。

まず，公益性とは何か，公益性を有しているか，否か，その判断基準は何か，について明確にしておくべきであろう。そうすれば，判断主体は誰であるべきか，ということもはっきりしてくる。

うえで見た公益法人改革オンブズマンの提起する「一般通則10か条」は，公益性の実務的判断基準としてきわめて明瞭で紛れがない。そのうち，〈1　法人の活動目的：営利以外を目的とすることのみ規定〉は，当然として，それを何によって判断するかだが，〈2　非営利性：剰余金及び解散時の残余財産を社員で分配しないことを規定。出資配当をゼロ又は一定利率以下に制限〉と〈9　残余財産：社員への分配を認めない。他の非営利法人か，地方公共団体，

又は国に帰属〉の二つがその基本的規定であるということは公益法人改革オンブズマンが繰り返し強調しているところであり，われわれもそれに完全に賛同する。

　しかし，それは，あくまで実務上の形式であって，同時にその中身もポジティブに押し出す必要もある。山口定（2003：18以下）は，「正当性規準としての公共性」を押し出し，「『公共空間』と区別されるべき『公共性』」を論じている。ちなみに，紹介すれば，次の8つの公共性規準をあげる。[8]

①「社会的有用性」もしくは「社会的必要性」
②「社会的共同性」
③「公開性」
④　普遍的人権
⑤　国際社会で形成されつつある「文化横断的諸価値（cross-cultural values）」
⑥「集合的アイデンティティの特定レベル」
　（この点については，次のように述べる－引用者。「何が『公共的』」であるかという問題については，われわれの共同体をどのレベル，どの範囲に設定するかということで変わってくる面が残ると考えられる。……人・物・金が国境を越えて往来し，地方分権が強化され，さらには人びとが，職業から趣味や政治的立場にいたるまでさまざまのレベルで『アソシエーション』を結成し，参加する時代には，人びとの帰属意識所在は同一人格の内部においても極めて多元的かつ重層的であるのが現実であろう。こうした『重層的アイデンティティの時代』においては，われわれが「公共性」や，その空間について議論するときには，その特定の問題について，いかなる集合的アイデンティティが問題となっているかを自覚して議論を進める必要があろう。この場合，多元的かつ重層的な集合的アイデンティティのさまざまなレベル間，種類間の相克という困難な問題が避けられないが，われわれはそれから目をそむけることはできないであろう」。）[9]
⑦　新しい公共性への開かれたスタンス
⑧　手続きにおける民主制

われわれの強調点としてあげた先の，1）～3）の三つの論点からすれば，とりわけ⑥と⑦が興味深いが，いずれも排除された外部を内部に媒介する多様で重層的な社会運動的契機がそれらに通底しているということを見落としてならないであろう。

　さて，このように新しい公共性は，市民たちのコミュニケーション的相互行為，対話の中から創出されるものであるかぎり，その判断主体としては，開かれた対話を志向するその当事者たち自身の相互主体以外の適任者はいない。もっとも，先にわれわれの強調点とした上げた三つの論点の最後の論点で触れたように，いかに市民政府であっても，市民的公共性の創出過程がそのまま権力機構として政府を構成するわけにはいかないとするならば，「手続き的に制度化された討議をインフォーマルな討議によって活性化し，排除されていたものを包摂する，民主主義の民主主義化を進めていく」ルートを判断主体は内部にもつべきであろう。そうとすると，たとえば，公益法人改革オンブズマンが提起している，〈(ニ) 特別規定に含める事項〉にある「ネットワーク連合組織：非営利セクターの協同を図る組織」や〈(ヘ) 政策的に推進すべき事項〉にある「民間評価機関（含む情報公開センター）：非営利法人の情報公開と評価を支援する機関の標準的要件を非営利セクター自らが設け，準則主義で民間評価機関の設立が活発化する環境を整える，などがその最初の手掛かりとなろう。
　たしかに，「公益性」の判断主体にしても，いまや，内閣のもとに設置される有識者委員会でも，「第三者機関」と称さねばならなくっている。しかし，考えておかなければならないことは，「第三者機関」の「第三者性」を担保するものは何か，ということである。社会的企業間のネットワークを幾重にも重合・接合しつつ，市民自身の相互評価・批判によってつくりだす「市民的公共性」しかない。それをつくりだして，官の裁量的判断を代替していくしかない。それは，いまからからでは遅すぎる，といって放棄するには，あまりに重要な課題なのではなかろうか。長期戦を覚悟して取り組むべき課題であろう。

（２）「社会的経済企業」の起業，連携，親社会的企業的（プロ）政策環境の創出

　しかし，もちろん，市民的公共性の領域を官と企業的民との間に広く拡げていくためには，連携の陣営を組む各セクター当事者達そのもののダイナミックな展開がその基礎になければならないことはいうまでもない。それ故，まずは，何であれ，「市民的公共性」の拡張を牽引する「新しい社会的経済・社会的企業」の澎湃とした起業が必要であるが，先に見たように，ドゥフルニ・ボルザガ『社会的企業』が提起しているのは，まさに，NPOセクターと社会的経済セクターとのハイブリッドへの双方からの跳躍，その結果としての多様なハイブリッドの展開である（前掲，図１－３）。

　今回の公益法人改革において，先に触れたように，「非営利協同法人法」構想の一部として「出資型非営利法人」が一部のNPOとともに，ワーカーズ・コレクティブによって推進されようとしたが，「基金制度」に矮小化されてしまった。もしそれが実現していたらそれは日本における新法人形態としての，NPOと協同組合のハイブリッド第１号となったであろう。しかし，それは今後の課題である。

　この両者の，いわばハイブリッドのダイナミズムは，翻訳者のひとりの石塚秀雄が別に訳して伝えるところによれば，社会的弱者や社会的排除を受けたものの労働市場への挿入（統合）分野だけで，EU11カ国に展開するその企業組織形態の多様さは，実に39種類に及ぶという（石塚秀雄2004）。

　このような「社会的」にして，「企業的」な組織のブレイクこそ，日本における「民による公」，すなわち，「市民的公共性」を本格的に形成させるための牽引車をつくりだすものである。それ故，われわれは，何はともあれ，世間一般に，そして自らも，無理だと思う限界を超えて，「社会的企業」を起業していくことであろう。NPOはNPOを超えて，協同組合は協同組合を超えて，共済は共済を超えて，そして労働組合は労働組合を超えて。

起業領域

　では，社会的企業は，いかなる分野で，あるいは，いかなる分野へ向かって起業すべく，清水の舞台から飛び降りるべきか。実は，日本の場合，「社会的

経済企業」の胎動がどのような分野でどのように見られるか，ごく荒っぽいタッチではあったが，われわれはすでにみてきた。

　すなわち，まず，日本における新しい社会的経済の最初の大きなうねりをつくりだしたものの多くは生協という企業形態をとった。日本型生協は，第二次世界大戦直後の出発の当初から「平和運動」のような社会運動を展開してきたが，特に，1960年代末から1970年代にかけて，大量生産―大量消費型の高度成長がもたらした諸問題――ゴミや廃棄物の大量投棄，農薬や有害食品添加物などによる複合汚染，そして公害や環境破壊など――に直面して，先に言及した「新しい社会運動」をも担い始めた。それも，農薬や化学肥料などの化学物質の使用を控え，有機農業を進める生産者グループ，添加物を加えない食品加工業者との「産直」など，いわば社会制度のイノベーションを推進しながら加わっていったのである。そして，食品の安全性を心配するする人びとを組合員に加えて，急速に成長していった。

　先に述べた〈システム〉と〈外部〉という論理の視角からすれば〈高成長する大量生産―大量消費〉が陽の当った〈システム〉にあたり，〈ゴミや廃棄物の大量投棄，農薬や有害食品添加物などによる複合汚染，そして公害や地球環境，生態系の破壊，さらにそれによる生産者，消費者ともども人びとの健康，いのちとくらしの破壊〉がシステムのカウントから排除される「外部」にあたるということができよう。〈外部〉は，さらに，〈化石資源の枯渇，水不足，食の安全ばかりか供給の不安定化を経ての不足のリスク，原発事故・廃棄物処理不能のリスク，バイオなど最先端科学技術による不可逆的リスクの増大等々〉と，リストは果てしなく続く。このような現在の〈システム〉と〈外部〉の線引きないし対抗のあり方は，人びとの〈いのちとくらし〉を持続不可能な危機に陥れる。

　かくて，すでに指摘したことであるが，市場に出回る商品を買うだけの受け身の消費者であることを止め，人びとの身体に安全で，環境に配慮した食品や生活必需品を一つひとつ，生産者と協力してつくるという事業，すなわち，農薬や化学肥料などの化学物質の使用を控え，有機農業を進める生産者グループ，添加物を加えない食品加工業者との「産直」などを「新しい協同組合」として始めたのである。あるいは，関西圏の水瓶である琵琶湖の赤潮大発生を契機と

して出発した滋賀県環境生協のように，琵琶湖の水質汚染対策から，〈石鹼運動―菜の花プロジェクト〉の全国的展開を導き，安全な食と（自然）エネルギーの確保，そして環境保護を同時，多面的に可能にするバイオマス循環を市民たち自身が担うイノベーションとして起こし始めたのである。これは，いうなれば，システムが排除する問題的な「外部」を再びシステムに導き，問題性を認識させ，そのような問題的「外部」をつくりださないようなシステムへのシステム革新に他ならない。それは，生産と消費を結びつけ，さらに，その生産と消費を廃棄物のフロー――（３Ｒや自然生態系循環との共生）――に結びつけ，エネルギー消費を再生可能エネルギーの生産に結びつける。一言でいえば，まさに環境的，生態系的循環型社会へのシステム革新といってよい。ここに，新しい社会的経済，社会的企業が展開しつつある，また，し得る一大領域を見出せる。

ところで，もう一つの，陽の当るシステムの蔭となっている広大な領域は，生活世界における人びとの日々の労働――（労働というより，いのちとくらしの営みそのものといった方がより妥当であるが）――である。システムの構成要素として評価される労働は〈賃労働〉であり，とくに，システムが需要するだけ何時でも供給され，システムが欲しくなくなったとき，何時でも排除できる賃労働である。じつは，システムにとって，その賃労働が何を生産し，いかなるサービスを供給するかは，最も主要な関心事ではない。人びとの〈いのちとくらし〉にとって必須の財・サービスの生産であるか，それとかけ離れた投機を煽るディーラーの財テク・サービスであるか，ということよりもより高い利潤率，あるいは，より高い株価，ないし企業の市場での総資産価値である。まして，その視野には，賃労働が日々いかに再生産されるか，その〈いのちとくらし〉の営みの在りようは，短期的にも，そして，世代にわたる長期のタイムスパンのそれはなおさら入ってこない。

もっとも，現代の福祉国家システムにおいては，労働市場に登場するまでの労働力の再生産過程に当る出産，保育・育児，教育・訓練システム等，怪我や病気のリスクシェアとしての医療保険システム，失業，障害，その他なんらかの理由で生活費稼得能力を欠いた人びとに対する生活保護システムや老齢で労働力市場から退場を余儀なくされた人びとに対する老齢年金システム，障害や・

高齢による要介護者に対する介護システムなどを整えてきた。

　しかし，再三言及してきたように，福祉国家，大きな政府は受難の時代に突入している。福祉国家の財政危機，有効性の危機，正当性の危機が叫ばれ，そのなかで，時計の振り子の反動のように「小さな政府」を標榜して，すべてを市場に委ねよという市場原理主義（新自由主義）の荒波が押し寄せてきている。しかし，もともと，市場システムは，その蔭・「外部」の取り込みに失敗するから「福祉国家」システムが形成されてきたのであり，市場システムが排除しようとするその蔭・「外部」を，市場システム自身に委ねて取り込むのは原理的に難しい。このシステムの蔭・「外部」を再び内部に媒介する環こそ社会的経済，特に「新しい社会的経済」としての「社会的企業」がその機能を革新的に担うべく，澎湃として興る，もう一つの広大な領域である。これも環境的・生態系的循環に擬えていえば，システムによって構造的に，そして時間的に——（つまり未来の可能性という点でも）——排除されたものを再び社会に包摂するという意味で社会的循環といえば，レトリックに過ぎるであろうか。

　今一度，EUでの社会的企業の展開領域を示した図1－4を振り返り，これら二大領域がそのうえに展開する様をイメージされたい。

〈起業－連携－親社会的企業政策環境創出－起業〉のスパイラルな拡大
（連携にプロのルビ）

　さて，以上の領域に社会的企業がシステムの革新者として注目すべく広範に台頭してきているといわれるヨーロッパにおいても，持続可能な21世紀システムとしてのソーシャル・ヨーロッパへの大道はすでにこの戦略によって切り開かれたというのにはまだ遠い。しかし，ヨーロッパにおいては，すでに述べたように，CNLAMCAに始まる社会的経済の各業態間の連携とそれをもっての政策的働きかけは，各国内からEU規模に拡大し，ここで詳述する余裕はないが，ソーシャル・ヨーロッパを目指す各国の，そしてEUの政策の道具としてつかうことを迫り，一定の成功を収めてきている。先にみた日本のNPOが求め，「新しい協同組合」が求める法人形態や税制優遇措置などは，遥か以前から獲得している上に，今や「社会的企業」の促進を意図して，さまざまな制度的見直しと新しい法律づくりが進んでいる。しかも，そのように進む政策的支援は，たんなる支援の領域を超えている。では，それはどういう意味で超え

ているのか。

　それは，例えば，次のようなブレアのニュー労働党政権下の政策的支援についていえよう。

　「1980年代以降，アングロ・サクソン諸国を中心とする欧米各国では，公的部門の効率化を図るために，民間の経営手法を行政現場に導入するニューパブリックマネジメント型の手法による行政改革が実施されてきた」（西村万里子2004：191）。具体的にいえば，例えば，「従来のボランタリー組織に対する自治体からの補助金方式に代わって，自治体とボランタリー組織・営利企業間に契約方式が導入され，自治体との契約獲得をめぐってボランタリー組織，民間営利企業の間に競争原理の導入が始まった。」（同：193）……これによって，「契約や業績評価による上へのアカウンタビリティの強化は図られた」。しかし，「利用者に対するサービスの質，情報のアクセス，選択の課題，公平性の確保については十分な成果をあげることができず，住民や利用者本位という下へのアカウンタビリティが実現できなかった」。また，「マネジイズムの限界として，組織内関係における目標・成果の重視が組織間にわたる関係の信頼や評価に適さなかった」。……

　そこで，「97年に政権についた労働党政権は，保守党政権下の効率性重視・コスト偏重により生じたサービスの質の低下や格差の拡大等の問題を踏まえて，社会的公正を備えつつ経済的効率性をめざす『第三の道』を提唱した。労働党政権は，こうした問題の原因がコミュニティ社会との協働の欠如にあったと考え，市場中心の公共サービス改革から住民参加，ボランタリー組織や住民とのパートナーシップによる民主主義的な公共サービスへと政策理念の重点を移す決定をした」（同：199）。

　そして，労働党政府は，社会的排除対策──（保守党政権下の市場化偏重や組織の分断によりで生じた格差の拡大，失業，低熟練，犯罪，健康の低下，家庭崩壊等の問題を社会的排除として表現した）──を公共政策の最優先課題とし，そのためには，ボランタリー組織とのパートナーシップが不可欠として，ボランタ

リー組織との間で，コンパクト――（政府は，ボランタリーセクターの独立性の確保，長期的透明な資金の提供，政策の決定・実施・評価への参加の保証などを約束するというコンパクト）――を，中央，地方自治体レベルで結びながら，各種の社会的統合政策を実施していったのである（同：205）。

それは，政府の社会的企業支援政策というよりも，むしろ，分権化された政府（自治体）と社会的企業との協業で，政府セクターと市民セクターのハイブリッドが創り出す新たな市民的公共性領域という中間領域の創出といえるのではないだろうか。

EUにおける社会的企業の台頭の背景には，このような親社会的企業（プロ）な政治ないし政策環境があることは軽視すべきではないだろう。それは社会的包摂の領域だけではなく，環境的，生態系的循環型社会づくりの領域についても同様である。例えば，環境保護政策と農林業の「多面的機能」を結びつけた所得の直接保証制度の創設と拡大，70年代の石油危機に始まり，その後，石油危機が去って原油価格が下がっても続行されているデンマークの脱化石燃料－自然・再生エネルギー振興政策，脱原発政策を掲げ，バイオマス・エネルギー，風力発電振興を本格化し，自然・再生エネルギー技術の最先端を走る大国ドイツなどがすぐ思い浮かぶ。

ヨーロッパ諸国の多くの国々で労働組合の組織率も，なお，一定の高さを維持し，また，ドイツなどのように緑の党も一定の社会的影響力をもち，競うようにさまざまなタイプの「第三の道」が模索される政治環境が公共性の市民的ディメンションを格段に高めるように作用しているといえる。

ところが，いま，われわれはそのような政策環境にはいない，むしろ，逆境にあるというべきであろう。しかし，これはイギリスについてだが，塚本一郎が，同時に，次のことを指摘していることに注意したい。

「社会的企業の役割が政府にも認識されるようになった背景には，社会的セクター側のネットワーク力がある。たとえば，SEL（Social Enterprise London）のような社会的企業の中間組織支援組織はロンドンのみならず全国レベルで同

じような社会的企業のネットワークづくりを支援してきたし，ロビー活動を活発に展開してきた。……非営利系シンクタンクも政府の社会的企業支援政策に大きな影響を与えて（いる）。……すなわち，社会的企業が政府に認知される背景については，社会的ネットワーク，すなわち，『社会的資本』を創造するその能力に負うところが大きいといえる」(塚本一郎2004：249-250)。

ヨーロッパにしてもそうならば，われわれはなおさら市民的公共性の拡大深化を求めて，また，政権獲得にまで至らずとも，一定の政策環境，支援環境の構築という展望をもって連携を強め，〈―起業―連携―「市民的公共性」と政策環境の創出―起業―〉の好循環の環をぐるぐる一周りでも二周りでも連続して拡大していくことを環のどこからかでも可能なところから始めていかねばなるまい。

　もっとも，これは日本にとって絶望的かと思われるほど極めて厳しく，難しい課題ではある。しかし，期待できる要素はないのか。ここで日本における社会的企業の展開過程を改めて注意してみると逆にヨーロッパにはみられないいくつかのポジティブな契機も見出せる。

日本型生協と総合農協における社会的関係資源の蓄積とインキュベーター機能
　まず，日本の生協は，「日本型」として，先に確認したように，消費者一般を対象とする小売企業としての性格を強めるヨーロッパ型生協とは異なり，食品の安全性，家族の健康を心配する広範な主婦層を中心に，地域コミュニティにおける人と人の繋がりを拠り所に班（共同購入組織）をつくりながら，また逆に，班をつくって人と人の繋がりを生み出しながら，地域コミュニティを基盤とする，地域市民である組合員が動かす性格の強い日本独特の「市民生協」として急速に成長してきた。そして，これまた，先にみたように，初めは安全な食を確保すべく産直など農業生産者との関わりから始まったが，やがて，〈いのちとくらし〉のリスク・危機が深まるにしたがい，組合員の生活・いのちのニーズは，生活全般，生きいき生きること，環境保護・再生，まちづくり等々へと広がり，ついに，それらを自らつくり出すプロシューマー（生産者＝消費者）となろうとする。かくて，消費生協は，福祉生協，環境生協，そして，

現代のプロシューマーとしてワーカーズ・コレクティブ（コープ），事業 NPO を広範に生みだすインキュベーターの役割を果たしてきたといえる。先にみた，社会運動的協同組合たろうとする生活クラブ生協，日本型生協の「21世紀型生協」への転生に向けて飛び立ちつつある首都圏コープ・グループなどはその典型的代表者であった。しかも，それは富士山のように広い裾野をもつ可能性がある。生協は実に日本の全世帯の3割を組織している。

　　　組合員1600万人，ちなみに，地域によっては，たとえば兵庫県は68.2％，宮城県59.7％，京都府48.1％，北海道47.1％，宮崎県42.7％と4割を超える県もある（栗本2005：25）。

つまり，日本の社会的企業の展開には，それを後押しすべくひょっとするとヨーロッパを凌ぐ巨大なマグマがそのエネルギーの供給源として横たわっているのかもしれない。しかし，残念なことに，未だ潜在的可能性にとどめられているが。

さらに，もう一つ，これまた未発現であるが，生協と同じような潜在的可能性をもっているかもしれないものに農協（JA）がある。日本の農協は，一部生産と生産物の販売事業のみならず，購買事業，信用事業，共済事業等の諸事業を総合的におこなう総合農協として展開してきた。かつて，レイドロー（レイドロー報告『西暦2000年における協同組合』(1980)）は，地域に根ざし，事業ごとに分離された協同組合ではなく，それらを総合的に行う単協の総合性を高く評価し，そこに協同組合地域社会の展望を見出した。しかし，その時は，なお，食糧管理制度のもとで政府の政策執行機関としての性格が強く，いささか褒め過ぎの嫌いがあった。生産物（米）の市場は政府の一手買い上げで，米価交渉と各種補助金の獲得に最大の集団的エネルギーを注ぐ政治的圧力団体としての性格が顕著であったことを否めまい。しかし，新自由主義的グローバリゼーションの進行のもと，農産物の自由化は，ついに聖域とされた米にまで押し寄せ，今，日本の農業はその多面的機能もろとも崩壊の危機に一挙に追い込まれている。

多国籍企業にとって，より多くの，より高率の利潤の獲得を目指して途上国であろうと先進国であろうと地球上無差別に，何処でも，何時でも，生産，流通，金融・投資，開発，サービス等々の何の活動でも規制無く自由に可能なグローバル市場が望ましいが，自動車，エレクトロニクスを先頭とする日本の多国籍業も同様にそのような自由市場を拡大しようとする衝動を強めている。それには，日本国内のさまざまな経済的，社会的規制が邪魔になり，それら諸規制撤廃のテンポ，程度を高めることが必要となる。そして，規制の多い農業分野がその取引の切り札につかわれ始めたのである。

　かくて，「総合規制改革会議」は，2002年12月，従来の国家的政策としての「食料・農業・農村」の振興，そしてその政策推進の大きな部分を担うものとしての農協という，農業と農協の位置付けを放棄するにも等しい規制緩和を答申した。独禁法適用除外を外し，株式会社の農業参入を認め，米政策と生産調整への政府関与を廃止し，日本農業をグローバルな自由競争市場に投げ込む方向を打ち出したのである。そして，メキシコ，フィリピン，タイ等々とFTAを締結し，WTO協議では上限関税の大幅な引き下げに応じることで，日本の多国籍企業のために上記の自由市場を獲得しようとしているのである。

　しかし，それは，いよいよリスクを増すこれからのグローバル社会の中で，安全な食料の安定的な供給や環境的にも，社会的にも多面的機能をもつ日本農業を放棄することを意味する。それは，単に農業や農家の問題だけではなく，実は都市市民の問題でもある。[10]

　たしかに，一方で，大農式のアメリカ，カナダ，オーストラリア農業，そして穀物多国籍企業と同じ土俵・市場でのサバイバル競争に挑むべく，経営主体の集中・統合・株式会社化による大規模化，効率化，いわば農業の工業化を推進しようとする動きもなくはないが，それでアジアモンスーン地域の小農生産を基盤としてきた日本農業（それは他のアジア諸国にもいえることである）に，どのような展望があるのだろうか。しかし，他方で，「農家が農家以外の市民（非農家市民）と繋がりをもち，工業的農業と市場経済とは違った価値観を共有しながら，農産物の販売や交流ができるような農業」，「それに加えて，教育・環境・医療・福祉など食料生産とは違った分野で（の）農業の社会貢献」を地域で推進することによって，農業再生の可能性を追求する動きがでてきている。

桜井勇（地域社会計画センター）は，後者の分岐を展望しつつ，より具体的に，これからの農協の結集軸と展望を次のようなところに求める（桜井勇2005）。

　①組合員・家族・地域住民のニーズ（健康・福祉，所得機会，生き甲斐など）。
　②安全な食料・食品の供給〈地産地消のネットワークづくり〉
　　・直売所〔ファーマーズマーケット（加工・惣菜を含む），都市農協との連携〕
　　・都市住民の組織化（地区外准組合員制度の活用，都市農協との連携）
　　・伝統的な調理方法などの普及
　　・次世代への取組み（学校給食での地場農産物，農業体験，食育など）
　③高齢化対応
　　そして，地域社会対応の重視と"農"を軸とした地域協同組合づくり（環境，保険・医療・福祉）

　しかし，先に指摘したように，なお，これら社会的企業の展開は萌芽状態であることは否めない。それらの間に連携は乏しく，市民的公共性を広げられない。しかし，生協，農協の展開の如何によって，すなわち，それらが地域の人びとのいのちとくらしの危機に応えつつ，その地域の人びとが主体的に参加し，自ら動かす，多様な生活に即した多様な生活・生産協同組合として，多様なワーカーズ・コレクティブ（コープ）やNPOをスピン・オフするインキュベータとなるならば，その潜在的可能性は一挙に顕在化するのではなかろうか。すなわち，図1－5D（1章）でみた社会的企業ベクトルが太く，長く伸びる。そうしたとき，それらの連携・ネットワークの力量も一挙に増し，市民立法も図の市民的公共性ベクトルも一挙に長大になり，市民的公共空間もぐっと広がる。
　そうなったとき，さらに社会的企業ベクトルの伸びと市民的公共性ベクトルとの相乗作用は，もう一次元高まり，政権選択・政権参加の問題へまで及び得る。

（3）ジェンダー平等化要求と社会的企業の勃興―社会革新の潜在的駆動力・ワーカーズ・コレクティブの可能性―

さて，以上，日本における市民的公共空間の飛躍的拡延をもたらす社会的企業展開のダイナミズムの具体的様相とその際に日本において特に期待できる契機に焦点をあててきたが，ここで，ワーカーズ・コレクティブ（コープ）に注目してみたい。というのは，そこに，さまざまな二分法的固定観念を革新しつつ，日本の社会的企業の可能性を開くもっとも巨大な契機が潜在的ながら存在しており，それが今顕在化に向かって押し留め難い流れを創りだしつつあると期待できるからである。

1章において，宮本太郎（2003）によって，福祉大国・スウェーデンにおいても福祉国家の揺らぎがみえ，いま，ヨーロッパでは「社会的排除」の問題がクローズアップされてきたこと，そして，それに対処すべくスウェーデンでは支援型積極的労働市場政策の延長上に架橋的労働市場モデルを展開していることを紹介した。もう一度，前掲，図1－11（P.133）を参照されたい。

同図において，Ⅴは，失業した場合，職業訓練を施して労働市場に復帰させる従来の積極的労働市場政策を表す。そして，Ⅰ，Ⅱ，Ⅲ，そしてⅣは，それぞれ，労働市場と〈教育〉，〈家族〉，〈長期的失業・障害〉，そして〈退職〉を架橋する橋であった。ところで，先に示した〈システム・図〉と〈外部・地〉の構図に則してこの図を解釈すれば，中央の四角の領域が陽の当るシステムとしての〈労働市場〉であり，その真ん中にあるⅤは，その賃労働市場において，産業構造の転換，熟練構造の変化等に伴う需給のミスマッチ等から開いた穴（経過的な失業と再訓練の場）であり，〈労働市場〉にとってはもちろん，〈政策当局〉というシステムとしても，そのミスマッチ等の穴をできるだけ早く，小さいうちに埋め，できればなくしたい穴である。

ところで，中央の四角の労働市場の外側の4つの島々も，〈市場システム〉にとってはカウントから外して〈蔭・外部〉にしたい領域である。けだし，〈システム〉にしてみれば，（Ⅰ）の〈教育や訓練〉にはできるだけコストをかけたくない。できれば外国からでも既成の労働力を安く調達したい。（Ⅱ）の

〈いのちとくらしの営み〉は直接の関心事ではなく，その費用はできるだけ低廉であることが望ましく，しかも，出産や家事，家族のケアーなどに煩わされずに長時間，継続的に働く労働力を調達する場所にしたい。(Ⅲ)の〈退職者〉は，高齢で労働能力が落ちたから排除したのであって，一度退職した労働力をコストをかけてわざわざ労働市場に戻すなどという余計なことはしない方がよい。(Ⅳ)の〈長期失業，障害〉は，システムが機能不全とならないための必要な排除の諸様態である。労働力のリストラによる排除はシステムの当然の論理であり，とくに，知的，精神的，身体的障害者，アルコールや麻薬アディクト，長期失業で働く意欲に欠けるもの，引きこもりなど通常の労働者に比べて労働効率の劣るものは労働市場から排除こそすれ，わざわざ雇用するスコトを負いたくない。

しかし，〈システム〉によって排除される上記のような諸契機の受け皿となるのは〈外部〉の4つの島々であるが，そこはわれわれの〈いのちとくらし〉の営みがなされる場以外のなにものでもない。スウェーデン福祉国家の架橋的労働市場はそのあいだを架橋することによって福祉国家のシステムとしては，最もよく「外部」を「内部」に包摂することを意図して設計されたシステムだといえる。

しかし，さらにわれわれが注目したのは，従来，それらの橋＝政策領域は，主として図1-11の左下に見られるような福祉国家のシステムが担ってきたが，近年，社会的排除の個別化，多様化に応じ，それらの包摂の仕方もより多様に，よりフレクシブルに行える，右下にあるようなワーカーズ・コレクティブをはじめとする社会的経済企業群がその担い手として現れてきたということであった。新たな担い手群は，それ自身，社会的包摂により有効であるばかりか，非営利という企業形態と社会的関係資源を最もよく動員し得る故に，左下の福祉国家の政策と営利企業とも連携した福祉ミックスのコーディネーター役としては，特に優れた機能を発揮しているという。ここまではすでに紹介したところであるが，その先がここでの問題である。

また，宮本太郎（2004）の助けを借りることになるが，さらに氏は図4-9を示される。

この図を用いて氏がいわんとしていることは，「社会的企業」（この図では社

図4-9 無償労働,有償労働の3つの次元

	無償労働	有償労働
収入保障	(有償ボランティア)	賃金支払い
条件保障	育児・介護サービス	雇用創出
能力保障	対人・対社会的関係形成	職業訓練

中央:
経営重視
ワーカーズコレクティブ
参加重視

出所:宮本太郎(2004)

会的企業の代表としてのワーカーズ・コレクティブが書き込まれているが,社会的企業一般に及ぼしてもよいという)がジェンダーの平等化に向けて大きく寄与する可能性を秘めているということである。すなわち,次のようにいう。[11]

> ジェンダーの平等化のあり方には,今まで,主として次の二つのモデルがあった。
> ①ケア労働同等評価モデル(ドイツのように,家庭内の女性の家事・ケア労働のようなアンペイド・ワークの価値を評価して,賃金は家族手当などを含む世帯主賃金,社会保障も世帯保障でそれだけ高額となる)。
> ②両性稼得者モデル(アメリカやスウェーデンのように,女性も男性と同じように労働市場に登場する)。
> 両性稼得モデルには,アメリカのように,政府の福祉支出を削減し,働かないと食べられないようにするワーク・ファースト・モデル──(しかし,これでは,ジェンダー平等の両性稼得モデルに近づくというよりは,女性の貧困を高めてしまう)──とスウェーデンのように,女性が外で男性と同等に働けるように,政府がさまざま支援を積極的に行うアクティベーション・モデルがある。

しかし,①,②とも限界がある。

第4章 日本における「社会的経済」の促進戦略

①は，同等評価というけれど，もともとジェンダー固定的である故に根本的な限界があるばかりでなく，グローバリゼーションによる競争の激化の中で，一人で世帯分の高い賃金を稼ぐのが難しくなるとともに，いまや婚姻の形態も多様化し，家族も一生パートナーという時代ではなくなってきた。

②についても，アメリカのように強制型であれ，スウェーデンのような支援型であれ，労働市場に人びとを動員していくことが人びとにとってベストなのか。男も女も働く，しかも労働生産性が高くなると，仕事につける人の数は相対的に少なくなり，いす取りゲームみたいになってくる。そのうえ，労働市場における男と女の職域分離が依然顕著に残り，フェミニストたちは不満をもっている。

そこで，次のようにいう。

　　1）無償労働，ケア労働の社会的評価を高めながら，2）女性の労働市場での活躍を保障する介護や育児サービスを提供し，3)<u>労働市場の論理を生活世界の論理に沿って改革して，</u>4）両性ケア労働提供者モデルが提起するような，有償労働，無償労働を両性が共に担う関係を実現していく，このような展開が期待される（下線は引用者）。

そして，「図4－9は，ワーカーズ・コレクティブの活動が，無償労働，有償労働のそれぞれの領域にまたがり，かつそのなかで市民の自律的な活動を支援していく，あるいは活動空間を形成していく，その軸心にあることを示しています」という。

ここに，性的分業によって，家族親密圏におけるアンペイド・ワークを押し付けられて「蔭（シャドウ・ワーク）・外部」に排除されていた女性を内部に再包摂するジェンダー平等化が社会的企業の展開を促進し，逆に社会的企業（ワーカーズ・コレクティブ）の展開がジェンダー平等化を促進するという，両者の相乗的関係が明快に提起されており，現代日本におけるジェンダー平等化の

うねりの高まりこそ，われわれに社会的企業が広く深く展開する可能性を確信させる最大の契機の一つとなっていることが示唆されている。

「有償ボランティア」考

しかし期待ついでに，われわれはこれに関連して，外部の内部化によるジェンダー平等化のうねりを高めるもう一つの契機——しかも従来のステレオタイプの二分法を排して新たな次元の中間領域を切り開く契機——が不可欠ではないか，ということを付け加えておきたい。

図4－9においては，労働の報酬についてはボランティアを想定してか，列の区分は無償労働となっている。しかし，有償ボランティアもカッコ付きで記入されている。それは，氏の理解では，無償ボランティア労働も，有償ボランティア労働もともにボランティア労働という契機の方が，有償か，無償かということよりも重要視されているからだろうと思われる。何ごとにしても多様性ということに高い価値を置きたく思うわれわれとしても，働き方に多様性あることはもちろん重要で，ボランティア労働に無償，有償ともにあってよいと思うし，そして後にみるように無償ボランティアは不可欠の重要な役割をもっていると思う。しかし，21世紀におけるこれからの働き方としては，新しい次元の社会的・連帯的な働き方としての「有償ボランティア労働」——（ベックの「市民労働・対価は市民給付」への展開を展望していうところの「有償ボランティア労働」）——が社会的標準になるべきだと思う。それは次のように考えるからである。

「有償ボランティア（労働）」というのは新しい概念である。少し前までは，ボランティアについての伝統的概念，すなわち，報酬を受けることを全く考えず，自己の内面から発する他者のために貢献したいという気持ちで行う労働のことで，報酬を受けておこなえば，ボランティア労働としては不純になり，ボランティアの意義が減ずると考えるのが一般的であった（いわば，「純粋ボランティア労働」）。しかし，ケア労働を中心に「助け合い」のアソシエーション，NPOやワーカーズ・コレクティブなどの社会的企業が増えてくるにつれ，自己の内面から発する他者のために貢献したいという気持ちで行う労働という点では「純粋ボランティア」に引けを取らないが，地域の最低賃金水準より若干

低い報酬をうける「有償ボランティア労働」——（地域通貨や助け合いの「ふれあい切符」＝時間券という，より生の直接的な社会的関係を残す形態の報酬も含めて）——という働き方が広がってきたのである。しかも，それは，「純粋ボランティア労働」とは若干趣を異にした，むしろそれに勝るとも劣らない重要な社会的価値なり機能をもっているという認識も広まってきている。

小野晶子（2005）は，その広がりの実態を調査しつつ，有償のもつ意味について二つの視点から次のように論じている。

　　まず，一つは，渋谷淳司（1990）によりながら論じているが，ボランティア労働の需要の高まりに応じた質と量の確保の必要から一定のインセンティブが必要だという点である。

　　サービス需要の高まりからマンパワーが不足し，そのマンパワーをボランティアに依存するには限界がある。サービスの担い手（協力会員，協力員）の構成を見ると，50歳代，60歳代の比較的高齢の主婦層が多く，30歳代が少ない。30歳代，40歳代の協力員を確保するためには，この世代が働いているパート労働の賃金を意識せざるを得ない。けだし，次のような本音が聞こえるからである。「お金をもらうのが本位ではないが，しかしそれがなければ活動を続けることが現実に難しい」。かくて，「『有償ボランティア』の拡大・一般化によって『これまでボランティアとしての呼びかけに参加しなかった婦人層』が担い手として新たに登場してきた」ことに注目している。

　　もう一つは，サービスを受ける側の対等性を確保するために有償が必要だという点である。すなわち，「対等な関係，個人の尊重，自由な生活要求を保障し，無用な気遣いを最小限にし」，「お互いに対等で精神的に自由な立場になれる」ために，有償化には意味があるという。例えば，「障害者側はボランティアにものがいいにくくなる非対称関係が生まれやすい。すなわち，障害者側はボランティアに対して責任ある行為を要求しにくく，ボランティアの恣意性（自発的行為であるがゆえに，本人の都合で約束の時間が守られなかったり，連絡もなく来なかったりということ）に依存して生活を組み立てざるをえなくなってしまうのである。さらに，ボランティアが無償であることは，金銭以外の何かが動機となっている場合が多い。それは「自己実現」であったり，「社会貢献でき

る満足感」であったりする。このことは障害者側がなんらかの充実感をボランティアに与えなければならないことを意味する。……障害者にはボランティアをひきつけ共感させることが要求され，ボランティアをつなぐために，感謝や喜びを表現しなければならない，という問題にたいして，有償化は受け手に精神的自由を確保させ，ボランティアとの関係性も解決しやすくするというのである。

われわれはこの非営利の社会的企業の「有償ボランティア労働」の意味を考えるために，図4-9にもう二つ列を加えてみたい（図4-10）。

まず，無償労働の左に，家族という親密圏内アンペイド・ワークを，そこから女性が解放されるということを明示するために加えよう。次に，賃労働を営利と非営利（公益）に二分し，公益労働＝公務労働を（有償ボランティア労働の右に）付け加え，この「有償ボランティア労働」というものが，公務労働と相互浸透し，まさに新たな市民的公共性を担う，新たな市民的公務労働なる中間領域を創出していく可能性を表示してみたい。

この表をつかって，ジェンダー平等化と社会的企業（ワーカーズ・コレクティブ）展開の相即・相乗的関係をわれわれなりに言い換えれば次のようになる。

まず，性別分業によって，家族内の育児・介護労働を押し付けられた女性たちがそこから解放されるためには，彼女らの育児・介護労働を代替する育児・

図4-10 「市民労働・報酬」ないし市民的公共性労働空間の創出に向けて

	家族アンペイド・ワーク	非営利 （無償ボランティア） （有償ボランティア） （市民労働）	非営利 （公務・賃労働） （市民労働）	営利 賃労働
収入保障	世帯主賃金 資産所得等 （年金所得）	世帯主賃金 資産所得等 年金所得 （有償ボランティア） （市民労働報酬）	賃金支払い	賃金支払い
条件保障	育児・介護	育児・介護サービス 就労創出	雇用創出	雇用創出
能力保障	対人・社会的関係形成	対人・社会的関係形成 職業訓練	職業訓練	職業訓練

介護サービスの供給という条件保障が必要となる。その条件は何によって保障されるか。純粋ボランティアの場合には，多くは夫の世帯主賃金か，遺産その他による資産所得──（年金所得も若い女性は期待できない）──を有しているということになろう。うえに紹介したように，パート労働収入を必要とする30歳代，40歳代の主婦労働を社会的企業労働に動員するためにも，少なくともパート労働収入を参照値とする額の有償性が必要となる。しかし，これからさらに高まるジェンダー平等化要求のうねりは，おそらく，育児・介護サービスの獲得という保障条件を夫や親の資産に依存せず，家族の一員としてシェアするに足る十分な額の，自らの労働の有償性の要求をますます高めるものと思われる。さらに「有償ボランティア労働」は，「ボランティア労働」を一部の「恵まれた」境遇の人びとの特権に留めず，自ら働いて所得を稼がねばならない相対的低所得層や独身者にも解放することができる。21世紀の社会的企業労働の機会は可能な限り多くの人びとに平等に開かれなければならない。

　さらに，今度は，右側に加えた公務・賃労働との相互浸透について考えてみよう。今まで繰り返し述べてきたように，社会的企業は，新しい市民的公共性を創出していく。親密圏（家族内連帯労働）が外に開かれ，まず，アソシエーション内相互連帯労働，そのアソシエーション内相互連帯労働の連鎖・重合の果てに，可能な限り「外部」に開かれた市民的公共性が立ち現れる。この市民的公共性を国家システム的公共性に浸透させるのがわれわれの戦略的課題に他ならない。それ故，市民的公共性を担う有償ボランティ労働は，例えば，市民的公共性の浸透をうけた自治体が，社会的コンパクトを結んで社会的企業に公務の一端を協同的におこなうとすれば，自治体の公共的労働（公務労働）と相互浸透する。単刀直入にいえば，それらは「市民労働」という，新たな公共労働の領域・次元を創出する。自治体の賃労働は，見えざる手に媒介された賃労働ではなく，目に見える多様性に富んだフェイス・ツー・フェイスの生（なま）の〈個─共同〉性の形成を担う「市民労働」に重なってくる。つまり，社会的企業の「有償ボランティア労働」が公務・賃労働に近づき，逆に，公務・賃労働が「有償ボランティア労働」に近づくのである。そうとすれば，社会的企業労働が市民化された公務労働に相当する有償性をもつべきであるという論拠はさら

に強められるのではなかろうか。⁽¹²⁾

　まして，すでにうえに紹介したように，社会的企業のサービス利用者の人間としての自立性を確保するためにも「有償性」が必要だとすれば，「有償ボランティア労働」以外に，もはや社会的企業における労働はないようにみえる。

　ところで，図4－10では，非営利（有償ボランティア）の列と営利（賃労働）の間に非営利（公務・賃労働）が介在して，両者が離れてしまうので，図4－9のワーカーズ・コレクティブの各領域に跨る四角の含蓄が表せないのが残念である。ワーカーズ・コレクティブの各領域に跨る四角は見えないものの，その一部が図4－9のように賃労働の列の賃金支払い，雇用創出，職業訓練に部分的に重なり，また，同じように，公務・賃労働の列の賃金支払い，雇用創出，職業訓練の領域にも，そしてさらに親密圏内労働にも，部分的に重なる四角を想像してつけ加えて頂きたい。このことをここで付け加えて強調する意味は，社会的企業としてのワーカーズ・コレクティブ（コープ）〔労働者生産協同組合〕は，それらすべての労働の多様な契機を包含しつつ，これらを超えた労働のさらに新しい領域・次元を創出する可能性をもっていることに注意を促したいからである。ワーカーズ・コレクティブの活動を表現する図4－9の四角で営利企業と重なる部分は，経営重視の契機を表現している。その背後には出資・所有機能があることはいうまでもない。すなわち，ワーカーズ・コレクティブやワーカーズ・コープの労働は，一方で，アソシエーション的な社会関係形成的なボランタリーな労働であるとともに，他方で，賃労働的契機を持つとともに，また，組合員自らの出資者，所有者，経営者の役割労働──（役割活動，あるいはむしろ単に役割といった方がよいだろうが）──をも併せもつ。そして，今，その上に，市民的出資，市民的所有，市民的経営のネットワークの一翼に連なる，市民的公共性を担う公務労働の契機が加わるのである。この社会革新力にも注意を促しておきたい。

　しかし，はじめに言及したように，われわれは，「純粋ボランティア労働」という働き方の多様性を尊重したい。しかしながら，うえでみてきたように，家族内のアンペイド・ワークから新しい公共性を担い得る社会的企業労働への

第4章　日本における「社会的経済」の促進戦略　　**295**

開放ということを考えると，社会的企業労働の報酬としては労働した人びとの自立を可能とするような一定の額を確保することが望ましい。その水準についてはすぐ後で論じることにして，それと，「純粋ボランティア労働」は如何に両立するか。このことについて次のように考えられないだろうか。

公務労働賃金は市民が納めた税より支払われる。社会的企業は，社会的に必要であるが，普通の営利企業では利益があがらない領域や仕方でサービス供給を行い，また，公営では対応が難しい多様でフレキシブルな対人・対社会関係形成的サービスを積極的に供給しようとする故に，社会的企業の経営ははじめから成り立ち難い。それを支援するための資金の一つの源泉は，市民政府化した自治体の何らかの仕方での財政支出（コンパクトの締結などによる）であり，もう一つがいうまでもなく寄付，ボランティアなど社会的関係資源の動員である。税の支出は，権力体としての国家，自治体システムが媒介しているにしても，市民が拠出した資金の市民への還元であり，寄付やボランティア労働は，直接，市民が市民のために拠出するものである。後者は市民の間の助け合いなど対人・対社会的関係の形成が生（なま）のまま見える――（したがって社会的関係資源として動員できる）――のに対して，前者の権力体が媒介する税の納入と支出の場合は見えにくくなっている（したがって権力を要する）に過ぎないとも考えることができる。そうとすれば，「純粋ボランティア労働」は生（なま）の社会的関係資源の寄付であり，これが低所得者や単身者にもボランティア労働の機会を開く障害にならないためには，一定の額の有償労働を行ったと見做して，その額だけ社会的企業に直接，あるいは市民ファンドなどを通して間接的に寄付，ないし拠出したという会計処理を認めるようにすればよいのではないだろうか。

ちなみに，先の小野晶子（2005）は，労働政策研究・研修機構の「有償ボランティア調査」に基づき，NPOの「有償ボランティア」の活用の理由，支払方法とその額，仕事内容や意識（有給職員，無償ボランティアとの違い）を次のように報告している。

まず，NPO法人が有償ボランティアを活用する主な理由として，とくにNPOの財政的要因に注目している。複数回答で多い順にあげれば，「活動の輪を広げるため」（39.7%），「有給職員を雇えない，人件費節約のため」（39.7%），

「事業のサポート，補助的業務に対応するため」(33.3%) となっているが，「有給職員を雇えない，人件費節約のため」と答えた団体の多くは，団体の年間収入が1000万円未満の小さな法人であり，また，「現在は比較的大規模で財政的にも安定しているが，創設時の規模が小さかった時期には，人件費を節約するために，有償・無償のボランティアに頼らざるを得なかった」というヒアリングを紹介している。

次に支払方法とその額（1時間当たり）について，「謝礼的な金銭の支給」では，度数分布で見ると殆どが500〜800円に集中しており，なかでも600円台がもっとも多い。謝金の額を決める際の参照値としてもっとも多いのが，「同種・他団体」のそれであるが，次いで，「地域の最低賃金を上回らない額」となっているのに注目している（「有償ボランティア」は雇用者でなくボランティアであるという「シグナル」として，わざと「地域の最低賃金を上回らない額」としている団体が多いとコメントしている）。

最後に，意識や能力の違いについては，技術レベル，仕事への責任，定着性，管理の手間・費用，必要に応じて活用のしやすさのそれぞれについて比較し，数値化したものの総平均値によって，「有給職員」の意識や能力が「有償ボランティア」を上回り，「有償ボランティア」は「無償ボランティア」を上回るというのである。

ここからいえば，NPOなど社会的企業の財政状況が許せば，社会的企業労働に対して「有給職員」並みの報酬があった方が望ましいということになろう。

しかし，現実における重大な問題は，多くのNPOや社会的企業には，「生活賃金」を支払い得る「市民政府」による税の還元も，寄付や拠出も十分ではなく，「純粋ボランティア」や「地域最低賃金より低い，有償ボランティア」労働に頼るほかないということである。

このことに関連して，小野晶子（2005）は次のようなことを問題点として挙げる。

> 「第1に，雇用労働者と同様の職種に就いて低い活動条件を受け入れるものが増えた場合，その職種（例えば介護労働者）における競争関係から労働条件や市場賃金を引き下げる可能性がある。……

第 2 に,「有償ボランティア」と同じ NPO で働く有給職員の賃金を引き下げる可能性もある。NPO の有給職員の賃金の低さは,ボランティアとの競争関係に起因するともいわれている（Anheier et al.2003）。」

　さらにまた,宮本太郎もいうように,上の 4 つのジェンダー平等化戦略のうち,特に 3 ）は,「労働市場の論理を生活世界の論理に沿って改革して」となっているが,「今日のワーカーズ・コレクティブが,単独で,あるいは公的セクターとの連携で,無償労働代替を保障するまでの規模には達していません。また,労働市場の中で一定の競争力を発揮しているといっていいと思いますが,労働市場のルール変更をもたらすような影響力とアドボカシーを実現しているとはいえないのではと思います。その意味では,福祉国家の変容のなかで,ジェンダー平等を切り開くワーカーズ・コレクティブの潜在的可能性は,まだ十分に発揮されているとはいえない。」（宮本太郎2004：21）
　現実には,「日本ではワークフェア的な方向がまず目立つ」,つまり,「労働市場に生活世界の論理が浸透するというよりは,逆に生活世界が廉価な営利社会サービスに浸透され,労働市場はむしろその搾取的性格が強められていくことになりかねない」（同：19）。
　最悪の事態は,先にも言及したように,「社会的企業」が「社会的」であるが故に動員する各種の社会的関係資源（ボランティア労働,寄付,社会的信頼,連帯等々）を,営利企業（低賃金,劣悪労働条件の非正規労働にますます多く依存する）とのサバイバル競争に動員することになり,地域の労働者の賃金,労働条件を引き下げるように機能するばかりでなく,結局は,「社会的企業」を存立させた社会的関係資源をボロボロにしかねないことである。

（4）必要条件－労働運動との連携・労働運動の革新

　かくて,ここに,ますます増える非正規・未組織労働者の労働条件のさらなる悪化と「社会的企業」が依拠する社会的関係資源の消耗を防ぎ,逆に「ディーセント（人間らしい尊厳のある）」（ILO）で,生活可能な「生活賃金」とさらなる社会的関係資源の豊富化が必要となる。それは,いかにして可能か。難題であるが,今までの叙述によって問題の核心はすでに絞られている。困難を生

みだす上述の悪循環に歯止めをかけ，逆に如何に好循環に転換し得るかである。

そのためには，雇用創出・労働挿入，社会的に排除されたものの再包摂，介護・保育などのコミュニティ・ケア，ひいては地域開発を進める「社会的企業」セクター ──（そして，図4-9家族，退職，教育，長期失業・障害との間に架かる橋ともなり，あるいは，より積極的に生活世界のアンペイド・ワークとペイド・ワークの中間領域に新たな質の「市民労働」領域をつくりだし，就労創出を進める「社会的企業」セクター）── と，コミュニティの非正規・未組織労働者の組織化とワークシェアリングを進める労働組合運動との様々な仕方での連携，連帯，共闘を必要とする。

いま，この連携・連帯・共闘のキーポイントとなるべき連関を図示すれば，図4-11のようになろうか。

この中で最も枢要な契機は，第一に，労働組合がその本来的活動である未組織労働者・非正規労働者の組織化を進め，正規労働者と非正規労働者との賃金，男女職域差別，その他の労働条件の格差を縮小し，就労をディーセントにする

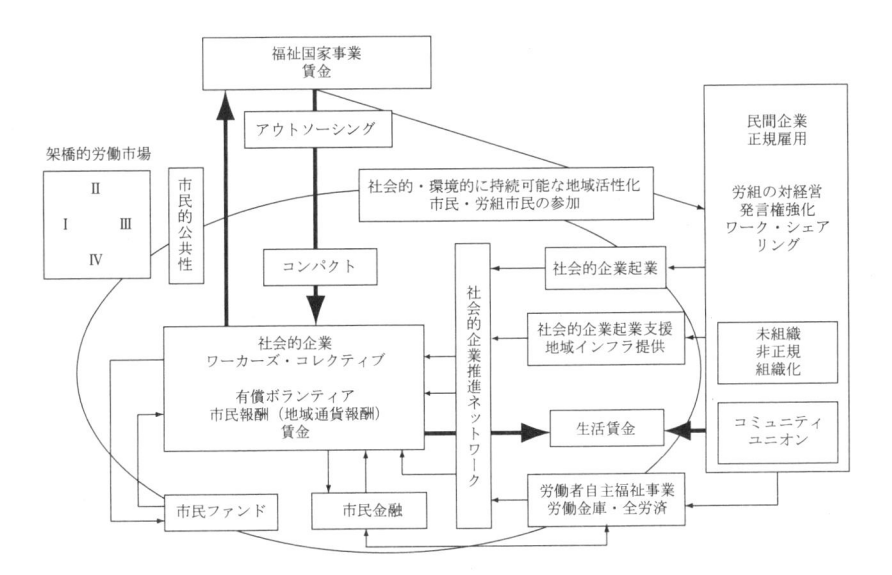

図4-11 労働組合と社会的企業連携の新次元

第4章 日本における「社会的経済」の促進戦略 | 299

最低限の労働条件(「生活賃金」)を確保し，地域における労働条件切り下げ競争に歯止めをかける契機である。実は，それは，より具体的に言えば，多様で，フレクシブルな働き方を可能にするワークシェリングや男女の職域分離(ペイド・アンペイド労働の男女分離)の是正とワンセットで進めねば成果を挙げにくい課題である。そしてこの後者の課題は〈労働市場の論理を生活世界の論理に沿って改革〉していこうとするワーカーズ・コレクティブをはじめとする社会的企業促進運動の課題に重なってくる。かくて両者は互いに頼もしい援軍となり合える展望を開くことになるのである。

そして，この図4－11で，もう一つの枢要な契機(「生活賃金」へ向かっての左からの矢印がこれを示す)は，社会的企業を通してのインプットで，これもまた前者に劣らず難しいことだが，社会的企業に就労を望むすべての人びとに——世帯主の所得が低い人びと，あるいは，なんらかの理由で自立を確保するために有償労働を必要とする人びとも含めて，さらにいえば，図1－11における周辺外部の島々にいる人びと，すなわち，(Ⅰ)リカレント教育，訓練を受けている人びと，(Ⅱ)出産，介護，その他家族のために一時，家族内労働に専心する人びと，(Ⅲ)高齢で退職した人びと，(Ⅳ)長期失業，各種障害で社会的に排除されている人びとも含めて——，その就労をディーセントにするに足る報酬(「生活報酬」＝生活賃金)を確保する連関を創出していくことである。

そのためには，すぐ上で述べたことであるが，図4－10に示したように，社会的企業が新たな市民的公共性を担う「市民労働」を創出する故に，市民が直接拠出する，寄付，会費，出資，そしてボランティア労働などの社会的関係資源ばかりでなく，当然，市民が納めた税の還元があって然るべきであろう。市民立法，行財政への市民参加を推進し，例えば，イギリスの例にみられたような自治体にコンパクト等を締結させ，市民の税金を還元させる類のこともできよう。また，ドイツの自治体の一部ですでに現実となっているベック等のいう「市民報酬(市民賃金)」[13]もその一つのあり方であろう。

ここで，われわれは，衰退著しいアメリカの労働運動の活性化を図るものとして注目されだした「社会運動ユニオニズム」と呼ばれるアメリカ労働運動の新しい流れ[14]，特に，それを最もよく体現し，その流れを牽引する「生活賃金」運動[15]——(従来，組合運動から排除され，「底へ向けての競争」の下，劣悪労働条件

を余儀なくされてきたマイノリティや女性などの非正規雇用労働にも「ディーセント」で「生活できる賃金」を確保すべく，まず，自治体の関連する仕事で働く人びとの賃金を最低賃金以上に引き上げさせようというアメリカで広がり始めた「生活賃金」運動がこれである。それは労働運動の側からであるが，公共を巻き込むという点で，「市民報酬（市民賃金）」運動に重なるといってよかろう）──の広がりに想到する。

　というのは，労働運動の再生を展望する「社会運動ユニオニズム」と，われわれの「社会的企業」促進との連携，共闘の最も成功的な帰結の一つは，図4－11で見るように「生活賃金」の実現にある。そして，ともに，その駆動力の源泉は，共益を公益に，特にコミュニティの公益に開いて獲得する市民的公共性の広がりにある。

　ここで，ごく簡単にでも「社会的正義を！」と叫ぶこのアメリカの新しい労働運動について触れておきたい。

　戸塚秀夫（2003）は，ケント・ウォン編『アメリカ労働運動のニューボイス ―立ち上がるマイノリティ，女性たち―』を解説して次のようにいう。

> 「アメリカの労働運動の活性化を推し進めている人びとは，事実上，新しいユニオニズムの世界を開拓し始めているのではないか……第一に，従来の組合運動では排除されてきた人びと，あるいは軽視されてきた人びとが運動の主体に登場し始めている。マイノリティや女性たち。……第二にこの新たに広がった新しい労働運動では……団体交渉からストライキに至る一連の行動だけでなく，不道徳企業を社会的に包囲する『コーポレート・キャンペーン』から非暴力の市民的不服従デモに至る，かつて諸社会運動が開発したさまざまな直接行動の戦術が愛用されている。地域社会に働きかけて市民との連帯を広げようとする活動が強まっている。……「生活賃金（リヴィング・ウェイジ）キャンペーン」……児童労働を搾取する「劣悪作業所反対（ノー・スウェット・ショップ）運動……『公正な雇用を求める（ショップ・ウィズ・ジャスティス）運動』など。そこでは，宗教家グループ，環境NPO，人権NPO，学生たちなど諸社会運動グループとの連携が追求される。……特定のグループの利害だけでなく社会的正義

を追求する運動」。そして，いう，「これら一連の動きを踏まえて，今日の新しいユニオニズムは社会的ユニオニズムとでも呼ぶべき方向へ向かっている」と。

　ところで，この市民的公共性を遥かに推し進めた果てにおいては，この「生活賃金」は「ベーシック・インカム」というかたちをとるといえるのではないだろうか。
　最近，ベーシック・インカム概念が，そのさまざまなタイプとともに，日本にも紹介されだしたが，そのうち，アトキンスンやゴルツらによって提唱されている参加所得型のベーシック・インカム（市民所得）と社会主義者の主張する「社会配当」との中間というのが可能ならば，それは，われわれの文脈に最も大きく共鳴し合う。

　　小沢修司（2002）は，Fizpatrick, Tony（1999）に従いながら，ベーシック・インカムの3つの類型を紹介している。第1は，フリードマンら自由主義者や急進的右翼（Radical Right）が主張する「負の所得税」，第2は，社会改良主義者や福祉集産主義者が主張するというが，今紹介した「参加所得」，そして，社会主義者が主張する「社会配当」所得がこれである。フィッツパトリックは，その他にフェミニストの主張するベーシック・インカム，エコロジストの主張するベーッシック・インカム論もタイプ分けに加えているが，われわれは，かれの政治思想によるタイプ分けをそのまま受け入れるわけではない。われわれは，それらの諸政治思想を批判的に見直したううえで，われわれなりの「新しい歴史主体」のありようを構想し，その具体像をいま追求しているのである。それゆえ，フィッツパトリックの政治思想分類がわれわれの主張を位置づけるのに必ずしも間尺にあうものではない。しかし，それぞれがどういう構想かは，この分類によって比較的よく分別できる。
　　ここでは，詳論する余裕はないので，小沢修司（200）の要約的紹介をさらにわれわれの便宜に供するべく搔い摘んだに過ぎないが，それぞれは次のように特徴づけられよう。
　　「負の所得税」は，自由主義者がギリギリ受け入れられる貧困救済の所得保障

構想で，自由主義者が受け入れるのは，生活賃金への配慮は不必要になり，需給均衡点にまで賃金を下げることができ，人びとが望む方法で生きていく自由を手に入れることができるからである。しかし，自由主義者の提案する「負の所得税」は，資力調査に基づき，事後的に支給されるものであり，資力調査を要しない他のベーシックインカム構想と比べて無能貧困者というラベル張りの鞭を秘めている。

次に，社会主義者が主張する「社会配当所得」は，「生産手段の社会的所有形態」と，またその社会的コントロール志向と結びつけたものであろう。

それらに対して，「参加所得」の特徴は，小沢修司（2002）の要約によれば，「アトキンスンの場合，（無条件の「社会配当」的）ベーシック・インカム構想に概ね賛同しつつ，……条件付でベーシック・インカムの導入を主張する。」「それは，何よりも，市民として社会的責任を自覚した行動を行おうとしないものに対してさえも支給されるベーシック・インカムの無条件的性格への懸念」からで，「支給要件に，認定された職業訓練や教育を受けていること，子ども，高齢者，障害者をケアしてること，認定されたボランティア活動へ参加していることの3点のうちいずれかを充たすことを提案する」。

しかし，われわれからみると，少し違う。もし，市民としての責任を自覚し社会的行動に参加しない人がいたとして，それは何故だろうか。ニートはもともとニートなのだろうか。また，「引きこもり」はその人をめぐる社会的コミュニケーションの失敗，あるいは，見えない社会的排除の裏返しの現象ということはないのだろうか。

さらに，先ほどの4つの周辺外部の島々に心ならずも排除された人びとはもちろん，これから〈個－共－公〉の複合連鎖の中で社会的個人という人格を形成するべく生れ落ちた乳児も，やがてその生涯を閉じようとする高齢者も，そのような社会的個人として，対人・対社会関係形成の能力と権利をもっていないのだろうか。

彼らに，子どもの場合は，社会参加への初めての導入を，何らかの仕方で排除された場合は，再び社会参加の機会，場所を用意するのが社会的企業が担う島々に他ならない。それらの島々から，必ずしも真ん中の労働市場に急いで戻ることを強制しないでもよい。けだし，先ほどもいったように，その島々こそ，

人びとの〈いのちとくらし〉の営みがなされるところなのだから。

その最先端を行くものとして,イタリアの社会的協同組合Ｂ型,そして,日本でも,障害者と健常者が,障害者の基本的労働条件——労働時間,賃金,社会保障などの社会保障——の確保を求めて,「自主的に共同の働く場をつくり出し,『共に働く』関係性を問いつつ,社会的,経済的自立を目指す『事業体』」としての「共同作業所」運動などが挙げられよう。

つまり,負の所得税はもちろん,「社会配当」にしても,いわば,金銭のみ分配して,それを市場サービス,あるいは,公営施設サービスを購入するだけだとすると,われわれが強調する〈個－共－公〉が展開する生(なま)の対人・対社会関係が見えなくなることを懸念するのである。そして,そのような生(なま)の対人・対社会関係を,むしろ積極的に創りつつ,第３類型へ限りなく近づく「新しい歴史主体」の形成こそ,われわれのアルファであり,オメガであるからである。

ベーシック・インカム論にまで大分オプティミスティックに期待を膨らませてしてしまったが,今の日本の現実は,そのような政策環境からは遠く,先にも言及したようにまさに正反対の逆境にある。

かくて,われわれが追求してきた〈社会的企業の起業—それらの間の連携強化—「市民的公共性」の拡延とそれによる親(プロ)社会的企業促進政策—社会的企業の起業〉という連関は,日本における「社会運動ユニオニズム」の興隆,そして興隆するそれとの図４－11の右からの矢印が示すようなさまざまなルートを通しての連携とそれによって可能となる両者の相乗によってはじめてスパイラルな拡大を享受し得る。

しかし,その前途はなお遼遠である。周知のように,戦後日本における労働組合・労働運動は,民間大企業の正規労働者からなる企業内労働組合と,官公部門の正規労働者からなる,ある意味で日本政府を使用者とする国公営内労働組合によって常に主導されてきたが,かつては,「戦後強くなったのは,女性と靴下と総評(労働組合)」といわれるほどの社会的存在感を獲得した。しかし,日本経済が戦後復興を遂げ,高度成長期を迎えるとともに,大きなトレンドとしては徐々に後退戦を強いられていった。それでも,1960年代中頃までは,

後者の官公労がナショナルセンターとしての総評の主導権をとり，「55年体制」といわれる，自民（保守）vs. 社共（革新）の，二大対抗とはいえないものの，国会において憲法改正を阻止し得る三分の一勢力を確保し続ける基盤ともなってきた。そして，後退戦の中ではあれ，あるいは，それを挽回するべく，中小零細企業の未組織労働者を組織化し，中小の産業別組織にあるいは地域合同労組に組織化する運動も，組織化経験の豊富な「オルグ」を中央から派遣して総評の地域評（協）議会を拠点とする地域活動強化の梃入れに力を入れたこともあった（日本労働組合総評議会1976）。

　しかし，高度成長の帰結としての「経済大国化」，「ジャパン・アズ・ナンバーワン」意識の蔓延のなかで，一方で，前者の民間大企業の社会的，政治的発言権が高まり始める。他方，サッチャー，レーガンと並んで，新自由主義推進の3羽烏の一人と目された中曽根康弘政権が日本にも登場し，「財政再建」を目指す「小さな政府」論をかかげ，「第二臨調」のもと国鉄，電電公社など公社の分割民営化，各種規制緩和等，新自由主義政策を推進しだした。かくて，総評労働運動の背骨をなした国鉄労組の解体がそのシンボルであるが，総評労働運動は退潮し，民間大企業労組が主導する連合労働運動に引き継がれることになった。

　連合労働運動は，労働現場で熾烈な労使の闘いにならないように，労働者を巡る諸制度，諸政策形成に参加して国民的規模での労働者の結集を背景に，働くものの労働条件，生活条件の改善を進めるルートを太くすることを企図した。しかし，日本経済がバブル経済に浮かれた後に「平成長期不況」に落ち込み，日本企業は一斉に，いよいよ高くなるグローバリゼーションの高波に洗われる中で，正規労働者のリストラ，それに換えるに，雇用と解雇を自由に行え，しかも正規労働者よりも格段に低い賃金で雇用できる，派遣・社外労働者，季節工，パート等の有期の非正規労働者の雇用をもって，激しくなる競争での生き残りを図ることになった。連合労働運動は，これに対抗する政策形成を政府に迫るどころか，ここでも押し切られことのみ多く，そのレーゾンデートルを疑われるに至ったといわねばならないが，さらに，この間の，第二次産業から，労働組合の組織率の低い第三次産業への産業構造の転換ということもあって，2005年6月末現在，労働組合組織率は推定組織率18.7％（厚生労働省「平成17年

度労働組合基本調査」）となり，日本における労働者の80％以上を組織の外に放置するという事態になってしまった（もっとも，組織率18.7％の組織労働者のうち全国組織としての連合に加盟しているのは，そのうち約3分の2で，他は，少数派全国組織としての全労連や全労協，あるいはその他の独立系全国組織や全国組織に加盟していない組合である。それらを含めても，18.7％に落ち込んでいるのである）。労働組合の政策形成への発言権もいよいよ小さくなるのを免れない。

そのなかで，組織労働者の外部に放置された80％以上の働く人びと――，すなわち，大企業の生き残りをかけての淘汰切捨て，過酷な大幅コストダウン要求を迫られる下請け中小企業の，その下のさらに零細な小企業の，首都圏一極集中やグローバル化による産業空洞化によって沈み込む地域中小・零細企業の，バブルで膨らみ，その破綻とともに収縮する土建や建設産業の，そしてリストラ，失業，家庭内のアンペイド・ワークを間に挟みながら，派遣・社外，季節，フルタイム，あるいはより短時間のパート労働を転々と替わったり，あるいは流れ流れてホームレスに落ち込む他ない未組織の非正規労働者群――は，バブルとその破綻の，グローバリゼーションの，そして「痛みを伴う構造改革」の「痛み」を集中して受ける。

かくて，「痛みを集中的に受ける」彼ら自身が自ら新たな労働運動を生み出さざるを得なかった。

例えば，1980年代中頃から，「組合のない職場に企業内組合をつくろう」という従来型の組織化ではない，新たな組織化，すなわち，「一人でも入れる労働組合に入ろう」という呼びかけが始まった。

コミュニティ・ユニオン全国ネットワークは，その始まりを次のように語っている。（http://www11.plala.or.jp/kobeunion/zenkoku_shoukai.html）

●コミュニティ・ユニオンの誕生
　1975年頃からサービス業，卸・小売業，飲食店などでの雇用が急速に拡大しましたが，その多くが不安定雇用・低賃金の主婦パートでした。
　こうしたなかで，1981年頃から労働組合の地域組織（地区労）を中心にして，

「パート110番」などによる労働相談活動が広がりました。ある日，江戸川区労協の「パート110番」の相談に訪れたパート労働者が「私たちでも入れる組合があればいいのにね」といったのがきっかけとなり，1984年に"ふれ愛　友愛たすけ愛"を合言葉にした江戸川ユニオンが結成されました。コミュニティ・ユニオン運動のはじまりです。

「コミュニティ」とは「社会」「生活協同体」，「ユニオン」は労働組合です。これまでの日本の労働組合の多くが企業ごとに正社員だけを対象に組織されてきたのに対して，コミュニティ・ユニオンは，地域社会に密着して，パートでも派遣でも，外国人でも，だれでも1人でもメンバーになれる労働組合です。

働く事業所はさまざま，職種はもちろん，雇用形態も正社員，パート，アルバイト，派遣，契約，嘱託，フリーター，そして失業者もいます。だから，どこまでいっても同じ顔しかでてこない金太郎飴ではなくて，それぞれのユニオンがさまざまで豊かな「顔」をもっています。

●コミュニティ・ユニオン全国ネットワークの結成

そんなユニオンが集まったのが，コミュニティ・ユニオン全国ネットワーク（全国ネット）です。1989年に，初めてユニオン独自の全国交流集会が青森県弘前市で開かれ，翌1990年の第2回全国交流集会（大分市）で全国ネットワークの結成が確認されました。

各ユニオンは，それぞれ地域で自立した労働組合です。それが「ネットワーキング」しているのがコミュニティ・ユニオン全国ネットワークです。通常の労働組合全国組織（単産）のような「中央本部」はありません。中央―地方，上部―下部という上下関係ではなく，横並びの組織です。

各地方ごとにも，地方ネットワークをつくって運動を進めています。全国ネットには，北海道から鹿児島までの30都道府県の71ユニオン，約15000人が参加しています。

そして，毎年秋に総会と全国交流集会を開いています。2005年度は10月22～23日に福岡県宗像市で「元気たい・楽しかたい・やるったいin九州」をキャッチフレーズに435人が参加して第17回全国交流集会を開催。2006年度は9月に秋田県鹿角市での開催を予定しています。

「リストラの横行とパートなど立場の弱い働き手の増加で，地域ユニオンの存在感は増している。組合員約900人の「東京ユニオン」委員長で，全国ユニオンの事務局長に就任した高井晃さん（55）によると，東京ユニオンの労働相談件数は年間約3千件という。」と「朝日新聞」（2002.11.5朝刊）は伝えている。（http://www2u.biglobe.ne.jp/~ctls/com_union.html）

この間，連合に対抗しようとしてきた少数派全国組織の全労連や全労協も，従来から地域での不安定で劣悪な労働条件を強いられる非正規の未組織労働者の組織化志向を連合と比べれば相対的には強くもっていたが，さらに力を入れ始める。

全労連は，「産業・業種・雇用形態を超えた未組織・不安定雇用労働者の個人加盟組織」の地域労組（ローカルユニオン）は日本労働運動の質的転換，企業主義の脱皮，地域全体の労働条件の底上げに影響を与える組織で21世紀の労働運動の推進力になると位置づけ（http://www.zenroren.gr.jp/jp/topics/2002/20021115.html），全労協も「パート・派遣・臨時・契約・外国人など非正規雇用労働者の雇用保障と均等待遇を実現しよう！」，「中小労働運動の発展・未組織労働者の組合結成を援け，地域労働運動の強化・拡大を勝ち取ろう！」というようなスローガンを掲げる（http://www.zenrokyo.org/hosin.htm）。

そして，連合もまた，卑しくも労働組合としてのレーゾンデートルを確保しようとするなら，非正規の未組織労働者に対するこのような対応の圏外でいられなくなった。

他方，コミュニティ・ユニオンにしても，「地域ユニオンは小規模なところが多いうえ，トラブルが解決すれば離れていくメンバーが多い。労働法制などの大枠の仕組みづくりには，影響力を持ちにくく，政府との交渉窓口になるような大規模組織の力が必要（であったが,）……連合が01年，パートや派遣社員と正社員の均等待遇や，中小企業で働く人たちの労働条件の向上を目標に掲げた。……これが加盟を考えるきっかけ（となり）、2002年，全国ネットの一部が『全国コミュニティ・ユニオン連合会（全国ユニオン）』を結成し，連合に加盟することになった（全国ユニオン高井晃事務局長談，前掲「朝日新聞」記事）。連合にしても，コミュニティユニオンしても，双方ともアメリカ労働運動の新し

い流れに触れるべく、視察団を送っていることからわかるように、このような新たな対応は、組織率の低下に歯止めをかけたアメリカの労働運動の新しい流れとして興っている「社会的労働運動」に鼓吹されたことは疑いない。(16)

　こうしたなかで、「企業別組合の限界を突破し、支援を求める働くものすべてに貢献する社会運動として、再出発する必要がある」、この方向に変革できないときは、「質・量ともに労働運動の基盤は崩壊する」との「連合評価委員会最終報告」(2003)がでるが、連合は、その認識を真剣に受け止めざるを得ず、いま、「労働運動の社会性をより一層高めていくためには、地方連合会・地域協議会を主体に、地域社会の要請に応え得る活動と体制の確立が不可欠であり、その具体化を図る」ことに乗り出そうとし始めたのである。
「地方連合会・地域協議会改革の具体的実施計画（案）」(2005年)には、次のような注目すべき文章がみえる。(以下は、引用者が大胆に圧縮・整理した紹介である)

　　「連合運動は……運動（活動）と財源を地方・地域にシフトし、地域のより多様なニーズへ対応していくとともに、本来の姿である組合員が主役の運動の構築を急がなければならない。」
　　「従来の活動に加えて、今日の地域社会で求められているのは、地域住民としての組合員や市民の生活上のさまざまな悩みを解決していくこと、さらには住みやすい地域社会を創造するために勤労者の立場に立った政策提言を不断に行う『主体』と拠点」である。地域協議会は、次に掲げる機能を発揮するために地道な活動を実践し、地域社会で頼りにされる『地域に顔の見える』存在を目指す」として、次のような機能を上げている。
　　労働組合として当然のことながら、未組織労働者の組織化・組織拡大や中小・地場労組支援や地域における労使関係の確立が追求される。
　　・中小・地場・パートなど非正規雇用労働者に対して、「地域ユニオン」結成も展望し、労働相談や労使紛争解決に取り組み、交渉機能を高めるとともに、彼らからから日常的に頼りにされる拠り所となる。
　　・離職者・失業者の就職支援のために、行政との連携、労使就職支援機構の

第4章　日本における「社会的経済」の促進戦略　　309

活用，スキルアップの職業能力開発・訓練。

さらにそれらは次のように地域の生活世界との関わりに広がる。

- さまざまな生活相談の個別解決の積み重ねを政策としてまとめ，行政に対して政策提言していく。
- 多様な知恵，市民運動のパワーと連携して連合運動・市民運動に取り組むべく，NPO・ボランティア団体とのネットワークの構築。
- 労福協，労金・全労済，その他協同組合などと連携した共助。
- 退職後の退職者の拠り所，労働運動への参加の場づくり。
- 法律相談，多重債務問題，税務相談，介護や育児・女性の相談，市政全般にわたる相談，定年前のライフサポート相談等々勤労者の多岐にわたる生活上の相談。
- 住みやすい環境，街づくりに組合員の知恵やノウハウを持ち寄り，地域興しをプランする。

そして，それは，いま，次のような「地域協議会強化─『地域に顔の見える』連合運動」として，その第一歩を具体的に歩みだそうとしている（高橋均2005）。

- 80.8％の未組織労働者にアプローチする。
- それは，職域の延長線上だけでは無理で，地方連合会と地域協議会（地協）の責任で「生活地域」でアプローチする。
- 全国300地協で自前の事務所と専従者を配置（2005年，まず，モデル地協100選定）。
- 上に挙げた地域の働く人びとのさまざまな問題の相談を受け，これらをクリエイティブに解決するように努める。
- 2007年以降，団塊世代が大量に企業から解放され地域に供給されるが，彼らをも組合員として扱い，地域での活動に期待する（「生涯組合員構想」）

そして，われわれにはその次が注目される。

・地域協議会の運動スタイルを自前主義から転換させ，労働者福祉協議会，労金・全労済，NPO・市民団体と連携して問題解決にあたるというネットワークを重視し，地域協議会専従者はそのコーディネーターとして機能し，「あそこへ行けば解決の糸口が見つかる」ワンストップサービスの「場」をつくる。[17]

ここに，先に図4-11で示した構図を少なくともそのビジョンとしては十分に読み取ることが出来よう。

さらに，この連合の画期的な新たなビジョンに呼応するかの如く，基本的には団体としての労働組合が会員となっている労働者自主福祉事業・運動（労働金庫，全労済など）も，従来から行っている剰余金の社会還元としての，福祉，環境，教育，文化事業や福祉基金等への寄付や助成を超えて，「NPO，地域コミュニティ，日本の社会的経済ネットワークの形成をも求めて」，「NPOセクターのプラットフォームへ」というような，地域への新たな関わりを模索し始めている（労働者福祉自主福祉協議会は，「労働者自主福祉運動の現状と課題・中間報告」をまとめつつある。茂呂成夫2005。最終報告は連合総研2006）。

例えば，労金は，次のようにそのNPO施策を位置づけ，すでに2000年より，金融業務の一部として，「NPO事業サポートローン」を開発し，続いて「社会貢献定期NPOサポーターズ」の取り扱いを始めている（山口郁子2005）。

労金のNPO施策の位置づけ
・NPOによる社会的事業を支えていくための資金循環が必要
・NPOとの連携で，運動のウィングを職域から地域へ
・非営利・協同セクターの連携による事業・運動の展開
・退職後の働く場，生きがいの場としてのNPOの可能性

しかし，われわれは，この転換のビジョンがどれほど現実のものになり得るか，実はかなり心もとない感がするのを禁じえない。労働運動の存在感が今よりも大きかった時期のかつての「中対オルグ」でさえ，尻つぼみのうちに消え

てしまったが，その悲劇というよりも喜劇的縮小再生産に陥らないであろうか。労働組合側のポテンシャリティは，現在，当時よりも遥かに低下している。もし，かつてより有利な条件があるとすれば，逆説的であるが，かつてはなお相対的に力をもっていたがゆえにできなかったこと，すなわち，「共益を公益に開くこと」，労働組合が蓄積した社会的資源をコミュニティへ，市民的公共空間に開くことと，そして，もう一つは，ここで強調する市民的公共性を追求する社会的企業が台頭し，その連携の相手として展開してきていることである。

そして，その両者の連携により，一方で，社会的企業の澎湃たる展開によるサードセクターの革新と，他方で，労働運動の「社会的ユニオニズム」への真の転換への展望が見えてくるのは，少なくとも，いままでもっとも周辺に追いやられていた，しかし〈いのちとくらしの営み〉という〈大地〉の役割を担ってきた女性たち――家族内アンペイド・ワークという「蔭・外部」と低賃金で不安定な非正規労働という労働市場，（そして職場という労働現場でも）周辺に排除されていた人びととしての女性たち――が，〈労働市場の論理を生活世界の論理に沿って改革していく〉このフィードバック・ルートの主人公としての存在を獲得したときであろう。

たしかに，コミュニティ・ユニオン運動において元気のあるところは，女性の活躍が目立つ。また，次のような「女性ユニオン」も登場してきている。

女性ユニオン結成宣言（http://www.f8.dion.ne.jp/~wtutokyo/
020-kesei.htm）

　長い間わたしたち女性は，職場で家庭で悶々と悩んできました。ひたすらその悩みに耐えてきました。しかし今日，現実は，さらに厳しくなってきました。若い女性の就職難，中高年女性のリストラ，解雇いやがらせ，セクシャルハラスメントなど女性への差別が公然と行われています。このように切捨てられ，差別されている私たち女性は泣き寝入りしかしかたがないのでしょうか。

　イイエ，そうではありません。今日，ここに私たちはこうして集まり，「女たちによる」「女たちの」「女たちのための」活動を始めようとしています。女性自らが自立して運動を継続させていくことは，容易なことではありません。充分な資金もありません。時間も限られています。このような私たち女性がより

集まってこの「女性ユニオン東京」を担っていこうとしているのです。

　これは試練といえます。この試練を乗り越え，私たちの働く権利を勝ち取らなくてはなりません。そのためには，私たち一人一人の自立と連帯が必要です。そして私たち「女性ユニオン東京」の存在をあなたのすぐそばの女性にしらせていくことは，さらにこの活動を力強いものにしていくのです。ぜひ私たち女性の力を結集しましょう！

　ファイト，女たち　女たち，ファイト

　また，ユニオン（労働組合）ではないが，各種の男女雇用均等を目指す市民運動組織も，「ワーキング・ウェメンズ・ネットワーク」(http://www.ne.jp/asahi/wwn/wwin/)，「均等待遇アクション21」(http://www15.ocn.ne.jp/~kintou21/)，「おんなのスペース・おん」(http://www.asahi-net.or.jp/~bd7k-mtst/)，「働く女性の人権センター・いこ☆る」(http://homepage3.nifty.com/hatarakujosei/)，「ワーキング・ウェメンズ・ヴォイス」(http://www.geocities.jp/wwvfukuoka/) 等々，多く立ち上がってきている。

　しかし，そのコミュニティ・ユニオンにしても，「女性ユニオン」などは別にして，事実上は，なお男性主導が多く，連合にいたっては加盟単産のうち女性委員長は，今度連合に加盟した「全国ユニオン」のみである。[18]

　かくて，ワーカーズ・コレクティブ等社会的企業が〈労働市場の論理を生活世界の論理に沿って改革する〉ために労働組合に期待する役割を労働組合が十分に果たせるようになるためには，労働組合自身がジェンダー平等化へ向かって高いハードルをいくつも越していかねばならない。むしろ，ワーカーズ・コレクティブ等の社会的企業運動と21世紀における労働運動再生の運動は，どちらが先にということでなく，互いに連携，連帯して一緒に進んでいかねば，ともにその企図の実現は叶わないのではなかろうか。

　この連携，連帯，共闘がなったときにはじめて，非正規・未組織労働者の組織化による「生活賃金」の獲得とともに，社会的企業の労働報酬の「市民報酬」としての獲得に，そして，さらに，その基礎の上にたつワーク・シェアリングの獲得によって，両性ケア労働提供者モデルが提起するような，有償労働，無償労働を――そして家族親密圏内アンペイ・ワークを――，両性が共に担う関

係を実現していくことに成功し得るのではなかろうか。

　そして，労働組合についていえば，今や地域において，いのちとくらしのセイフティーネットとともに自らもその一員である地域住民の信頼と市民的公共性を「社会的正義」として追求し，具現しているとの自負を組合員がもつようになれれば，かれら組合員の対経営者交渉力は，そして，政治アリーナにおける存在感は格段に高まるであろう。それが21世紀に向かっての労働組合・労働運動の再生のひとつの基本的あり方ではなかろうか。

おわりに

　以上，われわれは，日本における社会的企業のダイナミックな展開の前に立ちはだかる困難をいかに克服するか，われわれの課題の困難さと，同時にそこに潜む大きな可能性を見てきた。今，以上の議論を一望すべく，図4－12を掲げておきたい。

　最大の困難は，官の公と企業の民との間の，市民的公が欠落していたことであったが，それは，まずは，第三セクター内の連携・連帯がほとんどなかったことの別の表現であった。しかし，本節の以上までの叙述で明らかにし得たことは，新自由主義的グローバリゼーションの大波が怒涛のごとく押し寄せる中，「21世紀型生協」への転換を探り始めた生協が生まれ，今や，文字通りの崩壊に瀕しつつある農業・農村・農協からその再生を求めての，真性の，レイドローの示唆する方向への転換の模索が現れ，そして，組織率20％以下に転落し，対企業交渉力，社会的正義の体現能力を殆ど失ってしまうという危機に追い込まれている労働組合の再生の試みとして，それらがいのちとくらしの営みがなされている地域コミュニティに自らを開き，互いに連携し合い，各種，多様な形態の社会的企業の起業とその支援，インキュベーターになることに戦略的重要性を見る労働運動の新しい流れも始まっていることであった。そして，ジェンダー差別を克服しようとする女性パワーの台頭は，社会的企業の地域における展開に巨大なエネルギーを供給し始めている。そこに，今，長年縛り付けられていた企業から解放された団塊世代のエネルギーも地域に注入されようとしている。こうして，欠けていた空隙たる，「市民的公共性」を創出していこう

図4−12 社会的企業−課題と潜在的可能性

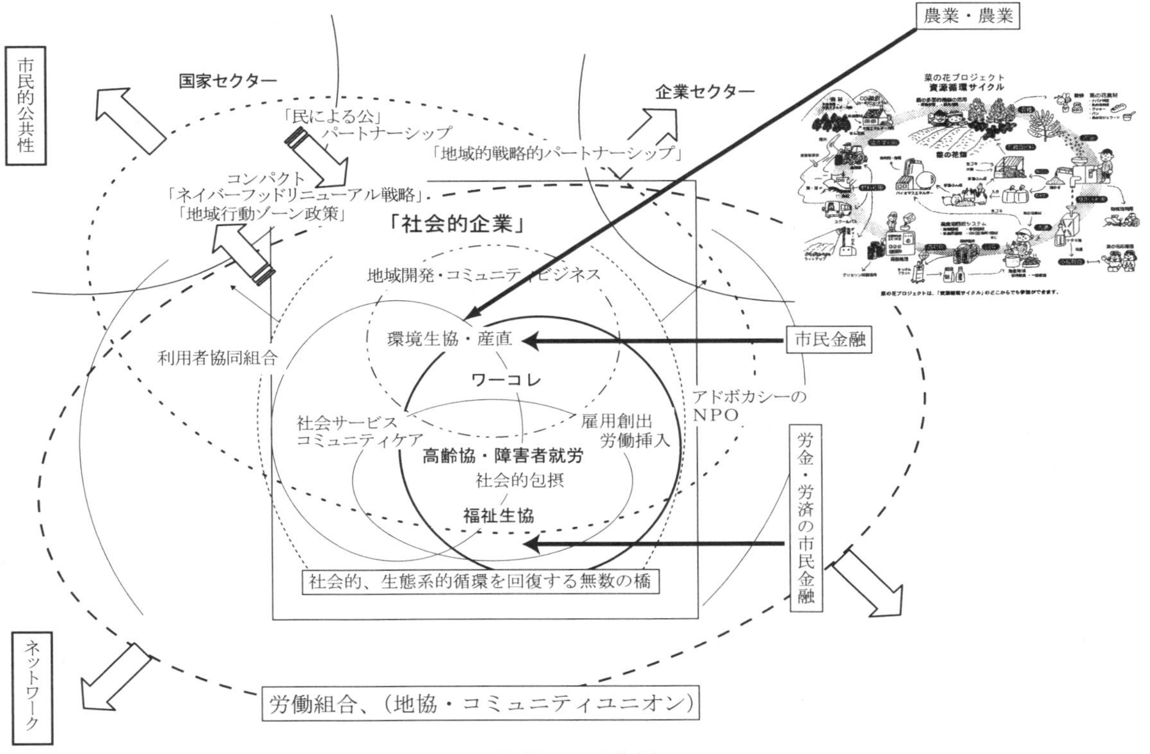

出所：図1−4を筆者加工

第4章 日本における「社会的経済」の促進戦略 | 315

とする諸アクターとそれらの間の連携が進み出そうとしている。

われわれの課題は、なお、潜在的可能性に過ぎないこれらの連関を顕在化することであろう。そうでなければ、市民的公共領域のない、「公と私」の二分法の荒涼として、殺伐たる世界――それは、おそらく、環境的にも、社会的にも持続不可能であろう――へ転落していくのを免れまい。

さて、われわれは、本節において、〈新しい歴史主体〉の形成という〈主体〉項に注意を集中し、今まできわめて抽象的ないい方でしか言及してこなかったこの〈新しい歴史主体〉形成の具体像、すなわち、〈草の根のアソシエーション〉のような〈新しい歴史主体〉が、システムに働きかけるべく様々な二分法を打破し、それらの中間領域を創出しながら、現代日本においてどのように出現してきているか、その具体像を追求してきた。この図4-12は、まさに、その一応の帰結を表すものである。

しかし、図4-12に示めすような新しい歴史主体の形成は、すでに、1章で論じたように、現在のようにグローバリゼーションがますます進行する中では、孤立した地域経済に留まれば、果たされる可能性はない。図4-12に示される社会的企業群のダイナミックな展開は、それらの間のネットワークを構築して広げ、そこに創出する市民的公共性（圏）拡延のベクトルを中央―地方政府の立法、行財政のあり方に及ぼして、政策環境、諸制度を社会的企業群のダイナミックな展開に資するものに変革し、それによって今度は、社会的企業群の勃興がさらに一段と促進されるという、〈市民的公共性（圏）ベクトル〉と〈社会的企業促進ベクトル〉のスパイラルな相乗的強大化が必要である。それ故、グローバリゼーションがますます進行する中では、この市民的公共性（圏）ベクトルと社会的企業促進ベクトルのスパイラルな相乗は、ローカルなコミュニティレベルから、サブナショナルなリージョナル・レベル、ナショナル・レベル、そして、国境を越えるリージョナルなレベル（EU、東アジア共同体？）から、さらにグローバルなレベルへと展開していくことが要請される。

そこで、たびたびの参照で恐縮であるが、最後にもう一度、1章末に掲げた図1-12と図1-13の参照を願いたい。図1-12はナショナルなレベルへの展開を図1-13はさらにグローバルなレベルへの展開を図解したものである。

さて，さらに，一方では外に向かって，日本から東アジア，そしてグロバールな次元でのこの「新しい歴史主体」形成の具体像を追求すること，他方ではうちに向かって，本章末に辿り着いた図4－12にみるような〈個と共同〉の新しいディメンションたる「新しい歴史主体」の形成とそれが担う，様々な在りようのローカル・コミュニティの活性化の現場が発する多様なコミュニケーション的理性に出会い，それらの交流のうちに生じるものを追求することが，次の課題である。しかし，それは，まさに，「新しい歴史主体」の「個と共同」の協働作業として初めて可能な作業であるが，その大きな協働作業のなかの一人の個として，至らないながらも，また遅々とした歩みでしかないが，追求していけることを願いつつ，今は，ここに筆を擱くことにしたい。

注
（＊）われわれの本節の叙述は，2005年11月に成功裏に開催された「Thierry Jeantet氏を招請しての国際市民フォーラム「『社会的企業』による『サードセクター』の革新，そして『連帯』に基づく経済システムの構築を目指して」というフォーラムのバックグラウンド・ペーパー（拙稿「なぜ，T.ジャンテ氏を招請してシンポジュームを開催するか」として著したものにかなり重なる。しかし，ここでは，そのバックグラウンド・ペーパーに多くを拠りつつ，〈はじめに〉で述べるような少し異なった切り口で，〈新しい歴史主体〉の特徴とその可能性に徐々に迫っていくべく，加筆修正したものである。
（1）日本への社会的経済の紹介については，J.ドゥフルニ，J.モンソン編著1992（富沢賢治，内山哲朗，佐藤誠，石塚秀雄，中川雄一郎，長岡顕，菅野正純，柳沢敏勝，桐生尚武訳1995），Moreau, Jacques 1994（石塚秀雄・中久保邦夫・北島健一訳1996），富沢賢治・川口清史（1997）など参照。
　　他方，すぐ後にドゥフルニが，もう一つの第三セクターの捉え方としてあげる非営利組織（NPO）の日本への紹介もほぼ時期を同じくしている。Drucker, Peter F. 1989（上田惇生・佐々木実智男訳1989），Salamon, Lester M.and Anheier, Helmut K.1994（今田忠監訳1996）．なお，和訳されていないが，The Johns Hopkins Centerの国際比較研究を挙げておけば，Salamon, Lester M. and Anheier, Helmut K. eds. (1998), Salamon, Lester M.

（1999），などがある。

　　なお，最近の社会的企業によるサードセクターの革新の紹介については，1章の注（13）を参照されたい。
（2）以下，公益法人改革に於ける政府・行政事務局の動きは，基本的に，http://www.gyoukaku.go.jp/about/index_koueki.html からの行政改革事務局資料に基づく。
（3）堀田力「非営利法人制度改革に関し，ご意見・エールをお寄せください」（2003.2.14）
　　http://www.sawayakazaidan.or.jp/i_index.htm
（4）堀田力・山田二郎・大田達男「建議書」（http://www.npoweb.jp/news/）
（5）さわやか財団「控訴棄却－流山裁判控訴審」（http://www.sawayakazaidan.or.jp/i_index.htm）
（6）堀越芳昭（1999），および堀越芳昭「協同組合基本法の提案」
　　http://jicr.roukyou.gr.jp/hakken/2000/023/tokushu-horikoshi.htm，および，炭本昌也「統一協同組合法とワーカーズ・コレクティブ法を結ぶ」ワーカーズ・コレクティブ・ネットワーク・ジャパン編（2001）
（7）http://www.houjin-ombudsman.org/
（8）以上の市民的公共性についての議論は，幸いにも，山口定「新しい公共性を求めて－状況・理念・規律」山口定・佐藤春吉・中島茂樹・小関素明編（2003）の議論に共鳴するところが多い。強いて拙論の特徴を言えば，「新しい歴史主体」形成の描写の一こまとして，ここで特徴として確認した①，②，③の論点を強調しているところにある。
（9）コミュニタリアンとリバータリアンを止揚するコミュニタリアン・リベラリズムに通じるこの山口定の主張にも熱く賛同する。その問題に対するわれわれのスタンスは，1章におけるガダマーとハーバーマスの対話的止揚のうちに，また，補遺［3］における村上泰亮の保守的解釈主義の批判的検討のうちにも窺われると思われる。
（10）谷口吉光（2004）「日本農業を守る産直をめざして－首都圏コープの産直－」は興味深い。
（11）宮本太郎（2004）によるが，引用を混ぜて，引用者がまとめた部分もある。まとめが著者の理解と違う場合は引用者の責任である。
（12）先に日本の労働者協同組合運動が「協同労働」ということばをキーワードとして盛んにつかっていることに触れたが，それもここでいう「市民労働」

の文脈で理解することもできよう。
(13) 伊藤美登里（2003）
(14) アメリカにおける新しい労働運動としての「社会運動ユニオニズム」については，グレゴリー・マンツィオス編（戸塚秀夫監訳2001），ケント・ウォン編（戸塚秀夫・山崎精一監訳2003），国際労働研究センター編著（2005），また，社会運動的労働運動とは何か，先行文献を整理したものとして，鈴木玲（2005）などかなり多くなっており，『大原社会問題研究所雑誌』も社会運動的労働運動論の概念と現状について特集を組んでいる。また，日本の労働運動はそれから何をどう学ぶかという議論も本文で触れたように，コミュニティ・ユニオン，連合，その他を含めて盛んになっている。
(15) 「生活賃金」については，まず，ステファニー・ルース（荒谷幸江編訳2005）「アメリカにおける生活賃金運動」，また，日本でのその検討については，小畑清武（2005）「生活賃金運動と日本の課題について考える」国際労働研究センター編著（2005）
(16) 福井祐介（2005）の共益を超えて公益へ向かうという捉えかたは，われわれの「市民的公共性」の捉えかたと共鳴し得る。

　　また，コミュニティ・ユニオンをその推進の主体として捉えるということもわれわれと響きあう。
(17) 2006年5月，「地域創造ネットワーク・ジャパン」（代表浅野史郎）として設立総会をもった。
(18) 実は，アメリカにおいても同様に，労働運動の新しい流れは，労働組合におけるジェンダー平等化を重要な問題として提起し，「ペイ・エクィティ運動」を展開している（居城舜子2005）。

Ⅱ部:補遺
社会科学の揺らぎと近代西欧パラダイムの転換
主体とシステムの二項対立を超えて

補遺〔1〕経済学の危機はいかにして克服しうるか
― 「宇野理論」の可能性あるいは社会運動論への道行き ―

I 経済学の危機－課題の設定

　経済学は，かつて，否，ほんのしばらく前まで社会諸科学の女王を自負していた。それもそのはずであった。

　1930年代初頭の世界恐慌の奈落から資本主義を救い出し，第二次大戦後の経済的繁栄を生み出したのは，ケインズによって装いを新たにされた経済学であった，といっては言い過ぎであろうが，少なくとも現代資本主義国家の驚くべき能動性を理論的にバック・アップしたとは言える。ことに，1960年代初頭，ケネディ大統領が就任したアメリカにおいて，漸次的社会工学としての経済学は絶頂期を迎えた。「ケインズ理論と，ますます高度になり，かつ信頼性を増した経済活動の数量化との結合が……歴史上はじめて，きわめて高い成功度を以って経済の管理を許す現実的モデルを提供した」(1)という確信のもとに，内においては，「構造的失業」の解消による社会問題の解決を企て，外においては，「近代化」による南北問題の解決を夢みたのである。

　しかし絶頂期のすぐ先には危機の深淵が控えていた。無軌道に膨張した資本主義は，一方で生態系の破壊を極度に推し進め，他方で社会の解体（＝アイデンティティの喪失）をこれまた極度に推し進めた。その挙句にスタグフレーションを招来してしまったのである。また，南側諸国の「近代化」もままならぬうちに，ここでも自然と社会の解体を推し進め，超インフレと暴虐の圧政，飢えととてつもない「構造的失業」を生み出してしまった。経済学は自信を喪失し，1930年代に続く「経済学の第二の危機」（ロビンソン）を告白せざるを得なくなったのである。

　ところで，経済学の危機は，本来ならば「経済学」批判派としてのマルクス主義経済学の声価を高める絶好の機会であろう。しかし，事態はここでも同じく危機的である。マルクス主義経済学は，資本主義の基本的矛盾を生産の社会的性格と領有の私的性格との矛盾にあると把握する。したがって，その止揚を

プロレタリアートの国家権力奪取のもとでの生産手段の国有化とそれにもとづく中央集権的・指令型計画経済の実現に求める。そして，それは唯物弁証法が支える歴史法則であるとその合法則性を主張する。しかし，そこからは日高普「マルクス主義の可能性」がいうように，「現代社会主義には労働者階級の主体性のほかは何でもある」という「プロレタリアートに対する独裁」しか生み出されなかった。そして，それが暴露されるや人類史上多くの人びとをひきつけ大きな力を発揮した一つの理念が，わずか20年あまりで完全に崩壊してしまった[2]」という危幾的状態に陥ってしまったのである。

　いずれの経済学も根本的な反省を迫られていると言わねばならない。もっとも，双方において，居直り組もなおみられるが，そこに展望のないことはもはや語る必要はない。そこで，検討すべきことはいかなる反省がなされているかということであるが，もちろん，それを正面から行うことは小論のよくするところではない。管見のかぎりで興味を覚えたいくつかの傾向の検討を枕にして，経済学批判としての，マルクス主義経済学をさらに批判しつつ登場した宇野理論，とくにその現状（実）分析論[3]について若干の考察を加え，それによって筆者の今後の研究の焦点を定めるよすがを得たいというのが本旨である。

II　経済学の反省と構造主義的潮流

　様々な反省なり，批判に広く認められる一つの傾向は，経済学の限界を対自化して，再び，人文，社会科学総体のなかに相対化するということであろう。
　もっとも端緒的なのは，市場機構のパラダイムにのらない，あるいは，のりにくい部分があることの対自化である。外部経済・不経済の問題というのがその典型であろう。この場合，一方では外部効果を可能なかぎり内部化する試みが追求されているが（宇沢弘文『近代経済学の再検討』），しかし，もともと客観的に認識し難く，しかも計量化することが難しいから「商品」＝「財」に成り難いのであって，特許権，使用料，汚染者負担，二重価格制等々によっても，部分的にしか「内部化」し得ない。のみならず，そのような制度の形成はすぐれて政治的な次元の問題に帰着する。もっとも，この政治の次元においても，

各種の政治的意志決定過程を可能なかぎり市場機構に擬えて，均衡解にあたるものを「合理的」に求めようとする試みも追求されている（「ゲームの理論」「公共経済学」など）。

だが，他方では，経済学のパラダイムそれ自身の反省が促されている。そして，より積極的には市場機構そのものを，従来ネガとしてしか扱われてこなかった共同体的契機や生態学的契機との総体的連関のうちに相対化することが主張されている。

たとえば，その旗手の一人の玉野井芳郎はつぎのようにいう，「古典派経済学，マルクス経済学，および近代経済学という三つの大きい学問体系がわれわれの前にそびえ立っているが……（それらは）いわゆる狭義の経済学として総括することができる……。というのは，共通にその理論対象とされている経済の世界は，用語こそ異なるけれども，市場を中心とした経済学と，それと連動しながら発展してきた工業の世界……を対象としたものだからである」と。

ところが，「戦後の高度成長がそのピークに達した60年代から，いわゆる資源や環境をめぐって，現代社会の症候群が一斉に噴き出した」が，それは「異常な工業生産力を噴出させた世界」，すなわち，「労働手段の優位する工業の世界」から生じた。ところで「そうした工業化は工業を農業から分離させることによって，しかも，それに道具とは異なる機械体系を装備させることによって達成することができた（が）, そのような農業との分割を可能にした形式こそは商品経済，正しくは土地の私有化と労働力の商品化を実現した市場経済の発展にあった」。そこで，いう，「広義の経済学へのパラダイム転換がなされねばならない」[4]と。

広義の経済学の問題の核心は，第一に，隣接科学である生態学の知見に支えられながら，狭義の経済学によって無視され続け，ついに破壊の極に達した「生態系－生命系」を認識することにあり，そして，「生命系という『対抗原理』に基礎づけられる（経済学批判）の立場に立（つ）」ことにある。第二に，文化・経済人類学の知見に支えられながら，そのような〈生態系－生命系〉を無視する発展を導出した「市場経済をふたたび社会の中に埋めもどす」べく，「市場そのものをその一部として理解できるような，より広いフレーム・オブ・レファレンスを発展させること」であるという。

（中略）

III　構造と歴史・主体

　　　（中略）

　以上，A・W・グールドナー『社会学の再生を求めて』（岡田直之他7名共訳，新曜社，1978年）の論旨の紹介に貴重な紙幅をかなり費やしてしまったが，それは，そこに構造主義的潮流の問題点が，かなりはっきりと浮き彫りにされており，また同時にそれを批判する側，したがっていわゆるポスト構造主義的潮流の問題点も指摘されているように思えたからである。

　いま，構造主義一般に立ち帰って，それに対する批判点を概括しておけば，つぎのようになるであろうか。

　批判の多くは第一に何よりも構造の中に主体がないということであろう。〈私が考えるのではない，私は考えられるのだ，私が行動するのではない，私は行動させられるのだ，すべては言語から発し，また，そこに戻るのである。言葉を通じて自らを把握するこのシステムは人間の主人と宣せられる〉[19]という批判に象徴される。しかし，このような（構造主義に対する）批判は多くの場合，サルトル的コギトに囚われた後向きの批判のように思える。コギトを関係性のなかに相対化し，コギトの「一方的支配を打ち砕いたことは，むしろ構造主義の最大のメリットとして評価すべきであろう。第二に，構造には歴史がないということが指摘されているが，それも神であれ，精神であれ，「人間」であれ，はたまた，「歴史法則」であれ，形而上学的主体が創り出す「歴史」を否定するかぎり——（まさにそのかぎりで）——，これもむしろ構造主義の最大のメリットとして評価しなければなるまい。

　問題はむしろその先にある。たとえ，パターン変数の変換があり，あるいは不均衡による変動はあれ，構造は，すでに構成されたものとして，内部的に閉じられたものとして，したがって一つの秩序（変動するにしても）としてあることを免かれない。すなわち構造の genesis は欠落しており，構造の背後なり外部のカオスあるいは身体とのメタ理論的関係が欠落していることを免かれない。このような点を指摘しつつ，構造主義をなお形而上学であるして，これを

〈脱構築〉するものとして登場したのが現今流行のポスト構造主義的潮流に他ならない。ここでは，コギトと形而上学的な〈大文字の主体〉の解体は徹底する。コギトないし構造は，関係性のネットワークの絶えざる構築と脱構築，カオスとコスモス，内部と外部，精神と身体のダイナミックな相互浸透・反発運動のなかで，まさに形而学的にこれを固定し，抑圧する思いあがり，フェティシスムスあるいは「無理」——（この言葉を記憶されたい）——としてのみ現れる。われわれもこのようなポスト構造主義的潮流による構造主義批判はこれを踏まえねばなるまい。

しかし，ここでわれわれはポスト構造主義的潮流がもつ次のような問題性をもまた，考えておかねばならない。

一つは，たしかにポスト構造主義の地平は「コギト」と「歴史」の否定を徹底するのであるが，その徹底性がまさに形而学的に極まって，主体や歴史一般をことごとく否定するようになっては行きすぎであるということである。カオスなり，外部，あるいは身体を備えた，すなわち自己が「無理」を犯しているというそのことの相対性を自覚する故に，〈我〉の絶対化を排し，〈汝〉の客体化・手段化を排し，さらに〈我々〉の絶対化をも排して，〈彼ら〉とさらに〈自然〉の客体化・手段化をも排する——（したがって，それらと共苦，共生が可能となる）——間身体的主体とその生の営みとしての歴史までも否定するようになれば，それは否定の形而学になってしまうであろう。

二つには——（以上と無関係ではないが）——この genesis なり〈脱構築〉の運動にかかわる問題として，たしかに森羅万象は関係の差異化の運動に解体されるにしても，あるいは構造は，メタ構造，またそのメタ構造へと限りなく相対化されるにしても，それぞれの関係，差異の体系なり構造は，それぞれ独自の広がりや深さや粘着性をもつのであって，それらをすべて絶えざる genesis に環元する——（万物は流転する，色即是空，空即是色！）——ことは，それぞれの浮き世の相対的リアリティの差を軽視し，現実に厳存する具体的抑圧から現実に解放される相対的に重要な具体的かつ現実的な手掛りを失いかねないことである。

以上，われわれは「経済学」の危機の克服の道を求めて駆け足の遍歴を重ねてきたが，どうやらここに至っておぼろげながらもその道が浮かび上ってきた

ように感じられる。そこで，それをもう少しはっきりさせるために，若干視角を変えて進むことにしたい。他でもない，いわゆる正統派マルクス主義経済学を批判しながら登場したわが宇野理論がこの道をどの程度はっきりさせることができるか，その可能性を検討してみることである。

IV 宇野理論と構造主義的潮流

　宇野理論は，しばしは構造主義に比せられる。私見によれば，たしかにそういってよい側面をもっている。多くの点を指摘できるであろうが，文脈上必要な限りで言えば，構造主義は，第一に，サルトル的コギトにしろ，ヘーゲル，フィヒテ的主客合一論にしろ，超越論的な主体の実在を，あるいはまた，神秘的な「史的弁証法」という「歴史法則」が実在することを拒否したが，そのことは宇野理論も基本的に同様であると言ってよい。第二に，現状（歴史）分析は，資本の論理と，政治的，社会的，文化的あるいは技術的，生態学的論理などとの総体的連関を問題にしなければならないが，この点も構造主義的である。こうして宇野理論は，まず，構造主義がもつ積極的側面を共有しているといってよい。

　では，われわれがすでに検討したところの，その消極的側面についてはどうであろうか。構造主義は，第一に，その古典モデルにおいては，静態的自己維持体系であることが問題とされたが，宇野理論はそのような古典モデルの枠に入らないことはいうまでもない。たしかに，原理論のみをとり出せば，一見すると人と人との関係が物象化された相において——（その限りでも〈構成され〉〈構成する〉構造としてあるが）——，永遠に繰りかえす自己運動を行うような「反主体的」，「反歴史的」な体系のように見える。しかし，宇野理論は，周知のように原理論と段階論，現状分析との三位一体ないし一組の有機的に連関する体系としてあり，むしろそれらの間の関係にこそ方法的意味がある。そして，その最終的成果は現状（現実）分析において現われるはずのものであるから，強いていえば比較されるべきものは，成果としての現状（歴史）分析であろうが，しかし，原理論においてもこれからみていくようにそれはたしかに反映さ

れているのであって,簡単に「反主体的」,「反歴史的」とはいえないものをもっている。

けだし,宇野理論の要諦は次のことにあるからである。すなわち,「純粋資本主義」としての原理論は,資本として物象化した関係が〈構成され〉〈構成する〉全体系を全一的に支配し得ること――(換言すれば資本が主体となること)――を論証するが,そのことは人間労働力の商品化ということを前提にしてはじめて可能であるということである。しかし,それはそのことだけではなく,いわば系論として,現状(歴史)においては,労働力は労働者に担われてしかあり得ない故に,「労働力の商品化」ということはそもそも〈無理〉を含んでいることを意味し,そうであるが故に労働者階級が,この物象化の機制を廃棄しつつ歴史の主体として登場し得ることを暗示しているということである。前掲の日高論文「マルクス主義の可能性」もこの点の確認を以って結んでいる。「かれ(宇野弘蔵)は『資本論』のなかから科学的な検討に堪える論理の展開の体系を洗い出した。かれによって資本主義の本質をひとことでいうとすれば,労働力商品化にもとづく社会ということになる。……こう考えるとその結果として社会主義像の方も,どうしてもコミンテルンとちがって来ざるをえない。社会主義社会とは労働力商品化の廃止された社会である……労働力商品化の廃止を示すものは,いうまでもなく労働者階級による再生産の主体的な管理である。……対象の指示ではなしに主体を指示することにこそ,マルクス主義の人類史的意義があるのだ。マルクス・レーニン主義ならぬマルクス主義の可能性とは,まさにその点にかかるのである。」[21]

　　　　(中略)

かくて,原理論は,われわれがいう意味においてであるが,主体の登場を,したがって歴史の世界が開かれてくることを,すなわち〈主体の生成〉をもっとも重要な契機として展開される現状(歴史)分析の世界を予定しているのである。したがって,宇野理論は,構造主義の古典的,静態的形態はもちろんのこと,ケインズ的な動態的形態をも,「正統派マルクス主義」的形態をも,総じて構造主義一般を根源的に超克する批判の契機,すなわち物象化批判の契機を具有しているのであり,構造主義とは基本的に異なった地平に立っているといえるのである。

補遺〔1〕経済学の危機はいかにして克服しうるか

（中略）

V 社会運動論の構築にむけて

　では，宇野理論に問題はないかといえば，必ずしもそうとはいえない。最後に，この点に触れておかねばならない。単刀直入にいおう。問題は原理論にあるというよりも，原理論と現状（歴史）分析との関連のさせ方，そして何よりも現状（歴史）分析の成果の現状にある。

　いま少し前に述べたように，宇野理論が構造主義一般を越えているゆえんは，原理論が主体の生成をもっとも重要な契機として展開される現状（歴史）分析を予定しているところにあった。……しかし，現在までのところ，現状（歴史）分析は，かかる要請を満たすものとしては必ずしも十分には展開されているとは言えない。そしてそれを難しくしてきた一つの大きな背景として，歴史変革の主体を問題にしたときでもその規定が，「プロレタリアート」なり「労働者階級」という，原理論から譲りうけた抽象的なレベルに留まっていた（？）ことにあるのではないかと思われるのである。主体としてのプロレタリアートという規定は，純粋資本主義という枠組のなかで，また資本が唯一の主体となっている原理論という体系のなかで，まさに資本の目からみて同質の労働力商品の担い手として規定されたカテゴリーであり，それはたびたび述べるように，カオス，外部性，そして身体性を内面化する「無理」を冒しているのである。このような抽象的，普遍的なディメンションに留まっている限り，それは，一方で，ヘーゲル，フィヒテないしルカーチのような観念的な歴史の主体に擬せられる虞れがあり，また他方で，抽象的な労働者階級，とりわけ前衛党がその化体なり権化であるとみなされる──（まさに〈プロレタリアート・フェティシスムス〉に陥る）──虞れも出てくる。また現状（歴史）分析において，抽象的であるが故に観念的にオプティミスティックになり得，抽象性の高みからの現実批判に終始し得るし，あるいは観念的にペスミスティックになり得，構造主義の悪しき類型に転落する傾向も出てき得る。かくて，われわれは，抽象の大空をかけめぐるプロレタリアートを具体の大地にひきずりおろし，その〈身体性〉を回復させなければならないのである。

（中略）

　現状（歴史）の世界はそもそも労働力の商品化を梃子にして資本が唯一の主体として支配する純粋資本主義の世界と全く異なって，その〈無理〉こそが，主題となる世界であるから，もはや，諸個人の欲求，関心，感覚は，必ずしも対象に対する感受性を抽象化され退縮されきれて，〈価値〉，〈役割〉，〈意味〉が，さきにみたように物象化されきることはない。もちろん，階級構造も三大階級というような単純なものではないし，共同体秩序も，国家も存在する。のみならず，従来の現状（歴史）分析が解明してきたように，帝国主段階以降，とりわけ，「没落期」と規定される現代資本主義において複雑性を増している。たとえば，ほんの一例であるにすぎず，この点がもっとも重要であるわけではないが，原理論において〈唯一の主体〉としての資本の役割を遂行したのはモノとしての資本の所有者である資本家であったが，いまや株式会社化による「所有と経営の分離」に端的に現われているように，主体としての資本のシステム制御はかなり拡散し複雑化している。[28]

　　　（中略）

　かくて，複雑化した「（広義）所有構造」のもとでは，様々な主体が様々な「所有客体」，領域，水準，局面，そして自律性のレベルにおいて，その様々な「不所有」の故に，その不所有を資本の論理が必然にする限り，これに対抗する様々な運動を展開する必然性が出てくるのである。しかもそれらの運動は様々であれ，何らかの「不所有の不幸」を根拠とするものであるから，「所有への疎外」からの解放，すなわち，ヒトとヒトとの関係の物象化からの解放，またそれを梃子とするフエティシスムス一般からの解放運動につながる可能性をももつといえる。このような運動は，狭義の労働運動，とくに労働組合運動よりは，遥かに広く生産，流通，消費，のみならず文化，自然をも含めた全生活圏に関わる広義の〈社会運動〉と呼んだ方が適当であろう。

　かかる社会運動について，なお論及すべき点は多々ある。しかし，それは別稿に譲って，ここではわれわれは，いまや抽象的な主体としてのプロレタリアートをかかる〈社会運動〉を担う人びととの間身体的な協労・連帯・交響として，しかもそれは「不所有」を根拠にして「所有」からの解放運動であるかぎり，つねに，またどこであれ「不所有」の不幸に共感する協労・連帯・交響，それ

補遺〔1〕経済学の危機はいかにして克服しうるか

による諸関係の変革・脱構築として捉え返さねばならないこと，そして，資本の論理との対抗，相互規定関係のもとでかかる主体がいかに形成されてくるかを具体的に考察するとき，はじめて原理論が要請する現状（歴史）分析も展開され得ることを確認することにとどめよう。しかし，以上の展開によって，宇野理論が構造主義を越える地平に立ちうること，そして，そこにこそ危機に瀕する「経済学」と批判能力を失った「経済学」批判をもともに越える可能性が孕まれていることは明らかになったと信ずる。

注
（1）Moynihan, Daniel Patrick Marxism Misunderstanding, The Free Press. p.26, 1969年.
（2），（21）日高普「マルクス主義の可能性」『経済評論』1983年4月号。
（3）段階論と現状分析は，もちろん抽象のレベルを異にし，また分析の対象となる〈資本の運動の自立（律）性＝労働力商品の包摂力〉の程度を異にするが，段階論は原理論と現状分析の中間に位置して，資本主義の世界史的発展段階における支配的資本の論理を明らかにするものとして，両者を媒介しようとするものである。しかし，われわれは，ここでの議論を簡素化するために原理論との問にある差異に注意を集中する。したがって原理論と対照的な位置にある現状分析が前面に出るが，現状分析に妥当することは，段階論にも半ば，あるいはそれ以上が妥当する。
（4）玉野井芳郎（「広義の経済学への道」（同『市場志向からの脱出－広義の経済学を求めて』ミネルヴァ書房，1979年，所収），以下の紹介も同論文による。
（19）J・M・ドムナック編，前掲書，3頁。
（28）吉田民人「ある社会学徒の原認識」同編著『社会学』日本評論社，1978年5月，同「社会体系の一般変動理論」青井和夫編，前掲書。

補遺〔2〕新しい主体の芽
－他者と互いに交響し得る自律的協働体を－

Ⅰ 第一景 「主体」の危機：ニヒリズム

「もはや社会と相容れなく」なったブルジョアジーの支配を覆し，「各人の自由な発展が万人の自由な発展の条件となるような一つの結合社会」を創り出そうとする革命，このような革命の「主体」としてプロレタリアートが階級形成される。このことの必然性を「歴史法則」をもって主張したところに，「空想から科学へ」を標榜したマルクス主義の真骨頂があった。しかし，それが錯誤であるという予兆は早くからはっきり現れ，現代のニヒリズムの源泉となっていたが，昨今の東欧・ソ連に起こった事態はプロレタリアートという「階級的主体」の命脈をついに断つものであったといってよい。

　「前世紀末には『神が死んだ』としても，まだ合理的進歩の思想が残り，科学への信仰が残っていた。しかしこの世紀末には，合理的進歩の最後の旗手であった社会主義が死のうとし，科学技術への信仰が揺らぎ，近代の源泉であったデカルト主義の解体が進行している。殆どすべての思想が使い果たされて，それに代わるものが見当たらないままに，人びとは次の時代に突入しようとしている」（村上泰亮「世紀末の保守と革新」『中央公論』1990年1月号）

　われわれは底知れぬニヒリズムの深淵に落ち込んでしまったのだろうか。このニヒリズムの旋律をもっとも大きく奏でているのは「現代思想」である。それは，「社会変革主体」や「歴史法則」はもとより，「主体」（あるいは「人間」），「客体」，そして「ロゴス」や「真理」など〈主－客〉の二項対立図式に基づく「近代」の「知の枠組み」はことごとく形而上学的抑圧であるとして，これを解体しようとするものだといってよい。
　そして，考えてみれば，たしかに次のような事態は「近代」が冒す「形而上学の冒険」といえるだろう。

一方で，諸関係の網の目の結節点，しかも「無意識」ないし「規定しえない外部」という「地」に浮かぶ「図」でしかない「主体的契機」を，「主体」(SUBJECT) として「生活世界」から超越させて実体化する。他方で，客体的契機も「主体」から完全に独立して自存する「客体」として，これまた「生活世界」から超越させて実体化する。このような明晰な〈外部〉のない〈主－客〉二項対立の世界では，「主体」(SUBJECT) は「客体」を自己の〈意味〉によって明晰に構造化しきるか（独我的観念論），逆に「客体」の構造を反映する鏡にすぎなくなるか（タダモノ的唯物論），のどちらかしかない。また「主体」と「主体」の間では，自我によって「他者」を「客体」化するか，逆に「他者」によって「客体」化されるかの「眼差しの鬩ぎ合い」となるか，あるいは，自我も「他者」も，その外に別の大文字のSUBJECT（神が典型であるが，貨幣，権力，名声，そして普遍的階級としての大文字のPROLETARIAT等々）を物象化（物神化）し，それへ向けて自己否定をおこなう小文字のsubjectとなる他ない。
　ちなみに，「合理的進歩主義の最後の旗手」としてのマルクス主義は，「生活世界」の構造化に関心を寄せた。しかも，その際，「生活世界」の諸関係を物象化してしまう資本のロゴスに寄り添い過ぎ，「生活世界」に現れるさまざまな抑圧を生産過程における「搾取」の問題に，また有産者の富裕化に対する無産者の窮乏化の問題に過度に還元させ，かくて自らの解放によって様々な問題を根源的に解決する普遍的階級としての〈プロレタリアート〉を全能の主体としてしまったといってよい。これは，まさに「現代思想」が批判してやまない「生活世界」に対する形而上学的抑圧の最たるものであろう。
　しかし，「現代思想」はそのような抑圧から自由になるためだといって，明晰にではないにしても様々な形態で様々な程度で構造化を免れ難い「生活世界」から逆方向へ一挙に突き抜けて超越してしまう。この点では，「近代の知の枠組み」に劣らない「形而上学の冒険」ではなかろうか。そして，そうなってしまえば，「生活世界」の中に何の手掛りも得られず，資本と国家の「狂気」のシステムに身を委ねつつ，近代の破滅の坂道をまっしぐらにころげ落ちていく際の，ニヒリスティックな気紛らわしに過ぎなくなる。
　かくて，時代のニヒリズムを克服する途を見つけようとするならば，まずは「近代」あるいはマルクス主義と「現代思想」双方の「形而上学の冒険」をと

もに排することが近道であろう。

II 「新しい主体」の条件－「交響的自律主体」・「アソシエーション」

　そうとすれば，われわれがなすべき第一のことは，「生活世界」の上空に超越し，自らを「搾取」から解放することによってすべての人びとをすべての抑圧から解放する，という普遍をわがものとする大文字の〈プロレタリアート〉を「生活世界」の諸関係の具体相に解体し，「生活世界」の様々な抑圧に対して，様々に抗している生活者のあいだでの主体形成の現場に降り立つことである。

　草の根の「生活主体」は，近代のドグマ（すなわち，「主体」となるか，「客体」となるか，あるいは，「眼差しの鬩ぎ合い」か，共通の第三者への従属か）を排して，互いに「他者」に開かれた「相互主体」であり，また世界は明晰でなく外部があることを自覚していなければならない。しかし，同時に――「現代思想」の語りに反して――それは様々な程度に凝集し，アイデンティティを求め（その意味では，多かれ少なかれ形而上学者である），他者に働きかける「主体」であることをやめることはできない。あえて一言でいえば，それは「他者」に開かれ，「他者」と互いに交響し得る自律的主体といえるであろう。そして，彼らの「交響的自律性」の力量を広がりと強さにおいて拡大していくことが「生活世界」の草の根からの「生活主体」の形成に他ならない。それは，いってみれば「生活世界」における〈ヒトとモノ〉の関係，〈ヒトとヒト〉の関係，そしてそれらの関係の関係としての〈イミ＝意味〉を資本と国家が物象化（＝構造化・システム化）し，「生活者」をその奴隷として没主体化する，別に表現すれば，「（システムが）生活世界を植民地化」するのに抗して，「生活者」たちが「生活世界」におけるそれらの関係を自分たちの手に取り戻していく過程であるが，それは取りも直さず，生産・流通・生活（狭義）・政治・文化の全体を，資本と国家によるシステム化の力学に抗して，交響的自律協働体として，その草の根から現実に創っていく過程に他ならない。

これは，佐藤慶幸の言葉をつかえば，「ヴォランタリー・アクションに基づく〈自己−他者〉間の自由なコミュニケーション行為によって形成される第一次的で構成的な相互主観的世界」としての「アソシエーション」が切り拓く地平である。

III 第二景 「新しい社会運動」・ネットワーキング

このような視角から，あらためてニヒリズムの間のうちに沈んでしまったかのように見えた「生活世界」を見渡してみると，景色はやや変わってくる。

第一に，1960年代後半から生産点における従来型の組織的な労働運動が退潮するなかで，「生活世界」の他のあらゆる領域から，「住民運動」や「市民運動」あるいは「新しい社会運動」とよばれる社会運動が叢生してきているのに気づく。すなわち——

(i) 反公害・反原発・反開発運動のような自然的生活環境の破壊に抗して。

(ii) 過密・過疎，生活関連社会資本や共同消費手段の不足，交通・住宅・ゴミ処理問題等々社会的生活環境の悪化に抗して，あるいはさらにそれらの改善や，総合的な地域づくりを求めて。

(iii) 消費者運動や生活協同組合運動など，食生活をはじめ「いのちとくらし」の現場からそれを守り，自らオルタナティブを創る運動＝事業を求めて。

(iv) 被差別部落民，障害者，女性などマイノリティの差異を差別にではなく，豊饒の契機に転化し得るアイデンティティ，文化を求めて。

(v) そして，それらの運動の中から，その一層の展開のために政治システムを組み替えることを求めて。

第二に，それらの全部ではないにしても，その多くは生活者たちが生活の中で直面した具体的な問題に衝き動かされて，生活者たち自身がおこしたもので，つぎのような組織的特徴を見ることができる。

(i) イッシューと運動をとりまく状況に応じて，組織の増殖，縮小，他グループとの連合分離など様々に変化し得る（部分集合的）。

(ⅱ) 個人の自主性，自発性を大切にする平等のヨコの関係であるため，メンバーは誰でもそのグループを動かすリーダーになる可能性をもっているし，多くのばあい複数の中心人物がいる（多頭的）。
(ⅲ) 組織の基底には個人同士のネットワークが網目状に広がっている（網目的）。
(ⅳ) また組織の大きさは直接コミュニケーションが可能な範囲が多い（等身大）。等々。

 これらは，まさに前項で指摘した「新しい主体」すなわち「交響的自律主体」——（かつて，われわれはリップナックとスタンプスにならって「ネットワーキング的主体」と呼んだ）——形成の可能性を垣間見せるものに他ならない。
 しかし，すでに十分シニカルになってしまった現代人は，次のようにいうだろう。

- これらの社会運動の多くは，互いに孤立，分散したままである。
- つぎつぎに族生はするものの，一定の目的を達すると，あるいは達しないうちに消えてしまうものも多い。
- (ⅰ) シングル・イッシューの自然発生的な反対，阻止，告発から，(ⅱ) それに対する改善案を提示して交渉，闘争するもの，さらに，(ⅲ) 生活者たち自らが自律協働体（アソシエーション，あるいは，ネットワークをこれと同義語としてつかう）としてオルタナティブな事業を創り出しているものまで広がっているが，(ⅲ) のレベルまで達しているものはかなり限定される。とくに（本源的ボランタリズム）に基づく（アソシエーション）という純粋型ともなると，「非経済的，非政治的な自由な人びとの日常的な生活世界」が主となるというように，領域が著しく限られる。
- そして，以上の諸点の裏返しであるが，これらの多くは，狭義の生活圏に限られ，現実の「生活世界」をシステム化している資本および国家のモーメントとどう切り結ぶか，必ずしも見えてこない，等々。

Ⅳ 第三景 「新しい主体」のダイナミズム

　しかし,「交響的自律性」,「ネットワーキング」あるいは「アソシエーション」という「新しい主体」の性格に則して，また，これから果たされねばならない主体形成上の若干の課題も含めて再度見直すとき，その景色はかなりダイナミックなものに転換してくる。

（1）構成員が分散的であったり，多元的であったり，係わり方の様態や程度が異なっていることは，主体としての力量を制約するものとのみ見做すことは誤りで，むしろそれ故にその間に様々な交響が生まれ，意外に容易に，きわめて柔軟でダイナミックな主体になる可能性を孕んでいるともみることができる。これは交響的自律主体間の交響的自律性（ネットワーク間ネットワーク）についても同様である。それぞれの運動は,「生活世界」の中でそれぞれが占める位置，状況，また主体の拡がり，組織形態，成熟度において多様である。かえって，それぞれの運動がそのアイデンティティを強くもっていた方が，もしそれらが相互に出会い，コミュニケーション的行為によって互に自己をより大きな交響の中で相対化する回路が形成できれば，そのより大きな交響がもつ主体的力量はきわめてダイナミックに展開していく可能性をもっているのである。

（2）「新しい主体」が狭義の生活点に限定されることが多く，生産点において弱かったが，これも，いま右に指摘したように，つぎのような運動的ネットワークが形成されてくれば事態はまるで変わってくる。

　この点について，渡辺国温は「生活世界」の領域によって異なってくる労働のあり方を整理した，ここに再掲する図を掲げながら次のようにいっている──（スペースもないし，また要領よくできている図なので説明を省くが，おおよそのイメージを得ることはできるであろう）──。

「交響的自律性」なり「ネットワーク」あるいは「アソシエーション」が可能なのは，主として②と③の領域である。ここでは本源的ヴォランタリー・アクションに基づく，純粋型の「アソシエーション」から，生活の資をそこで稼がねばならない，たとえば労働者生産協同組合等の（運動・事業）体まで含めた

補遺2−1 労働の指標と領域

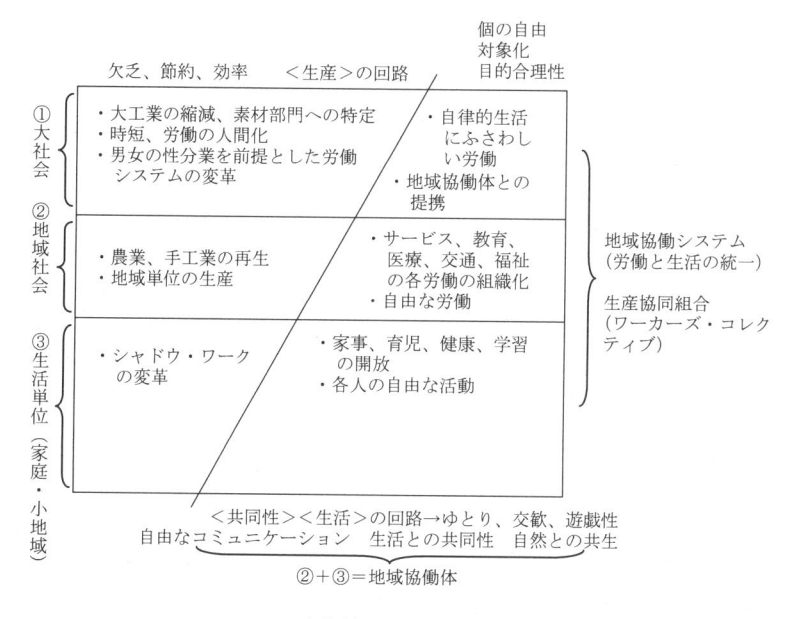

	欠乏、節約、効率　＜生産＞の回路	個の自由 対象化 目的合理性	
①大社会	・大工業の縮減、素材部門への特定 ・時短、労働の人間化 ・男女の性分業を前提とした労働システムの変革	・自律的生活にふさわしい労働 ・地域協働体との提携	
②地域社会	・農業、手工業の再生 ・地域単位の生産	・サービス、教育、医療、交通、福祉の各労働の組織化 ・自由な労働	地域協働システム（労働と生活の統一） 生産協同組合（ワーカーズ・コレクティブ）
③生活単位（家庭・小地域）	・シャドウ・ワークの変革	・家事、育児、健康、学習の開放 ・各人の自由な活動	

　　　　＜共同性＞＜生活＞の回路→ゆとり、交歓、遊戯性
　　　　自由なコミュニケーション　生活との共同性　自然との共生
　　　　　　　　②＋③＝地域協働体

出所：渡辺国温 (1987:308)

　ネットワークの重なり合いによって自律交響性の拠点が地域協働社会として——（もっとも地域社会のすべてをこれに包摂することはできないが）——創られる可能性がある。

　しかし，このような地域協働体にまたがる①の大社会は——（可能なかぎり①の領域を狭め，②の領域を拡大することを追求するにしても）——現代の産業社会においては，これをなくすことは不可能である。したがって，ここでは，労働運動が主要な役割を果たさねばならない。しかし現在，労働運動はそのレーゾンデートルが問われるまでに風化しつつある。したがってその再生を期待するしかないが，その再生のためのポイントは次の点にある。

　第一には，その労働が賃労働＝生産的労働であり，したがって work ではない labor の要素を免れないかぎり，「時間短縮」と「労働の人間化」——（単調労働の追放，多面的技能の修得，工程の自主管理など）——に労働組合が取り組むことである。

　しかし，ここで重要なのは，まさに「生活世界との運動的接点を拡げること」

である。たとえば，反社会的な企業活動に対して，また仕事を通じた地域や社会との関係を意識化し，社会に必要な仕事のあり方について，労働のレベルでどう対処するか。「時短」の場合も，生活の質を考える取り組みなど「生活世界」のあり方を問う運動が媒介されない限り，システムに支配された「生活世界」への逃走に終りかねない。このように労働のあり方をめぐって「生活世界」の回路からアクティブな働きかけが強められるとき，男女の性の分業のうえに立つ既存の労働システムに対して生活圏の側から提起される男女の役割分担の見直しなど，賃労働とシャドウ・ワークの構造を崩していく新しい取り組みも開始される。

ここに労働運動との運動間ネットワークの「分業的相補性」のダイナミズムを展望することができるのである。

(3)「交響的自律主体」は，自らの内部関係においても，また外部との関係においても，権力志向を極力排そうとするものであるが故に，国家権力の奪取を社会変革に先行させたマルクス主義とは対照的に，国家権力との切り結びにおいては，もっとも周辺に位置するようにみえる。しかし，それは権力を志向しない自律交響性である故に，他のあらゆる「主体」よりも，公共性を国家権力システムに疎外させることにもっともラディカルに抵抗し得る——しかも，これを具体的な問題を通じて具体的に——。

もっとも，前掲図の③の生活単位の領域なら別であるが，②以上のより広い領域ともなると，〈交響的自律性〉ないし〈アソシエーション〉ですべての関係を包摂することは不可能で，市場メカニズムとともに公共セクターが必然となる。いかなる公共財（制度まで含めて最広義に用いる）を供給するか。そのための意志決定をどのように行うか，これらがその重要な内容であるが，ごく大雑把にいえば，日本の場合国家レベルの集権した代表制民主主義によって決定され，事実上政・財・官コンプレックスによって公共財の内容が決定されている。

すでに触れたように「交響的自律主体」の間での公共性を生みだすコミュニケーション的行為は，多くのばあい，その具体的な運動と別物ではなく，必ずしもそれ自身を目的として意識していない場合もある。しかし，前掲図②③の領域でこれらの具体的運動が濃密に重合してくるとき，きわめて具体的な内容

をもった地域自治確立の要求となる。これが地域自治確立そのものを目的とする政治運動とネットワークすれば，それは巨大な力となろう。「住民投票条例制定運動」や「代理人運動」はそれを予兆するものだ。

ところで，このようにして地域政治において「新しい主体」がこれを自らの手に取り戻す過程は，従来の政党が「新しい主体」によって蚕食される過程である。とくに地域自治がすすんで国家の権限が地域に委譲されてくれば，一層そういってよい。かくて，政党のレーゾンデートルが問われてくる。それは個別の社会運動や地域の交響的自律性がより大きく増幅していくためには，いかなる公共財，公共哲学が必要なのか，それを追求するところにそれを求めるほかあるまい。このような政党運動との運動間ネットワーク，これもまた「新しい主体」の分業的にして相補的なダイナミズムの可能性の一つである。

（４）ところで，今，環境，経済，政治，文化は，国境を越えあい，急速にグローバル化が進行している。「生活世界」はすでにグローバル化しているのである。そうとすれば，「新しい主体」は，地域に拠点をもちつつも，世界的規範で形成されなければならない。そして，ここでは当然のことながら運動主体の多元性・多様性・多層性が極まる。したがってこれらと出会い，コミュニケーション的行為を通してネットワークをつくっていくことは，きわめて難しいであろうが，これはとてつもない分業的かつ対抗的相補性のダイナミズムが可能となる途でもある。

ことに，日本の場合，資本や国家のシステムに対してとりわけ没主体的であるがゆえに「経済大国」化し，また「経済大国」化したがゆえに没主体化するというような悪循環が生じているように思える。それゆえ日本におけるネットワークは意識的に外に開いていかねばならない。

けだし，アジア・アフリカ・ラテンアメリカ，そして中近東はもちろんアメリカや西ヨーロッパにおいては，少なくとも日本よりは民衆の景色は躍動的である。それにいま，東欧・ソ連，そして中国の民衆も動きだしている。これらに出会い，ネットワーキングすることによって，世界的規模の「新しい主体」を形成するヴィジョンを描くことは喫緊の必要事である。けだし，システムの側はすでに多国籍企業が成熟し，新しい国際的公共性のあり方を模索しているのだから。

注
  （1）佐藤慶幸（1986）『ウェーバーからハーバーマスへ』世界書院，Ⅰ序説
  （2）高田昭彦「草の根運動の現代的位相」『思想』1985年11月号
  （3）拙稿（1987）「生活を変革する社会運動」『社会観の選択』社会評論社，Ⅵ章
  （4）佐藤慶幸，前掲書，224頁

補遺〔3〕社会科学の揺らぎ
「段階論」の見直しと保守的解釈学の検討

序　社会科学のパラダイム転換
　　──「西欧近代」の黄昏と日本・東アジアの興隆の衝撃──

　　　　（中略）

　かつて「西欧化」,「近代化」は人類に明るい未来を約束するものであった。それは神の秩序のもと,〈自然〉〈社会〉のなかに埋もれていた諸個人を〈自由な主体（人間）〉として解放, 自立させ,〈自然〉と〈社会〉を彼ら〈主体〉の前の〈客体〉として措定した（デカルト的主客二分法）。〈自由な主体（人間）〉は天賦の理性によって〈自然〉と〈社会〉の法則を把握し, これをコントロールする力（生産力）を高め, 自らの自由と進歩を限りなく追求する。──しかし, それはブルジョアジーのイデオロギー的虚偽であり, 資本主義的市民社会はやがて生産力の一層の発展のための桎梏となり, その帰結としてブルジョアジーとプロレタリアートの二大階級の階級闘争が起こると予測したのはマルクスであった。その彼にしても, 市民社会の虚偽を暴いて真実の歴史法則を把握し, その歴史法則に則ってプロレタリアートが階級闘争に勝利すれば,「生産力」の発展に対する桎梏を払い退けて, 人類の自由と進歩をさらに追求することができるといういわばウルトラ「西欧近代的」な「近代の超克」を思い描いていた。

　しかし, その帰結はどうであったか。たしかに, それは人類の「生産力」の驚異的な発展をもたらした。「西欧近代」とともに誕生した資本主義的市場経済と国民国家は, そのための駆動装置としてきわめて有効に機能した。こうして先進資本主義国に「過剰富裕化」状態（馬場宏二）をもたらし, つづいてNIES諸国をもその入り口に到達させた。しかし, それは同時に, 人類の自然的存立基盤を驚異的な速さと規模で開発＝搾取して,〈自然〉と人間との共生を危機に陥れてしまった。また, 資本主義的市場経済と超絶的な国家制度は, 人類のもうひとつの存立基盤である〈社会〉を「植民地化」（ハーバーマス）することによって, その解体（アノミー化）を進めた。それのみならず, それが

当然に伴わざるを得ない帰結として，当の〈自由の主体（人間）〉自身のアイデンティティをも崩壊させつつある。

このような「西欧近代」の帰結を前にしては，〈自由な主体（人間）〉，〈理性〉と〈合理的進歩〉など，ここ数世紀の人類史を推進してきた「西欧近代社会」とその理念はたちまち色褪せざるをえない。そのうえに，ウルトラ「西欧近代的」な「近代の超克」としてのマルクス主義に基づいた，合理的設計主義，進歩主義のもっともラディカルな，世紀に亘る歴史的大実験としての社会主義の崩壊が加われば，その信用はもはや地に落ちたというべきであろう。「西欧近代」は黄昏を免れない。

その黄昏の中で，西欧近代の理念は暗転し，「主体（人間）の死・解体」，「非合理・カオス・神秘」，そして「野生の思考」や「東洋神秘主義（曼荼羅，老荘思想）」など「非西欧思想」への憧憬が広がる。

「大世紀末」を待たずとも，既にニーチェは前世紀中に「人間の没落」を説いていた。第1次世界大戦とナチズムの愚行と悲惨に打ちのめされれば，シュペングラーならずとも歴史的感性を多少でも持ち合わせているものには，「西欧の没落」は自明のことであったろう。フランクフルト学派をはじめ，哲学や歴史のジャンルでは「ニヒリズム」は時代のテーマとなってすでに久しい。つい最近，といっても既に4半世紀以上も前になるが，「変革主体」や「歴史法則」はもとより，そもそも「主体」や「人間」，「法則」や「ロゴス」あるいは「客観的真理性」など，近代人としてのわれわれに馴染み深い「西欧近代」の「知の枠組み」を根源的に問い直そうとする「ポスト・モダン思想」が，我が国のみならず世界的に流行ったが，それは「西欧近代」への懐疑，さらには絶望の深さと広がりが如何に大きくなってきたかを如実に物語るものであろう。(1) 社会科学，とりわけ社会科学の女王として君臨してきた経済学の感性は，「近代経済学」，「マルクス経済学」を問わず，鈍かったというべきである。

しかし，歴史的感性の鈍い，俗物的な経済学にもわかるかたちで事態がこのとき展開し始めていた。それは他でもない，社会科学ないし経済学がその論理を構築するさい，当然の前提として念頭にあったのは「欧米社会」であるが，そのような論理では直ちには理解しにくい，異質の構造と論理をもつ日本を先頭とする東アジア圏社会――（すなわち，あらかじめ先取り的にいえば，「市場」

と「社会」さらに「国家」がそれぞれ分別される「西欧近代社会」と異なって,「市場」(経済成長)がドミナントになりながら,「市場」と「社会」さらに「国家」が相互に無規定的に浸透し合う,プレ・モダンとポスト・モダンが重合する,あるいは,「近代西欧」的「個」と「階級」構造を明確に形成しないうちに,ある意味で「前近代」が「近代」を飛び越えて,「現代大衆社会」的状況を呈するといったような,「西欧近代社会」のパラダイムにのらない,あるいはむしろ世界的に現代社会をある意味で先取りしているような特質をもつ現代日本社会あるいは東アジア社会)——の目覚ましい経済的興隆である。

馬場宏二はかかる衝撃を受けて,近代文明の軸が欧米から東・東南アジアへ移転しつつあるとまで表現する。

> 「近代世界経済まず環大西洋経済圏であった。西ヨーロッパとその植民地北アメリカ東海岸とが発展の両軸となり,両者の連携にアフリカとラテンアメリカを従属させ,そこからさらにアジアへ進出した。……近代文明は,両地域が擁する高い生産力の圧力,豊かな消費水準の魅力,強力な軍事的破壊力,さらにはイデオロギー的影響力に支えられて,各地を同化しつつ世界的に普及する傾向を示した。/だが昨今,流れはいささか変わった。……日本を筆頭とする太平洋西岸諸地域の経済的発展が,相互に大きな格差を含みつつ全体として世界的にも注目すべきものになった。……資本主義的生産関係と工業産力が近代文明の内実だったとすれば,近代文明の軸は欧米を離れて日本を先頭とする東・東南アジアへ移転しつつあるといえる。」[2]

> とくに,その先頭を切る日本について次のようにいう,「戦後の世界的高度成長の中で,日本はイタリアに追いつき,石油ショック後はイタリアを置き去りにしたばかりか,ドイツ,フランスを,やがてはアメリカを追い抜いた。後発国の先進資本主義化の例はいくつもあるが,最先進国化の前例は前世紀末のアメリカだけである。……短縮していえばちょうど一世紀後,日本は会社主義的企業組織によってME革命を遂行し,……新たな最先進国となった」[3]と。

馬場宏二は端的にいう,

補遺〔3〕社会科学の揺らぎ

日本が「会社主義」によって生産力で欧米をしのぎ，さらに「会社主義」が多少普及したアジアが欧米の生産力を圧迫するとすれば，欧米社会のあり方を当然の前提として論理を構成してきた社会科学は，そのままでは普遍性を主張できないことになる。……日本「会社主義」やアジア経済の活力を捉えるためには，単なる翻訳を越えた新しい概念と語彙の形成が必要となると[(4)]。

　ウルトラ「西欧近代」的な「近代の超克」としかいいようのないマルクス理論体系の被った打撃は大きく，それだけラディカルな「見直し」を迫られる。馬場宏二はそのマルクス理論体系の流れを汲む。しかし，「見直し」の必要性への自覚はマルクス理論体系を受け継ごうとするものに限らない。新古典派経済学者とて歴史感覚ないし現実感覚をもつものならば，自己の理論体系が根源的な「見直し」を迫られていることを深く自覚している。
　たとえば，新古典派出自にして，すぐれた社会理論家でもある村上泰亮は，亡くなる直前に著した大著『反古典の政治経済学』の「はしがき」で，馬場とほぼ同様の次のような認識を披瀝している。

　　「ヨーロッパ的近代の理念で推進されてきた世界の政治経済システムが大きな曲がり角にさしかかっている」と，「西欧近代」に固有の「進歩史観」の黄昏という認識と，「欧米社会の発展経路と異なった道を通って，ある種の，誰も否定し難い成果を挙げた日本」という認識のもと，「21世紀システムの形成」のために，「（その）日本のなかからも，誰かが思想的・実践的貢献をなすべき時期にきている」「そのような貢献をなし得るための条件は，近代のもっていた約束事を，一度はすべて疑うだけの気力をもつことである」と[(5)]。

　ところで，このようないわば「経済大国日本の自己認識」による「西欧近代」の相対化，新たな普遍の追求は，もちろん馬場や村上の孤立した試みではない。むしろ現代日本のファッションともなった。
　　　　（中略）
　本稿は，「西欧近代社会」とその理念の世界史的推進力の喪失という事態の

なかで,「日本ないし東アジアの成功」の「自己認識」を以て,「近代西欧社会」のパラダイムに基づく既成の社会科学ないし経済学の見直しをおこない, それによって, この「大世紀末」を転機とする人類史の大きな曲がり角を見通すことを企図した, それぞれマルクス理論体系出自と新古典派出自の, 最近の二つの卓越せる「見直し」の試み, すなわち馬場宏二と村上泰亮のそれを主として採りあげ, その首尾を批判的に検討し,「西欧近代」を「相対化」するわれわれ自身の視角を模索しようとするものである。

　　　　（中略）

〔本章で批判的検討の対象としたパラダイム転換は, 今日の観点からすれば, 経済大国日本の肯定的評価の上げ潮に乗った, ある意味で「西欧近代」の少々軽率な（？）相対化であったといわねばならない。その後, 日本経済はバブルで舞い上がった挙句に平成大不況に落ち込んだ。そして今度は, まるでその180度裏返しの否定的評価が世に蔓延するに至った。いわく, 日本経済システム制度疲労論, いわく,「（アングロサクソン型への）改革なければ成長なし」。本稿執筆時は前者の観点からの「西欧近代」の相対化が奈落に突き落とされる直前のピークを迎えていたが, 本稿は, すでにその双方をともに相対化する地平に立っているはずである。――以上を加筆, 2006年6月〕

Ⅰ 「会社主義段階」の提起－馬場宏二の試み－

（1） 宇野段階論の見直し

　人間が全知全能の神たりえない以上, いかなる天才をもって生み出された理論であれ, いかに一時代を制覇した理論であれ, 歴史による相対化を免れない。宇野弘蔵がマルクス体系を評価しつつ,「自分たちはマルクスの知らない帝国主義段階を知るゆえに, マルクスに依拠しつつ独自の理論体系を形成し得るのだ」ということができたのもその故であるが, 馬場宏二もこの宇野弘蔵の言葉を引きつつ, 次のようにいう。

「宇野を評価しつつ,宇野が知らなかった,あるいは知っていても体系に納め得なかった第二次世界大戦後の世界史的状況を知るゆえに,われわれは宇野から発しながら独自の体系を構想し得る」と。そして,宇野が体系に納め得なかった世界史的状況は,「戦後(第二次世界大戦後)資本主義の長期広範高速成長であり,とりわけ会社主義を動力とする日本の基軸経済化であり,南北問題と東アジア経済圏の台頭との平行であり,そしてソ連の消滅が代表する国権的社会主義の失敗である」という。[7]

では,宇野体系はこれを体系に納め得なかったが故にどのような欠陥を来し,馬場宏二はこれを体系に納めることによって,体系をどのように「見直し」,それによってわれわれはどのような現実分析力と見通しを得ることが可能となったのか。

馬場宏二は,〈「原理論」-「段階論」-「現状分析」〉の三層構造によって成る宇野体系の最大の問題は「段階論」を第一次世界大戦で打ち切ってしまったことだという。ちなみに,「段階論」とは,「原理論」——(およそ資本主義と称し得るものならば通用できる,それ以上に抽象化すればもはや資本主義経済体制と言えなくなるような最も抽象的な次元での一社会の経済の構造と運動を示す論理)——と「現状(実)分析」——(経済的関係のみならず,法的,政治的,社会的,文化的関係との相関のうちにある,実践的判断の基礎となるような具体的現実の客観的分析,「現実分析」といった方が適当だろうが,慣行上,「現状分析」,「現実分析」,さらに「歴史分析」を同様の意味で使う)——の中間にあって,前者を後者に媒介する位置を占める。

この「段階論」について馬場宏二は次のようにいう,「もともと二重の意味をもつ領域として設定されていた。すなわち,一方では,宇野が『資本論』を原理論に純化するさいに始まった原理論に含め得ないものとして排出される不純物を投入する場としての意味であり,他方では,地理上の発見以降の近代資本主義発展の世界史的総括である」。そして,前者は「原理論をエレガントにすること以外の効用をもたない」としてこれを退け後者を採る。そうすることで,「段階論」は「現状分析としての一国分析にとって,先行モデルを提示するとともに,その国の発展にとっての環境となる世界の構造の変遷を提示し得

るものになる」というのである⁽⁸⁾。

　馬場宏二のいう「資本主義発展の世界史的総括」（下線は引用者）というのが必ずしも定かではないが，およそ次のようなことである。「ある水準に発展した生産力，特定の産業構造として現れる生産力の質，そしてそれをさらに発展させる条件は，資本に特定の蓄積様式──（それは原理論の蓄積論の一定の歴史的具体化にほかならない−引用者）──を採ることを要求する」。イギリス産業資本，ドイツ金融資本，アメリカ金融資本などそれぞれの段階の「支配的資本」といわれるものは，それぞれの段階で最も高い生産力発展力を擁し，世界最高水準の生産力を実現する蓄積様式のことで，それらが「世界史を規定する原動力」となるとみる⁽⁹⁾。すなわち，それを生み出した国をその時代を典型的に代表し，後進諸国にその指導的影響力を及ぼす「指導的先進国」ないし「範例国」たらしめ，その他の国の発展にとって環境となる世界構造を規定するとみるのである⁽¹⁰⁾。

　ところが，宇野弘蔵は「段階論」を第一次世界大戦までで打ち切ってしまったが，それはとりもなおさず第一次世界大戦後はこのような一国の現状分析にとっての先行モデルとなり，各国の発展の環境となる世界構造を規定するものを設定できないとすることを意味する。馬場宏二はこのことに異議を唱えるのである。

　馬場宏二は，宇野弘蔵をして段階論を第一次世界大戦で打ち止めにさせた契機を付度して，つぎの諸点を挙げる⁽¹¹⁾。

1）ロシア革命によって世界史的には社会主義の時代に入り，残った資本主義はもはや世界史の主役の座を明け渡すことになったのであり，したがってもはや世界史を総括する資本主義の発展段階は成立しないと考える「戦前型の革命ロマンチスト」の予断。しかし，ソ連消滅の今日から見ればこの歴史観の誤りは否定できない。
2）宇野の三段階論の構想は両大戦間期の激動の中でなされ，1）の心情的契機を支える客観的契機となった。その後の資本主義の発展は宇野にとって予測外の事態であったが，残念ながらそれらの理論体系へのフィードバックは

補遺〔3〕社会科学の揺らぎ　　**349**

試みられなかった。
　3）うえの1）2）がそれぞれ，宇野が段階論を構想する際の心情的，客観的契機だとすれば，宇野がつくりあげた段階論の内容もまた無関係ではない，と馬場宏二は指摘する。

　一般に，また宇野弘蔵自身も，宇野三段階論体系を，資本主義社会をもっとも抽象的に理論化したのが「原理論」であり，これをそのまま特殊歴史的な「現状分析」の基準にするのでは余りにギャップがあり過ぎ，分析を誤らしめるので，具体的な歴史のなかで段階的「支配的類型」をその媒介論理として設定して，理論と実証との関係という社会科学の難問に解決を与えるものだと理解されている。このばあい，現状分析の対象は無規定であり，恰も認識論一般に対応する如くである。しかし，それは「厚化粧した宇野体系」であり，三層間の基準となる関係は宇野によって明示されなかったし，後継者によっても明確にされなかった。馬場はそれを「本来不可能なところがある」からだとみる。なぜならば，「宇野のように現状分析の対象を限定しないばあい，理論によって説明されるべき現実はいつの時代のいかなる国のいずれの領域のことにもなる。それを抽象的な統一体としての経済理論ですべてひとしなみに説明できるはずはないのである[12]」と。

　しかし，現状分析の対象を無限定にした一般的認識論として「厚化粧」される前の，宇野が体系を構想した当初の問題関心，すなわち両大戦間期の日本資本主義分析，とりわけ日本資本主義論争で議論になったその農業問題の分析の方法論としてみれば——（馬場はこれを「素顔の」三段階論という）——，原理論が段階論の基準になり，段階論が現状分析の基準になるという関連はきわめて明白になるという。

　すなわち，両大戦間期の日本資本主義分析をおこなうさい，ギャップの大きい原理論は直接には適用しにくい。しかし，日本資本主義に似た歴史的に具体的な先行モデルを捜すとドイツ資本主義が浮かび上がってくる。ドイツは日本に比べれば先進国であり，世界史的帝国主義段階における指導的な先進諸国の筆頭であるが，原理論の純粋資本主義像——（現実には農民層を徹底的に分解しえた，かつ先進性のゆえに個人企業形態で推移しえたイギリス経済）——に比べれ

ば，農民層の大量の残存や株式会社制度の利用など様々な特殊性——（その延長上に「封建的」地主や「絶対王政」的天皇制権力や財閥が支配する，戦間期の日本資本主義像が見えてくる特殊性）——をもっていた。〈原理論—段階論—現状分析〉の，抽象から具体への三層の関係は明白であり，「当時の日本資本主義分析という難問に立ち向う方法論的戦略として，これ以上のものは考え難い」という。[13]

こうして，宇野体系においては，帝国主義段階の支配的資本の類型としてドイツ金融資本の他，アメリカ金融資本，イギリス金融資本も挙げられるが，とりわけドイツが積極的典型として過大評価され，アメリカが過小評価されることになったという。ドイツ過大評価，アメリカの過小評価をもたらしたもう一つの理由として，宇野弘蔵の段階論がそれぞれの段階の経済政策，事実上関税政策を中心とする対外政策をその客観的基礎としての支配的資本の蓄積様式に関係づけるという，『経済政策論』としてなされたことを指摘している。

ところが，ドイツは第1次世界大戦で敗戦国となりワイマール革命を起こした。したがって，うえのようなドイツ中心史観でみれば世界史は明らかにここで断絶し，段階論を第一次世界大戦までで打ち切りするように導くことになるというのである。

しかし，と馬場宏二はいうのである。「第一次世界大戦よりすでに80年近く経ち，段階論で覆いえない時期が既成の一段階より長くなってしまい，この間の目覚ましい資本主義的発展をポジティブに捉える媒介理論を欠くことになっている」[14]。しかも十分にそのような意味での「段階論」を構成することができるような展開をその後の世界史が見せているにもかかわらず，そうだというのである。そのことこそが既成の段階論——（さらには原理論）——と現実の展開とのギャップを拡大させ，理論の化石化，無力化，退廃を招いたというのである。

そこで，もし「段階論」を「資本主義発展の世界史的総括」として捉え，経済政策によってではなく，はじめに馬場が強調したように，「生産力及びそれに対応する企業組織の国際的不均衡発展を基礎とする経済的および政治的な流れによって時代を総括する（下線は引用者）」ものと理解すれば，ドイツよりもアメリカの地位が上がり，「資本主義下の生産力がアメリカで継承されながら

第一次世界大戦を経て一層発展した連続性が見えてくる」という。ことに，「近代史上単独覇権国が世界的統一基軸になった例は，パクス・ブリタニカ時代のイギリスと第二次世界大戦後のアメリカしかなく」，誰にも否定し難いようにパクス・アメリカーナが存在したことが段階論を現在まで延長しうる根拠となる。さらに，このパクス・アメリカーナのなかから，アメリカを生産力的に追い抜いて，日本を「最先進国」たらしめた「日本会社主義」が台頭した。「会社主義」は獰猛な経済発展力を示す新たな生産システムであり，それは日本においてばかりでなく，いくつかの経路で国外に波及しつつある。「この新しい資本蓄積様式が世界史の一段階を画するにたるだけの期間持続するか否か，またそれだけの影響力を世界各地で発揮するか否かについては，もう少し観察をつづける必要があるが」と断りながらも，「今のところその可能性は高い」と馬場はみるのである。

かくて「会社主義」を支配的資本蓄積様式とし日本を指導的先進国とする，いわば「会社主義段階」の到来を展望するのである。

（2）会社主義とは何か

＊（本節は基本的には省略はしたのだが，後述の便宜のため，次の部分のみは収録しておく）

「会社主義は生産力上昇のための人類史上最高の機構」である。他方，「世界は過剰富裕の持続と進行を今なお欲する部分と，これから過剰富裕化を目指す部分とのみからなっている。その欲求を満たすためには生産力の上昇しかなく，生産力上昇のために考えられる最高の組織形態が会社主義だとすれば，その移転は強力におこなわれる」。

　　すなわち，「資本が無限の自己増殖を追求する価値体でありそのために効率追求が不可欠だとしたら，このシステムは日本に限らず，国際競争を通じて，新興工業地域であるアジア各地にも，そして既成の慣行との摩擦を伴うからやや晩まるであろうが欧米各国にも波及するであろう。そうなればこれは，宇野段

階論における，産業資本，金融資本といった支配的資本の蓄積様式のひとつに匹敵する範疇ともいえるし，経済史的には，ヒルファディングが指摘した金融資本，チャンドラーが発見した経営者資本主義（および彼が触れられなかった生産過程についてはフォードシステム）につづく位置を占めることにもなる[18]。そしていうのである，「会社主義は単独の世界的な支配的資本となる」[19]と。

しかし，馬場宏二はうえの文章につづけて次のようにいう。

「とはいえ，この命題は会社主義の限界——社会構成原理としての限界【補論】——を度外視した場合にはじめて成り立つ。会社主義の限界は資本蓄積衝動に導かれて，生産力開発にのみ方向づけられていることである。生産力開発自体は労働の潜勢力の実現であり，その成果は人びとの生活を自然的制約から解放する条件であるから，ひとまず人類史的普遍性を持つといっていい。だが，会社主義のもと，それは行き過ぎとなり，他方で社会摩滅作用を持つ。現実には双方が重なって現れる」[20]。

【補論】
「社会構成原理」とは，かつて馬場宏二が彼の秀逸の論稿「現代資本主義の多原理性」（馬場広二『現代資本主義の透視』東京大学出版会，1981年）……において「現代資本主義は資本主義的原理と『社会』主義的原理とのいわば二本建て社会になっている」と，現代資本主義を構成する二つの原理のうちのひとつとして提起した概念である。その意味するところは「経済原則と同じような意味で社会の形態にかかわらず歴史を貫く社会原則」，「単純にいえば，社会が自らのうちに抱え込んだ人間についてはそう簡単に見殺しにできない」という原則のことである。けだし，「ある程度の重さをもつ階層をまとめて見殺しにすることはそれがどんな位置を占める階層であれ，社会にとっても自己摩滅を意味する」からだという。

より具体的なイメージを拾ってみよう。

「会社に忠実な社員が過労死するほどの視野狭窄——会社の労働に専念するあまり，自らの生活や社外の社会や国家や世界に目が行かなくなる」「効率追求のあまり，長期的視野を失う——刹那主義」「この視野狭窄，刹那型志向が社会と文化を磨り減らす」「会社は有用労働を大量に長期間拘束し，視野狭窄に陥れるので，もともと伝統的自立性を持たない日本の都市型地域社会から中核的存在が会社に吸収されて空洞化が激しくなる。この空洞化がそれ自体生活水準を引き下げるが，社会資本形成を不足にもし，行政主導的にもする。また会社主義は過剰富裕をもたらして子供を労働から切り離しつつ，親の教育能力を失わせた。さらに国家レベルでは大衆の政治的訓練の場を失わせた」[21]等々。

「会社主義」の「社会摩滅作用」だけでなく，もうひとつの人間社会の存立基盤である自然的基盤に対する「摩滅作用」をも，紹介を省くが馬場宏二は勿論十二分に認識している。

おそらくこのような認識も加わってであろうが，彼自身，「会社主義」の段階編成力を「私ははじめからせいぜい資本主義としての一段階，日本のようなふところの狭い国のことだから，いわば半段階と考えていました」[22]と割引いてはいる。

しかし，馬場宏二は一方で「会社主義」の「社会摩滅作用」をこのように十分に理解しながらも，〈西欧ないし欧米社会の衰退—日本を先頭とする東アジア圏の興隆〉認識を拠り所にして，第一次世界大戦後世界の「段階論」を放棄した宇野体系を批判して，パックス・アメリカーナ後の現代世界を「会社主義」を「支配的資本」とする「段階論」で総括することを提起するのだから，そのかぎりでは「会社主義」のこの「社会構成原理としての限界」を度外視したといわねばなるまい。

現実の社会は，しかしながら，その存立を前提とする限り，「社会構成原理」はこれを度外視できないはずである。にもかかわらず，馬場宏二がそうするのは，付度するにおそらくひとつには，「生産力」あるいは社会の物質的基盤である経済の論理の重視，ある意味の「唯物史観」と「社会構成原理」との二元的理解，しかも双方をともやや抽象的に純化し，分離して考察することを可能にする二元的理解——（経済と社会の分離的理解）——がこれを可能にしている

のであろうか。あるいは、経済と社会に関する双方の命題がともに真の命題として成り立つのは、まさに「会社主義」が「支配的資本」になって、人類社会を「摩滅」させるという見通しを持つことによってである。つぎのような発言をみれば、馬場宏二は自らこの史観を披瀝しているようにもうけとれる。

すなわち、自らの認識枠組みを「経済決定論的、大衆責任論的」と認識しつつ、社会主義の挫折を念頭において、「今日戦後史を総括する認識枠組みとして唯物史観をおいてな（く）」、「唯物史観が有効である限り、唯物史観に本来含まれていた人類の無限の発展が絶望に追い込まれていく」と、「悲しき唯物史観！」を披瀝するのである。

（3）「会社主義」論評

　　　　（中略）

（4）「宇野体系の見直し」の見直し

　宇野弘蔵は「段階論」を第一次世界大戦－ロシア革命の前までの「古典的」帝国主義段階で打ち止めにし、以後の分析は「現状分析」としてしかなし得ないとした。それは、たしかに馬場宏二のいうように、世界史はすでに「社会主義」への過渡期に入ったというイデオロギー的予断があったことが大きかったであろう。したがって、ロシア革命によって「社会主義」への過渡期に入ったということが、まさにイデオロギー的予断であったということが誰の目にもはっきりしてきた今日、その見直しが必要なのは当然のことであろう。そこで、われわれも馬場宏二のような「見直し」に殆ど同調する。しかし、その場合でも、宇野弘蔵が第一次世界大戦・ロシア革命以後は「段階論」としては扱えず、「現状分析」としてしかおこない得ないとしたことの意味は決して軽んじてはならないように思える。われわれのいいたいのはこの点である。「『見直し』の見直し」という所以である。

「素顔の三段階論」が宇野体系の原点には違いがないが、宇野はそれを出発点にして社会科学の方法論を構想した（「厚化粧の三段階論」）。宇野弘蔵は資本が社会の再生産を包摂した場合に現す法則性を「原理論」として捉えたが、現実

の歴史社会を直ちにそれで説明することの危険を誰にもまして理解していた。それが社会の成り立ちを，そして歴史を説明し切れるものでないこと，社会とその歴史は経済学ばかりでなく，法学，社会学，その他の社会諸科学がすべて動員され，ひとつの社会科学になるように協力しあわねば手に負えるものではないことを理解していた——（ただしその協力のあり方の基本をやはり経済学に求めていたのであったが）——。

したがって，宇野はまず資本の論理を「原理論」として歴史から区別した。「原理論」の論理は世界の工場となりレッセ・フェールを世界に押し広げつつあった19世紀のイギリスを中心とする市場世界の形成を論理的に延長して構想した。現実の歴史は「自由主義段階論」としてこれを区別した。しかしこれも，貿易政策と当時のイギリス産業資本の蓄積様式との関連のみに留めた。その程度のみならば，当時の産業資本の論理がレッセ・フェールの基礎として何人をも説得できると確信したからであろう。それ以上の社会と歴史のあり方を産業資本の論理で切ることを禁欲した。おそらくそれは財政学，法学，社会学などなど社会諸科学の協力による総合的な社会科学的分析に委ねるべきものとしたのであろう——（それは『経済政策論』のタイプ論的「段階論」に対して〈「段階論」研究の進展〉と理解されているが，それが深まってくれば当然「現状分析」に接続してこよう）——。ところで宇野は，もし「段階論」研究が進展し，「現状分析」レベルにまで接続していった場合には，「世界史を総括する」ことができると考えていたかどうかは分からない。しかし，少なくとも，宇野は「段階論」を支配的資本の蓄積様式との関連で，つまり何人も納得せざるをえない物的基礎との関連で歴史を説く「媒介論理」にとどめようとしたと思われる。歴史の推転や世界史的総括はこれを禁欲し，自由主義段階の前に重商主義段階を，後に帝国主義段階をタイプ論的に設定し，典型国の支配的な対外経済政策とその物質的基礎としての資本蓄積様式との関連をタイプ論的に説くというきわめて限定的な分析に留め，それ以上の分析はすべて「現状分析」に持ち込んだのである。「段階論」をこのようにきわめて禁欲的なものに留める裏返しとして，「現状分析」はあらゆる現実の契機に視野を開くことを要請したのである——（先に，馬場宏二が段階論が「世界史（時代）などを総括する」といっている部分に下線を付して注意を促した所以である）——。

宇野はその意味で資本の論理ではつかみ切れない歴史の論理をきわめて尊重していたといってよい。そしてそれを常にどこまで資本（あるいは支配的資本）の論理との関連でつかまえられるのか，どこから別の論理が優勢になるのか，資本の論理（あるいは支配的資本）と歴史の論理を緊張関係においたのである——（ちなみに，宇野は理論と実践をも緊張関係においた。そのことは宇野の歴史の論理には主体の営みも包括されていたことを意味する）——。しかし，宇野の場合この「歴史の論理」や「主体の論理」を唯物史観的なそれが覆ってしまっていたのであるが。いまや，そのようなイデオロギー的予断から解放されて，ありのままのそれを認識すべきときがきたのである。宇野のこのような「段階論」理解を前提に，第一次世界大戦—ロシア革命以後は「段階論」としては扱えず，「現状分析」としてしかおこない得ないとしたことは，「歴史の論理」が以前よりも格段に重要になってきたことを示すものにはかならない。唯物史観的なイデオロギーから解放された後でもそれは妥当すると思われる。

　ちなみに，加藤栄一（1988）は馬場宏二と同じく，第一次世界大戦以後の時期を世界史的に社会主義の時代とするのは唯物史観によるイデオロギー的予料あると，宇野段階論の再検討を要請し，「〈福祉国家化史観〉による宇野段階論の若干の修正」をおこなうのである。
　すなわち，「金融資本的蓄積を第一次世界大戦の前と後で敢然と二分するやり方は，大戦前については国家の経済介入を過小評価し，大戦以後についてはそれを過大評価する傾向を生みがちになる。……大戦以前にすでに萌芽的に形成されていた金融資本的蓄積の特質がむしろ成熟発展したものだと見るほうが，諸現象をはるかに整合的に説明できるように思います。……第一次大戦は〈逆転〉とか，〈断絶〉を意味するのではなく，〈連続的飛躍〉を媒介する過程である」と，みようとするである。
　加藤栄一は資本主義の発展をおよそ次のように理解する（図補３−１）。
　1970年代初頭に至る資本主義の今までの全発展史を1870年代から90年代中頃までの大不況期を〈転換点〉とする二つの時代に大別する。そして，原蓄期に始まる前期の発展の基軸を「国内階級関係では自律的労使関係の形成，世界市場編成では一元的国際分業・支配体制」とし，これを〈純粋資本主義化傾向〉

図補 3－1　資本主義の発展段階模表

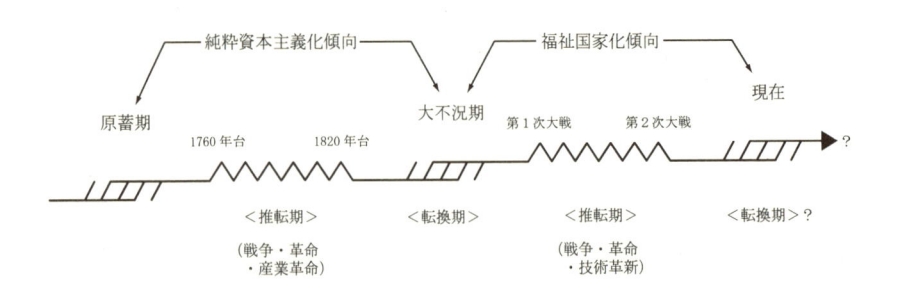

```
          ──純粋資本主義化傾向──        ──福祉国家化傾向──
                                                              現在
  原蓄期                      大不況期  第1次大戦  第2次大戦
        1760年台   1820年台                                      ?
  ＜推転期＞      ＜転換期＞      ＜推転期＞        ＜転換期＞?
  (戦争・革命                    (戦争・革命
  ・産業革命)                    ・技術革新)
```

とよぶ。そして〈後期の発展の基軸を「階級関係の多様化と政治化，世界市場編成における国際分業・支配体制の多様化と組織化」とし，これを〈福祉国家化傾向〉とよぶ。この図式を理解する鍵は反システム運動としての社会主義の重視にある。加藤栄一は，「社会主義は資本主義とともに生まれ，資本主義と不即不離の関係を保ってき（た）」とし，「資本主義の発展史の前期における〈純粋資本主義化傾向〉に対応するのは社会主義のマルクス主義への収斂傾向と理念化であり，〈福祉国家化傾向〉に対応するのは社会主義の多様化と現実化」であるとする。そして19世紀央以降社会主義がマルクス主義へと収斂し，経済学によって理論的基礎を与えられ世界観としてソフィスケイトされていった過程は，同時に社会主義が資本主義の中心地において実践的影響力を喪失していく過程であった。しかし，このような社会主義の発展傾向は大不況期にピークに達し，別の経路へ転換する。すなわち1880年代以降イギリスに再び社会主義が復活するが，それはもはや体系的，理念的にはマルクス主義へと一元化していく傾向を示すものではなく，その主流は実践的，改良社会主義であり，それだけに復活したイギリス社会主義は現実的な力をもっており，資本主義に〈自己批判〉を促すことによって〈福祉国家化傾向〉，すなわち，社会保障の整備と労働者の同権化を推進する推進力のひとつとなったとするのである。

そして，「（福祉国家の諸機能は―引用者）元来，社会主義経済の特質をなすモメントであるとされてきた。したがって，こういう発展を資本主義の社会主義への接近とみなすこともできますが，第二次大戦以後の展開まで見通すと，むしろそれは資本主義が社会主義の特質をとり込むことによってその衝撃力を吸

収する過程だったと見るべきでしょう」という。そして，そのような福祉国家化傾向が進んでいった結果，社会主義は体制選択を迫る衝撃力をおおかた失い，「イデオロギーの終り」の時代がやって来たというのである。

　みられるように，加藤栄一は，一方で資本蓄積様式が不純化し自律性を失うとともに，他方でそれとともに現象する経済的・社会的再生産の困難とそれをひとつの土壌とする資本主義の〈自己批判〉としての現実的な社会主義運動の双方が因となり果となりあって〈福祉国家化傾向〉が生じたというのであるが，それは，ある意味で，宇野が「世界史的に社会主義の段階に入った」ということで意味しようとしたことと抽象的には質を同じくするとみられないだろうか。ただ，加藤栄一はロシア革命によって始まった社会主義の世紀の大実験の挫折を目の当たりにして学習し，より長期のタイムスパンをとって宇野の社会主義・ロシア革命の過大評価を相対化したのである。

　ところで，宇野が第一次世界大戦以後は「段階論」を構成できず，「現状分析」としてしか分析できないとしたことと，加臓栄一が「福祉国家化傾向」ということでいおうとしたことが，うえにみたような意味で質を同じくするとみるならば，時期区分の違いはそう大きな意味をもたないかもしれない。とくに，加藤栄一も，古典的帝国主義段階に萌芽的に生まれていた傾向が第一次世界大戦を契機とする〈推転期〉に「飛躍的」に強まると量的には時期区分をしているし，宇野も第一次世界大戦以降の「現状分析」において支配的資本としての金融資本規定を否定しているわけではない。むしろ，そもそも段階論とは原理論とともに現状分析における基準を示すためにつくられたモデルであり，現状がモデルとどう同じで，どう違うのか，違うとすればそれはなぜなのかを追求し，現状の独自性の理解を深めるためにこそある。ただこの現状の独自性が格段に強まったから，原理論や段階論の論理で現状を切ることをより強く禁欲し，より多角的な分析が必要になったということを強調するにすぎない。そして逆に，「古典的帝国主義段階」の金融資本にしても，「支配的資本」としてそのモデルはひとつに収斂せず，ドイツ型，イギリス型，アメリカ型と多様な諸相としてしか扱えず，不均等発展をこそ特徴とし，まさに加藤栄一のいう，「階級関係の多様化と政治化，世界市場編成における国際分業・支配体制の多様化と

組織化」が必要になる基本的根拠を解析している。

それゆえ両者の相違は萌芽の方を重視するか,「飛躍的に強まった時期」を重視するかの違いに過ぎないようにも思える。しかし,歴史においては量的な発展もきわめて重要なのであって,萌芽状況にあった時には宇野が段階論を構成し,飛躍的に推転して以後,段階論を禁欲したということは経済と社会の関係を考えるとき,そうゆるがせにできないことと思われる。

以上のように,加藤栄一は,馬場宏二が「生産力主義・大衆責任論」に傾き,経済と社会の分離と前者による後者の摩滅をクリアーに見通すのに対して,経済と社会の接合としての,いうならば「社会的・生産関係」を重視しつつ,「反システム運動」のそれへの衝撃力を評価するのである。

もっとも,馬場広二と加藤栄一のあいだにはこのような大きな開きは必ずしもないかもしれない。加藤栄一のいう「福祉国家化傾向」と先ほど言及した馬場宏二の「社会構成原理」なり,「社会原則」ということで理解しようとすることのあいだには必ずしも大きな違いがないようにも見える。しかし,うえのような対照的相違がでてくるのは何を所以にするのだろうか。われわれとしてはその点を追求してみたい。

馬場宏二は,この「社会原則」の「福祉国家化」としての発現について,正当にも次のようにいう。[25]

> 「『社会』主義原理が貫徹するためには社会の構成員が社会の主体とならねばならないが,現代資本主義のメインの原理は資本主義原理で,社会主義的原理はむしろ資本主義の摩滅作用に対する社会の自己復元が公認され,国家を媒介する制度として制定されたために強力な作用をもつに至ったにすぎない。それはいわば二次的な原理であって,それの体現であるいわゆる福祉国家は一社会として完成し得るものではない。福祉国家は完成するどころか,<u>社会の構成員が社会の主体として確立していないために</u>(下線は引用者),彼らは目的を見出せず,そこから来る不満を含めた各種の不満は差し当たり物的利害に吸収される以外になく,赤字財政によって肥大化した福祉国家の出現によってそれが商品経済的欲望解放社会をもたらしてしまった」という――(ここで,市民の国家

のクライアント化をいうハーバーマスの『公共性の構造転換』が想起される）
——。

　馬場宏二にとって，「会社主義」はおそらくその延長線上に，この現代資本主義の傾向を大写するものとして位置付けられるものと思われる。このような現代資本主義の傾向をわれわれも十分に認識する。しかし，「世界は過剰富裕の持続と進行を今なお欲する部分と，これから過剰富裕化を目指す部分とのみからなっている」というように，「経済決定論的」，「大衆責任論的」な「悲しき唯物史観」によって割り切ってしまうならば，それは次章でみる村上泰亮のいう「超越論的」予断になってしまわないだろうか。宇野弘蔵にはたしかに「戦前型の革命的ロマンティスト」の「唯物史観」によるイデオロギー的予断があったであろう。しかし，「悲しき唯物史観」にもそれとは別種ではあるが，ひとつの「超越論的」予断がないであろうか。歴史は人間が把握し切るにはあまりにも大き過ぎ，人間は人間にとってあまりにも手に負えない存在ではないだろうか。クリアーな「透視」はもはや禁物である。

　この馬場宏二の「予断」を支えているもののひとつとして，付度するに，社会主義についての，つぎのような理解がないであろうか。すなわち，馬場宏二は「社会構成員が主体性を回復する社会としての社会主義」を目指した「革命を唱える運動組織やいわゆる現代社会主義諸国が，信じ難い愚考や動揺を繰り返して社会主義のイメージを傷つけるのに競って貢献した」ため——（現時点では，それはまさに東欧からソ連に及ぶ『社会主義』の崩壊に至って頂点に達したため）——といい，また，「より根本的には，現代資本主義の多原理化に基づく自己規律の喪失に由来する，愚者の楽園として気楽さが容易に捨て難いものだからである」（馬場広二1981：126）という。たしかにそうであろう。しかし，そこに馬場宏二が「社会の構成員が社会の主体となる社会主義」のイメージとして，「主体性を回復した社会とは社会主義のことであろう。宇野のいう，労働者が賃金を自ら決めるということも，毛沢東流に人民が生産と国家を管理するということも，この意味で理解し得る」といっているが，小さな共同体は別として，great society（大社会）においては，いくら情報化が進展しても，そのようなことは不可能ごとである。個と共同の織りなす人間社会は，その経済

的，社会的，文化的な再生産において，何らかのメディアなしの直接態では不可能で，法，慣習，倫理，さらには科学的真理や共通観念も重要であるが，とりわけ，商品，貨幣，あるいは資本という「流通形態」なしには難しい。したがって，「社会の構成員の主体性を回復する」といっても，そのような great society において，以上のような個と共同のコミュニケイションを媒介するメディア，あるいはシステムの展開を組み入れてそれを考えなければならない。それは，もはや「大文字の」の「労働者」なり「プロレタリアート」，あるいは「人民」などという「超越論的」な主体ではあり得ない。では，「社会の構成員の主体的契機」はいかにあり得るか。しかし，それを抽象的論理的に考えるよりも，まずは「予断」を控えて現実の歴史のなかに立ち入ってみなければなるまい。とりわけ，そのような「社会原則」を形成，展開させる多様な，多次元的な主体的契機を――（しかも特殊歴史的形態をとるそれらを）――それこそ虚心に発見していかねばならない。

　馬場宏二の場合，このような試みに対する忍耐を持つには，人間と歴史に対する絶望が遥かに凌駕してしまったのだと感じるのはわれわれだけだろうか。それが「社会原則」とその主体的再生をあまりにも「直接態」的に考えるためではないかと感じるのはわれわれだけであろうか。

　ところで，じつは加藤栄一もいつまでも「反システム運動」による社会の経済へのフィードバックを強調しているわけではない。1970年代を境に，現在は福祉国家化傾向からつぎの転換期に入っているという。すなわち，未曾有の生産力発展を実現した高度成長はその結果つぎのような三つの構造を崩してしまったという。

　第一はアメリカ資本主義を基軸とする世界市場の軍事的政治的経済的支配システム，しかしそれに代わる基軸国は現れてこず，新しい安定した世界市場編成がつくりだせるか見通しがたっていない。

　第二は従来の産業構造と世界市場編成を規定した製造業部門全体の地位低下，製造業内部における重化学工業の陥没，それに代わって第三次産業とハイテク産業や製造業のサービス化が興っているが，こうした動きで変動しつつある産業構造もまだその新しい形態を明確にするに至らず，また新たな国際分業体制，

世界市場編成も不明確である。

　第三は福祉国家化傾向の時代,「多元的利害調整」の媒介であり, 政治の重要な担い手であった労働組合など或種のコーポレーションはやせ細り, 意志的社会結合は衰え, 情念的, 血縁的結合へと人びとは逃れつつある。それは産業構造の上述の変化にもよるが, 福祉国家の成功・社会主義の吸収によって社会主義が魅力と衝撃力を失ってしまったことによる。かくていま福祉国家化傾向に急ブレーキをかける「新自由主義」が台頭してきているが, それはただ福祉国家化傾向に急ブレーキをかけるだけで福祉国家を廃棄して19世紀に戻すことはできないし, 福祉国家に代わる新しい社会組織を構想することもできない。かくて「転換期」という所以であるという。

　このように, ある意味では加頗栄一も馬場宏二の認識に近づく。しかし, 加藤栄一にあっては馬場宏二と異なって, 時代はまさに不透明である。われわれにはこの不透明性の認識はきわめて重要であると思われる。けだし, すでにみたように, われわれは不透明を敢えて透明化することを旨とした「西欧近代」とウルトラ「西欧近代的」な「近代の超克」としてのマルクス主義が如何に大きな困難に陥ってしまっているか知っているからである。

　以上, 馬場広二と加藤栄一のあいだの共通性と差異性に少し立ち入ったが, 最後に加藤栄一の「不透明」についてもう一言加えておかねばなるまい。すなわち, 逆に, 時代はまったくの不透明なのか。不透明ながらいくつかの筋が途中までにしろ, 否定し難く透いて見えていないのか。不透明のままシニシズムを決めこむのも, じつはひとつの予断である。加藤栄一は福祉国家化の成功によって, 社会主義はもはや衝撃力を失ったという。しかし, いまかつてなくグローバル化しつつある人類社会において, そのようにいえる地域はどれほどあるだろうか。社会からの反システム運動はいまや衝撃力を失った社会主義に限られるのだろうか。先進諸国の社会主義運動とその行く末に視野があまりにも限られていないだろうか。

　そこで注目されるのが, たびたび言及してきた村上泰亮『反古典の政治経済学』である。けだし, 新古典派経済学出自ながら, この自らの立場をラディカルに批判するのは勿論, 不透明を敢えて透明化することを旨とした「西欧近代」

の認識枠組み自体を根底的に批判し,経済,社会,文化をトータルに捉えながら,むしろ不透明性を踏まえることによってかえって否定し難く見えてくる輪郭を描いている。しかもこれを馬場宏二と同じように「誰も否定し難い成果を挙げた日本」を拠り所にしてそれをなし得るとするのである。

II 「多相的自由主義」の提起－村上泰亮の試み－

(1)「多相的自由主義」と解釈学的思考

1. 古典的観念

　村上泰亮はここ数世紀の世界の政治経済システムを推進してきた西欧近代の古典的理念として図補3-2にみるように,生活世界の三つの志向対象にしたがって,産業主義,経済自由主義とナショナリズム,そして進歩主義を挙げる。それぞれについて村上は次のように注釈する。

　産業主義とは,人間が自然を人間に役立つように把握・操作・改編することができるしそれが正しくもあるという信念であり,いわば人間を神の座に据えたデカルト主義的な超越論的世界認識で自然科学に代表される西欧近代の基本テーゼである。

　経済的自由主義とは人間の人間たる所以の自由の一形態としての「行動の自由」のひとつである。共同体社会で個人で自由にならなかった経済活動を私的所有のもとで,そのような制約から解放されて自由におこなうべしとすることで,資本主義の原則にほかならない。これが望ましくもあり正しくもあると論証したのがアダム・スミスの「見えざる手」の発見で,これを精緻にしたのが新古典派経済学である。

　ところでこの経済的自由主義はそれを支えるナショナリズムとともにあった──(新古典派経済学と近代政治学はお互いに相手に対して無関心であったが)──。ナショナリズムは国民国家に対する愛着で,国民国家とはnation──(種族,言語,歴史などの同一性に基づいて自然に発生した共同体的単位。村上はnationの語源のラテン語natioがおのずから生まれたという意味をもつので,この

点を強調して natio という術語を好んでつかう）——と sovereign state（主権国家）と territorial state（領土国家）の三つが一致した16世紀頃からの西ヨーロッパに固有の歴史現象である。それが資本主義的な産業化のために適合的な一国市場と必要な公共財を供給し，これを推進するとともに逆に資本主義によってその物質的基盤を確かにした。

最後に，すべての事柄に通ずる思想ないし「考え方」の流儀としての「進歩主義」は，人間の反省の二つのあり方，すなわち「超越論的反省」と「解釈学的反省」のうち，前者の超越を特徴とする。「超越論的反省」とは，後反省的自我が重視され，反省以前の個々の世界イメージの個性よりも個々のイメージを越えて共通するメタ・イメージ（法則）が求められていく。ここにひたすらより価値のおかれた高次の法則や理念を追求し，それに合わせて世界を設計しようとする進歩主義が生まれるとみる。ちなみに解釈学的反省は前反省的自我を重視し，後反省的自我を再び生活世界を構成する自我として，生活世界のなかに埋め込む。個々の世界イメージは同資格で二つの間に〈特殊－一般〉，〈具体－抽象〉の上下関係はなく，自我の二重身分は切り離されず，揺らぎながら再解釈をつづける。ここから常に具体的な生活世界やその歴史に照合しようとする保守主義が生ずるという。

いままでの思想対立としての保守主義対進歩主義もこの大きな近代の進歩主義のベクトルのうえでの対抗で，社会主義に代表される進歩主義はいわば進歩

図補3－2　古典的観念の黄昏

生活世界の3つの志向対象	「西欧近代の古典的観念」／「進歩主義」	⇒ 転換	⇒ 21世紀システムの構想
A 対自然	［産業主義 ←→ 産業主義］	⇒ スーパー産業主義／反産業主義	⇒ トランス産業主義
B 対他人	ナショナリズム ←→ インターナショナリズム（国の間）（コスモポリタン）	⇒ ボーダーレス化／natio	⇒ トランスナショナリズム
	経済的自由主義 ←→ 経済的平等主義（国の中）	⇒ 経済的自由主義／開発主義	⇒ より広い意味の自由
C（反省）	［　　　　進歩主義　　　　］		
	保守主義　　進歩主義(realism, (idealism,経験主義)　設計主義)	⇒ 「思想解体の時」？	超越論型の反省／解釈学型の反省

補遺〔3〕社会科学の揺らぎ

主義のなかの進歩主義で，〈産業主義・コスモポリタン・経済的平等主義・設計主義〉のセットである。このよう進歩主義のなかの進歩主義に対する反作用として〈産業主義・ナショナリズム・経済的自由主義・漸進主義〉が保守主義として成立してきたという。

2．古典的観念の黄昏

ところがこのような西欧近代の古典的観念はいまや大きく揺らぎ，少なくとも「大きな曲がり角」にさしかかっている，という。

産業主義の進展の中から，一方で巨大科学，生物科学あるいは情報科学などハイテクノロジーのスーパー産業主義がでてくるとともに，他方では地球環境保全，反原発・反企業運動など反産業主義も台頭しつつある。

国民国家も前述の三つの契機が一致するのは，むしろ西欧の自然，風土，キリスト教文化，そして中世封建社会とその解体過程の特質に規定された例外的歴史現象であり，しかも同じく特殊歴史的な国民国家間システム——（複数の主権（正義）の併存を認め，国家間で「正戦」を認めない「脱正戦論」的システムで，これも同程度の規模の国民国家間のバランス・オブ・パワーと共通のキリスト教文化，また初期においては長年の親族関係の環で結ばれたヨーロッパの国王たちの個人的信義，各国宮廷間の教養の同質性がそのルールを支えた）——があってはじめて成り立ったのである。ちなみに日本も奇しくも例外的に西欧と同じような国民国家の形成をみたが，しかしその周囲に西欧のそれのような国民国家間システムを欠いていたという。

国民国家の三つの契機の一致は西欧から離れるにしたがって，また時代を下るにしたがって失われ，いまや古典的〈国民国家-その「脱正戦論」国家間システム〉の綻び，不適応な拡大が著しく，それを補修してきた米ソ冷戦対抗的「正戦論」の消滅あるいは「覇権国家」の衰退によって，一挙にその綻びが顕在化してきているという。

つぎに，経済的自由主義にしても，いままさに「欧米社会の発展経路と異なった経路を通って，ある種の「誰にも否定し難い成果を挙げた日本」，さらにそれに続く NIES, ASEAN, そして中国沿岸部へと波及する，分析すればす

るほど経済的自由主義ないし新古典派的枠組みでは摑み切れない，それとは明らかに異なった類型の発展方式——（村上泰亮はこれを「開発主義」developmentalism とよぶ）——による挑戦を受けるに至っている。

　さて，最後の進歩主義は，そしてそれが生み出した〈進歩主義対保守主義〉の対抗も，すでに何度も触れてきた進歩主義が陥った困難，とりわけその「権化」ともいうべき，世紀にわたって世界中の多くの進歩主義者の夢でありつづけたマルクス主義を掲げた社会主義構築の大実験の破綻によって致命的な打撃を被った。進歩主義は信任を失い，〈進歩主義対保守主義〉の対抗も進歩が転げて意味がなくなってしまった。もはや「思想」，「理念」はすべて消尽し，「思想解体のとき」，「イデオロギーの終焉」が，そして「歴史の終わり」のときが訪れているかのようであるという。

　村上泰亮は，加藤栄一がもっぱら先進国の〈資本主義と社会主義運動〉の相互関係に収斂して，前者による後者の吸収の成功，すなわち「福祉国家化傾向」の成熟，それゆえの「歴史の終わり」(不透明な「転換期」)をみるのに対して，みられるようにより包括的なパースペクティブからきわめて類似した歴史認識を示しながらも，しかし，すでに示唆したように，これを「歴史の終わり」とはみず，不透明をそのままに放置しない。神の座からすべてを見通そうとする「西欧近代」の透明化の過信を戒めて，むしろ人間には不透明な世界しか与えられていないことを前提にして，しかし見える限りをみていけば，おのずから「歴史は終わらず」，その展望が不透明のなかにも透けてくると楽観するのである。そしてこれを「誰も否定し難い成果を挙げた日本」の「肯定的特殊性認識」を拠り所にしてこれをおこない得るとするのである。以下少し具体的にみていこう。

3．21世紀システムへの展望
　まず，産業化については問題を次のように提起する。スーパー産業化はそれが〈産業主義の論理〉にしたがっている限り，産業主義がいまぶちあたっているこの限界を突破することはできない。たとえ，オプティミストがスーパー産

業化に何らかの質的深化を期待したとしても，世界大のその量的拡大はエネルギー消費や環境汚染のうえでどのような巨大な結果を生むか想像してみれば誰しも殆ど戦慄を禁じ得ない。そうかといって現に提起されている反産業主義も，たとえば環境保全，自然との共生といっても，一方であくまで環境コントロールに頼ろうとする産業主義の延長にあるものもあり，他方で自らの，あるいは過去の自然イメージを絶対化して──（ある種のエコロジカル・ファンダメンタリスト，キリスト教やイスラム教的ファンダメンタリストのように）──，これに世界を合わせようとしても，それは新たな超越論，したがって新たな「進歩主義」となり，到底展望は見出せない。結局，問題は産業主義を真正に乗り越える「真正の反産業主義」が必要とされるとして，これをトランス産業主義と命名する。そのためには，なによりも「西欧近代」を特徴づけた「超越論的思考」でなく，もうひとつの「解釈学的思考」に基づかねばならないという。

つぎに，経済自由主義に対する「開発主義」の挑戦の問題であるが，まず村上は「開発主義」の正当性なり普遍性を論証する。ちなみに，村上は主として日本の発展パターンを念頭においてシステムとしての「開発主義」のプロトタイプ・モデルを図補3－3のようにシェーマ化する。

図補3－3　開発主義のプロトタイプモデル

狭　　義
- 1）私有財産制に基づく市場競争原理
- 2）産業政策［費用逓減的な特定産業の指定。産業別指示計画。技術進歩の促進。価格の過当競争規制。］
- 3）ターゲットのなかに輸出産業を含める。

分　　配
- 4）小規模企業の育成
- 5）反古典的分配政策（大衆消費中心の国内市場育成・産業政策と分配政策との融合）
- 6）その一助としての農地の平等分配

インフラストラクチャ
- 7）少なくとも中等教育までの教育制度の充実
- 8）公平で有能なネポティズムをこえた近代官僚制

村上は「開発主義」の成功と拡散を経済的自由主義の普遍性と正当性を論証する新古典派経済学によっては決して理解できない（せいぜい例外，過渡的と扱われるに過ぎない）と，かつての自らの立場をラディカルに批判する。

新古典派経済学は収穫逓減，完全情報を大前提とした静態的な均衡分析で，

技術革新，モティベーション，不確実性などが理論体系に入っていない。経済的自由主義が国民国家と国民国家間システムの枠組みとともに成り立っていたにもかかわらず，国民国家には無関心である。しかし，「開発主義」の理解のためには技術革新を含んだ産業化という動態的な，政治体制の存在を前提にしたナショナリズムの立場に立つ産業化の政治経済学を必要とするという。そしてかかる視角から，「開発主義」のプロトタイプ・モデルの合理性をつぎのように説明していく。

村上は，まず新古典派経済学の公理である収穫逓減条件を捨て，技術革新を基本とする収穫逓増の経済学を構想する。この収穫逓増の世界では競争均衡はなく，企業の基本戦略は市場シェアの増大となり，市場独占を求めてのサバイバル競争（過当競争）となる。破滅的競争は多大の非効率を伴うし，また独占に至れば独占の非効率が発生するばかりでなく，もっとも尊重すべき自由（競争の自由・機会平等）が失われる。それゆえ「妥当競争」を維持しつつ，技術革新を効率的に進めるには，政府が費用逓減的な特定産業を指定し，産業別支持計画を作成し，価格の過当競争を避けさせて競争を維持する産業政策は妥当性をもつということになる。

経済的自由主義は世界全体に適用されるべき普遍ルールとしては大きな欠陥が明白である。自由貿易は「平等」を保証するシステムでもないし，「効率」を保証するシステムでもない。なぜなら費用逓減の利益を享受する国と費用逓増の局面にとどまる国が混在する世界のなかで自由貿易主義を忠実に実行すれば，国際的な格差は解消するどころかむしろ強まる。また技術が先進国に独占されずに，より自由に普及する方が明らかに世界全体の生産効率は高まるはずである。こうして，ナショナリズムの立場に立つ産業政策の正当性を論証する。

ところが，この産業政策はその国に不均等発展をもたらすことになるから，併せて国民統合の観点から分配政策を伴う必要がある。そしてその分配政策も反古典的に，生産政策と結びつけたマーケット・メカニズムへの政策的介入としておこなった方が，むしろ前資本主義的な生活感覚が残る過渡的な社会では住み慣れた土地，働き慣れた職場の維持を伴ない，社会の安定に効果的であり，またこれによって国内需要に厚みと安定を与えて経済成長を高める効果を生む。政治経済学的に「開発主義」のプロトタイプ・モデルの，新古典派とは違った

分配政策の正当性をこのように論証する。(7)(8)のようなインフラストラクチャーの整備の必要をこの政治経済学から導くのは容易であろう。

　ここで注目しておいてよいのは，村上泰亮がこのような「開発主義は他のいかなるパターンの社会よりも無階級的大衆社会を造りだす傾向をもっている」としている点である。無階級的大衆社会というのは言い過ぎであるが，少なくとも，このような「開発主義」が西欧的な階級とは異なる階級構成，そしてそれに基づく異なった，欧米的基準では的確に評価し得ない諸社会制度や政治制度，そして異なった自由の確保や拡大の仕方まであるかもしれないという。さらに，村上は，「民主主義→産業化」よりも「産業化→民主主義」の方が一般的で，イギリスの絶対王政も開発主義であったとして「開発主義」を一般的に支持しているが，この点は後に少し立ち入って検討することにしよう。およそこのように村上泰亮は日本および東アジア地域の「反古典的」な経済，社会発展の正当性を論じることによって，「西欧近代社会」の古典的理念を歴史的に相対化するのである。

　かれはシステムとしての「開発主義」の正当性をこのように論じておいて，しかし，「開発主義」は世界経済の基本ルールにすることはできないという。けだし，開発主義は産業間の調整をおこなう政府が存在する限りで有効で，価格切下げ競争・投資競争にブレーキをかける政府がなければ企業にとってリスクの高い環境をつくりあげてしまう。またターゲットとされる産業とそれ以外の産業との間の格差，あるいは分配の不平等がおこる。それが政府によって補償されない限り，開発主義は不平等をもたらし，政治的不安定を引き起こす。ところが世界経済には世界政府が存在しない。国際的な価格切下げ競争・投資競争を抑制する方法はないし，国際間，産業間の格差拡大を調整するする国際分配政策はない。最強の経済大国が開発主義を採って突っ走れば，世界の経済的不平等，政治的不満が強まり，世界は大混乱に陥るという。

　これらの開発主義の短所は裏返せば経済的自由主義の長所になるという。けだし，経済的自由主義は自動調整のメカニズムであるはずだから，世界政府あるいはそれと同等な世界的調整機構を必要としない。したがって世界政府のない世界には必要なルールだという。しかし，経済的自由主義にはうえにみたように普遍的ルールにするには明白な欠陥がある。そこで村上はつぎのような

「多相的な経済自由主義のルール」を提起する。

  1）産業先進国は経済自由主義を採用
  2）後発国には開発主義を公認し，とくに技術移転を円滑に（特許権の緩和）。
   後発国待遇についてのサンセット・ルール。
  3）各国の市場制度の個性を認めるべし（ただし，徹底した内国民待遇）。

　これは経済的自由主義と開発主義を組み合わせ，相互補完的に短所を補修し，それぞれの長所を活かそうとするルールである。これによって，世界全体としての「効率」の増進と国際社会の安定の基底条件としての後発国の機会の平等を少しでもよく確保しようというのである。村上はこのルール形成を言葉に問題があるとしながらも，いうなれば国際公共財のもっとも重要なもののひとつだという。

  「『公共財』という概念は新古典派経済学の業界用語であり，そのための基準である『共同使用可能性』や『使用者排除不可能性』（とくに後者）は先験的に確立できる概念ではない。公共財にあたるものを強いて定義すれば，ある社会が存立するためにどうしても必要な制度としかいいようがない。」「国際公共財という概念も同様な性格をもっているが，国内公共財の場合の国家といったような制度枠もないからその定義は一層茫漠としたものにならざるをえない」。かくて村上はいう，「国際公共財というにせよ，分配というにせよ，問題の表現としては不十分なものであることがわかる。国際公共財は財ではなく，レジームであり，ルールであり，理解という名の共約性の追求である。分配は結果の平等ではなく，機会の平等を目指すものにはかならない。仮にここでは国際公共財といったり，分配といったりするけれども，問題の本当の核心は，今後の国際システムの存立にとって必要不可欠な制度あるいはルールはなにか，という形で考えなければならない」と。

　そこで問題はシステム維持に必要なこのようなルール形成は，さらに村上のいう意味での「国際公共財」の供給は如何になされ得るかということである。

じつはこの問題も産業主義の行方の問題と同じく「解釈学的思考」に辿り着くので，その前にもっとも重要な「国際公共財」のひとつでもあり，先に問題にしたナショナリズムの行方にもかかわる安全保障のあり方を村上がどうみているかにも若干触れておこう。

村上泰亮は，一方で経済のグローバル化，各種レジーム形成，グループ化（リージョナリズム）など「目に見える国境」のボーダーレス化が進んでいるにもかかわらず，他方で「目に見えない国境」たる natio-ism は自然と消え去りはしない。むしろかえって高揚しつつある状況を前にして，トランスナショナリズムを展望する。すなわちそれぞれ互いの natio を尊重し合って共存を図り，その共存のうちに生まれる共約性を広げていくことを追求しようというのである。このようなトランスナショナリズムのなかでの安全保障体制として，村上泰亮が提起するのが，以下の三つの性格によって特徴づけられる「重複する地域安全保障同盟」（「共通の屋根」）という構想である。

重複する地域安全保障同盟（共通の屋根）
1) プラグマティズム：具体的な紛争を調整し，解決する実践的ルールの提供。
2) 多元性：各々の文化圏，natio，個性の公認。
3) 開放性：2）を前提としながらもそれらの間の共約可能性の追求，大国の複数の地域安全保障同盟への加盟による地域安全保障同盟間の安全保障。

さて，いよいよ，「真正の反産業主義」（＝トランス産業主義），トランスナショナリズムそして多相的経済自由主義のルールの形成，さらに村上泰亮のいう意味での「国際公共財」一般の供給，すなわち，国際システムの存立にとって必要不可欠な制度あるいはルール，理解という名の共約性の追求は如何になされ得るかということが問題になる。しかし，それはすでに十分に示唆されている。すなわち，村上泰亮は個々の世界イメージは同資格で二つの間に〈特殊－一般〉，〈具体－抽象〉の上下関係はなく，自我の二重身分は切り離されず，揺らぎながら再解釈をつづける，したがって常に具体的な生活世界やその歴史に照合しようとする保守主義的「解釈学的反省」による他ないと考えている。産業主義はスーパー産業主義的には超えられず，また，世界国家は力によっては

勿論，正義の理念によってもあり得ない。ルソーやカントに始まる平和論型世界国家でさえも，キリスト教信仰，啓蒙主義そして合理的進歩への帰依がある限り，近代文明人のリーダーシップを前提としており，それを拒む非ヨーロッパ的世界に対して正（聖）戦論に変質する可能性を含んでいる。かくて，あくまで互いの個性natioの間に〈特殊──一般〉〈具体──抽象〉の上下関係をなくして，同資格の寛容的共存を図る。そして，そのなかから自ら生まれる共約性（仲間意識）を広げるしかない，となるのである。

ところで，村上泰亮はこのように21世紀システム構築の鍵を保守的な「解釈学的反省」に求めるのであるが，最後に村上泰亮は従来その「曖昧性」がネガティブに評価されることの多かった日本の文化的伝統こそ解釈学的反省の代表であると評価し直すのである。

「地政学的・国内条件のために超越論的志向＝有史宗教の日本社会に対する支配が圧倒的でなかった。
　……唯一の正義と統一的な原理を掲げる超越論主義（たとえば啓蒙思想や近代進歩主義）の立場からすれば，文化の間の関係は征服するか，されるかの『正戦論』的関係であり，被征服側の文化は忠実に征服側文化を模倣して変質される以外にはない。征服文化の下位文化としてその一部に『嵌め込まれる』しかない。しかし，日本の文化受容は，このような意味での模倣ではなく，なによりも『嵌め込まれる』ことはなかった。中国文明，カトリック信仰を伴った近世西洋文明，近代ヨーロッパ文明，アメリカ文明の何れにも下位文化として『嵌め込まれ』なかった。日本の受容の型は『嵌め込まれ』ではなく，『重ね合わせ』なのである。……外来のパターンと伝統のパターンが重ね合わされ，擦りあわされて，その二つのパターンとは異なった一定の複合パターンがつくりだされる。このような思考の型は，まさにこれまで説明してきた解釈学的思考の型である。」

以上，村上泰亮の思考の跡を辿ってきたが，西欧近代の古典的観念の批判・相対化の拠り所として，日本は「開発主義」の先頭に立ち，またいま欧米との摩擦のなかで「多相的自由主義のルール」を形成する最重要の当事者であり，

そしていま時代がもっとも必要としている解釈学的思考の代表者であるとする日本社会とその伝統に対する「肯定的特殊性認識」がきわめて大きな役割を果たしていることを知るのである。

（2）村上泰亮論評

1．評価すべき諸点

それぞれ後に限定を付すことになるが，本稿の視角からまずは評価すべき諸点をいくつか指摘することから始めよう。

1．1 「開発主義」「多相的経済自由主義」——経済と社会の接合——

前項までのわれわれの論理展開の脈絡からすれば，まず村上泰亮が経済の論理（経済的自由主義）を常により広い社会の論理と切り離さずに社会を総体的に捉えようとしている点が評価される。経済と社会ばかりでなく「生活世界」を立論の基礎として〈対事物（自然），対他者，対自己〉世界を包括的に捉える認識枠組みを確保している点も注目される。

勿論，馬場宏二も〈経済―社会―文化〉の構造連関は先刻承知している。それゆえ「社会構成原理」とか「社会原則」の充足を問題にしている。にもかかわらず，馬場宏二は現段階の総括の鍵を（「悲しき唯物史観」によってか？）「支配的資本」にみる。それに対して，村上泰亮は先進国の経済的自由主義に対する後発国の抵抗としての，テクノロジズム（収穫逓増の経済学）と結合したナショナリズム（社会的・政治的統合）としての「開発主義」，さらにその国際版である「多相的自由主義」を発見する。「開発主義」（さらに「多相的自由主義」）は，自らが導き出す不均等発展が脅かす社会の安定を確保するための「分配政策」（さらに「国際分配政策」）を伴う。このように経済と社会の接合にポイントをおいて社会を見る点では，加藤栄一の「福祉国家化」に通じ，いわばその後発国版，ないし国際版といってよい。

ところで，加藤栄一のばあい視野を先進諸国に，またその接合のポイントを社会主義運動からの入力においていた故に，それらの要求をあらかた吸収し実現してしまった福祉国家の成熟は，まさに成熟であって発展の方向を見失うことにもなった。とくに新自由主義の台頭に直面して，ほぼ一世紀のタイムスパンで見られた資本主義の不純化傾向としての福祉国家化傾向は終わり，その後

どうなるか分からない「転換期」に入ったとみる。

　しかし，視野をグローバルに開く村上泰亮のばあい，後発国の開発主義は今やますます多くの途上国に拡散するばかりか，国際システムの安定の維持のために先進諸国は「多相的自由主義のルール」を形成し，むしろこれを公認し，技術移転やODAなど国際分配均策をいよいよ積極化していかねばならない事情を発見するのである。この傾向を押し進める潜在力はますます高まりこそすれ到底吸収し尽くし得ないであろう。こうして加藤栄一とは展望をかなり異にすることになるのである。

1.2　「開発主義」「多相的自由主義のルール」——非西欧的社会システム類型とパフォーマンス評価基準

　評価すべき第二点目は，「経済的自由主義」を「世界の普遍ルールとすることには大きな明白な欠陥がある」こととともに，西欧と異なったパターンの産業化ないし資本主義化の途を「開発主義」として類型的に示し，その合理性，したがって普遍性を論証したことである。そしてこのことは，同時にこの社会システムのパフォーマンスを評価する際にも，西欧近代社会の古典的理念や「西欧社会の自己認識としての近代社会科学」の成果には直ちには頼れないことを意味する。経済システムばかりでなく，〈経済—政治—社会（狭義）—文化〉の関連の仕方も必ずしも西欧類型で切り込めないし，西欧社会で有効なパフォーマンス評価の基準によって評価できないことになる。たとえば，村上泰亮は西欧社会の政治理念によって「民主主義→産業化」を普遍と考えて押し付けてはならないとして，「開発独裁」にも理解を示している（われわれの理解は，今すぐ後に論ずるようにそれとは若干違っているが）。

　ところで，この点以上に評価してよいのは——（したがって，第3点として独立させた方がよいかもしれないが，「開発主義」にかかわらせてここで論じれば）——，同時に，「開発主義」の限界もまた明らかだとしつつ，「経済的自由主義」との調整によって国際社会システムの「効率」と「安定」，そして「より広い意味の自由」をよりよく満たすルールとして「多相的自由主義のルール」の形成を展望したことである。それはとりもなおさず，西欧近代の古典的ルール（「経済的自由主義」）とも，さりとて後発国（たとえば日本）のルール（「開発主

義」）とも異なる，それらを相対化する新たな国際ルールの形成――（まさにあらたな「国際公共財」の形成）――を展望したことを意味する。

　このパフォーマンスの評価基準に関わる点は，1.の点とも密接に関連しており，より展開しておきたいが，それは村上泰亮の合わせもつ諸限界を突破してからでないとないと十分に展開することはでないので，少し後にまわそう。

1．3　「超越論的思考」の優越を批判する「解釈学的思考」の提起

　評価すべき第三点目は，西欧近代の古典的観念ないし進歩史観を「超越論的思考」の優越として批判し，それが逢着した人類社会の危機的状況のなかで，その超越を再び「生活世界」のなかへ埋め戻すべく「解釈学的思考」の重要性を強調したことである。

　この批判は，とりわけマルクス主義の「進歩的歴史観」の権化としての「一元的進歩史観」，またヘーゲル的な歴史法則に妥当する。これは，マルクス主義批判を西欧近代批判にまで串刺しにしておこなう「ポストモダン思想」に通じる。マルクス主義的な社会主義の世紀にわたる大実験の失敗を突きつけられて，マルクス主義（宇野理論を含めて）を基本的に拠り所としてきたものは，一度はこの「近代批判」の地点にまで降り立って，自己の思想・思考を再検討すべきであろう（われわれもかつて試みたことがあり，本稿もその延長上にある。補遺〔1〕，補遺〔2〕参照）。そうすれば，「超越論的思考」，「普遍」の追求あるいは論理による現実の一面的抽象は，そう簡単にはおこない得なくなる。とりわけ歴史と手に負えない人間に対する予断は禁物となる。その意味で加藤栄一が現時点を「転換期」とし，その見通しを禁欲するのも頷けないことではない。しかし，それも度を越せば，歴史的現実に対するひとつの予断になり得るから始末に悪い。

　しかし，われわれはポストモダン思想に与するものでも，新保守主義にも与するものではない。もっとも，村上泰亮の新保守主義は，新保守主義のうちでもかなり彼のいう進歩主義的な要素も含み，変化に柔軟である。村上泰亮が進歩主義を批判する場合，それは大抵，われわれでさえも退ける極端な「超越的思考」である。したがって意外にわれわれと近いところにいるのかもしれないが，今少し後に述べるように，われわれは村上泰亮の「（保守主義的）解釈学的

思考」になお疑問を禁じ得ないのも事実である。

　なお，そのほかにも評価すべき点や示唆を受ける点が多々あるが，本稿は書評ではなく，われわれの考えを展開するに資する限りで検討しているに過ぎないので，差し当たりこの位で切り上げ，以下，うえに見たようにきわめて高く評価できる点があるにもかかわらず，われわれからみて問題となる点を指摘しつつ，われわれの考えもできるだけ示していきたい。

2. 批判的考察

2.1 なにに由来するのかは分からないが，村上泰亮の思考様式が多くの場合二項対立的な類型論に支配されて過度のモデル化ないし単純化が生じているように思われる。前掲図補3-2のシェーマにも端的に現れている。それはたしかに重要な論点を第一次接近的に分かりよく押し出すことに成功している側面もあるが，メリットの十分な発現を妨げるようにも作用しているように思われる。村上泰亮の用語を用いて一言でいえば，「解釈学的思考」を標榜するにはいささか類型概念が「超越的」なのである。

　まず，評価すべき諸点の第一に掲げた，そして村上泰亮体系の鍵概念のひとつとなっている，システムとしての「開発主義」にしても，主として日本の成功例を念頭に置いてプロトタイプ・モデルを設定している。1）から8）まで8つの契機があり，これはまさに成功するための理想的モデルであり，これだけ契機がそろえば成功間違いなしであろう。しかし，果たして現実のNIES,ASEAN諸国など東アジア地域の経済的興隆にこれがどの程度妥当するであろうか。このうち必要不可欠な契機が1）～4）とされるが，1）は別格とすれば，とくに2）の産業政策がその柱となる。ところが，その妥当性を説明する論理がもっぱら「費用逓減の経済学」に限られている。費用逓減＝技術革新を進めるには政府がその産業に介入して「過当競争」と「独占」を排して自由競争（＝「妥当競争」）を維持することが成功を説明する。しかし果たして日本においてさえ，産業政策はどれだけがこのようになされたのだろうか。況んや他の途上国においてはどうであろうか。

　後発国は，いつでも，どこでも「費用逓減の経済学」に基づく「開発主義」によって成功したわけではない。どのような場合成功し，どのような場合失敗

したか，その歴史の論理を明らかにするためには，当然分析の視野に入れなければならない諸契機，世界的な政治・産業・市場編成のあり方とともに，その国・地域の原始的蓄積の程度や「基層社会」の構造や文化のあり方などの国内的，域的条件を考察し，歴史的経験をストック化し，類型化し，そしてそれらの間の諸関係を探っていかなければなるまい。さらに，「開発主義」が本質的に不均等発展のシステムである限り，一部の，あるいは一国の，あるいは一地域の成功がどこまで及ぶか予断を許さない。たとえば，日本－NIES－ASEAN－中国沿岸部と及ぶ目覚ましい「構造転換連鎖」も，そう単純に拡大していくと考えるのは楽観的すぎよう。しかし，村上泰亮の「開発主義」の有効性なり正当性の論証は，もっぱら「費用逓減の経済学」からの演繹論になっている。まさに，「解釈学的思考」を標榜するにはいささか類型概念が「超越的」なのである。

このような歴史的現実に対する理論モデルからの単純化の要請が〈「開発主義」→「無階級的大衆社会」〉まで及ぶと，村上泰亮がせっかく社会から経済へのフィード・バックを重要視しようとしているのに，しかも「開発主義」はすでに度々触れたように不均等発展のシステムであり，社会構造の重層化・複雑化をもたらし，社会原則充足上の諸問題をもより複雑化かつ深刻化させないではおかないときにおいて，それらを超単純化してしまい，社会から経済へのフィード・バックの有効なあり方を探る際の障害となり得るのである。

2.2 つぎに，評価すべき第二の点としてとりあげた，「経済的自由主義」と「開発主義」との相互補完によって成り立つ，新たなルールとしての「多相的経済自由主義」についても，じつは同じようなことがいえる。

「開発主義」について1.で指摘した問題点についてはもはや問わないとして，ここで問題にするのは「経済的自由主義」の問題性を補完するものとして「開発主義」を挙げ，「開発主義」の問題性を補完するものとして「経済自由主義」を挙げる二分法的単純化の問題である。

たしかに，「多相的自由主義」が後発国に公認する「開発主義」は，もし条件に恵まれれば，後発国にこの技術ギャップを埋め〈先進―後発〉国間の格差縮小の機会を与え，また世界全体としての効率化を増進することによって，国

際社会の秩序の安定化をもたらす一つの有力な手立てとなり得る。しかし，いつでも，また地球上のいかなる地域でも，「開発主義」の採用とその成功が可能だろうか。「開発主義」がカバーし得ない，広範で複雑な国際的「社会原則」充足の手立てとして，他の国際秩序の安定を図るレジーム，ルール，合意，理解という名の「国際公共財」との関連をよりポジティヴに考えていかねばなるまい。

　また逆に，「多相的自由主義」は，先進諸国が「開発主義」に走ると，先進国間のサバイバルを賭けた破滅的な競争，より深刻な国際秩序の不安定化をもたらすゆえに，先進国にはそれを許さず，「経済的自由主義」に則ることを求める。けだし，「開発主義」は政府の存在を前提にしてはじめて成り立つが，国際社会においては世界政府を前提にできず，そのようなところでは自由なマーケット・メカニズム以上の効率と機会平等をもたらすシステムがないからだという。しかし，今日の世界は先進諸国が互いに自由競争を推し進めていけば国内および国際秩序の効率と安定，そして公正が最も得られるという楽観をそう簡単には許しそうもない。村上泰亮が自らいうように，開発主義が長期的意思決定に優れ，技術革新促進的であるならば，なぜ，先進国はこれを放棄しなければならないのか。先進諸国間において，それにもかかわらず「開発主義」を放棄させるほどの合意──（つまり「多相的自由主義」のルール形成）──が可能ならば，国際秩序の安定化のための，さまざまな準世界政府的取り決めも可能であろう。事実，村上泰亮も「国際公共財」，すなわち，多相的な自由主義のルールなど国際社会を維持するための制度，レジーム，ルール，さらにそれらの形成の基盤となる「仲間意識」，「共約可能性」「理解」という概念を提起しているし，先端産業などにおける先進諸国グループの「開発主義」も容認している。確かに世界政府と「国際公共財」との間に距離はあるが，両者を截然と分けてしまうとしたら問題があろう。「国際公共財」は「仲間意識」「共約的可能性」「理解」を最基底に，多層的，多次元的に積みあがっている。世界国家といってすべての世界的公共性が画一的に超越的になっている必要はない。そうなっていたらそれはまさに全体主義的世界国家できわめて特殊なあり方である，というよりそのような世界国家は存立不可能であろう。一国内の公共性でも，全国民──（場合によって未来および過去の国民も含めて）──の共約性

を示す国家レベル，広域経済圏レベル，身近な生活圏レベルに相応しい公共性はかなり異なってこよう。況んや世界レベルとなるとまさに多層かつ多相である。このように「国際的公共性」も多相・多層であり得るし，そもそもそれと村上泰亮のいう「国際公共財」とは別物ではあり得ない。そうとすれば，「開発主義」の弊害をコントロールするのに経済的自由主義にしか頼れないということには必ずしもならない。まさに「国際公共財」の内容如何による。さらに，それはネガティブに開発主義を放棄させるばかりでなく，たとえば環境保護など地球社会維持のための研究・技術開発など，そうでなければ技術革新が停滞的な部面に開発主義を国際的に積極化させるように働くことにもなるであろう。

このように「多相的自由主義のルール」の内容を村上泰亮のそれを越えて，多相かつ多層的に，また歴史的に展開させて考えるならば，たとえば先ほどわれわれが留保した「開発独裁」の評価にしても，「産業化→民主主義化」がいつでも，あるいはいつまでも必要悪として止むを得ないということにはならない。それはまさに「国際公共財」の内容豊富化の程度如何に関わる。そしてたとえ，その時「国際公共財」の内容豊富化が不十分で，「開発独裁」を許してしまったとしても，単にやむを得ないものとしてはなるまい。開発・貧困脱却に成功した側面と，形成されつつある「地球社会的社会原則」を侵す非道な側面とは矛盾として丸ごと確保されなければならない。なぜなら，このギャップないし矛盾こそ「国際公共財」のより豊富な供給を促すひとつの重要な契機に他ならず，そこに独裁政権に対して闘った人びとの遺志と犠牲が生かされるのを見ることができ，「国際公共財」が如何に形成されるか，社会からのフィードバックの一つのあり方が示されるからである。そして，それはまた「国際公共財」はどのようにして形成され豊富化されるのか，村上泰亮の「(保守的)解釈学的反省」を反省するようにわれわれを導く一つの契機ともなるのである。

2.3　村上泰亮は反省の二分類のうち超越論的反省を，すでに指摘したように超・超越的に捉える傾向があり，それだけ超越的思考を厳しく拒否する。あるいはこの契機を軽視し過ぎる嫌いがある。「共約可能性」，「全人類の自然的仲間意識」は如何に生成するのか。再解釈は，両方の反省のフィードバック以外にありえない。何らかの超越なしにはじつは何らかの反省も起こり得ない。ま

た何らかの反省なくして超越も生起しない。

　フィードバックのない，超越しっぱなしの超越論は，近代の悲惨を知ったポスト・モダンの世界においてはもはや生命力はないことはいうまでもない。われわれがいう，ポスト・モダンにおける超越あるいは理性は自らの限界を知っている？　それゆえ，他者に常に開かれ他者にコミュニケーションを求め，それによって自己と自己の世界イメージを脱構築しようとする。それゆえ，それは限りなく村上の解釈学的反省に近づく。ただ，村上が保守的に既存の具体的な世界と，寛容によるそれらの共存が自生的に共約性を生み出すという契機（保守的な解釈学的契機）を重視するのに対して，われわれは積極的に新たな出会いを求め，新たな再解釈を求めて新たな世界をより強く希求する（理想的議論－Habermas）ということであろう。

　しかし，このベクトルの向きの違いは相当大きな意味をもつかもしれない。村上泰亮の場合，それは否み難く，status quo（現状維持）に傾く。自ら保守主義という所以である。

　それにたしてわれわれは，既存の世界に問題性を感じるところに生まれる未だ現実にはなっていない希願の世界とも，いまだ出会っていないが出会う可能性のある人びととも，寛容に共存しつつ対話しようと，イデアルなものに対してもわれわれを開こうとするベクトルを大切にしようとするのである。そしてそこにこそ，自己を相対化する契機としての，従来の超越的普遍に代わるいわば「新たな普遍」を確保しようとするのである。そうすることによって，村上泰亮がともすれば陥りかねない，強者のstatus quoへの傾きを避けつつ，村上泰亮自身が強調する社会原則とその充足上の問題により適切に近づき，社会システムの存続に必要な理解，合意，ルールなどの形成をおこないやすくなるのではないだろうか。

　これは，いってみれば，加藤栄一が社会主義運動の体制批判の衝撃力といっていたことのより広いパースペクティブからの捉え直しである。それは社会主義を標榜するものでなくとも，労働組合でなくとも，あるいはナショナリズムでなくとも，およそ現状のシステムになんらの問題を意識し，それによって再解釈を促された人びととのそのシステムへの働きかけの意志が生じるところ，どこにでもその契機を見出す。

ところで「保守主義的解釈学」に以上のような問題があるとすれば，その代表者とされる日本文化の伝統のなかにどれほど可能性を見出せるか疑問となってくる。少なくとも，その文化的伝統のうえにのって自ら共存できるところとだけ共存し，共約性をその範囲に限る status quo 的なものになる恐れも多分にある。たしかに，日本文化は，村上泰亮のいうようにフレクシブルに世界の他の文化を受け入れ共存を図り，その共存から新たなものを創りだしたかもしれない。しかし，その時々の支配的文化は受け入れたかもしれないが，同時に非支配的文化，マイノリティの文化，自らより弱い文化をどれほど排撃してきたか，「脱亜入欧」や「大東亜共栄圏」の近現代に限らず，日本の歴史をもう一度審らかに検討して見ることも不可欠であろう。それは，世界の多様な文化と経験に学んで，ラディカルな反省と力強い超越の試み無しには難しいのではないだろうか。

注

（1）拙稿「主体の再生は可能か」『賃金と社会保障』No. 966，1987年7月上旬号。
（2）馬場宏二「社会科学の三つの危機」山之内靖他編『岩波講座・社会科学の方法1－揺らぎのなかの社会科学』岩波書店，1993年，p.147－148。
（3）同上，p.154。
（4）同，P.155－158。
（5）村上泰亮『反古典の政治経済学（上）』1992，序。
（6）拙稿(1997)「『グローバルジャパナイゼイション？』から『制度疲労論』への転落－21世紀への日本の課題－」法政大学比較経済研究所・拙編著『東アジア工業化ダイナミズム－21世紀への挑戦』法政大学出版局，1997年。
（7）馬場宏二「経済学方法論の素描」『社会科学研究』第44巻第6号，1993年3月，p.58－59。
（8）同上，p.65。
（9）馬場宏二「現代世界と日本会社主義」東京大学社会科学研究所編『現代日本社会1－課題と視角』1991，東京大学出版会，p.75－76。
（10）馬場宏二「経済学方法論の素描」『社会科学研究』第44巻第6号，1993年3月，p.82。
（11）同上，p.66－70。
（12）同上，p.59－60。

(13) 同上，p.60－61。
(14) 同上，p.66。
(15) 同上，p.69。
(16) 同上，p.70。
(17) 馬場宏二「現代世界と会社主義」東京大学社会科学研究所編『現代日本社会1－課題と視角』1991，東京大学出版会，p.77。
(18) 馬場宏二「社会科学の三つの危機」山之内靖他編『岩波講座・社会科学方法論1－ゆらぎのなかの社会科学』1993．岩波書店，p.154。
(19) (20) 馬場宏二「現代世界と会社主義」東京大学社会科学研究所編『現代日本社会1－課題と視角』1991，東京大学出版会，p.78。
(21) (22) 馬場宏二「資本主義・社会主義・会社主義」『教育危機の経済学』1988，御茶の水書房，所収。
(23) 同上，p.74。
(24) 同上，p.81－83。
(25) 馬場宏二「現代資本主義の多原理性」同『現代資本主義の透視』東京大学出版会，1981年，所収。

あとがき―解題―

　ここでは，Ⅱ部に収録した補遺の諸論文とⅠ部の本論を逆転させて，執筆順にごく簡単な解題を付していくことにしたい。その前に，まとめて次のことをお断りしておきたい。

　Ⅱ部の補遺に収録した諸稿は執筆してからすでに一昔も二昔も経つ。具体的に現在の問題を論じるⅠ部の4本のシリーズ論文にウエイトを置き，補遺の論稿は，はじめから短く書いたエッセイ風の補遺〔2〕を除いて，本書の大きな論旨に沿って（加筆修正を控え）もっぱら大幅なスリム化（＝省略）を試みた。

　Ⅰ部の4本の論稿もシリーズが足掛け4年と思いのほか長引き，自ずから重複部分が多くなってしまった。また，一部はデータの更新や事態の展開をフォローする必要が生じるなどのため，省略とともに補筆もおこなったので，初出論文と若干相違する部分もある。

　Ⅱ部　補遺　社会科学の揺らぎとパラダイム転換

補遺〔1〕経済学の危機はいかにして克服しうるか－「宇野理論」の可能性あるいは社会運動論への道行き－
（初出　佐々木隆雄・林健久編『マルクス経済学・論理と分析―日高普先生還暦記念論文集―』1985年，時潮社，所収）
　私の経済学，ないし社会科学に対する考え方についての自己批判的展開を初めて活字にした文章である。論文末の〈補記〉に次の文章が見える。これをもって解題に代えたい。

　われわれはかつて，現状分析論の焦点を資本の論理と社会的主体との相克の解明に求め，そのような視角のもとに戦後日本の経済過程を分析したことがある（『現代日本帝国主義』川上忠雄，佐藤浩一，粕谷信次共著，現代評論社，1978年）が，その際は本文で指摘したような主体概念の抽象性，具体的分析の不充分性を免かれなかった。その点を反省しつつ，「労働力商品化」の「無理」の具体

相を求めて遅ればせながらわれわれの視野を広げ始めた際の読書ノートの一部を整理したのが随筆風の本稿である。読書ノートは基本的に貧しく，そのうえ1983年初夏頃までのそれによって本論は執筆されており，浅田彰『構造と力』ブームによって氾濫し始めた「現代知の最前線」(？) を十分に踏まえることはできなかった。校正に際して若干の補筆を試みたが，あとは社会運動論を正面から論ずる他日を期す他ない。

私事にわたって恐縮であるが，原稿を提出した後，出版までに時間がかかり，最新の現代思想ブームを踏まえることができなかったので，時潮社の当時の社長の大内敏明氏に（補記）の挿入を依頼すべくお訪ねした折，その社会運動論を本にするよう慫慂をうけた。しかし，残念ながら当時は，すぐには，それにお応えできるだけの用意がなかった。いま，この論文を収録しつつ，本書を時潮社から出すについては，一抹の感慨がある所以である。

補遺〔2〕新しい主体の芽 －他者と互いに交響し得る自律的協働体を－

（初出　『Q－生活協同組合研究』第1号，1990年11月）

当該論稿と精粗の違いはあれ，趣旨をほぼ同じくするものとして他に次のものがある。そのうち，(2b) は本書に再録するには大部すぎ，(2a) にも愛着があるが，それらのさわりだけを最も短く，しかもエッセイ風に書いた本稿を再録することにした。しかし，それぞれの論稿が書かれた問題意識について若干触れておいた方が，われわれの狙いを理解して頂くのに便利であろう。

(2a)「主体の再生は可能か－『生活主体』としての主体再生の展望」
　　（「特集・いま，変革主体を問い直す」『賃金と社会保障』No.966，1987年7月下旬号）
(2b)「Ⅴ章『主体』解体と新たな『主体』概念の構築」，「Ⅵ章　生活を変革する『社会運動』」
　　（『現代とマルクス思想・社会観の選択』（粕谷信次・川上忠雄・佐藤浩一・成島道官・三原輝雄・渡辺国温著，社会評論社，1987年10月，所収）

(2a) は，ヘーゲルーマルクスの「大きな主体」に対する批判の論理を，浅田彰『構造と力』等のポスト・モダン思想に啓発されつつも，ポスト・モダン

とマルクスの双方を批判的に超えるわれわれなりの立脚点を見出し，差し当たり後期フッサールの，そして，それをさらに展開したハーバーマスの「生活世界」の概念に助けられつつわれわれなりに初めて叙述した。

　その立脚点に立ちながらそれを具体化するものとして，補遺〔1〕論文の第五節のできるだけ全面展開を企図し，1987年3月，「労働運動研究者集団」が，「いま，変革主体を問い直す」というテーマで開催したシンポジュウムの問いに応えようとしたものである。

　ちなみに，シンポジュウムのバックにある問題意識は，「資本主義の危機と運動主体の危機。一体，資本主義の危機が深まりつつあるこの時期に，資本主義の『墓堀人』たるべき労働者階級が，むしろ主体の危機，総崩れの危機に陥っているとすれば，それは何故であるのか。その原因はどこにあるのか。この深刻な危機を克服し，たくましい運動主体をよみがえらせる方途はどこにあるのか。」（戸塚秀夫の巻頭論文「なぜ主体形成の問題か－『集団』の一つの軌跡」の冒頭部分から）ということであった。

　（2b）のⅤ章，Ⅵ章の文章は，（2a）をより広いスペースにおいてさらに展開したものである。

　収録稿は，（2b）の出版後少し時間をおいて，はしがきで記したように柏井宏之氏の要請を受けて，そのさわりの部分だけをエッセイ風に短く書いたものであるが，掲載誌『Q－生活協同組合研究』第1号（創刊第九号から逆ナンバーリングで9冊目の最終号）の巻頭言（河野照明）の一部を引いておこう。
「『個の確かめられる協同』をメインテーマに創刊9号から始まったQも，書き手と読み手が替わってとうとう1号となりました。1号は，この3年間の激動の世界の中で発展し続ける生協の事業と運動をレイドロウ報告の4つの危機と4つの優先分野を主体的に解明するための努力をしました。それにしても最近の歴史的変貌を誰が予測したでしょう。自由を求める人間の息吹は，自由主義社会とか社会主義社会とかだけでくくりきれない状況を生み出し，世界は米ソのマルタ会談から一気に10月3日のドイツ大統一まで大変動が起きました。
　地球人として，地球環境を守ることが，個々の人権を守り，新しい夜明けを迎えることにつながります。協同組合がGNPに現れた産業至上主義から夢と

ロマンを持った様々な協同・連帯に裏付けられ，新しい社会の道具として多様に発展する時代――。この3年間，ワーカーズ・コレクティブ，環境生協，水管理生協，福祉生協などが生まれ，協同は量から質への転換を始めています。」

　本稿は，1号の中のサブテーマの一つである「〈主体〉あるいは〈個と共同〉をめぐって」の4編の一つとして編まれている（ちなみに，他の3編は，河野照明「"せめぎあい"としての協同」，喜安朗「近代における『個と共同性』」，佐藤慶幸「今日における『主体』」）。

補遺〔3〕社会科学の揺らぎ－「段階論」の見直しと保守的解釈学の検討－
（初出　『日本・東アジアの興隆と社会科学のパラダイム転換に関する一考察』

　Working Paper, Institute of Comparative Economic Studies, No.39, 1994年3月）

　西欧近代のパラダイムは限界に逢着しているということは，様々な事の起こりを契機に論じられるようになって久しい。

　ここでは，日本・東アジアの興隆が西欧近代出自の経済学，さらに社会科学にパラダイム転換を迫っているという主張をとくに強く押し出している二つの主張を採り上げた。ひとつは，マルクス経済学出自の馬場宏二の「宇野段階論の見直し」と「会社主義」段階の提起であり，二つは，新古典派経済学出自の村上泰亮の「多相的自由主義」の提起である。それら二つの主張の意味するところを批判的に検討し，両者に学びながらも，前者よりも後者により共感を示しつつ，しかし，なおそれが近代の二分法や，逆に保守主義的解釈学に傾きすぎていることを批判し，真のパラダイム転換を模索する。

　なお，「会社主義」段階なる提起に対する批判は本ワーキング・ペーパーの大きな部分を占めるが，その後の歴史の展開に鑑みて，あらためて繰り返すまでもないと判断し，基本的に省略して紙幅を節約した。しかし，「段階論の見直し」は省略できない。けだし，馬場宏二の「過剰富裕化」論と「悲しき唯物史観」論は現在的意味は高まれこそ，少しも減じてはいない。さらにそれと「社会原則」との関連は，まさに逆方向からわれわれに，歴史における「主体的契機」の鍵的役割を確認させてくれるからである。

　村上泰亮の解釈学は，西欧近代の二分法を超える思考に重要なヒントを与え

てくれる。しかし，上述したように，保守主義的解釈学に傾きすぎている。本稿でわれわれの真のパラダイム転換の方向をいわば直感的に獲得するが，Ⅰ部1章での，バーンスタインによるガダマーとハーバーマスの対置によってさらに明確化していく。

そして，先回りしていえば，批判したつもりのヘーゲル的思考の口吻に似て恐縮だが（したがって，ヘーゲルの罠に嵌らないように注意しつつであるが），この〈あいだ〉パラダイムが「新しい主体」の展開の基礎パラダイムとなり，Ⅰ部の諸章を展開する動力となっていくのである。

もっとも本ワーキング・ペーパーは，もともとは，法政大学比較経済研究所の研究プロジェクト（拙編著『東アジア工業化ダイナミズム』1997年としてその成果を刊行，第7章「『グローバル・ジャパナイゼイション？』から『制度疲労論』への転落—21世紀への日本の課題」，第10章「『持続可能な発展』—『成長圏』アジアと日本の課題」の二つの章の執筆を担当）にとりかかる準備として執筆したものである。そのメインの趣旨は，二つの章のタイトルにも表れているように，「グローバル・ジャパナイゼイション」論や「『成長圏』アジア」論の批判的相対化の視点を確保しようとしたものである。したがって，その際には，未だⅠ部の諸論稿の姿は，見えていなかった。

Ⅰ部　社会的企業の促進に向けて「もう一つの構造改革」
1章　グローバリゼーションと「社会的経済」
　　—グローカルな，新たな「公共性」を求めて，あるいはハーバーマスとの批判的対話—

（初出　『経済志林』（法政大学経済学会）Vol.70 No.4，2003年3月）

　まず，先進諸国でも途上国でも，いま，企業セクターでもなく，政府セクターでもない，非営利（Non-Profit）・非政府（Non-Government）組織（Organization）の，あるいは，「社会的経済」（フランスからEUに広まった用語で，このNPOばかりでなく，協同組合・共済組織も含む）からなる第三セクターの台頭が注目されているが，それはなぜなのかを問いつつ，その社会・経済構造上の，あるいは機能上の位置づけと，その歴史的意義を論じる。

　ところで，「社会的経済」企業の「社会的経済」企業たる所以を市民が創る

「新しい公共圏（性）」にみる。そして，その「市民的公共性」の基本的性格を探るべく，ポスト・マルクス，ポスト・モダンを踏まえつつ，ヘーゲル哲学のパラダイムを継ぐものに潜む大文字の主体を「言語論的転回」，さらには，「法制化」によって解体し，「未完のモダン」の完遂を追求するラディカル・デモクラッツの社会・政治哲学者であるハーバーマスの議論を参照する。しかし，その過程で，社会的経済についてのうえの課題を首尾よく果たすためにも，ハーバーマスの議論に対しては，逆にかれの二分法を批判し，事実と妥当性の〈あいだ〉の地平，労働とコミュニケーションの〈あいだ〉の活動地平，あるいは，彼とガダマーの〈あいだ〉の地平を開拓し，ハーバーマスにかなり反省を迫まり，彼を乗り超えていくことが必要になる，ということを論じる。これは，先に言及した補遺〔3〕で，村上泰亮に絡んで提起した論点を深めることになる。この〈あいだ〉パラダイムこそは，続稿展開を駆動する基本的コンセプトとして成長する。

本章では，以下の続稿の総論として，最も基本的な〈個－共－公〉連関をこの〈あいだ〉パラダイムで解いていく。その過程は，同時に，「市民的公共性」の多様性，重層性，すなわち，一方で人びとの間の襞にまで入り込む柔軟性，繊細性とともに，他方でグローバルに広がる重層的で多様な普遍性にも論及していく。

2章 「平成長期不況」とは何であったか─小泉・構造改革と「ポスト・小泉」改革へのオルタナティブ─

（初出 『経済志林』（法政大学経済学会）Vol.71 No.4，2004年3月）

本稿では，現状分析を目指す経済学（ないし社会科学的）諸視角との対質をごく大まかにでも行うことによって，われわれの主張の位相をより明確にする。そのために，大きなテーマであるが，「平成長期不況」を迎えて，「改革なくして成長なし」とする，新自由主義的イデオロギーが濃厚な「小泉・骨太構造改革」をとりあげ，そのオルタナティブを追求する。

まず，平成長期不況を前にして，卑近な新古典派からケインジアンの流れを汲む諸視角までをいろいろ眺める。すると，もはや，ケインジアンのマクロ経済政策の常套手段も十分な有効性を発揮できず，かくて創造的破壊のカタルシ

スに身を委ねる新自由主義的構造改革か，あるいはそのオルタナティブたる「資本主義の一時停止」か，無理矢理のインフレ引き起こし政策か，また，失業がある限り，赤字国債の累積させても財政支出拡大に走るとか，もはや尋常の経済政策の域を超えるラディカルな政策の―通常の主流派経済学の政策論では，「禁じ手」ともいえるラディカルな政策の―オンパレードといえる。

　このことは何を意味するか。他でもない，平成大不況のメカニズムを主流派経済学の通常の景気分析のディメンションを超えるさらに広いパースペクティブの下で探る必要があることを示唆している。かくて，新古典派経済学の理論モデルはもちろん，ケインジアンなどを含む主流派経済学のパースペクティブをも超えた広い政治経済学的パースペクティブ，とくにそのなかでも，不況の深刻さについて，不況というより恐慌（クライシス）であり，「体制の危機」の考察にも深入りする必要に言及する，型破りの，篠原三代平の長期波動論の検討に向かう。そして，篠原の長期波動論を媒介にして，長期波動論に関連する諸学派の検討に移る。そこで，一方では，われわれの「三段階論」の議論を豊富に発展させる諸契機を見出すとともに，他方で，〈システム〉と〈主体〉の捕らえ方についての大きな問題点に逢着することになる。

　すなわち，篠原三代平も提起した「体制の危機」との関係についての問題提起は，長期波動論の3学派のうち，「資本主義危機学派」がもっとも鋭く提起し得ているが，それは，「プロレタリアートが革命主体として階級形成される」という，新しい歴史主体形成についての超楽観的な展望に基づいてこそ，提起できたのではないか。しかし，この歴史をつくる「大きな主体」づくりは，歴史において決定的に挫折した。かくて，長期波動論諸学派の埒内では，この問題には迫りえない。その挫折は，歴史において主体的契機などというものはもはや考えられないというニヒリズムを，あるいはポスト・モダン思想を蔓延させた。社会科学においても「危機派」は決定的に凋落し，主体的契機を捨象したシステム論が流行となる。「主体」というものに対する根本的な反省的見直しを必要とする。

　まさに，ここでこそ，われわれの，Ⅱ部補遺の諸章から本章Ⅰ部までの「新しい歴史主体」についての考察が生きてくるのである。そのことの意義を以上の経済学ないし社会科学諸視角のレヴューによって改めて確認するのである。

そして，システムと主体の対抗のありようがどう転変してきているか，現在，どういう転機，危機として認識できるのかを改めて素描する。

現時点は，まさに，システムの危機が，新自由主義的グローバリゼーションによる「生活世界」の極度の「植民地化」の危機として現出しているといえること，そして，その危機に立ち向かうことに価値を置くとき，人びとは，For-Profitのための目的─手段的行為の外に，まさに，自然・生態系とコミュニケーションを取り戻すべく，そしてまた，システムによって奪われた人びと自身による〈個─共同性〉づくりを取り戻すべく，人びとのコミュニケーション的行為ないしアソシエーション（あるいは，アソシエーショナル・エコノミー）が，先進諸国，途上地域を問わず広がりつつあること，かくて，21世紀において持続可能な発展を享受しうる新たな社会づくりを草の根から進めていこうとしている新たな社会運動主体が形成されつつあることを─しかし，同時に，なお，決定的に力量不足であるが─，認識するのである。

ところで，この9月，5年の長期にわたって構造改革の旗を振ってきた小泉政権が退場し，「ポスト・小泉」の登場へと舞台が廻る。初出原稿執筆時からすでに2年半も経つ。そこで，本稿の最後に，小泉構造改革の基本線を引き継ぐとしながら，その若干の衣装直しを訴える「ポスト・小泉」としての安倍晋三政権の場合も，そのオルタナティブは，基本的にわれわれの提起するオルタナティブ以外にないという趣旨の──むしろ，小泉政権以上に経済システム改革にしても，対外戦略にしても自己撞着を一層激しくするのではないかという懸念を強めつつ──若干の補筆を試みた。

3章 「複合的地域活性化戦略」─「内発的発展論」と「地域構造論」に学ぶ─
（初出　『経済志林』（法政大学経済学会）Vol.72 No.4，2005年3月）

市場原理主義的イデオロギーを色濃くもつ「小泉・構造改革」に代わる構造改革として，われわれは前章で，ラディカル・デモクラシーと「社会的経済」の促進をその基盤にすえた「循環型地域社会」づくりということを提起した。しかし，それは，なお，抽象的な性格づけにとどまっていた。

本章では，近年顕著なっている三層の一極集中（東京・地方中枢・中核都市一極集中）とその裏返しとしての，地方地域社会の衰退という問題に注目する。

そして，この問題に如何に対処していくべきか，地域活性化戦略における「内発的発展論」と「地域構造論」との二つの対抗する戦略を検討する。

前者の「内発的発展論」は，草の根の地域の人びとのイニシャティブによって，それぞれの地域の，ハードのみならず人と人のつながりや歴史・文化まで含むソフトな社会的諸資源をも動員して，地域の活性化を図ることを主張する。つまり，〈草の根の諸アソシエーション〉の主体的働きかけを重視する。

それに対して，後者の「地域構造論」は，地域の産業・経済のあり方は，それぞれの地域を超えて広がる市場メカニズムのシステミックな作用力と，他方で，そのなかで国民経済としての一定の自立性を確保しようとする「国民経済の空間的システム」の磁場のうちにあることをまずもって強調し，そこを出発点とする。

ここに，〈主体〉対〈システム〉の「二分法的対抗」をみることができる。

しかし，われわれが，「内発的発展論」と「地域構造論」との対抗を取り上げたのは，まさに，この対抗に微妙なところがあると思われたからであった。〈主体〉概念をラディカルに見直し，生活世界の危機に触発されたコミュニケーション的行為を活性化しつつ，システムに働きかけるネットワーク的主体としての，「新しい歴史主体」の形成に注目するとき，両者の統合へ向けての微妙な触れ合いをそれだけよく読み込むことが可能となる。すなわち，この「新しい歴史主体」の形成という視角からみるとき，〈主体〉とは，〈(新古典派経済学的な) 社会と切り離された原子論的「個」〉や〈(唯物史観的な)「階級的主体」〉ではなく，また，システムとは，それを構成する諸要素に外的に客観的にのみ作用するメカニックな自律的，自動的な〈市場や国家システム〉ではなくなる。いまや，主体の側の「個」は，〈自然的生態系の中の，そして社会のなかの相互主体としての「個」であり，そのような相互主体としての「個々の草の根の人びと」の，互いの間での開かれた「コミュニケーション的行為」を通じての，アソシエーション・連帯・ネットワークの形成，少し先走っていえば，市民的公共性をつくりあげる相互主体〉となる。他方，システムの側は，〈システム：(市場と国家)，あるいは (グローバル市場 と グローバル覇権)〉の，有無を言わさぬ外的なシステム作用力ではなく，(三層の一極集中を是正するためにちょっとした無理を冒させる)「成長の極」戦略や (もう少し大きな無理をさせて，生活圏

と経済圏を重ねあわせる）「ほどよいまちづくり」を基礎にした「地域連携軸戦略」のような，〈人びとの政策的意思を入れ込んだ柔軟なシステム〉となる。後者は，前者の形成の程度に応じて，現実的になり，前者の主体的力量は，後者のような具体的制度となってはじめて現実的に発現される。

換言すれば，〈主体〉対〈システム〉の両項が微妙に触れ合い，鬩ぎ合いながら，その「二分法的対立」を超えていく道を〈重層的なネットワーク主体としての「新しい歴史主体」の形成〉と〈その作用を受けての柔軟な（経済・政治）システムの形成〉のうちにみる。

4章　日本における「社会的経済」の促進戦略－さまざまな二項対立を超えて「新しい歴史主体」の形成を－

（初出　『経済志林』（法政大学経済学会）Vol.73 No.3，2006年3月）

前節では，〈主体〉対〈システム〉の両項が微妙に触れ合い，鬩ぎ合いながら，その「二分法的対立」を超えていく道を〈重層的なネットワーク主体としての「新しい歴史主体」の形成〉と〈その作用を受けての柔軟な（経済・政治）システムの形成〉のうちにみた。

もっとも，日本の現実においては，主体的契機における前進とその可能性が見え隠れしながらも，しかし，〈システム：(市場と国家)，あるいは（グローバル市場とグローバル覇権)）〉の作用力の方が決定的に主体的契機を圧倒している——そもそも「ほどよいまちづくり」や「地域連携軸（タイプⅤ）」の形成という，制度や政策そのものが限られているし，さらに，たとえ，制度・政策はできたにしても，その内実において，官としての自治体主導以上に〈草の根の諸アソシエーション〉の主体的働きかけがそこに見られる試みは，一層限られている——。

それ故，本節においては分析視角を変え，以上における〈システムと主体〉の対抗と相互浸透という両項からなる枠組みを今度は，〈新しい歴史主体〉の形成という〈主体〉項に注意を集中し，その形成と展開という視角でみていく。それによって，今まできわめて抽象的な言い方でしか言及してこなかった〈新しい歴史主体〉形成の具体像が——すなわち，うえで言及した〈草の根のアソシエーション〉のような〈新しい歴史主体〉群が——，システムに働きかけるべく，現代日本においてどのように出現してきているか，その具体像を獲得するとと

もに，その歴史的主体としての可能性の高まりと，しかし，その前途に横たわる課題の大きさをみていく。そして，同時に，前節の叙述に引き続き，さらにさまざまなステレオタイプ化した二分法を打破し，二分法の両対立項の中間領域・次元を創出し，広げていくことが，即，新しい歴史主体の形成とその展開をもたらすことに密接に関係しており，新しい主体の力量増大の源でもあることをも明らかにしていく。

　本章は，〈はしがき〉で言及したように，モンブラン会議の呼びかけ人であるT.Jeantetを招請しての国際市民フォーラムのバックグラウンドペーパと重なるところが多い。というのは，本稿のために用意していた文章を，まずバックグラウンド・ペーパーに流用し，出来上がったバックグラウンド・ペーパーに加筆して『経済志林』の原稿を草し，それをまた，『フォーラム報告集』（同時代社，2006年7月）に収めたバックグラウンド・ペーパへの加筆に用いるというように，これら2本の論稿は，キャッチボールしながらできあがってきたからである。以上の事情についてご宥恕を乞いたい。

参照文献

青井和夫編（1974）『社会学講座1　理論社会学』東京大学出版会
吾郷健二・佐野誠・柴田徳太郎編（2008）『現代経済学―市場・制度・組織―』（岩波テキストブックス）岩波書店
有賀誠・伊藤恭彦・松井暁編（2007）『ポスト・リベラルの対抗軸』）ナカニシヤ出版
石倉洋子・藤田昌久・前田昇・金井一頼・山崎朗（2003）『日本の産業クラスター戦略』有斐閣
石倉洋子（2003）「今なぜ産業クラスターなのか」石倉洋子・藤田昌久・前田昇・金井一頼・山崎朗（2003）
石塚秀雄（1997）「EU統合と社会的経済」富沢・川口編（1997）
─── （2004）和訳, C.ダビステ, J.ドゥフルニ, O.グレゴワール「EUの労働挿入社会的企業：現状モデルの見取り図」EMES WP,『いのちとくらし研究所報』第9号, 2004年11月
─── （2005）「ケベックの社会的経済―序説」都留文科大学研究紀要第61集, 2005年3月
伊藤美登里（2003）「Ulrick Beckの『市民労働』―職業労働, 家事労働以外の第3の労働に―」『社会運動』市民セクター政策機構　No.282, 2003年9月
石見　尚（1988）『第三世代の協同組合―系譜と展望―』論創社
─── （2002）『第四世代の協同組合論―理論と方法』論創社
─── （2006）「協同労働法制のニュー・バージョンの必要性」『所報・協同の発見』（協同総合研究所）No.162号, 2006年1月
内橋克人（1994）『破綻か再生か―日本経済への緊急提言』文藝春秋
─── （1997）「新しい多元的経済社会の中での仕事の創造」河合隼雄・内橋克人編（1997）
小畑清武（2005）「生活賃金運動と日本の課題について考える」国際労働研究センター編著（2005）
小沢修司（2002）『福祉社会と社会保障改革―ベーシック・インカム構想の新地平―』高菅書房
小野晶子（2005）「『有償ボランティア』という働き方―その考え方と実態―」（労働政策研究・研修機構刊）

小野善康 (2001)『誤解だらけの構造改革』日本経済新聞社
粕谷信次 (1985)「経済学の危機は如何にして克服しうるか―宇野理論の可能性あるいは社会運動論への道行き―」佐々木隆雄・林健久編『マルクス経済学・論理と分析―日高普先生還暦記念論文集―』時潮社
――― (1987)「主体の再生は可能か」『賃金と社会保障』No.966, 1987年7月上旬号
――― (1987)「生活を変革する社会運動―『生活主体の形成』―」川上忠雄・佐藤浩一・粕谷信次・成島道官ほか (1987)
――― (1989)「日本における新保守主義の位相―第2臨調と中曽根政治の特質」川上忠雄・増田寿男編著 (1989)
――― (1994)『日本・東アジアの興隆と社会科学のパラダイム転換に関する一考察』Working Paper (Institute of Comparative Economic Studies) No.39, 1994
――― (1997a)「『グローバルジャパナイゼイション?』から『制度疲労論』への転落―21世紀への日本の課題―」拙編著 (1997b)
――― 編著 (1997b)『東アジア工業化ダイナミズム―21世紀への挑戦』法政大学出版局
――― (2000)「WTOシアトル閣僚会議の失敗は歴史の分水嶺になり得るか―貿易と環境・労働のリンクをめぐる南北対立に関する一考察―」『経済志林』68巻2号, 2000年12月
――― (2003)「グローバリゼーションと『社会的経済』―グローカルな, 新たな『公共性』を求めて, あるいはハーバーマスとの批判的対話」『経済志林』(法政大学経済学会) 第70巻4号, 2003年3月
――― (2004)「『平成大不況』は, いかにこれを克服するか:小泉構造改革へのオルタナティブを求めて―続「グローバリゼーションと『社会的経済』(その1)―」『経済志林』71巻4号, 2004年3月
――― (2005)「社会的経済の促進・世界の動向―初めての社会的経済の世界会議・モンブラン会議に出席して―」『大原社会問題研究所雑誌』No.554, 2005年1月
――― (2005)「『平成大不況』は, いかにこれを克服するか:小泉構造改革へのオルタナティブを求めて―続「グローバリゼーションと『社会的経済』(その2)―」『経済志林』72巻4号, 2005年3月
――― (2006)「『平成大不況』はいかに克服するか:日本における『社会的経済』

促進戦略―続グローバリゼーションと『社会的経済』（その３）」（『経済志林』73巻3号，2006年3月）
――― （2006）「なぜ，T.ジャンテ氏を招請して，シンポジュウムを開催するか」ジャンテ氏招請【東京・大阪・熊本】市民国際フォーラム実行委員会（2006）
――― （2008）「非営利組織・社会的経済」吾郷健二・佐野誠・柴田徳太郎編（2008）
――― （2009）「ハーバマスの挑戦とハーバマスへの挑戦」季報『唯物論研究』107号，2009年2月
――― （2009）「社会的・連帯経済体制の可能性」『経済志林』vol. 76 No. 4，2009年3月
加藤栄一（1988）「福祉国家と社会主義」『社会科学研究』第38巻　第5号
加藤好一（2007）「あしたを作りつづける『生産する消費者』運動」『社会運動No.322』2007年1月
加藤昌男（2004）「『流山裁判』から考えるアビリティクラブの活動」『GOOD NEWS』No.41，市民福祉サポートセンター，2004年6月
金子　勝（2003）『経済大転換』筑摩書房
唐笠一雄（2004）「首都圏コープグループがめざす『21世紀型生協』―生協インフラの社会的開放をめざして」中村陽一（2004）
河合隼雄・内橋克人編（1997）『仕事の創造』岩波書店
川上忠雄（2003）『アメリカのバブル1995－2000』法政大学出版局
――― ・粕谷信次・佐藤浩一・成島道官・渡辺国温・水原輝雄（1987）『社会観の選択　マルクスと現代思想』社会評論社
――― ・増田寿男編著（1989）『新保守主義の経済社会政策―レーガン，サッチャー，中曽根政権の比較研究』法政大学出版局
関東農政局（2007）「自然や歴史と調和した美しい地域空間実現方策」
　　　（http://www.mlit.go.jp/kokudokeikaku/souhatu/h18seika/02shizen/02nousui06honpen3.pdf）
北沢芳邦編（1983）『近代知の反転』新評社
北島健一（1997）「社会的経済の思想と理論―フランスを中心に―」富沢賢治，川口清史編（1997）
――― ・藤井敦史・清水洋行（2005）『イギリスの社会的企業の多元的展開と組織特性』平成15年度～17年度科学研究費補助金による研究成果・中間報告書

―――・藤井敦史・清水洋行ほか訳（2005）『社会的企業とは何か―イギリスにおけるサード・セクター組織の新潮流―』生協総合研究所（生協総研レポートNo.48）

―――（2007）「連帯経済論の展開方向―就労支援組織からハイブリッド化経済へ」西川潤・生活経済研究所編著（2007）

協同総合研究所（2004）『イタリア社会協同組合調査報告』（協同総合研究所『協同の発見』別冊，2004年）

共同連（2002）特定非営利活動法人・共同連『障害者労働研究会全国調査報告・21世紀における障害者の就労と生活のあり方とその環境条件に関する総合的調査』関西障害者定期刊行物協会

栗本昭（2004）「海外比較のなかでの21世紀型生協論」中村陽一＋21世紀コープ研究センター（2004）

経済企画庁編（1998）『国民の生活白書（平成12年版）』大蔵省印刷局

現代生協論編集委員会編（2005）『現代生協論の探求』コープ出版

ケント・ウォン編戸塚秀夫・山崎精一監訳（2003）『アメリカ労働運動のニューボイス―立ち上がるマイノリティ，女性たち―』彩流社

河野直践（1998）『産消混合型協同組合―消費者と農業の新しい関係―』日本経済評論社

国際労働研究センター編著（2005）『社会労働ユニオニズム―アメリカの新しい労働運動』緑風出版

国土審議会調査改革部会（2004a）「『国土の総合的点検』中間とりまとめに寄せられた意見について」（第5回調査改革部会資料）http://www.mlit.go.jp/singikai/kokudosin/kaikaku/5/kaikaku_shiryou.html

―――（2004b）国土審議会調査改革部会報告『国土の総合的点検―新しい"国のかたち"へ向けて―』
http://www.mlit.go.jp/singikai/kokudosin/soukai/6/images/shiryou2.pdf

―――（2004c）第6回国土審議会（2004年5月25日）配布資料　参考資料2
http://www.mlit.go.jp/singikai/kokudosin/soukai/6/images/

斉藤精一郎（2001）『日本経済非常事態宣言』日本経済新聞社

桜井勇（2005）「農業をとりまく情勢と農村再生の可能性」社会的企業研究会第7回研究会報告，2005年10月

佐藤紘毅編（2004）『社会的に不利な立場の人びととB型社会協同組合』市民セクタ

－政策機構
─── (2005)「ヨーロッパ第三セクター討論会議に参加して」『月刊・社会運動』
　　　（市民セクター政策機構）No.304, 2005年7月
───・伊藤由理子編 (2006)『イタリア社会協同組合をたずねて』同時代社
佐藤慶幸 (1986)『ウェーバーからハーバーマスへ』世界書院
─── (1991)『生活世界と対話の理論』文眞堂
─── (2002)『NPOと市民社会』有斐閣
篠原三代平 (1992)「設備投資循環の回顧と展望─異種サイクルの交錯」『週刊東洋経済』臨時増刊1992年上期版
─── (1999)『長期不況の謎をさぐる』勁草書房
─── (2003a)「『失われた10年』と政策的対応」篠原三代平編著 (2003)
─── 編著 (2003b)『経済の停滞と再生』東洋経済
市民セクター政策機構編 (2005)『社会的経済の促進・世界の動き─社会的企業による第三セクターの形成へ─』同機構・ブックレット14
社会的経済促進プロジェクト編 (2003)『社会的経済の促進に向けて』同時代社
ジャンテ氏招請【東京・大阪・熊本】市民国際フォーラム実行委員会 (2006)『勃興する社会的企業と社会的経済─21世紀の社会・経済システムを展望するために─』同時代社
ステファニー・ルース（荒谷幸江編訳2005)「アメリカにおける生活賃金運動」国際労働研究センター編著 (2005)
鈴木 玲 (2005)「社会運動的労働運動とは何か─先行研究に基づいた概念と形成条件の検討」『大原社会問題研究所雑誌』No. 562, 563合併号, 2005年9．10月
炭本昌也 (2001)「統一協同組合法とワーカーズ・コレクティブ法を結ぶ」ワーカーズ・コレクティブ・ネットワーク・ジャパン編 (2001)
生活クラブ事業連合生協連合会理事会「生産への労働参画プロジェクト最終答申」『社会運動』No.343, 2008年10月
全国農業協同組合中央会 (2001)『JA女性組織の活性化と農村女性ワーカーズ育成の方向』
高橋 均 (2005)「地域協議会強化とワンストップサービスへの展望」「第6回社会的企業研究会報告」および『社会運動』No.308, 2005年11月
高田昭彦 (1985)「草の根運動の現代的位相」『思想』1985年11月号
田代洋一 (2007)『この国のかたちと農業』筑波書房

田中夏子（2004）『イタリア社会的経済の地域展開』日本経済評論社
谷口吉光（2004）「日本農業を守る産直をめざして―首都圏コープの産直―」中村陽一＋21世紀コープ研究センター編（2004）
多辺田政弘（1990）『コモンズの経済学』学陽書房
玉野井芳郎（1979）「広義の経済学への道」（玉野井芳郎1979,『市場志向からの脱出―広義の経済学を求めて』ミネルヴァ書房）
塚本一郎（2004）「NPOと社会的企業」塚本一郎・古川俊一・雨宮孝子編著（2004）
―――・古川俊一・雨宮孝子編著（2004）『NPOと新しい社会のデザイン』同文館出版
筑紫哲也編（2001）『政治参加の7つの方法』講談社
鶴見和子・川田侃編（1989）『内発的発展論』東京大学出版会
東京大学社会科学研究所編（1991）『現代日本社会1―課題と視角』東京大学出版会
戸塚秀夫（2003）「解題―アメリカの新しい労働運動について」ケント・ウォン編著（2003）
富沢賢治（1997）「はじめに―新しい社会経済システムを求めて」富沢・川口編（1997）
――――（1997）「新しい社会的経済システムの理論」富沢賢治・川口清史編（1997）
――――・川口清史編（1997）『非営利・協働セクターの理論と現実―参加型社会システムを求めて―』日本経済評論社
中川雄一郎（2005）『社会的企業とコミュニティの再生：イギリスの試みに学ぶ』大月書店
中島理恵（2005）「EU・英国における社会的包摂とソーシャルエコノミー」『大原社会問題研究所雑誌』No.561，2005年8月
中村剛治郎（1987）「地域経済論覚書」『エコノミア』95号
――――（2004）『地域政治経済学』有斐閣
中村陽一＋21世紀コープ研究センター編（2004）『21世紀型生協論』日本評論社
―――・北島健一・藤井敦史・清水洋行（2006）『イギリスとイタリアにおける社会的企業の展開とその社会的・制度的背景に関する調査報告』平成15年度～平成17年度文部科学省科学研究費補助金による調査報告書
西川 潤（1989）「内発的発展論の起源と今日的意義」鶴見和子・川田侃編（1989）
―――・生活経済研究所編著（2007）『連帯経済』明石書店
―――（2007）「連帯経済―概念と政策」西川潤・生活経済研究所編著（2007）
西村万里子（2004）「NPO／政府のパートナーシップとニューパブリックマネジメン

　　　　ト型改革」塚本一郎・古川俊一・雨宮孝子編著（2004）
日本労働組合総評議会（1976）『オルグ』労働教育センター
日本労働組合総連合会（2005）「地方連合会・地域協議会改革の具体的実施計画（案）」
野田公夫（2007）「現代農業革命と日本・アジア―人・土地（自然）関係の再構築に
　　　向けて―」野田公夫編（2007）
───　編（2007）『生物資源問題と世界』京都大学学術出版会
馬場宏二（1981a）「現代資本主義の多原理性」馬場宏二（1981b）
───（1981b）『現代資本主義の透視』東京大学出版会
───（1988a）「資本主義・社会主義・会社主義」馬場宏二（1988）
───（1988b）『教育危機の経済学』御茶の水書房
───（1991）「現代世界と日本会社主義」東京大学社会科学研究所編（1991）
───（1993a）「社会科学の三つの危機」山之内靖他編（1993）
───（1993b）「経済学方法論の素描」『社会科学研究』第44巻第6号，1993年3月．
浜辺哲也（2003）http://www.houjin-ombudsman.org/
原　伸子（司会）・粕谷信次ほか「座談会『社会的経済の可能性』―粕谷信次著『社
　　　会的企業が拓く市民的公共性の新次元』を巡って―」『経済志林』（法政大
　　　学経済学部学会）vol. 75 No. 3，2007年12月
久野国夫（1990）「地域政策と自治体」矢田俊文編著（1990）
日高　普（1983）「マルクス主義の可能性」『経済評論』1983年4月号
日野秀逸（2005）「現代医療生協論」現代生協論編集委員会（2005）
広田博司（2003）http://www.mri.co.jp/SEMINAR/2003/sm03031311.pdf
福井祐介（2005）「日本における社会運動的労働運動としてのコミュニティ・ユニオ
　　　ン―共益と公益のあいだ」『大原社会問題研究所雑誌』No.562.563合併号，
　　　2005年9 .10月
堀越芳昭（1999）「欧米諸国の協同組合法制」『協働の発見』89号
丸山圭三郎（1981）『ソシュールの思想』岩波書店
───・山本哲士・北沢方邦（1983）「記号論批判」北沢芳邦編（1983）『近代知
　　　の反転』，新評社
宮崎義一（1992）『複合不況―ポスト・バブルの処方箋を求めて』中公新書
宮本憲一（1989）『環境経済学』岩波書店
宮本太郎（1999）『福祉国家という戦略―スウェーデンモデルの政治経済学―』法律
　　　文化社
───（2003）「ヨーロッパ社会的経済の新しい動向」社会的経済促進プロジェク

　　　　ト編（2003）
―――――（2004）「非営利セクターの新しい役割―福祉政策による労働支援とジェンダー平等―」月刊『社会運動』296号，2004年11月（同『月刊・社会運動』冊子版）
村上泰亮（1990）「世紀末の保守と革新」『中央公論』1990年1月号
―――――（1992）『反古典の政治経済学　上・下　二十一世紀への序説』中央公論社
森田清秀（2008）「農地制度改革の課題」『NIRA 日本の課題　食料プロジェクト』総合研究開発機構
茂呂成夫（2005）「労働者自主福祉運動の現状と課題・中間報告のポイント」第6回社会的企業研究会報告2005年9月
保田　茂（1986）『日本の有機農業』ダイヤモンド社
矢田俊文（1982）『産業配置と地域構造』大明堂（1982）
―――――（1990a）「地域構造論概説」矢田俊文編著（1990）
―――――（1990b）「地域構造論論争」矢田俊文編著（1990）
―――――編著（1990）『地域構造の理論』ミネルヴァ書房
―――――（1996）『国土政策と地域政策』大明堂
―――――（2000）「現代経済地理学と地域構造論」矢田俊文，松原宏編著（2000）
―――――・松原宏編著（2000）『現代経済地理学―その潮流と地域構造論―』ミネルヴァ書房
山岡義典（2000）「NPO 法と今後の日本」『生活協同組合』290号，2000年3月
―――――（2001）「手段としてのNPO」筑紫哲也（2001）
―――――（2002）「日本のNPOの現状とセクター形成の展望」市民セクター政策機構『月刊　社会運動』No.270
―――――編著（1997）『NPO 基礎講座―市民社会の創造のために―』ぎょうせい
山岸秀雄・菅原利夫・浜辺哲也（2003）『NPO・公益法人改革の罠』第一書林
山口　定（2003）「新しい公共性を求めて―状況・理念・規律」山口定・佐藤春吉・中島茂樹・小関素明編（2003）
―――――・佐藤春吉・中島茂樹・小関素明編（2003）『新しい公共性―そのフロンティア』有斐閣
山口郁子（2005）「社会的事業と金融」第5回社会的企業研究会報告『社会運動』No.308，2005年11月
山崎　朗（2003）「地域産業政策としてのクラスター計画」石倉洋子・藤田昌久・前田昇・金井一頼・山崎朗（2003）

山之内靖他編(1993)『岩波講座・社会科学の方法1―揺らぎのなかの社会科学』岩波書店

山家悠紀夫(2001)『「構造改革」という幻想』岩波書店

吉田民人(1978)「ある社会学徒の原認識」同編著『社会学』日本評論社,1978年5月

─── (1974)「社会体系の一般変動理論」青井和夫編(1974)

吉田傑俊(1995)「ハーバーマスとマルクス」吉田傑俊・尾関周二・渡辺憲正編著(1995)

───・尾関周二・渡辺憲正編著(1995)『ハーバーマスを読む』1995　大月書店

連合総合生活開発研究所(2006)『共助・協同・協働が拓く福祉社会―「労働者自主福祉」の新たな挑戦―』連合総合生活開発研究所

ワーカーズ・コレクティブ・ネットワーク・ジャパン編(2001)『どんな時代にも輝く主体的な働き方』同時代社

渡辺国温(1987)「労働の変革とその射程」川上忠雄・粕谷信次・佐藤浩一・成島道官・渡辺国温・水原輝雄(1987)第Ⅶ章.

Anheier,K.. H., Hollenweger, E., Badelt, C. and Kenndall, J.(2003), *Work in the Non-Profit Sector : Forms, Patterns and methodologies*, ILO.

Beck, Ulrich (1986), *Riskogesellschaft : Auf dem Weg in eine andere Moderne*, Suhrkamp Verlag.(東廉, 伊藤美登里訳1998『危険社会』法政大学出版局

Benoit Levesque, Marie-Caire Malo and Jean-Pierre Girard (2000)" The old and new social economy: the Quebec experience" in Jacques Defourny, Patrick Develtele and Benidicte Fonteneau, eds. (2000)

Bernstein, Richard J. (1983), *Beyond Objectivism and Relativism : Science, Hermeneutics, and Praxis*, University of Pennsylvania Press. 丸山高司・木岡伸夫・品川哲彦・水谷雅彦訳『科学・解釈学・実践－客観主義と相対主義を超えて』Ⅰ,Ⅱ,1990,岩波書店

Berry, Brian J.L. (1991), Long-Wave Rythms in Economic development and Political Behavior, The Johns Hopkins University Press. 小川智弘・小林栄一郎・中村亜紀訳(1995)『景気の長波と政治行動』亜紀書房

Borzaga, C. and Defourny, J., eds. (2001), *The Emergence of Social Enterprise*, Routledge, London. 内山哲朗・石塚秀雄・柳沢敏勝　和訳(2004)日本経済評論社

―――― and Spear, R., eds. (2004) "Trends and Challenges for Cooperatives and Social Enterprises in Developed and Transition Countries", *Edizioni* 31,Trento.

Boyer, Robert (1996), *Pour la Critique de l' "economie politique" moderne* Fujiwara-Shoten. Tokyo, Japan. 井上泰夫訳(1996)『現代「経済学」批判宣言―制度と歴史の経済学のために』藤原書店

Calhoun, Craig, ed. (1992), *Habermas and the Public Sphere.* 山本啓・新田滋訳『ハーバーマスと公共圏』1999, 未来社

Defourny, Jacque and Develtere, Patorick & Benedicte Fonteneau, eds. (2000), *Social Economy - North and South,* Katholieke Universiteit Leuven / Universite de Liege. Centre d' Economie Sociale.

―――― & Monzon, Jose L. eds. (1992) *The Third Sector : Cooperative, Mutual and Nonprofit Organization,* De Boeck-Wesmeal, s.a. (和訳1995：富沢賢治, 内山哲朗, 佐藤誠,, 石塚秀雄, 中川雄一郎, 長岡顕, 菅野正純, 柳沢敏勝, 桐生尚武,『社会的経済―近未来の社会経済システム』, 日本経済評論社)

Domenach, J. M. (1963, 1967), '《La Pensee Sauvage》et Strukturalisme, Strukturalisme et Methode', Esprit, Nov. 1963, Et Mai.1967, 伊東守男・谷亀利一訳(1968)『構造主義とは何か』サイマル出版会

Drucker, Peter F. (1969), *The Age of Discontinuity : guidelines to our changing society.* Harper Collins Publishers, 林雄二郎訳『断絶の時代』1969, ダイヤモンド社

―――― (1989), *The New Realities,* Harper & Row Publishers, Inc., U.S.A., (上田惇生・佐々木実智男訳1989『新しい現実』ダイヤモンド社)

―――― (1993), *Post-Capitalist world,* Harper Business, A Division of Harper Collins Publishers, Inc. New York 上田惇生・佐々木実智男・田代正美訳『ポスト資本主義社会』1993, ダイヤモンド社

Evers, A. and Laville, J.-L. eds., (2004) *The Third Sector in Europe*, C Edward Elgar, heltenham.

Fizpatrick, Tony [1999], *Freedom and Security : An Introduction to the Basic Income Debate,* Palgrave Publishers Ltd, (武川正吾, 菊地英明訳2005『自由と保障―ベーシック・インカム論争』勁草書房)

Freeman, Christopher (1987), *Technology Policy and Economic Performance:*

Lessons from Japan. Pinter Publishers Ltd., London. 大野喜久之輔監訳・新田光重訳（1989）『技術政策と経済パフォーマンス』晃洋書房

George. Susan (1999), *The Lugano Report : On Preserving Capitalism in the Twenty-first Century,* Susan George & Pluto Press. 毛利良一監訳，幾島幸子訳（2000）『ルガノ秘密報告・グローバル市場経済生き残り戦略』朝日新聞社

Goldstein, Joshua S. (1988), *Long Cycles : Prosperity and Wars in the Modern Age,* Yale University Press : New Haven and London. 岡田光正訳（1997）『世界システムと長期波動論争』世界書院

Gordon, David (1980) "Stages of Accumulation and long Economic Cycles", in Hopkins, Terence K. and Wallerstein, Immanuel ed. *Processes of the World-System.* Sage Publications, Beverly Hills London.

Habermas, Jürgen (1962) *Strukturwandel der Öffentlichkeit―Untersuchungen zu einer Kategorie der bürgerlichen Gesellschaft,* Neuwied (Luchterhand). (1990) Surkamp Verlag, Frankfurt/main. 細谷貞雄・山田正行訳『公共性の構造転換―市民社会の位置カテゴリーについての探求　第2版』1994, 未来社

────── (1981), *Theorie des Kommunikativen Handelns,* Surkamp Verlag, Frankfurt/main. 河上倫逸・M. フーブリフト・平井俊彦訳『コミュニケイション的行為の理論（上）』未来社，1985，岩倉正博・藤沢賢一郎・徳永惇・平野嘉彦・山口節郎訳『同，（中）』1986，丸山高司・丸山徳次・厚東洋輔・森田数実・馬場孚瑳江・脇圭平訳『同，（下）』1987

────── (1992), *Faktizität und Geltung : Beiträge zur Diskurstheorie des Rehts und des demokratischen Rechtsstaats,* Surkamp Verlag, Frankfurt/main. 河上倫逸・耳野健二訳『事実性と妥当性―法と民主的法治国家の討議理論にかんする研究』（上下）2002，未来社．　英訳 Rehg William, *Between Facts and Norms,* 1996, MIT press.

Harvey, David (2005), *A Brief History of Neoliberalism,* Oxford University Press. 渡辺治監訳（2007）『新自由主義』作品社

Hirchman, Albert O. (1984), *Getting Ahead Collectively : Grassroots Experiences in Latin America,* Pergamon Press Inc. 矢野修一他訳（2008）『連帯経済の可能性―ラテンアメリカにおける草の根の経験―』法政大学出版局

Hobson, Barbara, Jane Lewis, and Birt Siim, (2002), *Contested Concepts in*

　　　　Gender and Social Politics. Edward Elgar.
Honneth, Axel (1988), *Kritik der Macht. Reflexionsstufe einer kritischen gesellschaftstheorie,* Frankfurt am Main. 河上倫逸監訳（1992）『権力の批判』, 法政大学出版局
International Labour Organization (1995), *Statement on the Co-operative Identity,*
　　　　http://www.ica.coop/ica/info/enprinciples.html, 日本協同組合学会訳「21世紀の協同組合原則」
――― (1999), *Decent work,* http://www.ilo.org/public/english/10ilc/ilc87/reports.htm
　　　　ILO東京支局訳『Decent Work（デーセントワーク）』2000
――― (2002), *2002 Promotion of cooperatives.*
　　　　http://www.ilo.org/public/english/standards/relm/ilc/ilc90/pdf/pr-23a.pdf
Joachim Hirsch (1995), *Der Nationale Wettwerbsstaat,* Edition ID-Archiv. Berlin.
　　　　木原滋哉・中村健吾訳『国民的競争国家』1998, ミネルヴァ書房
Kondratiev, Nikolai Dmitrievich (1926), "Die langen Wellen der Konjunktur", *Archiv fur Sozialwissenschaft und Sozialpolitik,* Bd.56 SS.573-606 訳「景気変動の長波」中村丈夫編（1987, 初版1978）『コンドレチェフ景気波動論』亜紀書房
Laidlaw, A. F. (1980), *Co-operatives in the Year 2000,* ICA, 日本協同組合学会編訳『西暦2000年における協同組合――レイドロー報告――』1989, 日本経済評論社
Mandel, Ernest (1972), *Der Spätkapitalismus,* Frankfurt am Main. 飯田裕康・的場弘訳『後期資本主義』柘植書房
――― (1980), *Long Waves of Capitalist Development.* Cambridge University Press. 岡田光正訳（1990）『資本主義発展の長期波動』柘植書房
Mantios, Gregory, ed. (1998), *A New Labor Movement for the New Century,* Monthly Review Press. 戸塚秀夫監訳2001『新世紀の労働運動――アメリカの実験』緑風出版
Moreau, Jacques (1994), *L'Économie Sociale Face à L'Ultra-Libéralisme,* Paris, Sylos. 石塚秀雄・中久保邦夫・北島健一訳1996『社会的経済とはなにか――新自由主義を超えるもの』日本経済評論社

Nerifin, M. (ed.)(1977), *Another Development, Approaches and Strategies,* Uppsala:Dag hammarskjöld Foundation

Moynihan, Daniel Patrick (1969) *Marxism Misunderstanding,* The Free Press.

Perez, Carlotas (1983) "Structural Change and assimilations of New Technologies in the Economic and Social Systems". *Futuers 15,* no.5: 357-375.

Salamon, Lester M. and Anheier, Helmut K. (1994), *The Emerging Sector,* The Johns Hopkins University, Maryland University. 今田忠監訳 1996『台頭する非営利セクター』ダイヤモンド社

―――― (1999), *Global Civil Society : Dimensions of the Nonprofit Sector,* The Johns Hopkins Center for Civil Society Studies, Baltimore, MD.

―――― and Anheier, Helmut K.ed. (1998), *The nonprofit sector in the developing world.* Manchester University Press.

Sen, Amartya (1999), "Democracy as a Universal Value", in *Journal of Democracy,* 10.3, 1999. 大石りら『貧困の克服』, 集英社

Schumpeter, Joseph A. (1939), *Business Cycles : A Theoretical, Historical, and statistical Analysis of the Capitalist Process.* MacGraw-Hill Book Co., New York. 吉田昇三監修金融経済研究所訳『景気循環論』I

Spear R., Defourny J., Favreau L., Laville J-L. eds. (2001), *Tackling Social Exclusion in Europe. Ashgate, Aldershot.*

Trend, David ed. (1996), *Radical Democracy : Identity, Citizenship, and the State,* Routledge. 佐藤正志他訳（1998）『ラディカル・デモクラシー』三嶺書房

United Nations (2003), *Handbook on Non-Profit Institutions in the System of National Accounts,* UN.

Žižek Slavoj (2002) *"Die Revolution Steht Bevor Dreizehn Versuche über Lenin"* Suhrkamp Verlag Frankfurt am Main. 長原豊訳（2005）『迫り来る革命―レーニンを繰り返す―』岩波書店

著者略歴
粕谷　信次（かすや・のぶじ）

1940年，東京に生まれる。
1969年，東京大学大学院経済学研究科博士課程満期退学。
同年，法政大学経済学部助手，以後，同専任講師，同助教授を経て，現在，同教授（日本経済論担当）。

主要業績
『現代日本帝国主義』（共著，1978年，現代評論社）
『社会観の選択－マルクスと現代思想』（共著，1987年，社会評論社）
『東アジア工業化ダイナミズム』（編著，1997年，法政大学出版局）
「全造船佐伯分会の運動と地域社会」『地域社会と労働組合』（戸塚秀夫・兵藤釗編，1995年，日本経済評論社，所収）
その他，本書所収論文など。

社会的企業が拓く市民的公共性の新次元（増補改訂版）
――持続可能な経済・社会システムへの「もう一つの構造改革」――

2006年11月10日　第1版第1刷
2009年5月1日　増補改訂版第1刷
定　　価＝3800円＋税

著　者　粕　谷　信　次　©
発行人　相　良　景　行
発行所　㈲時　潮　社
　　　　174-0063　東京都板橋区前野町4-62-15
　　　　電　話　(03) 5915-9046
　　　　FAX　(03) 5970-4030
　　　　郵便振替　00190-7-741179　時潮社
　　　　URL http://www.jichosha.jp
　　　　E-mail kikaku@jichosha.jp

印刷所　㈲相良整版印刷
製本所　㈲武蔵製本

乱丁本・落丁本はお取り替えします。

ISBN978-4-7888-0636-8